Née en Écosse dans les

à 17 ans, la première élève issue d'une école publique à fréquenter la célèbre université d'Oxford. Elle travaille comme journaliste pendant quinze ans, notamment à Glasgow et à Manchester, avant de vivre de sa plume. Elle est désormais critique de littérature policière pour la presse et participe à des programmes sur BBC Radio 4 et BBC Radio Scotland.

Auteur de trois séries policières d'une grande noirceur, notamment celle mettant en scène l'inspectrice Carol Jordan et le profileur Tony Hill dans *Le chant des sirènes* ou encore *La fureur dans le sang*, elle développe dans ses romans ses thèmes de prédilection de femme engagée et féministe.

Elle a reçu de nombreux prix littéraires anglo-saxons, dont le Gold Dagger Award en 1995 pour *Le chant des sirènes*, le Anthony Award pour *Au lieu d'exécution* en 2001, premier polar anglais à remporter cette récompense américaine, et le Barry Award pour *Quatre garçons dans la nuit* en 2004.

Elle a reçu le prestigieux Diamond Dagger Award 2010 pour l'ensemble de son œuvre.

Comme son ombre

Du même auteur
aux Éditions J'ai lu

Les enquêtes de Carol Jordan et Tony Hill

La dernière tentation – *N° 7409*

La fureur dans le sang – *N° 8391*

Le chant des sirènes – *N° 8392*

La souffrance des autres – *N° 8672*

Sous les mains sanglantes – *N° 9545*

Le tueur des ombres – *N° 6778*

Au lieu d'exécution – *N° 6779*

Quatre garçons dans la nuit – *N° 8025*

Noirs tatouages – *N° 8964*

Sans laisser de traces – *N° 9655*

Fièvre – *N° 10311*

VAL
McDERMID

Comme son ombre

Traduit de l'anglais (Écosse)
par Matthieu Farcot

Titre original :
TRICK OF THE DARK

Éditeur original :
Little, Brown Book Group

Ce livre est dédié à la mémoire
de Mary Bennett (1913-2005) et de
Kathy Vaughan Wilkes (1946-2003)
– amies, professeurs et soutiens. Je continue
de franchir les portes qu'elles m'ont ouvertes.

On m'avait parlé d'elle.
De ce que toujours, toujours elle.
De ce que jamais, jamais elle.
J'avais observé et écouté
Mais je suis quand même tombée amoureuse,
De ce que toujours, toujours elle.
De ce que jamais, jamais elle.

Extrait de « Her » de Jackie KAY

Prologue

Quel est votre tout premier souvenir ? Je ne parle pas de ces histoires qu'on vous a racontées tellement de fois que vous croyez vous en souvenir. Je parle de la première chose dont vous vous rappelez à travers vos yeux d'enfant. Un souvenir à hauteur de genoux, un souvenir d'avant les mots, une authentique tranche d'émotion qui peut encore vous abattre comme on abat un arbre. Ce moment gravé en vous qui est la clé de ce qui vous façonne pour toujours.

Le mien est strié de barreaux de bois. Un lit d'enfant ou un parc à jouer, je suppose. Je n'arrive pas à me représenter dans quoi je me tiens. Je vois mes mains fermement agrippées aux barreaux, mes petits doigts encore boudinés comme sont censés l'être ceux des bébés. Mes ongles sont couverts de crasse et il y a une odeur très particulière. Au fil des années, j'ai découvert que c'est un mélange d'urine fétide, de marijuana, d'alcool et de corps sales. Même maintenant, quand je marche parmi les sans-abri qui habitent l'arrière-pays invisible des grandes villes du monde, je me sens rassurée par cette odeur qui dégoûte la plupart des gens. Les sans-abri ont pour moi une odeur accueillante.

Je temporise. Vous voyez que je temporise ? Parce que le cœur de ce souvenir me donne encore des frissons jusqu'au plus profond de mon âme.

Sous mes yeux passe un film découpé en tranches par les barreaux. Ma mère porte un chemisier mandarine vif et l'homme tient le devant de celui-ci serré dans son poing. Il secoue ma mère comme un chien secouerait un rat ou un lapin. Il lui crie dessus, aussi. Je ne sais pas ce qu'il crie, ce n'est qu'un vacarme violent et discontinu. Elle sanglote, ma mère. À chaque fois qu'elle essaie de parler, il lui donne une grande gifle avec son autre main. Sa tête balance brutalement comme si elle était montée sur ressorts. Un filet de sang dégouline d'une narine. Ses mains tentent de le repousser, mais il ne s'en rend même pas compte, il est tellement plus fort qu'elle.

Puis elle laisse glisser une de ses mains, qui vient appuyer sur le devant de son pantalon pour le caresser à travers le jean raide et sale. Elle se laisse tomber contre lui, si près qu'il lui est plus difficile de la frapper. Il cesse de crier mais ne lâche pas son chemisier. Il remonte sa jupe, la pousse au sol et continue de la faire pleurer. Mais d'une manière différente.

Voilà mon premier souvenir. J'aimerais que ce soit le pire.

PREMIÈRE PARTIE

1

Mardi

En temps normal, Charlie Flint aurait épluché toute la presse concernant le procès des assassins de Philip Carling. Ce n'était pas tout à fait le type de meurtre qu'elle avait l'habitude d'étudier, cependant cette affaire-ci aurait eu de bonnes raisons de l'intéresser. Mais plus rien n'était normal en ce moment. Sa vie professionnelle était en lambeaux. Sa réputation détruite, l'interdiction de faire l'unique chose pour laquelle elle avait jamais été douée et la menace latente de sanctions judiciaires auraient chacune suffi à détourner Charlie de l'actualité. Mais ce n'était pas tout.

Le gros titre dans le monde de Charlie, c'était qu'elle était amoureuse et que cela la mettait hors d'elle à chaque instant. Et c'était là la vraie raison pour laquelle elle ne prêtait pas attention à toutes sortes de choses qui l'auraient normalement fascinée.

Les aiguilles de la douche haute pression sur ses épaules et son dos lui firent l'effet d'un châtiment mérité. Elle essaya de penser à autre chose, mais ni son esprit ni son cœur ne voulaient jouer le jeu. Ce matin-là, comme tous les matins depuis six semaines, Lisa Kent était le seul sujet du bulletin d'information mental de Charlie. À mesure que la journée passait, Charlie parvenait généralement à recentrer son attention sur les choses qui importaient vraiment. Mais en premier lieu, avant qu'elle n'ait réussi à rebâtir ses défenses, il n'y en avait que pour cette satanée Lisa Kent. Et voici à quoi ça se résume, songea-t-elle amèrement : mauvais timing, rien en commun, pas la bonne.

Ça faisait sept ans qu'elle était avec Maria. À présent, comme si ça ne lui suffisait pas d'être rongée par la culpabilité, Charlie avait en plus le sentiment mortifiant de vivre un cliché. La crise de la septième année. Elle n'en avait pas même soupçonné l'existence avant que Lisa ne surgisse dans sa vie. Et cette crise avait fait bien plus que la démanger. C'était une violente irritation, un trouble obsessionnel qui avait envahi chaque instant de sa vie. N'importe quel événement ou remarque a priori sans conséquence pouvait faire tout à coup surgir l'image du regard scrutateur de Lisa ou l'écho de son rire languissant.

« Fais chier », pesta Charlie en écartant férocement ses cheveux poivre et sel de son visage. Elle ferma d'un coup sec le robinet de la douche et sortit de la cabine.

Maria croisa son regard dans le miroir de l'armoire de toilette. Le bruit de la douche avait masqué son entrée. « Une mauvaise journée en perspective ? demanda-t-elle avec compassion, cessant un instant d'appliquer du mascara qui mettait en valeur ses yeux marron.

— Sans doute, répondit Charlie, essayant de cacher son désarroi. Je n'arrive pas à me rappeler la dernière fois que j'en ai passé une bonne. » Qu'avait-elle bien pu dire à voix haute dans la douche ? Depuis combien de temps Maria se trouvait-elle là ?

Maria eut un rictus compatissant alors qu'elle appliquait du gel dans ses cheveux bruns ondulés, d'un air concentré. « Il faut que j'aille chez le coiffeur, observa-t-elle distraitement avant de fixer à nouveau son regard sur sa compagne. Je suis désolée, Charlie. J'aimerais pouvoir faire quelque chose.

— Moi aussi. » Une réponse maussade, mais c'était tout ce dont Charlie était capable. Elle se força à affronter la réalité en se frottant les cheveux avec la serviette. Le problème quand on tombait amoureux – non, l'un des *nombreux* problèmes quand on tombait amoureux et qu'on vivait déjà une relation épanouie à laquelle on ne voulait vraiment pas mettre un terme –, c'était que ça vous poussait à faire dans le mélodrame. Il fallait que tout se rapporte à vous. Mais en vérité, Maria n'avait rien entendu de plus que les lamentations d'une expert-psychiatre tombée en disgrâce et confrontée à un avenir incertain. Une professionnelle talentueuse qu'on avait flanquée sur une voie de garage pour toutes sortes de mauvaises raisons. Maria ne se doutait de rien.

Submergée par une nouvelle vague de culpabilité, Charlie se pencha en avant et embrassa la nuque de Maria avec un obscur sentiment de contentement en voyant le frisson qui parcourut sa compagne. « Ne fais pas attention à moi, dit-elle. Tu sais comme j'*adore* surveiller des examens.

— Je sais. Je suis désolée. Tu vaux mieux que ça. »

Charlie crut déceler dans la voix de Maria une pointe de pitié qui l'insupporta. Que cette impression fût réelle ou le fruit de sa paranoïa importait peu. La seule idée de se trouver dans une situation où la pitié était possible la mettait hors d'elle. « Le pire dans ce boulot, c'est le peu d'effort que ça demande. Ça me laisse trop de neurones disponibles pour me morfondre sur toutes les choses que je pourrais – non, bon sang, que je *devrais* – être en train de faire. » Elle finit de se sécher et plia soigneusement sa serviette. « On se voit en bas. »

Cinq minutes plus tard, vêtue d'un impeccable chemisier en coton blanc et d'un jean noir, elle s'assit à la table du petit déjeuner qu'elle avait dressée pendant que Maria prenait sa douche, leur routine matinale constituant toujours un point de repère rassurant dans le chaos affectif où vivait Charlie. Même les jours où elle ne travaillait pas, elle se forçait à se lever à l'heure habituelle et à se conformer aux rites de la vie active.

Comme toujours, Maria tartinait de Marmite ses toasts aux céréales. Elle désigna avec son couteau la grande enveloppe matelassée posée à côté de l'assiette creuse où se trouvaient les deux Weetabix de Charlie. « Le facteur est passé. Je comprends toujours pas pourquoi tu as arrêté les cornflakes pour ces trucs, ajouta-t-elle en pointant son couteau vers les barres de céréales. On dirait des protège-slips pour masochistes. »

Charlie se surprit à pousser un petit rire. Puis la culpabilité s'empara à nouveau d'elle. Si Maria arrivait toujours à la faire rire ainsi, comment pouvait-elle être amoureuse de Lisa ? Elle prit l'enveloppe. L'étiquette imprimée de l'adresse ne révélait rien, mais le cachet de la poste d'Oxford la fit tressaillir. Lisa n'aurait tout de même pas... ? Elle était thérapeute, bon Dieu, elle n'aurait pas envoyé une grenade sur la table du petit déjeuner. Si ? Charlie la connaissait-elle vraiment ? Prise de panique, elle resta figée sur place pendant un instant.

« Quelque chose d'intéressant ? questionna Maria, rompant le charme.

— Je n'attends aucun courrier.

— Tu ferais mieux de l'ouvrir, alors. Étant donné que tu ne vois pas à travers les objets.

— Ouais. Ça fait un bail que je ne suis plus Supergirl. » Charlie s'arrangea pour ouvrir le rabat de l'enveloppe sans laisser la possibilité à Maria de voir son contenu. Elle resta perplexe en apercevant une liasse de photocopies. Elle les sortit prudemment de l'enveloppe. Elles semblaient ne constituer aucune menace, seulement une source de stupéfaction. « Comme c'est bizarre, dit Charlie.

— Qu'est-ce que c'est ? »

Charlie parcourut rapidement le tas de feuilles et fronça les sourcils. « Des coupures de presse. Un meurtre jugé à l'Old Bailey[1].

---

1. Tribunal central de la Couronne britannique. (*N.d.T.*)

— Une affaire ancienne ?

— Toujours en cours, je crois. J'ai déjà vaguement remarqué deux ou trois articles dessus. Ces deux snobs de Londres qui ont assassiné leur associé le jour de son mariage. Au collège[1] St Scholastika. C'est seulement pour ça que je m'en souviens.

— Tu m'en as parlé. Je me rappelle. Ils l'ont noyé près des bachots[2] ou quelque chose dans le genre, non ?

— C'est ça. Ça ne se faisait pas, à mon époque, indiqua Charlie d'un air absent, concentrée sur les coupures de journaux.

— Et qui t'a envoyé ça ? À quoi ça rime ? »

Charlie haussa les épaules, sa curiosité piquée. « J'sais pas. Aucune idée. » Elle feuilleta les papiers pour voir s'il y avait quoi que ce soit qui permît d'identifier l'expéditeur.

« Il n'y a pas de lettre d'explication ? »

Charlie revérifia dans l'enveloppe. « Non. Juste les photocopies. » Si c'était Lisa, c'était totalement incompréhensible. Cela ne correspondait à aucune notion thérapeutique ni à aucun gage d'amour que connaissait Charlie.

« C'est un mystère, alors, dit Maria en terminant son toast et en se levant pour aller mettre son assiette sale dans le lave-vaisselle. Pas vraiment de ton niveau, mais c'est au moins l'occasion d'exercer tes talents d'enquêtrice. »

Charlie poussa un petit grognement dédaigneux. « De quoi méditer pendant ma surveillance, en tout cas. »

Maria se pencha vers Charlie et l'embrassa sur le sommet du crâne. « J'y réfléchirai pendant que je torturerai mes patients. »

---

1. Les collèges dont il est question ici sont des divisions d'universités, à ne pas confondre avec l'établissement d'enseignement secondaire français. (*N.d.T.*)

2. Les *punts*, en anglais, sont des barques rectangulaires à fond plat typiques de la Tamise. (*N.d.T.*)

Charlie grimaça. « Ne dis pas ça. Pas si tu veux continuer à me soigner.

— Quoi ? “Torturer mes patients” ?

— Non, suggérer que ton esprit est occupé à autre chose que les dents que tu es en train de fraiser. C’est trop terrifiant de l’envisager. »

Maria se fendit d’un grand sourire, d’une perfection tout à fait adéquate. « Mauviette », se moqua-t-elle avant de remuer les doigts et de se déhancher en signe d’adieu alors qu’elle sortait de la cuisine. Charlie regarda d’un air désolé dans sa direction jusqu’à ce qu’elle entende la porte d’entrée se refermer. Puis, avec un profond soupir, elle remit les deux Weetabix dans le paquet et son bol dans la machine.

« Va te faire voir, Lisa », grommela-t-elle en glissant les papiers dans leur enveloppe et en quittant la pièce d’un pas furieux.

2

Le fait de rentrer chez elle à contre-courant du flot humain partant travailler rappelait à Magdalene Newsam ses années d'internat à l'hôpital. Ce sentiment de décalage, de vivre en rupture avec l'emploi du temps du reste du monde, l'avait toujours ragaillardie à la fin d'une dure journée de labeur. Elle avait certes pu être fatiguée au point que ses doigts tremblaient en enfonçant la clé dans la serrure, mais au moins elle était différente du reste du troupeau. Elle avait choisi une voie qui la distinguait des autres.

En y réfléchissant à présent, elle eut pitié de cette Magda d'autrefois. Il semblait navrant de se raccrocher à quelque chose d'aussi futile comme marqueur de son individualit é. Mais à cette époque-là, Magda s'était tellement laissé guider par le destin qu'elle avait dû s'accrocher à ce qu'elle pouvait pour se convaincre qu'elle avait un tant soit peu d'indépendance.

Elle ne put s'empêcher de sourire. Tout était tellement différent désormais. Elle n'aurait pu avoir une raison plus éloignée de l'ancienne de se faufiler tête baissée à travers la foule en direction du métro. Ce n'était plus de travail qu'il s'agissait mais de plaisir. Elle ne restait plus éveillée la moitié de la nuit à cause d'un patient en crise mais parce qu'elle et sa compagne se trouvaient toujours mutuellement irrésistibles. Éveillée la moitié de la nuit, non pas fatiguée mais grisée, le corps affaibli par l'amour, non par la souffrance des autres.

Sa joie se ternit légèrement lorsqu'elle entra dans Tavistock Square et se retrouva face à l'imposante façade en pierre de Portland de l'immeuble où elle habitait encore. Un quatre-pièces dans un hôtel particulier du centre de Londres, à seulement quelques minutes de son lieu de travail, dépassait les rêves les plus fous de ses confrères médecins spécialistes. Ils en étaient réduits soit à se loger à l'étroit dans le centre-ville, soit à vivre dans des habitations légèrement moins exiguës des banlieues, peu pratiques. Mais l'appartement de Magda était un havre luxueux, un endroit choisi pour offrir une échappatoire confortable et apaisante à tout ce à quoi le monde extérieur la confrontait.

Philip avait insisté là-dessus. Il fallait au moins ça pour sa Magda. Ils pouvaient se le permettre, avait-il souligné. « Enfin, *tu* peux te le permettre », avait-elle corrigé, tout en osant à peine s'avouer qu'en acceptant d'emménager là, elle acceptait aussi sa dépendance. Et ils avaient donc visité une sélection d'appartements qui avaient donné à Magda l'impression de jouer au papa et à la maman. Ils avaient finalement retenu celui qu'elle avait trouvé le moins fantaisiste. Son aspect traditionnel était largement à la hauteur de la demeure victorienne biscornue du nord d'Oxford où elle avait grandi. Le modernisme agressif des autres lui avait paru trop déstabilisant. Elle ne pouvait imaginer habiter un lieu qui semblait tout droit sorti d'un magazine de design.

Sa période d'adaptation à ce nouveau logis s'était avérée très différente de ce que Magda avait d'abord imaginé. Philip avait à peine eu le temps d'apprendre à se rendre du lit aux toilettes dans le noir avant d'être tué. Les conversations matinales et les distractions du soir que s'était représentées Magda n'avaient pas eu le temps de devenir des habitudes. Si elle s'autorisait parfois à reconnaître que c'était presque un soulagement, cela la remplissait d'une honte et d'une culpabilité qui faisaient rougir ses pommettes. Elle n'était pas encore prête à se laisser entièrement aller à la transgression, semblait-il.

Elle essayait, pourtant. Et très honnêtement, elle aimait bien rentrer chez elle après une nuit avec Jay. Il y avait quelque chose d'un peu sordide dans le fait de se tirer du lit pour enfiler les vêtements de la veille, quelque chose de débauché dans le fait de traverser le centre de Londres en métro sans s'être lavée et en sachant qu'elle sentait le fauve et le sel. Elles avaient convenu bien avant le procès qu'elles ne pouvaient s'installer ensemble tant que l'affaire ne serait pas classée. Jay avait fait remarquer qu'il ne fallait pas prendre le risque de mettre en doute la culpabilité des autres. Sans insinuer qu'elles devaient essayer de dissimuler leur relation. Elle avait juste sagement signalé qu'il n'était pas nécessaire de le crier sur les toits pour l'instant.

Aussi, le matin, Magda rentrait seule chez elle. Ses vêtements sales dans le panier à linge, son corps sale sous la douche haute pression. Café, jus d'orange, *crumpets*[1] du congélateur au grille-pain puis tartinés d'une fine couche de beurre de cacahuète. Une nouvelle tenue bien sage pour le tribunal. Et une nouvelle journée où Jay lui manquerait et où elle regretterait qu'elle ne soit pas à ses côtés.

Non qu'elle dût affronter seule la grandiose et oppressante Old Bailey. Ses trois frères et sœur s'étaient entendus pour l'accompagner à tour de rôle pendant au moins une partie de chaque journée du procès. La veille, ça avait été Patrick, sombre et renfrogné, qui avait à l'évidence abandonné son bureau de la City à contrecœur, par obligation envers la grande sœur qui avait toujours pris soin de lui. Ce jour-là, ce serait Catherine, la petite dernière de la

1. Sorte de petites crêpes épaisses typiquement britanniques. (*N.d.T.*)

famille, qui délaisserait ses études d'anthropologie pour être au côté de Magda. « Au moins, Wheelie sera contente de me voir », dit Magda à son reflet flou dans le miroir de la salle de bains. Et indéniablement, la bonne humeur constante de Catherine lui permettrait de supporter cette journée. Elle n'était pas bien quand elle restait trop isolée. Son enfance en tant qu'aînée d'une fratrie d'âge rapproché, puis les appartements étudiants et ensuite la vie à l'hôpital l'avaient habituée à avoir de la compagnie. Parmi les nombreuses raisons qu'elle avait d'être reconnaissante envers Jay, l'une des plus essentielles était qu'elle l'avait délivrée de la solitude.

Magda coiffa soigneusement ses cheveux fauves d'un geste expert et machinal. Elle se regarda posément et s'étonna de toujours ressembler à cette bonne vieille Magda. Même air candide, même regard franc, mêmes lèvres rectilignes. Incroyable, vraiment.

Une mèche folle se décrocha de sous les épingles et vint boucler sur son front. Elle se rappela une comptine de son enfance, qui avait toujours fait glousser Catherine.

Il était une fillette
Qui avait une bouclette
Tombant en plein milieu de son front.
Et quand elle était gentille
Elle était très, très gentille
Mais quand elle était méchante, c'était un démon.

D'aussi loin qu'elle se souvenait, Magda Newsam avait vraiment été très, très gentille.

Mais à présent, elle ne l'était plus.

3

Sujet : Ruby Tuesday
Date : 23 mars 2010 09:07:29 GMT
De : cflint@mancit.ac.uk
À : lisak@arbiter.com

Bonjour. Il fait beau ici. J'ai eu la surprise de découvrir une explosion d'iris bleus qui n'étaient pas là hier quand j'ai ouvert la porte d'entrée ce matin. Ça m'a presque fait oublier la sombre perspective de surveiller 120 étudiants en droit pour m'assurer qu'ils ne trichent pas à leur examen sur la rédaction des actes de propriété. Mais pas totalement. Tous les sales petits boulots que je dois me farcir en ce moment me rappellent ce que je devrais être en train de faire. Ce pour quoi je suis qualifiée. Ce que je fais de mieux.
J'ai trouvé un étrange paquet sur la table du petit déjeuner ce matin avec le cachet de la poste d'Oxford et sans lettre d'explication. C'est censé être drôle? Si c'est le cas, il faudra m'expliquer la blague. Ton ironie de Scorpion m'échappe parfois.
J'aimerais être à Oxford; on pourrait se balader du Folly Bridge à Iffley et se raconter ces choses qui ne s'écrivent pas. Je pourrais même te chanter une chanson.

Je t'embrasse, Charlie

Envoyé depuis mon iPhone

*

* *

Sujet : Re : Ruby Tuesday
Date : 23 mars 2010 09:43:13 GMT
De : lisak@arbiter.com
À : cflint@mancit.ac.uk

Salut Charlie,
« Il fait beau ici » mais malheureusement pas chez moi, donc même si tu étais à Oxford, on devrait trouver quelque chose de plus attrayant qu'une balade dans l'air humide du fleuve. Mais je suppose qu'on n'aurait pas trop de mal. Tu arrives toujours à me donner le sourire, même dans les jours gris.
« une explosion d'iris bleus » avec une telle poésie, tu devrais peut-être déposer une candidature pour animer des ateliers d'écriture. Tous ces romans sur les tueurs en série et le profilage – tu sais comment ça marche, tu pourrais leur apprendre. Ma pauvre. Les poètes ne devraient pas avoir à surveiller des examens !
« un étrange paquet » je n'ai malheureusement rien à voir là-dedans. Tu dois avoir un autre admirateur secret ici parmi les flèches pleines de mystère d'Oxford. Et que contenait ce paquet ?
Pas grand-chose à raconter de mon côté. Ce matin, je suis censée travailler sur le Programme. Quand au départ j'ai imaginé « Je ne vais pas bien, tu ne vas pas bien : Surmonter sa Vulnérabilité », je n'avais aucune idée que ça finirait par consumer ma vie.
Je pense à toi. J'aimerais qu'on puisse se sauver et s'amuser.

LKx

*

* *

Sujet : C'est un mystère
Date : 23 mars 2010 13:07:52 GMT
De : cflint@mancit.ac.uk
À : lisak@arbiter.com

1 sur 2

Un autre admirateur secret? Ça m'étonnerait. :-} Un seul suffirait largement de toute façon, tant que c'est la bonne personne. Si ce n'est pas de toi, c'est de qui? Les seules autres personnes que je «connais» à Oxford sont les quelques profs restants parmi ceux que j'ai eus à St Scholastika, et je ne vois pas pourquoi l'un d'eux m'enverrait un paquet de coupures de journaux concernant un procès en cours sur un meurtre. À moins que quelqu'un n'imagine à tort que ça pourrait m'intéresser professionnellement à cause du lien avec Schollie? Si c'est le cas, cette personne n'est pas très au fait de mon statut actuel de paria du monde de la psychiatrie clinique.
J'ai scanné trois des articles pour te donner une idée. Juste pour que tu voies de quoi je parle.
J'espère que tu t'en sors avec ton programme de séminaire. Je ne sais pas où tu trouves l'énergie. Si je finis par enseigner à des étudiants ce pour quoi j'étais le plus douée, je les enverrai tous à un de tes week-ends de stage pour leur apprendre à développer leur empathie. Désolée pour le mauvais temps.

Bises, Charlie

2 sur 2

Tiré du *Mail*

LE MARIÉ BATTU À MORT

Deux jeunes génies des affaires de Londres ont froidement tué leur associé le jour de son mariage avant de s'adonner à une folle nuit d'amour, apprenait-on hier à l'Old Bailey.

Le couple démoniaque a fracassé le crâne de Philip Carling puis l'a laissé se noyer à seulement une centaine de mètres du jardin de l'université d'Oxford où l'on célébrait son mariage, a-t-on déclaré au tribunal.

Des invités partis pour une petite balade romantique au bord du fleuve ont découvert avec épouvante le corps du marié qui flottait près de l'appontement où sont amarrés les bachots de l'université, dans l'eau teintée par le sang qui s'écoulait de son crâne fracturé.

Paul Barker, 35 ans, et Joanna Sanderson, 34 ans, sont accusés de meurtre et de détournement de fonds. Ils étaient associés avec leur victime à la tête d'une imprimerie spécialisée, ce qui leur donnait un accès unique à des informations sensibles émanant de la City. Carling, 36 ans, aurait menacé de dénoncer Barker et Sanderson qui se remplissaient frauduleusement les poches en pratiquant le délit d'initié.

L'accusation allègue que les deux conspirateurs l'auraient réduit au silence quelques heures à peine après son mariage en juillet dernier puis se seraient livrés à une bruyante orgie de sexe durant toute la nuit.

La veuve de Carling, Magdalene, 28 ans, se trouvait hier au tribunal lorsque l'avocat de la Couronne, Jonah Pollitt, a décrit le complot perfide que les associés de son mari ont mis à exécution lors de leur mariage mondain dans le parc du collège St Scholastika à Oxford.

Tandis que les amis et la famille de l'heureux couple célébraient leur union en dégustant du champagne et du saumon fumé, le duo sans pitié assassinait le jeune marié. Carling a disparu peu avant que sa femme et lui ne s'envolent pour leur lune de miel dans les Caraïbes.

Comme il fut rapporté à la cour, Barker et Sanderson avaient été présentés l'un à l'autre par Carling il y a trois ans. Ils étaient rapidement devenus amants. Un an plus tard, Sanderson avait quitté son emploi de banquière d'affaires pour entrer dans la société de Carling et Barker en tant que directrice des ventes et du marketing.

D'après l'accusation, les escroqueries, qui pourraient avoir fait perdre des centaines de milliers de livres aux vrais actionnaires, ont commencé peu après, grâce à des connaissances de Sanderson qui lui ont permis de mettre au point leur détournement de titres. Philip Carling n'en avait rien su. Découvrir la vérité lui a coûté la vie.

Le procès continue.

Tiré du *Guardian*

UN DÉLIT D'INITIÉ MIS AU JOUR

Deux codirecteurs d'une imprimerie spécialisée dans les documents sensibles concernant des opérations financières de rachat se sont servis d'informations confidentielles pour perpétrer une série de détournements de fonds qui leur a rapporté des centaines de milliers de livres à l'insu de leur associé, apprenait-on hier au tribunal.

Paul Barker, 35 ans, et Joanna Sanderson, 34 ans, passent en jugement à l'Old Bailey pour détournement de fonds et pour le meurtre de leur associé Philip Carling, qui menaçait de les dénoncer aux organismes de régulation financière et à la police. Carling, 36 ans, a été tué quelques heures après son mariage alors que la réception battait son plein à quelques dizaines de mètres de là.

Témoignant hier pour l'accusation, l'inspecteur Jane Morrison du service de lutte contre la grande délinquance financière a expliqué au tribunal que l'escroquerie avait été découverte grâce à des informations communiquées par la veuve de l'homme assassiné.

Magdalene Carling et une amie étaient en train de trier les effets personnels du défunt à la suite de sa mort tragique lorsqu'elles ont découvert une clé USB contenant des renseignements sur les malversations de Barker et Sanderson, ainsi que des ébauches de lettres adressées au ministère du Commerce et de l'Industrie et à la police qui exposaient le délit d'initié et le désir qu'éprouvait M. Carling de blanchir son nom, quitte à compromettre ses associés.

L'inspecteur Morrison a déclaré : «Les lettres exprimaient sa consternation à la découverte de ce que faisaient ses associés. Elles évoquaient son mariage et sa volonté de s'engager dans la vie conjugale sur une base saine. D'après ce que nous avons découvert, il a été tué par Barker et Sanderson dans le but d'étouffer l'affaire, avant d'avoir pu les envoyer.»

Pour la défense, M. Ian Cordier, avocat de la Couronne, a demandé s'il était possible que M. Carling ait pu ignorer une escroquerie d'une telle ampleur dans une aussi petite société où il était également associé.

L'inspecteur Morrison a répondu qu'étant donné la répartition des responsabilités à la suite de l'arrivée de Mlle Sanderson au sein de l'entreprise, il est très peu probable que M. Carling ait pu découvrir ce qui se tramait en observant le fonctionnement habituel de l'entreprise. Leur manœuvre n'avait pas été particulièrement astucieuse ou complexe, a-t-elle ajouté, mais il est clair que M. Carling n'était pas impliqué dans cet aspect de leurs activités.

Affaire à suivre.

Tiré du *Mirror*

DES TUEURS SANS PITIÉ FONT L'AMOUR PENDANT DES HEURES

Deux administrateurs d'entreprise accusés d'avoir assassiné leur associé le jour de son mariage ont passé la nuit suivant sa mort à s'ébattre bruyamment, expliquait-on hier à l'Old Bailey.

Steven Farnham, invité au mariage fatidique de Philip et Magdalene Carling, logeait dans une chambre d'hôtel voisine de celle occupée par les meurtriers présumés, Paul Barker, 35 ans, et Joanna Sanderson, âgée de 34 ans.

Il a rapporté : «Il y avait une porte communicante entre les chambres, et l'insonorisation n'était donc pas très bonne. Paul et Joanna ont de toute évidence fait l'amour, très bruyamment et pendant plusieurs heures.

«J'étais écœuré. Philip avait été sauvagement assassiné à peine quelques heures plus tôt. Paul et Joanna n'étaient pas seulement ses associés. Ils étaient censés être ses meilleurs amis. Mais ils semblaient n'éprouver absolument aucun chagrin.»

Lorsque la défense lui a demandé si l'acte sexuel n'était pas un moyen courant de réaffirmer la vie après un décès, M. Farnham a répondu : «Je suis courtier, pas psychologue. Tout ce que je peux dire, c'est que j'étais anéanti par la mort de Philip. La dernière chose dont j'avais envie, c'était de sexe. Et ils étaient censés être vraiment proches de Philip, donc je ne vois pas comment ils ont pu se comporter comme si tout était normal et que rien ne s'était passé.»

L'accusation affirme que Sanderson et Barker ont tué leur associé pendant son mariage au collège St Scholastika, à Oxford, pour l'empêcher de révéler leur pratique illégale du délit d'initié, qui leur a rapporté une fortune.

Le procès continue.

*

* *

Sujet : Re : C'est un mystère
Date : 23 mars 2010 14:46:33 GMT
De : lisak@arbiter.com
À : cflint@mancit.ac.uk

Salut Charlie,

Cette histoire est fascinante. Ça me rend heureuse d'avoir arrêté de lire les journaux! Ça doit être assez déconcertant pour toi, par contre, de recevoir ce truc bizarre par la poste. Quelle vie intéressante tu mènes. J'imagine que tu me trouverais très ennuyeuse par comparaison.

<Si ce n'est pas de toi, de qui?>

Je ne peux m'empêcher de me dire que tu regardes tout ça par le petit bout de la lorgnette. Si le paquet provenait de quelqu'un qui s'intéresse à toi pour des raisons professionnelles, ne serait-il pas arrivé à l'université? Je pense donc que le lien est d'ordre personnel. Ce qui me fait croire que ça doit être en rapport avec ton ancienne fac. N'importe quelle personne liée à Schollie pourrait obtenir ton adresse personnelle par le bureau des anciens élèves, n'est-ce pas?

Une des choses que j'ai apprises grâce à SV, c'est que pratiquement aucun de nous n'a réussi à maîtriser l'art de poser la bonne question. Tu devrais peut-être réfléchir à ce que ton correspondant ne t'a pas envoyé?

J'aime toujours chercher la réponse qui n'est pas là...

J'ai trois séances individuelles pour SV cet après-midi. Mes collègues me disent que je devrais mettre la pédale douce sur les tête-à-tête maintenant que le programme marche si bien, mais je ne sais pas. J'aime toujours ce sentiment qui émerge quand on intervient dans la vie de quelqu'un et que cela porte ses fruits. Je sais que tu comprends ça, même si on ne te laisse pas le faire en ce moment.

À demain.

LKx

4

Ma mère a disparu quand j'avais seize ans. Ce fut la meilleure chose qui pouvait m'arriver.

Quand je dis cela à voix haute, les gens me regardent du coin de l'œil, comme si je transgressais un tabou fondamental. Mais c'est la vérité. Je ne cache pas quelque réaction de deuil compliquée.

Ma mère a disparu quand j'avais seize ans. Les gardiens avaient abandonné la prison en laissant la porte ouverte. Et je suis sortie en clignant des yeux dans la lumière du soleil.

Jay Stewart s'enfonça dans son fauteuil et lut ces mots, la tête penchée sur le côté et l'air concentré. Ils produisaient exactement l'effet voulu, jugea-t-elle. C'était saisissant et intrigant. Prenez ce bouquin sur la table des livres « trois pour le prix de deux » et lisez cette intro : impossible de ne pas avoir envie de continuer. C'était le secret pour que les gens ouvrent leur portefeuille. Simple à comprendre, difficile à réaliser. Mais elle l'avait déjà fait une fois. Elle pouvait recommencer.

Quand elle avait décidé d'écrire son premier livre, Jay avait fait ce qu'elle avait toujours fait : des recherches, des recherches, des recherches. C'était la clé de toute tentative couronnée de succès. Étudier le marché. Évaluer la concurrence. Repérer les écueils potentiels. Puis se lancer. *Se préparer, ce n'est jamais atermoyer.* C'était une des diapositives clés de ses présentations Powerpoint. Elle avait toujours été fière de dire qu'elle ne s'était jamais lancée tête baissée dans un projet.

Ce n'était qu'une des choses qui n'étaient désormais plus vraies.

Non qu'elle fût prête à avouer un changement aussi essentiel à quelqu'un d'autre qu'elle-même. Quand son agent littéraire l'avait emmenée déjeuner la semaine précédente pour lui révéler que son éditeur leur faisait miroiter un nouveau contrat, Jay s'était fait un devoir de se montrer comme toujours prudente et réservée. « Je croyais que le marché des mémoires d'infortune[1] s'était effondré avec la crise boursière », avait-elle signalé lorsque Jasper avait abordé le sujet au milieu de leurs entrées sophistiquées à base de coquilles Saint-Jacques accompagnées d'une sauce épicée à la mangue et de pousses de pois mange-tout. En attendant que Jasper prépare sa réponse, Jay regarda son assiette et se demanda à quel moment exactement il était devenu impossible de trouver des plats simples et bien cuisinés dans les restaurants de luxe.

« En effet. » Jasper lui adressa un grand sourire, tel un prof face à son élève préférée. « C'est pour ça qu'ils veulent un nouveau livre de toi. Le triomphe sur l'adversité, c'est ça qui les intéresse. Et toi, ma chère, tu es bien placée pour en devenir l'incarnation. »

Son discours se tenait, Jay ne pouvait le nier. « Mmm », fit-elle tout en disséquant une coquille Saint-Jacques pour en porter un délicat morceau à sa bouche. Un prétexte pour ne pas en dire plus avant d'en avoir entendu plus.

« Ton histoire est exemplaire, persista Jasper, son visage maigre et méfiant empreint d'une douceur inhabituelle. Et c'est un message d'espoir. Les lecteurs

---

1. Le *misery memoir*, terme sans équivalent en français, est un type de récit autobiographique traitant essentiellement du triomphe du protagoniste sur des événements traumatisants. (*N.d.T.*)

peuvent s'identifier à toi parce que tu n'es pas née avec une cuillère en argent dans la bouche. »

Jay avala, haussa un sourcil et sourit. « Les seules cuillères en argent dans mon entourage quand j'étais bébé, c'étaient ces jolies petites cuillères à coke que les amis de ma mère portaient autour du cou. Je n'ai pas beaucoup de lecteurs qui viennent de ce monde-là non plus. »

Jasper eut un sourire pincé et artificiel. « Sans doute pas, non. Mais l'étude de marché de ton éditeur montre que les lecteurs se sentent réellement proches de toi. Ils ont le sentiment qu'ils auraient pu être toi, si les choses avaient seulement été un tout petit peu différentes. »

Aucune chance. Pas dans un million d'univers quantiques. « Les tangentes, annonça Jay, concentrée sur son assiette. Le cours de ma vie effleure le bord des leurs à suffisamment d'endroits pour qu'ils perçoivent une sorte de lien troublant. Je vois bien comment ça a marché avec mon autobiographie. Les lecteurs peuvent se blottir sous leur couette, bien à l'aise et satisfaits parce qu'ils ont échappé à ma descente dans la succession d'enfers que m'a fait traverser ma mère durant les seize premières années de ma vie. » Elle prit une brusque inspiration et entendit son souffle siffler entre ses dents. « Mais le triomphe sur l'adversité ? N'est-ce pas un peu une façon de les humilier ? »

Jasper fronça les sourcils. « Je ne suis pas sûr de voir ce que tu veux dire. » Il avait réussi à finir son assiette avec une efficacité de prédateur tandis que Jay n'avait mangé qu'un tiers à peine de son plat. C'était une des raisons pour lesquelles Jay avait choisi Jasper comme agent lorsqu'elle avait décidé d'écrire ses mémoires d'enfance. Elle aimait avoir les gens de bon appétit de son côté.

« *Sans aucun remords* leur a donné l'occasion d'avoir pitié de moi. D'être heureux d'avoir échappé à ce que j'ai enduré. Mais leur raconter comment j'ai triomphé à Oxford, monté une société en ligne florissante que j'ai ensuite vendue avant que la bulle n'explose, puis fondé une société de guides sur mesure tout en sortant mes mémoires qui ont fait un tabac... Eh bien, il me semble que tout ce que je vais faire, c'est leur donner des raisons de me détester. Et ce n'est pas une recette pour vendre des livres, Jasper.

— Détrompe-toi, lui dit Jasper d'un ton aussi sec que le chablis qu'ils buvaient. Les personnes qui s'y connaissent dans ce domaine me disent que les gens adorent lire l'histoire d'individus comme eux qui ont réussi. »

Jay secoua la tête. « Ce qu'ils adorent lire, c'est l'histoire de célébrités sans substance. De poseurs sans talent prêts à tout pour leur moment de gloire dans *OK magazine*. D'imbéciles qui pensent que passer dans *The X Factor*, c'est le sommet de la réussite. *Voilà* des gens comme eux. Je ne suis pas une personne comme eux.

— Tu fais bien semblant pourtant.

— Jusqu'à un certain point. Et puis il y a la question de mon homosexualité. En terminant le livre là où je l'ai fait, je me suis débrouillée pour laisser plus ou moins de côté mes attirances d'ado. Mais si j'écris un livre sur Oxford et après... je vois difficilement comment l'éviter. »

Jasper haussa les épaules. « Le monde a évolué, chérie. Être lesbienne, c'est cool maintenant. Pense à Sandi Toksvig, Sam Ronson, Maggi Hambling, Sarah Waters.

— Mais tu ne voudrais toujours pas que ta fille épouse l'une d'elles. » Elle termina son entrée et posa soigneusement ses couverts sur l'assiette. « Ils se diront au mieux que je suis une grosse veinarde.

— Ça, c'est sûr, surtout s'ils découvrent le montant de ton avance, dit-il les yeux plissés de plaisir. Une fois et demie ce qu'on a reçu pour *Sans aucun remords*. Ce qui est énorme dans un marché stagnant. »

Un serveur dont le costume luxueux avait manifestement coûté plus cher que la tenue de Jay enleva rapidement leurs assiettes. « Tu crois qu'ils n'emploient que des gens à qui leurs costumes vont bien ? » demanda-t-elle distraitement en le regardant retourner à la cuisine avec un air important.

Jasper ignora sa question et poursuivit péniblement son argumentaire. « Et tu es aussi une personnalité de la télé, désormais. Depuis qu'ils ont commencé à t'inviter en tant que conseillère financière dans *Chevalier blanc*, les gens te connaissent. »

Jay se renfrogna comme une ado de mauvaise humeur. « Et c'est la dernière fois que je te laisse me convaincre d'accepter quelque chose contre mon gré. Saloperie de*Chevalier blanc*. Je ne peux plus acheter un paquet de spaghettis au supermarché sans que quelqu'un essaie de me baratiner sur son super projet d'entreprise.

— Arrête de jouer les grincheuses. Tu adores attirer l'attention.

— Mais je *suis* une grincheuse. » Jay s'interrompit tandis qu'apparaissaient devant eux des tranches d'agneau rosées joliment disposées au milieu de petits tas soignés de lentilles du Puy séparés par des racines miniatures découpées à la perfection, le tout présenté sur d'énormes assiettes en porcelaine. « C'était sérieux, ce que je t'ai dit l'autre jour. Je ne veux vraiment plus retourner à *Chevalier blanc*. »

Elle vit Jasper ravaler sa frustration. « Très bien, dit-il d'une voix tendue en esquissant un sourire. Je pense que tu es folle, mais très bien. Alors pourquoi ne pas faire quelque chose à la place qui me donnerait une raison valable de tenir tout le monde à distance ? “Désolé, elle est en train d'écrire. Elle a des délais à respecter.” D'ailleurs, tu sais que tu as aimé écrire

Sans aucun remords. Et tu t'es aussi découvert un talent pour la rédaction de mémoires. »

Jay ne pouvait le nier, l'idée que Jasper envoie balader tout le monde lui plaisait. Se barricader et tenir les barbares à l'écart pendant qu'elle se gavait d'amour. Elle connaissait suffisamment bien la trajectoire des relations humaines pour comprendre que la vague d'intensité affective et sexuelle entre elle et Magda ne tarderait pas à passer. Il était impossible de remettre la chose au prochain moment libre dans votre emploi du temps quand une telle ivresse vous gagnait. Mais celle-ci allait et venait suivant son propre rythme. Et elle était arrivée de manière si immédiate, si inattendue, si imprévisible qu'on pouvait difficilement ne pas craindre qu'elle s'éteigne aussi vite, bien qu'il fût difficile d'imaginer comment elle pouvait s'éteindre quand la beauté de Magda lui serrait la poitrine chaque fois qu'elle posait le regard sur elle. Ce serait un avantage d'avoir une excuse pour se cacher du monde et renforcer les liens entre Magda et elle. Peu importait qu'au bout du compte le livre ne lui permette pas de se faire des amis. Elle en avait assez.

Elle soupira. « Oh, d'accord, dans ce cas », dit-elle d'un ton plus grognon qu'affable.

Jasper sourit avec une joie évidente. « Tu ne vas pas le regretter.

— Je l'espère pour toi. Tu sais comme il arrive facilement des malheurs à ceux qui me mettent en colère. » Il y eut un instant de froid, puis Jay sourit. « Je plaisante, Jasper », dit-elle.

Il esquissa un sourire hésitant en retour.

5

Avant leur rencontre, Charlie Flint s'était attendu à ne pas aimer, voire à détester Lisa Kent. Même si c'était elle qui avait usé d'une fausse identité cette première fois, elle avait été convaincue de se trouver en position de supériorité morale.

Passionnée par son métier, elle était en quête perpétuelle d'occasions d'accroître sa connaissance et son expérience. Aussi, lorsqu'il était devenu évident qu'une nouvelle tendance frôlant le sectarisme avait émergé avec les programmes de développement personnel, elle avait voulu se faire sa propre idée de ce phénomène. Parmi les trois ou quatre dont elle avait connaissance, elle avait choisi « Je ne vais pas bien, tu ne vas pas bien : Surmonter sa Vulnérabilité » de Lisa Kent. SV pour ses adeptes ; les groupes avaient toujours besoin d'instaurer un langage commun en signe d'appartenance.

Charlie s'était inscrite sous un faux nom à un week-end de séminaire, dans l'intention de s'appuyer sur cette expérience pour rédiger un compte rendu incisif et écrasant sur le phénomène, en vue d'une publication universitaire et peut-être une triple page dans le supplément G2 du *Guardian*.

La cinquantaine de participants correspondait assez bien aux attentes de Charlie : presque tous entre vingt-cinq et quarante ans, sans aucun style distinctif personnel, portant quasiment tous le masque de l'échec éclairé seulement par l'immense espoir que ce week-end parvienne à transformer leur vie. Ce qui l'avait décontenancée, c'était de se rendre compte à contrecœur que Lisa Kent n'était ni un chaman ni un charlatan. Les idées qu'elle colportait étaient pour la plupart sensées et utiles. Des trucs classiques de thérapie. Ce qui donnait au séminaire des allures de secte, c'était le charisme de Lisa. Quand elle parlait, elle tenait la salle entre ses mains. Ils l'adoraient. Et Charlie avait été secouée en se rendant compte qu'elle n'était pas si différente des autres. Sa formation et son expérience ne l'avaient pas immunisée contre le charme de Lisa.

Cependant, cela aurait pu rester sans gravité. Ce fut lors de la pause-café de l'après-midi que tout changea. Adossée à un mur, Charlie buvait du thé et s'efforçait de paraître assez abattue pour ne pas se faire remarquer quand Lisa traversa la foule et s'arrêta devant elle. Lisa examina son badge et sourit d'un air moqueur. « J'aimerais vous dire un mot, mademoiselle… Browning », avait-elle dit en prononçant son nom avec assez de scepticisme pour s'assurer que Charlie comprenne que ça ne devait pas être pris pour de la flatterie.

Charlie avait suivi Lisa dans une petite pièce attenant à la salle principale. Des chaises basses pliantes étaient alignées contre les murs et une fontaine à eau ronronnait dans un coin. Rien dans son agencement n'indiquait la fonction de cette pièce. Charlie s'assit sans attendre qu'on l'y invite et croisa les jambes en se demandant ce qui l'attendait. Lisa s'appuya contre la porte fermée, avec toujours ce même sourire crispé aux lèvres. Son regard était difficile à éviter, constata Charlie. Un rayon ardent bleu-vert qui avait médusé une salle entière et lui donnait à présent l'impression d'être paralysée. « C'est une expérience incroyable, dit-elle en tentant de simuler l'enthousiasme dont elle avait été témoin durant le déjeuner.

— Docteur Charlotte Flint, dit Lisa. Charlie pour vos amis, je crois. Licence de psychologie, philosophie et physiologie au collège St Scholastika à Oxford. Maîtrise de psychologie clinique et de psychopathologie à l'université du Sussex. Psychiatre habilitée à Manchester, où vous êtes aujourd'hui maître de conférences en psychologie clinique et profilage psychologique. Autorisée par le ministère de l'Intérieur à travailler avec la police comme profileuse. Comment je m'en sors ?

— Vous avez oublié mes badges de scout. Comment m'avez-vous repérée ? »

Lisa se décolla de la porte et alla se servir un verre d'eau, tournant le dos à Charlie. « Je vous ai reconnue. » Elle fit volte-face et secoua doucement la tête. « Vous avez justifié avec beaucoup d'éloquence à la Société de criminologie vos choix dans l'affaire Bill Hopton. »

Bill Hopton. L'homme qui avait été relâché grâce à Charlie lorsqu'elle avait conclu à contrecœur à la barre des témoins qu'il n'avait pas assassiné Gemma Summerville. L'homme qui avait été relâché pour ensuite assassiner quatre autres femmes. La seule mention de son nom était une sorte de torture. L'affaire Hopton avait propulsé Charlie sous les feux de l'actualité. Ça ne lui avait pas beaucoup rendu service à l'époque. Et aujourd'hui, cela semblait bel et bien avoir ruiné sa carrière. Mais cet après midi-là à Oxford face à Lisa Kent, ce n'était encore qu'une bombe prête à exploser, bien que cela restât la seule affaire dont tous les représentants de la loi voulaient lui parler. Charlie répliqua posément : « Je ne savais pas que vous étiez membre de la Société de criminologie. »

Lisa but une petite gorgée d'eau et dévisagea Charlie par-dessus le rebord de son gobelet en plastique blanc en haussant ses sourcils bruns arqués d'un air amusé. « Je ne le suis pas. Mais j'ai des amis qui connaissent bien mon intérêt pour le fonctionnement de l'esprit humain. Je me suis dit que c'était vous ce matin, mais j'ai vérifié à l'heure du déjeuner pour en être sûre.

— C'est un pays libre. »

Lisa rigola. « Ne soyez pas ridicule. Vous êtes ici pour me démolir. Vous estimez que j'exploite la crédulité et la faiblesse des gens pour en tirer profit. Même si je ne suis pas bien sûre de voir le rapport avec le profilage criminel. »

En plein dans le mille, se dit Charlie. « C'est en effet ce que je pensais. Mais plus maintenant. Quant au rapport avec ma profession : c'est par la manipulation que beaucoup de criminels en série s'en sortent impunément pendant si longtemps. » Elle se leva et se dirigea vers la porte. « Ce fut une journée intéressante. Mais je crois qu'il vaut sans doute mieux que je parte.

— Je devrais être en colère contre vous, docteur Flint. Mais pour une raison que j'ignore, je ne le suis pas. Vous n'êtes vraiment pas obligée de partir. » Ses paroles étaient assez innocentes ; pas son intonation.

Charlie fit non de la tête. « Je crois que c'est mieux si je m'en vais. Je ne veux pas vous déconcentrer.

— Vous avez sans doute raison. Le fait de savoir que vous savez que je sais qui vous êtes altérerait la dynamique de la salle. » Lisa tira une carte de la poche de son pantalon ample. « J'ai apparemment déçu vos attentes, ce qui veut dire que ça a été pour vous une perte de temps. » Elle sourit. « Laissez-moi me faire pardonner à l'occasion. Je crois vraiment qu'on pourrait avoir des choses intéressantes à partager. Voici ma carte. Restons en contact. »

En rentrant à pied à son hôtel, Charlie avait essayé de décrypter les nuances dans la voix de Lisa, mais elle ne parvint pas à être tout à fait sûre d'avoir entendu ce qu'elle croyait avoir entendu. Lisa l'avait-elle draguée ? Était-ce une sorte de défi professionnel ? Ou aimait-elle simplement jouer au chat et à la souris ? Dans tous les cas, Charlie était tombée sous son charme.

C'était désormais devenu une habitude pour Charlie de s'interroger sur le sens exact des paroles de Lisa. Depuis cette première rencontre, l'air avait vibré lors de leurs échanges électroniques, dans lesquels l'aspect professionnel cédait généralement le pas aux échanges personnels entre deux individus en train de nouer une relation.

D'après l'expérience de Charlie, les psychiatres cliniciens se divisaient en deux groupes : ceux qui faisaient le choix délibéré de ne jamais s'interroger sur eux-mêmes, et ceux qui soumettaient chaque facette de leur vie au même examen minutieux que celui qu'ils appliquaient à leurs patients. Charlie regrettait souvent d'être destinée à appartenir à cette catégorie d'analystes. Mais cela expliquait en partie sa fascination pour Lisa. Plus les messages de cette femme étaient énigmatiques, plus Charlie aspirait à les déchiffrer. Mais elle était sûre d'une chose, c'est qu'elles flirtaient. Qu'elles flirtaient l'une avec l'autre, qu'elles flirtaient avec des idées, avec le danger.

Tu devrais peut-être réfléchir à ce que ton correspondant ne t'a pas envoyé ? J'aime toujours chercher la réponse qui n'est pas là... Qu'est-ce que Lisa entendait par là exactement ? s'interrogea Charlie en fixant son ordinateur. Faisait-elle simplement allusion aux coupures de journaux, ou était ce un nouveau sous-entendu ambigu ? Lisa lui donnait l'impression qu'une famille de termites grignotait les solides fondements de sa relation avec Maria. Charlie savait qu'elle n'avait aucune raison de jouer à ce jeu dangereux, mais chaque fois qu'elle se résolvait à arrêter, elle recevait un SMS ou un e-mail qui réclamait son attention et demandait une réponse. Elle était aussi désespérante que certains de ses patients. Incapable de résister à ce qu'elle savait lui être nuisible. Elle ne pouvait même pas être sûre que cette femme était lesbienne.

C'était peut-être simplement dans sa nature de flirter et d'être ambiguë. Elles avaient si peu communiqué face à face et si souvent sous forme de joute taquine. Charlie était peut-être complètement à côté de la plaque. Vraiment, pour autant qu'elle sût, Lisa pouvait très bien être hétéro. Tout ce bourbier pouvait n'être rien de plus que le pitoyable fruit de son imagination. Avec un gémissement désespéré, Charlie reporta son attention sur le contenu de l'enveloppe.

À l'évidence, les coupures n'étaient qu'une sélection de ce qui était paru dans les médias. La réponse pouvait-elle se trouver parmi les articles manquants ? Impatiente, elle se connecta à Google Actualités et entra le nom de la victime. En une fraction de seconde, le moteur de recherche trouva une liste de tout ce que les médias avaient produit sur le meurtre de Philip Carling. Il y avait des dizaines de résultats, quand bien même Google avait pu écarter les articles similaires.

Charlie avait d'autres choses plus urgentes à faire. Relancer sa carrière à l'agonie, pour commencer. Mais parfois, l'envie de se distraire était irrésistible. Charlie ouvrit le premier article, bien décidée à les examiner méthodiquement. La première révélation arriva avec le deuxième document qu'elle consulta, un article du *Daily Telegraph* qui faisait référence au Dr Magda Newsam. Abasourdie, Charlie se rendit compte que la jeune mariée devenue veuve ne lui était pas inconnue. Le nom Magdalene Carling n'avait rien évoqué. Mais son autre identité plongea Charlie, qui avait jusque-là retrouvé son enthousiasme d'étudiante, dans le désarroi. Elle était horrifiée de ne pas s'être rendu compte que la femme se trouvant au cœur de cette tragédie était une personne qu'elle avait connue autrefois. Les choses commencèrent soudain à s'éclaircir.

« Pauvre petite », murmura-t-elle d'une voix pleine de pitié. La découverte de la présence de Magda dans le procès pour meurtre faisait apparaître une évidence :

quelle que fût la personne qui lui avait envoyé ce mystérieux courrier, il était presque certain qu'elle avait fait partie de la vie du collège à cette lointaine époque où Charlie y avait été étudiante, élève de Corinna, la mère de Magda, et baby-sitter occasionnelle de ses enfants. Était-ce Corinna Newsam elle-même ou quelqu'un d'autre qui lui avait envoyé les photocopies ? Et une autre question demeurait dans tous les cas : pourquoi ?

Toujours aussi méthodique, Charlie continua à parcourir les archives. Elle avait presque terminé quand une photo se téléchargea sur son écran et apparut progressivement par tranches depuis le haut. La femme qu'elle révéla avait ce genre de beauté qui arrêtait le regard des gens. Même un cliché de presse pris à l'improviste ne laissait aucun doute à cet égard. Des cheveux châtains et une peau apparemment parfaite, des traits réguliers de mannequin, une bouche pulpeuse qui suggérait la sensualité. « Waouh », fit Charlie en admirant la silhouette harmonieuse et les jambes indéniablement splendides qui apparaissaient petit à petit.

La légende révéla que cette femme superbe au premier plan de la photo était la veuve de Philip Carling, Magdalene. « Comme tu as changé, Maggot[1] », dit-elle, ébahie par ce prodige génétique. Mais lorsqu'elle étudia le reste de la photo, Charlie se rendit compte qu'elle n'avait pas besoin de légende pour reconnaître la femme accrochée au bras de Magda. L'âge n'avait pas flétri la beauté délicate de Jay Macallan Stewart, ni l'habitude atténué son air vif et menaçant[2].

Même si cette découverte soulevait plus de questions qu'elle n'apportait de réponses, Charlie eut la

1. Asticot, ver de terre. (*N.d.T.*)

2. Inspiré de Shakespeare : « L'âge ne peut la flétrir, ni l'habitude épuiser l'infinie variété de ses appas » (*Antoine et Cléopâtre*, II, 2, trad. François Guizot, 1864). (*N.d.T.*)

certitude d'avoir résolu le problème fondamental de l'origine des coupures. « Si ma fille traînait avec Jay Stewart, je ferais quelque chose », constata-t-elle. Et en quelques clics, elle fut sur sa messagerie électronique.

Sujet : Plus de questions que de réponses
Date : 23 mars 2010 15:35:26 GMT
De : cflint@mancit.ac.uk
À : lisak@arbiter.com

J'ai suivi ton conseil. Il était évident qu'on ne m'avait pas envoyé tous les articles sur cette affaire, alors j'ai fouillé les actualités sur Google pour voir si je pouvais comprendre ce qui manquait. C'est là que j'ai découvert presque immédiatement que dans aucune des versions qu'on m'avait envoyées la veuve n'était nommée correctement. Sa véritable identité n'est pas « Mrs Magdalene Carling », c'est « Dr Magda Newsam ». Alias Maggot, ou du moins c'était le cas quand elle avait 10 ans et moi 21 et que je la gardais avec ses frères et sœurs. C'est la fille aînée de Corinna Newsam, ma prof de philosophie à Schollie qui m'a régulièrement prise comme babysitter jusqu'à ma dernière année où mon obsession d'obtenir des notes correctes tout en réussissant à m'amuser encore un peu y a mis un terme. En tout cas, on s'envoie des cartes de vœux depuis, mais on n'est pas restées assez proches pour qu'elle mentionne l'implication de Magda dans cette affaire.
En poursuivant ma lecture, je suis tombée sur une photo de Magda – qui est devenue un super canon du calibre de la princesse Diana. Et derrière elle, il y avait quelqu'un d'autre que j'ai reconnu. Autrefois elle s'appelait simplement Jay Stewart, mais elle est désormais connue sous le nom de Jay Macallan Stewart. Millionnaire de l'Internet et auteur d'une autobiographie à succès. Elle est aujourd'hui à la tête de 24/7, le site de guides de voyage personnalisés en ligne. Tu l'as peut

être vue dans *Chevalier blanc*, elle est parfois invitée en tant que conseillère financière. Elle était deux ou trois années derrière moi à Schollie, mais sa mauvaise réputation a suffi à surmonter cet obstacle. Même parmi les lesbiennes de Brighton, les histoires sur Jay Stewart allaient bon train.
J'ai le souvenir d'une personne à l'ambition effrénée, un de ces héros du prolétariat qui sont déterminés à exploiter à fond toutes les opportunités et qui se moquent de savoir qui ils piétinent dans leur ascension vers le sommet. Elle a été élue présidente du bureau des étudiantes l'année qui a suivi la fin de mes études. C'est seulement après s'être assuré ce titre qu'elle a fait son coming-out, très classe et sensationnel, en révélant sa liaison avec la directrice éditoriale d'un magazine de luxe. Certains profs du collège voulaient la renvoyer, mais elle faisait toujours très attention à ne jamais enfreindre le règlement.
Je me suis donc dit que, si j'étais Corinna Newsam et que Jay Stewart tournait autour de ma fille, j'essaierais de déterrer de vieilles histoires qui pourraient reléguer Stewart aux oubliettes. Mais elle n'a pas voulu me contacter directement de peur que ma solidarité lesbienne ne soit plus forte qu'une très vieille loyauté envers elle et Maggot.
Mais maintenant que j'ai compris ça, je ne sais pas trop quoi faire. Ai-je envie de m'impliquer? Est-ce important pour moi? Et est-ce que ça ne compte pas, la solidarité lesbienne? Toute suggestion sera bienvenue.
J'espère que tes clients ne t'ont pas fait boire.

Bises, Charlie

Sujet : Re : Plus de questions que de réponses
Date : 23 mars 2010 19:57:32 GMT
De : lisak@arbiter.com
À : cflint@mancit.ac.uk

Salut Charlie,
Si tu étais un chien, tu serais un terrier Lakeland, tout en ténacité et en obstination, fiable à cent pour cent, avec un sourire à faire fondre un iceberg. Tes découvertes sont fascinantes. Quel que soit le message sous-jacent ici, tu as raison, il est clair que c'est lié à Magda Newsam et Jay Stewart, et que le rapport avec toi vient de Schollie.
Ta Corinna semble te faire drôlement peu confiance, pour quelqu'un qui paraît t'avoir si bien connue. À sa place, je me serais pointée à ta porte pour te dire que j'avais besoin de toi. Tu n'aurais jamais refusé. Si?
D'un autre côté, c'est peut-être simplement que, comme elle te connaît et qu'elle comprend qu'il te paraîtrait impossible de lui dire non, elle te demande ton aide de la seule manière qui puisse, selon elle, te laisser la possibilité de refuser.
Ou est-ce un test? Du genre, si tu n'es pas assez maline pour résoudre cette énigme, tu ne m'es d'aucune utilité. Quelle est la bonne explication, d'après toi?
«Toute suggestion sera bienvenue.» Je te connais, Charlie. Tu as besoin de réponses. Tu as défini tes options en prenant cette première décision d'enquêter sur les coupures; que tu te le sois avoué ou non, ça a réveillé ton affection profonde pour ton ancien collège. Maintenant, j'ai l'impression que tu ne pourras pas être tranquille tant que tu n'auras pas parlé à Corinna et découvert ce qu'elle te veut.
Prends les choses du bon côté. Tu peux peut-être t'arranger pour venir à Oxford et pour qu'on passe un moment ensemble. Ce serait bien de se voir ailleurs qu'à une conférence, tu ne penses pas?

Mes clients m'ont fait boire un délicieux bordeaux. Si tu étais là, je profiterais de l'occasion pour te sevrer de ces vins lourds du Nouveau Monde auxquels tu es si attachée. Je te promets que tu ne serais pas déçue du voyage.

LKx

Aucun doute là-dessus, se dit Charlie. En évoquant l'idée de venir à sa porte pour lui demander son aide, Lisa avait chassé Magda et Corinna de son esprit. Cela suffit à lui faire examiner tous les scénarios possibles, à la fois délicieux et épouvantables. À la pensée de Lisa et Maria face à face, elle avait envie de s'enfouir la tête entre les mains et de pleurer devant une situation aussi impossible. Elle ne pouvait croire que Lisa n'était pas consciente de l'effet que ses paroles produiraient ; après tout, cette femme passait ses journées à explorer les recoins les plus intimes de l'esprit d'autres personnes.

« Arrête de faire l'enfant ! » marmonna Charlie. Elle se força à cesser de se laisser aller à ces songeries d'ado et à se concentrer sur le contenu pratique du message. À l'évidence, Lisa la comprenait assez bien pour savoir qu'elle ne pouvait pas plus oublier les coupures de presse que leurs communications chargées de sens. Corinna semblait bel et bien être la candidate évidente. Il n'y avait a priori pas d'autre choix que de l'appeler et régler la question.

Charlie soupira. Elle avait finalement réussi à trouver quelque chose d'encore plus effrayant que l'ordre des médecins. Et elle avait dans l'idée que ce ne serait vraiment pas une plus mince affaire.

6

« C'est incontestable, déclara Catherine Newsam en faisant sortir sa sœur de la salle d'audience pour la conduire par un étroit couloir dans la pièce que le procureur de la Couronne avait mise à leur disposition. Le juge a tapé dans le mille. Je ne vois pas comment quelqu'un pourrait douter que c'est Barker et Sanderson qui ont fait le coup. » Elle s'interposa franchement entre sa sœur et une femme qu'elle avait vue dans la tribune de presse. « Dégage », dit Catherine d'une voix douce par dessus son épaule en suivant Magda dans la pièce indiquant « Privé ». Son statut de benjamine des enfants Newsam lui avait octroyé une liberté qui faisait parfois grimacer ses frères et sœur.

Cela faisait deux semaines que Magda s'était réfugiée là pour la première fois, et elle était toujours surprise par le manque de confort. Quatre chaises pas tout à fait identiques au revêtement façon tweed devenu lisse par endroits, une table trop grande pour la pièce et une poubelle en métal qui n'avait pas été vidée depuis qu'elles y avaient jeté leurs premiers gobelets à café. Quelqu'un avait tenté d'égayer le lieu en scotchant au mur deux affiches de paysages espagnols, mais le bleu éclatant du ciel ne faisait que rendre les murs crasseux plus déprimants. Cependant, rien de tout cela n'importait à Magda. Ce qui comptait pour elle, c'était d'avoir un endroit à l'abri des regards insistants et des messes basses. « Tu crois vraiment ?

Je ne sais pas, Wheelie. Il ne suffit pas qu'on veuille que ce soit le cas pour que tu aies raison », dit-elle en se juchant sur une chaise.

Catherine hocha vigoureusement la tête. On aurait dit une poupée avec ses boucles blondes, son visage rond, ses yeux bleu vif et ses joues roses. Il n'y avait aucune ressemblance physique entre les deux sœurs. Alors que Magda était grande, mince et naturellement gracieuse, Catherine était quelconque sous tous rapports. Si on la remarquait, ce n'était pas pour sa beauté mais pour sa vitalité intarissable, à présent mise à contribution pour défendre sa grande sœur. D'autres auraient peut-être mal accepté la beauté de Magda, mais Catherine était fière de sa sœur et ravie de pouvoir, pour une fois, lui offrir le soutien et l'aide que celle-ci lui avait toujours apportés. « Fais-moi confiance, Magda, insista-t-elle avec une assurance inébranlable. Surtout après la façon dont l'avocat de l'accusation a descendu en flammes la défense. Ils peuvent dire adieu à la liberté pour un moment. » Elle avait toujours la poignée de la porte en main. « Tu veux un truc à manger ? À boire ? Café ? Muffins ? »

C'était étonnant de voir avec quelle fréquence le désir qu'avait Catherine de faire plaisir passait par la nourriture et les boissons. « Tu as beau être convaincue que c'est une affaire réglée, j'ai dans l'idée que le jury va se retirer assez longtemps pour que tu fasses une mission café. »

Catherine chercha de la monnaie dans les poches de son jean. « Je reviendrai », dit-elle dans une imitation passable de Terminator. Magda ne put s'empêcher de sourire, et le regard de Catherine s'éclaira de satisfaction alors qu'elle franchissait la porte.

Pour la première fois depuis son arrivée au tribunal ce matin là, Magda n'était exposée à aucun regard. Cette absence d'attention était aussi tangible que si on lui ôtait un poids des épaules. C'était épuisant d'être sous le feu des projecteurs. Elle se demandait comment Jay supportait d'être le centre de tant d'attention. Depuis qu'elle passait dans *Chevalier blanc*, on la reconnaissait souvent dans les situations les plus improbables, au détriment de son intimité. « J'étais si naïve là-dessus, avait-elle un jour déclaré à Magda avec regret. Je ne m'étais jamais rendu compte que les gens estiment avoir tous les droits sur vous du simple fait que vous apparaissez sur leurs écrans de télé. »

Magda aurait aimé qu'elles soient ensemble maintenant ; bien que scrutateur, le regard admiratif de Jay ne la dérangeait jamais. Mais si Jay avait été là, la curiosité de la presse et du public aurait été encore plus oppressante. L'attitude des journalistes aurait changé du tout au tout. D'un objet de compassion, elle serait devenue le sujet de conjectures scabreuses et de ragots dans les chroniques mondaines. Jay avait raison. Elles devaient éviter que leur relation ne devienne de notoriété publique tant que le procès ne serait pas sorti de la conscience immédiate des gens. La seule fois où on les avait photographiées ensemble, après les funérailles de Philip, Jay avait réussi à désamorcer la bombe potentielle en s'assurant d'être décrite comme une vieille amie de la famille. Il s'était finalement avéré utile qu'elle ait eu Corinna comme prof.

« Il faut qu'on garde le secret sur notre vie privée pour l'instant. Ce n'est pas la peine qu'on te voie comme la veuve joyeuse, lui avait dit Jay. Même si on n'a rien fait de mal, il y a plein de gens qui se feraient un plaisir d'insinuer le contraire. »

Elle avait raison. Elles n'avaient rien fait de mal. Bien au contraire. Plus Magda avait entendu de témoignages dans la salle d'audience, plus Jay lui avait paru pleine de bon sens. Si elles n'avaient pas fait le nécessaire, justice n'aurait jamais été rendue. Mais Paul et Joanna étaient maintenant en route pour la prison, comme ils le méritaient. Et elle était fière du rôle qu'elle avait joué pour arriver à ce résultat.

Magda se cramponnait fermement à cette fierté. Elle n'avait pas beaucoup de sentiments clairs concernant la mort de Philip. Ça avait été un coup terrible, c'était indéniable. On ne pouvait qu'être dévastée après avoir perdu son mari d'une mort violente le jour de son mariage. Même si vous ravaliez vos doutes sur cette union depuis des semaines. Mais si les choses ne s'étaient pas passées ainsi, Jay et elle ne se seraient peut-être jamais retrouvées. Et c'était une idée qui horrifiait Magda. Elle s'en voulait terriblement de penser cela, mais elle savait au fond d'elle-même qu'elle serait prête à reperdre Philip pour gagner Jay si le choix lui était donné. Elle était aussi honteuse qu'épouvantée que cette pensée puisse même lui traverser l'esprit. Nourrir de telles idées réveillait sa culpabilité catholique bien enracinée et lui laissait la sensation, non seulement que son bonheur présent n'était pas mérité, mais qu'on était sur le point de le lui arracher.

Catherine poussa la porte de l'épaule, un gobelet de café au lait dans chaque main, délivrant Magda de ses sombres pensées. « C'était rapide », constata Magda.

Catherine eut un large sourire. « Je t'avais dit que ça paierait de donner un pourboire le premier jour à la fille de la buvette. Je n'ai même plus besoin de faire la queue. » Elle passa un café à sa sœur et se percha sur une chaise en glissant une jambe sous elle. « Tu dois être soulagée que ce soit presque terminé.

— Oui. » Magda soupira. « J'espère juste que ça me permettra de tourner la page. » Elle haussa les épaules. « De pouvoir tirer un trait et passer à autre chose.

— C'est pas ce qui se passe avec Jay ? » questionna Catherine. Magda tenta de déceler une éventuelle hostilité dans le ton de sa voix et, n'en trouvant pas, décida que sa sœur était simplement curieuse.

« Jay est comme un univers parallèle, expliqua Magda. Sans aucun rapport avec ma vie avec Philip.

— Mais il y en a un, objecta Catherine. Je veux dire, c'est là que tu es retombée sur elle. Le jour du mariage. »

Ses paroles provoquèrent une décharge électrique dans la poitrine de Magda. « Non, dit-elle. C'était après. Tu te souviens ? On s'est revues à un dîner. »

Catherine sembla perplexe. « Mais elle était là. À St Scholastika. Le jour de ton mariage. Je l'ai vue. »

Magda poussa un petit rire qui lui parut artificiel. « Bon, elle était là, c'est vrai. Elle participait à un colloque au collège. Mais elle n'était pas au mariage. Je ne l'ai jamais vue. Je n'ai su qu'elle était là que bien plus tard. On n'en avait pas parlé. »

Catherine fronça les sourcils. « Oh. Bon. Je savais que vous ne vous étiez mises ensemble que plus tard mais j'ai juste dû supposer que tu l'avais croisée, j'imagine. Quand je l'ai vue, elle sortait du Magnusson Hall. Étant donné qu'on utilisait les toilettes du bâtiment et le bureau de Maman, je me suis dit que tu avais dû la voir. » Elle adressa un sourire timide à Magda. Sa grande sœur avait beau veiller sur elle, quand elle jugeait nécessaire de remettre Catherine à sa place, elle ne se retenait jamais.

Mais Magda n'avait pas l'intention de transformer cette conversation en polémique. « Saletés de spécialistes des sciences humaines, qui s'empressent toujours de tirer des conclusions », plaisanta-t-elle. C'était un classique : dans la famille, les adeptes des sciences dures râlaient contre le fait qu'il était facile pour les autres d'élaborer des théories sans se donner la peine de les vérifier empiriquement.

« T'es pas juste, répliqua Catherine avec une moue. J'essaie de modérer mon opinion. Par exemple, j'aurais pu imaginer toutes sortes de raisons tordues qui expliqueraient pourquoi tu n'as pas dit tout à fait la vérité à la barre des témoins. »

Et voilà. On y arrivait. À ce que Magda craignait depuis des mois. *Ça va aller*, se dit-elle. Ce n'était pas un flic ou un journaliste insolent. C'était Catherine, la personne qui s'efforçait de toujours la voir d'un bon œil. Magda fronça les sourcils et espéra que son expression ne paraissait pas aussi artificielle qu'elle en avait la sensation. « De quoi est-ce que tu parles ? Bien sûr que j'ai dit la vérité. »

Catherine fit la grimace. Elle n'avait jamais été douée pour cacher ses émotions, et Magda put voir la progression de celles-ci sur son visage. Finalement, elle trouva la bonne formulation. « Je ne dis pas vraiment que tu as menti. Juste que tu as dit quelque chose qui ne peut pas être tout à fait exact. »

Il était temps de passer à l'attaque. « Mais de quoi est-ce que tu parles, bon sang ? » L'intensité de ses paroles provoqua la réaction qu'elle avait souhaitée. Catherine était embarrassée et inquiète. Mais pas au point de renoncer complètement. « Eh bien, tu as dit que tu avais vu Barker et Sanderson quitter le groupe d'invités principal et disparaître derrière le bâtiment Armstrong.

— En effet. J'ai dit ça parce que c'est ce que j'ai vu. Ils se sont éclipsés vers l'appontement des bachots. Ils n'avaient aucune raison d'aller par là-bas. Ça ne mène qu'à l'appontement ou vers la loge du gardien. Et il ne les a pas vus. » Magda fixa le sol du regard. « C'est à ce moment-là qu'ils l'ont tué.

— Mais tu as dit que tu les avais vus depuis la fenêtre du bureau de Maman. Quand tu es montée pour te changer avant de partir.

— Oui. Le bureau donne sur la pelouse du Magnusson Hall, où se trouvaient la grande tente et la piste de danse. Tu le sais. »

Catherine secoua la tête. « Mais tu n'étais pas là, Magda. Pas au moment où tu as dit y être. »

Magda avait froid, malgré la chaleur étouffante qui régnait dans la pièce. « Wheelie ? »

Catherine eut un rictus gêné. « Je suis montée après toi. Je voulais te présenter mes vœux de bonheur. Te serrer dans mes bras. Tu vois. » Elle haussa une épaule. « Comme font les sœurs. Seulement tu n'étais pas là. La porte n'était pas fermée à clé mais tu n'étais pas là. »

Magda se força à rire d'une manière qu'elle voulait chaleureuse et insouciante. « Ce devait être quand j'étais sous la douche. J'ai pris une douche en vitesse, Wheelie. J'étais toute transpirante et collante après avoir dansé. Je ne voulais pas mettre des vêtements propres dans cet état. Tu as dû venir à ce moment-là. » Elle se pencha en avant et frotta l'épaule de Catherine. « Bécasse. Tu t'es inquiétée pour ça ?

— Pas inquiétée, non. Juste interrogée. » Catherine avait toujours l'air préoccupée. « Mais, Magda... Je ne crois pas que tu aies pu être sous la douche. Parce que, tu te souviens, quand je suis montée sans te trouver, je suis redescendue par l'escalier central du Magnusson Hall. Et quand je suis arrivée au rez-de-chaussée, on s'est croisées dans le couloir. Comme si tu venais d'entrer par la porte principale. Et tu t'étais déjà changée. Tu te souviens ? »

C'était ce qu'elle avait redouté. Un témoin qui puisse contester la version des faits sur laquelle Jay et elle s'étaient mises d'accord. Mais ce n'était que Catherine, se dit Magda. Catherine, qui avait tout intérêt à croire la sœur qui avait toujours été son héroïne. Magda secoua la tête avec indulgence. « Oui, bien sûr. Tu ne crois quand même pas que j'utilisais les sanitaires des étudiants, si ? J'avais les clés de la salle de bains du bureau des profs au rez-de-chaussée du Magnusson Hall. Comme je t'ai dit, je sortais juste de la douche. »

Le visage de Catherine s'éclaira de soulagement. Puis se rassombrit. « Mais alors, quand est-ce que tu les as vus ? Si tu étais dans la salle de bains du rez-de-chaussée, tu n'as pas pu les voir de là. »

Magda poussa un soupir d'exaspération. « Tu as raté ta vocation, Wheelie. Tu aurais dû devenir avocate ou quelque chose comme ça. Je les ai vus quand je suis allée chercher mes vêtements de rechange dans le bureau de Maman. Je me suis arrêtée à la fenêtre pour regarder la fête. Tous ceux que je connais et que j'aime en train de s'amuser. Réfléchir à ce qui allait changer dans ma vie. » Elle lâcha un petit rire amer. « Non pas que j'avais la moindre idée des vrais changements qui m'attendaient. » Elle fuit le regard fixe de Catherine et étudia l'affiche du paysage espagnol. « C'est là que je les ai vus.

— Oh. D'accord. » Catherine sourit d'un air hésitant. « Je suppose que tout ça est éclairci, alors. »

Magda but une petite gorgée de café et resta coite. Elle avait bien conscience que le meilleur moyen de décrédibiliser un mensonge, c'était de s'étendre dessus. « Le café est bon, dit-elle. Merci d'avoir pris autant soin de moi pendant ce procès. Je t'en suis reconnaissante, Wheelie. »

Catherine haussa les épaules. « Qu'aurais-je pu faire d'autre ? Tu es ma sœur.

— Je suis la fille de ma mère, mais elle n'a pas été auprès de moi.

— Elle est très perturbée par ton histoire avec Jay, Magda. En plus de perdre Philip… Ça a été un double coup dur pour elle.

— Merci, Catherine, fit Magda d'un ton acerbe. Je ne me rendais pas compte que le bonheur de sa fille entrait dans la même catégorie que le meurtre de son gendre. »

Piquée au vif, Catherine défendit sa position. « Tu dois essayer de voir les choses de son point de vue. Philip était le gendre de ses rêves. Il meurt d'une mort violente et atroce le jour même où tout ce dont elle rêve pour toi se réalise. Et puis tu deviens apparemment lesbienne du jour au lendemain. C'est un peu dur à digérer pour une catholique convaincue comme Maman. Tu dois lui laisser le temps. Tu dois lui parler. L'aider à se rendre compte que tu comprends son point de vue, même si tu ne peux pas être d'accord. »

Magda sentit l'émotion lui serrer la gorge. « Et mon point de vue à moi ? Quand est-ce qu'elle va enfin le prendre en considération ? Comment crois-tu que je me sens ?

— Vachement mal, j'imagine », répondit doucement Catherine.

Avant que Magda ne puisse ajouter quoi que ce soit, la porte s'ouvrit et la tête chauve familière de l'huissier d'audience apparut dans l'interstice. « Le jury revient, annonça-t-il.

— Déjà ? » fit Catherine. Elle se tourna vers Magda. « Je t'ai dit que c'était une affaire réglée.

— Tant qu'elle est réglée comme il faut. » Magda franchit la porte derrière Catherine et l'huissier en priant pour que ce que Jay et elle avaient fait n'ait pas servi à rien.

7

À une époque, Charlie avait été franchement amoureuse du Dr Corinna Newsam. Il y avait plusieurs très bonnes raisons à cette toquade qui avait duré la plus grande partie de sa première année à St Scholastika. Corinna, responsable adjointe du département de philosophie du collège, était la femme la plus intelligente qu'elle eût jamais rencontrée. C'était également l'universitaire la moins guindée, l'interlocutrice la plus stimulante, la plus exigeante des profs que Charlie avait connus. Elle était charmée par l'accent canadien de Corinna, en admiration devant son esprit et attirée par son sourire sardonique. Le mari, les quatre enfants et son catholicisme inébranlable n'étaient que des détails qui affectaient à peine les fantasmes de Charlie. Et elle n'avait pas remarqué que, comme la famille, elle était entièrement sous la coupe de Corinna.

Mais cette fascination ne survécut pas à la première vraie histoire d'amour de Charlie. L'attrait de la chair l'emportait à chaque fois sur les rêves. Par ailleurs, Charlie avait entre-temps découvert qu'Oxford grouillait de femmes vives et stimulantes à la situation moins complexe que Corinna Newsam. Non pas qu'elle cessât d'admirer Corinna. Elle arrêta simplement d'imaginer ces moments où le frôlement de deux mains déclencherait tout à coup quelque chose de bien plus fort. C'était sans doute aussi bien, puisqu'elle gardait alors de temps en temps les enfants Newsam. C'était un gros obstacle de se trouver en proie à un désir brûlant et inassouvi lorsque vous deviez occuper les mains et les esprits de quatre enfants indépendants et intelligents.

Naturellement, Charlie finit aussi par se rendre compte que Corinna était un vrai tyran et qu'elle-même n'était qu'une roue de plus dans l'engrenage qui faisait si bien fonctionner la vie de la famille Newsam. À son départ d'Oxford, Charlie savait que, malgré leurs promesses mutuelles, elle serait loin des yeux et loin du cœur de Corinna. Elles avaient échangé des petits mots avec leurs cartes de vœux pendant quelques années, puis cela avait aussi fini par s'arrêter. La seule fois où elles s'étaient revues depuis que Charlie avait été diplômée, c'était pour la fête des dix ans de sa promo. Ç'avait été une rencontre gênante, aucune des deux ne sachant vraiment comment franchir le fossé entre passé et présent.

Et elle allait maintenant devoir trouver le cran de l'appeler. Ça n'aurait pas été une telle épreuve six mois plus tôt, quand Charlie avait encore une bonne réputation professionnelle, quoique légèrement entachée. Mais aujourd'hui ? Charlie regarda le téléphone et soupira. Il était inutile d'essayer de faire comme si Corinna pouvait ne rien savoir de sa destitution. Les collèges d'Oxford étaient des usines à ragots où les conjectures fondées sur de maigres accumulations de demi-vérités et de rumeurs allaient bon train. Mais dans ce cas précis, il leur aurait suffi de jeter un œil aux piles de quotidiens rangées sur la table de la salle des profs pour partir dans de très longues digressions à travers le dédale moral des décisions professionnelles du Dr Charlie Flint.

« Oh, et puis merde ! » grommela Charlie en s'emparant du combiné. À cette heure de la journée, Corinna devait encore être au collège. Avec un peu de chance, pas en train de donner cours mais de lire. Ou de réfléchir, étendue sur la grande méridienne en velours vert. L'appariteur répondit à la troisième sonnerie. Il n'y avait pas de standardiste professionnel ; même au vingt et unième siècle, l'institution fonctionnait comme si elle sortait à peine du dix-neuvième.

« Collège St Scholastika. Que puis-je pour vous ? fit une voix à l'accent local qu'on aurait crue tout droit sortie d'un film en costumes d'époque de la BBC.

— J'aimerais parler au docteur Newsam, indiqua Charlie, plus brusquement qu'elle ne l'avait voulu.

— Puis-je vous demander de la part de qui ?

— Docteur Charlotte Flint.

— Docteur Flint ? C'est un plaisir de vous entendre. Un instant, je vais voir si le docteur Newsam est disponible. »

Saleté d'Oxford. On ne vous lâche jamais. Charlie attendit, un silence creux au bout du fil. Son alma mater n'aurait jamais la vulgarité de passer de la musique d'ambiance. Elle était sur le point d'abandonner quand elle entendit un déclic suivi d'une voix traînante familière. « Charlie ? C'est vraiment vous ?

— Corinna, dit-elle, décontenancée par le coup de chaud qu'elle ressentit soudain. Mais vous n'êtes pas vraiment surprise, si ?

— Ça dépend de la raison de votre appel. »

La joute était engagée. Charlie se sentit fatiguée à cette pensée. Elle vivait désormais dans un monde différent, et elle le préférait. « Je vous appelle parce que vous m'avez envoyé un paquet de coupures de journaux, dit-elle. Au sujet du procès des deux personnes qui auraient tué le mari de Magda le jour de son mariage.

— Pourquoi ferais-je cela ? demanda Corinna, comme si ce n'était pas plus important qu'une banale question de détail sur un mémoire en séance de tutorat.

— Je pense que c'était un défi, Corinna. À partir de ce que vous m'avez envoyé, serais-je capable de comprendre qui me l'avait envoyé ? Et pourquoi ? Vous avez fait cela parce que vous êtes une philosophe. Vous vous êtes tellement habituée à imposer des épreuves et des défis à tout le monde que vous avez oublié comment poser une question claire.

— Et pour quelle raison aurais-je pu vous lancer un tel défi ? » Charlie crut à ce moment déceler une certaine tension dans la voix de Corinna, mais elle n'en aurait pas juré.

« Je ne suis pas sûre, dit-elle. Mais j'ai trouvé une photo qui m'a donné à réfléchir. Je crois que si j'étais mère et que ma fille fréquentait Jay Macallan Stewart, j'appellerais la cavalerie. Alors, je sais que tout le monde ne verrait pas en moi la cavalerie idéale, mais je suis sans doute la seule personne à qui vous ayez pensé à brûle pourpoint. »

Corinna poussa un rire sans joie. « Je me disais bien que ma mémoire était encore fiable. Vous avez toujours eu un don pour enquêter et résoudre les énigmes. Ça fait plaisir de voir que les années n'ont fait que l'affiner. Bien joué, Charlie.

— À quoi ça rime tout ça, Corinna ? À part à vérifier que vos prédictions à mon sujet se réalisent ? » Cela lui était égal d'avoir l'air impatiente.

« J'ai besoin de votre aide. »

Charlie soupira. « Ça fait dix-sept ans que j'ai eu mon diplôme, Corinna. Vous ne savez rien de moi.

— J'en sais suffisamment, Charlie. Je suis à peu près certaine que vous brûlez d'envie de vous refaire une réputation en ce moment. »

Charlie ferma les yeux et se massa le front. « C'est un peu présomptueux, vous ne pensez pas ? »

Après un instant de silence, Corinna répondit vivement : « On vous connaît ici, Charlie. Et les anciens professeurs du collège ont la nette impression qu'on a fait de vous un bouc émissaire. Que vous avez en fait agi avec droiture et honnêteté. Ça a peut-être été dur, mais vous avez eu raison de défendre l'innocence de Bill Hopton quand il était effectivement innocent. Ce n'est pas votre faute s'il s'est ensuite livré à un massacre.

— Tout le monde ne semble pas de cet avis, rétorqua Charlie d'une voix lasse. Certains diraient que c'est précisément son passage entre les mains de ceux d'entre nous chargés de faire respecter la loi qui l'a fait passer à l'acte.

— En tant que philosophe, je trouve cette suggestion indéfendable, répondit brusquement Corinna. Maintenant, nous ne pouvons rien faire pour vous aider sur le plan professionnel, évidemment. Bien que je sois sûre que toute l'influence dont il peut être usé est mise à contribution. Mais ce que je peux faire, c'est vous offrir une occasion d'être utile. De mettre vos compétences au service du bien, si vous voulez. »

Charlie ne savait pas pourquoi, mais elle avait envie de poser la tête sur son bureau et de fondre en larmes. « Je n'ai pas la moindre idée de ce à quoi vous voulez en venir, Corinna. Et je suis presque certaine de ne pas avoir envie de le savoir.

— Charlie, c'est une occasion de s'aider mutuellement. Mais ce n'est pas par téléphone que l'on peut régler ça. Venez pour qu'on discute. Venez passer le week-end à Oxford. Amenez votre compagne si vous voulez. Je suis sûre qu'elle trouverait largement de quoi s'occuper en ville. Vous n'êtes pas forcée de venir chez nous si ça vous met mal à l'aise après tout ce temps. On vous trouvera une chambre à l'université.

— Je ne crois pas, Corinna.

— Tout ce que je vous demande c'est de m'écouter, Charlie. Sans engagement. Si vous ne voulez pas le faire pour moi, faites-le pour Magda. Elle et vous avez toujours été copines. Charlie, je comprends pourquoi vous faites ce que vous faites. C'est parce que vous avez envie de protéger les gens vulnérables. À cet instant, Charlie, ma fille n'a jamais été aussi vulnérable. Seriez-vous vraiment capable d'ajouter de nouveaux poids sur votre conscience ?

— Votre tentative de chantage affectif est très malvenue, Corinna.

— Vous m'avez dit vous-même que si vous aviez une fille qui fréquentait Jay Macallan Stewart, vous appelleriez à l'aide. C'est simplement ce que je suis en train de faire.

— Je comprends. Mais je ne suis pas la bonne personne pour vous aider à régler ce problème. Je ne saurais pas comment séparer Magda et Jay Stewart, même si j'estimais que c'est ce qu'il faut faire.

— Je ne vous demande pas de séparer ma fille de Jay Macallan Stewart, déclara Corinna, qui semblait froissée pour la première fois. Je ne serais pas si stupide. Je connais assez bien ma Magda pour comprendre qu'il suffit juste qu'elle découvre qui est réellement Jay Stewart. Ce que je vous demande, c'est d'employer vos talents à mettre au jour la vérité. Il s'agit au fond d'une erreur judiciaire. Je croyais que ce genre de chose vous importait toujours, Charlie. »

Il ne faut pas longtemps pour que le silence devienne pesant au téléphone. Après quelques secondes de suspens, Charlie dit : « Je ne comprends pas.

— Paul Barker et Joanna Sanderson n'ont pas tué mon gendre, Charlie. Le jury rend son verdict aujourd'hui, et tout les accuse. Ils vont aller en prison. Et c'est injuste.

— Vous ne vous y prenez pas un peu tard pour essayer de m'entraîner là-dedans ? S'il s'agissait vraiment d'éviter une erreur judiciaire, vous auriez dû m'appeler il y a des semaines. »

Le soupir exaspéré de Corinna n'était pas inconnu à Charlie. « Ça n'a pas vraiment été facile pour moi. Je pensais que la procédure n'aboutirait pas. Je n'avais pas imaginé une seconde que les choses iraient si loin… Écoutez, Charlie, l'important ici, c'est que les deux personnes assises sur le banc des accusés sont innocentes. Ils n'ont pas tué Philip. »

Charlie ne put se retenir. « Qui est-ce alors ?

— Certaines choses ne se disent pas au téléphone. Venez me voir, Charlie. »

J'ai mordu à l'hameçon, se dit Charlie. Une fois de plus.

8

J'ai laissé la Jennifer Stewart du Northumberland pour la Jay d'Oxford. Un petit changement, certes, mais la première étape de ma transformation. Il en faudrait beaucoup plus, cela fut vite évident. Des années après, j'ai encore des souvenirs très nets et humiliants de ma première séance de tutorat avec le Dr Helena Winter.

Helena Winter était une des raisons pour lesquelles j'avais choisi St Scholastika. Son livre avait été le premier ouvrage de philosophie à enflammer mon enthousiasme pour cette matière. Lorsque j'étais venue au collège pour mes entretiens, elle m'était apparue comme la femme la plus élégante que j'avais jamais vue. Impeccable dans son tailleur anthracite finement rayé, elle respirait le calme et l'assurance. Son visage était impénétrable, ses cheveux coiffés en un parfait chignon du blanc éclatant d'une rame neuve de papier à imprimer. Je voulais à tout prix l'impressionner.

J'avais préparé ma première dissertation sur l'histoire de la philosophie en m'inspirant d'elle et, suivant ses instructions, j'ai commencé à la lire à voix haute. Cela peut sembler difficile à croire aujourd'hui si vous m'avez déjà entendue à la radio ou à la télévision, mais à l'époque, j'avais un accent de Northumbrienne à couper au couteau et étaler comme du beurre mou. J'avais à peine trouvé mon rythme quand j'ai remarqué la main levée du

Dr Winter, tel un agent de la circulation distingué. Je me suis arrêtée en bredouillant.

« Je suis vraiment désolée, mademoiselle... Stewart, a dit le Dr Winter sans s'inquiéter de savoir si son ton était condescendant. Votre accent est tout à fait merveilleux et serait un grand atout si vous étudiiez l'anglo-saxon et le moyen anglais. Mais malheureusement, je n'ai pas compris un traître mot de ce que vous avez dit jusque-là. Je me demandais, vous serait-il possible de reprendre au début en parlant un peu plus lentement ? »

J'étais morte de honte. Mais à dix-huit ans, je n'imaginais pas qu'on pouvait remettre à sa place une femme comme Helena Winter, et je savais encore moins comment. J'ai donc recommencé en forçant ma bouche à articuler ce type de phonèmes qui m'aurait valu mépris et railleries dans mon Wearside natal. Arrivée à la fin de ce premier semestre, j'étais bilingue. Anglais standard pour le Dr Winter, northumbrien quand je réfléchissais et parlais toute seule.

La responsable adjointe du département de philosophie constituait un puissant remède au formalisme du Dr Winter. Corinna Newsam était l'antithèse de la plupart des profs du collège. La liste des différences était longue et significative. Elle était canadienne ; elle était catholique ; elle était mariée et vivait donc dans une vraie maison et non dans un appartement du campus ; elle avait des enfants à elle ; elle n'avait pas plus de trente-cinq ans, une véritable gamine à l'échelle du professorat d'Oxford ; et elle ne faisait pas de manières et insistait pour qu'on l'appelle Corinna. Ces différences-là étaient tangibles. Mais il y en avait aussi d'intangibles. Pleine d'entrain, elle donnait vie aux idées des philosophes grecs de l'Antiquité et montrait leur modernité. Elle ne prenait jamais les gens de haut et n'était pas snob. La moitié d'entre nous étions probablement quelque peu amoureux d'elle.

Jay s'arrêta et relut le dernier paragraphe. « Non, marmonna-t-elle. Enlève la dernière phrase. » Elle devait constamment se surveiller pour ne pas oublier qu'il lui fallait désormais brider sa sincérité. Magda allait lire ces mémoires. La plupart des choses que Jay ne voulait pas que Magda sache coïncidaient avec ce qu'elle voulait que le reste du monde ne sache pas. Mais il y en avait d'autres qu'elle ne pouvait dévoiler à présent. Il était de mauvais goût de révéler à votre compagne qu'à l'époque où elle avait commencé à avoir le béguin pour vous, vous étiez amoureuse de sa mère. Elle effaça donc la dernière phrase, ôta ses lunettes et les essuya dans son T-shirt tandis qu'elle cherchait une nouvelle phrase de transition.

En bref, c'était le seul membre du bureau des professeurs avec qui il nous semblait possible de devenir ami.

Ce que je n'avais pas compris alors, c'est que ce n'était pas d'amitié que j'avais besoin. Ce qui manquait dans ma vie, c'était ce qui avait toujours manqué. J'avais besoin d'une mère. Et cela n'échappa pas à Corinna Newsam.

Jay sourit de satisfaction. Ça plairait beaucoup plus à Magda. Et ça montrait également Corinna sous un jour favorable, ce qui donnait davantage de cartouches à Magda pour faire face à l'hostilité de sa mère. Elle imaginait bien Magda dire à Corinna quelque chose comme : « Mais elle dit tellement de bien de toi. Elle raconte à quel point tu as été gentille envers elle. Pourquoi es-tu aussi hostile aujourd'hui ? » Tout était bon à prendre.

Jay regarda l'heure dans le coin inférieur de son écran d'ordinateur. Dix-huit minutes avant le prochain bulletin d'information. D'après Magda, le jury allait délibérer dans la journée. Mais espérer qu'il rende rapidement son verdict serait tenter le sort. Jay était impatiente que toute cette affaire se termine afin que Magda et elle puissent avancer sans peur dans leurs vies. Mais elle savait d'expérience que lorsqu'on déclenchait une réaction en chaîne, la patience était le seul allié qui méritât d'être choyé. Tout allait bien se passer. Le processus qu'elle avait mis en branle le jour du mariage de Magda ne tarderait pas à aboutir. Le prochain bulletin d'information était sans importance. Elle avait tout le temps d'écrire encore.

À la fin de notre troisième séance de travaux pratiques, Corinna m'a rappelée.

« Tu es pressée ? m'a-t-elle demandé.

— Non. »

Elle a hoché la tête et souri. « Ça te dirait d'aller boire une bière ? J'aimerais qu'on discute un peu de ton travail. »

Je ne savais pas si je devais être inquiète ou aux anges. Ça ne faisait que quatre semaines que j'avais quitté le monde où les adultes ne se mélangeaient pas avec ceux qu'ils considéraient comme des enfants. On a marché en vitesse du collège au pub le plus proche sous une pluie battante et glaciale qui interdisait tout bavardage. Un ou deux étudiants en licence nous ont regardées du coin de l'œil quand on est entrées et ont certainement reconnu Corinna alors qu'elle s'ébrouait comme un chien. Au bar, elle a acheté deux pintes de *bitter* sans me demander ce que je voulais, puis elle m'a guidée vers une table dans un coin.

« Je me suis dit que tu préférerais une pinte », m'a-t-elle indiqué avant de prendre une gorgée qui a vidé les trois premiers centimètres du grand verre. J'ai décidé que ce n'était pas le moment de rappeler à Corinna que j'étais mineure ou de lui faire remarquer que j'étais issue d'un milieu méthodiste où l'alcool était proscrit.

« Merci, lui ai je dit. De quoi vouliez-vous discuter ? » Je n'avais aucune finesse à cette époque. J'ai goûté la bière. Elle était claire, amère et sentait le chien mouillé.

« Ta dissertation est excellente. Une des meilleures que j'aie jamais vues de la part d'une élève de première année. Je crois que tu ferais bien de songer à prendre la philosophie du langage comme option principale. » J'ai voulu répondre, mais Corinna a levé la main. « Je trouve que tu as une compréhension intéressante de ce domaine. Tu serais sans doute une des seules personnes du collège à faire ça, et tu ferais donc l'objet de bien plus d'attention de la part de ton directeur d'études. Qui serait moi. » Elle eut un grand sourire. « J'aime bien récupérer les premières années les plus douées pour mes spécialités. Ça me permet de faire bonne impression quand les résultats des examens tombent. »

J'avais bu ma bière à petites gorgées pendant que Corinna parlait et réussi à la vider jusqu'au même niveau que ma tutrice. « Je me suis déjà décidée pour mon option », lui ai-je dit. J'ai laissé patienter Corinna suffisamment longtemps pour lire la déception sur son visage. « Je vais prendre la philosophie du langage. J'ai déjà lu la plupart des textes au programme, de toute façon. »

C'était ce qu'il fallait dire. Je m'offrais ainsi un accès sans pareil à l'intelligence et au savoir de Corinna. Or, j'étais amoureuse de ce savoir. En quelques semaines, on a pris l'habitude d'aller régulièrement boire un verre ensemble, une ou deux fois par semaine, en général vers neuf heures du soir, après que Corinna fut rentrée du collège, eut nourri, lavé et couché les enfants et dîné avec Henry. Je la trouvais géniale ; l'idée de mener une vie si remplie dépassait mon imagination. Corinna était aussi géniale pour d'autres raisons ; quel que fût le nombre de verres qu'elle buvait, elle restait toujours cohérente, toujours stimulante. Ou peut-être était-ce que j'étais trop ivre pour remarquer la différence. On parlait de nos passés et on se racontait des potins sur les gens du collège. Corinna se plaignait d'Henry, et moi du garçon qui se trouvait être mon petit ami du moment. Les hommes ne duraient jamais plus de deux ou trois semaines et toute trace de leurs noms a disparu depuis longtemps de ma mémoire. Mais mes histoires faisaient rire aux éclats Corinna, qui me répétait régulièrement de ne jamais m'enticher d'un homme juste parce qu'il me faisait sourire. Je devinais que ça faisait bien longtemps que Henry ne lui en avait pas tiré un. D'après ce qu'elle me disait, il était devenu plus intéressé par la boisson que par elle. Dans le même temps, sa vision du monde s'était durcie pour devenir un hybride de conservatisme traditionaliste et de catholicisme intégriste, dans lequel immigrés, gauchistes et homosexuels rivalisaient pour la première place sur sa liste des communautés les plus détestables. J'avais le sentiment très net que, sans ses convictions religieuses, Corinna aurait avec joie chassé Henry de la maison et de la vie de leurs enfants.

Jay s'arrêta de nouveau. C'était bien joli de laisser libre cours à la prose, mais il lui faudrait supprimer ses indiscrétions avant que Magda ne pose les yeux sur ce texte. Ce dernier passage devrait assurément disparaître. Henry avait été aussi encombrant et inutile à l'époque qu'il l'était aujourd'hui. Mais même si Magda savait que sa mère traitait son père avec tout le mépris dû à un ivrogne irresponsable, elle n'apprécierait guère que Jay dévoile les défauts d'Henry au reste du monde. Elle effaça tout après « différence » et se remit à taper.

À la fermeture des pubs, nous rentrions chez Corinna, une maison biscornue dans le nord d'Oxford, et nous nous retirions dans la vaste cuisine du sous-sol. Henry ne se joignait pas à nous, ça ne m'a jamais paru étrange. Si je me suis seulement posé la question, j'ai dû supposer que les ragots du collège ou les subtilités de la spéculation philosophique ne l'intéressaient pas. Corinna et moi buvions du café noir et fort, discutions d'idées et du langage jusqu'à plus de minuit, puis j'enfourchais le vélo de mon cousin par alliance, Billy, et m'enfonçais dans la nuit en vacillant.

Environ deux semaines après ce premier verre, Corinna m'a demandé de garder ses enfants. « Les enfants ont dîné et sont prêts à aller se coucher. Tout ce que tu as à faire, c'est leur lire des histoires à tour de rôle. Je les ai menacés d'un sort pire que la mort s'ils t'en faisaient voir. Ne les laisse pas te répondre », m'a-t-elle avisée, avant de filer devant moi dans une robe noire moulante et assez de parfum musqué pour assommer un bœuf.

J'ai regardé autour de moi dans la cuisine. Maggot, l'aînée, onze ans, ainsi surnommée car Patrick n'arrivait pas à prononcer « Magda » quand il apprenait à parler, était vautrée sur une vieille méridienne et faisait semblant de lire un roman de Judy Blume mais me surveillait en fait du coin de l'œil sous sa frange blond platine. Patrick et James, neuf et huit ans, mais qui avaient l'air de vrais jumeaux, construisaient quelque chose de compliqué à partir d'un kit et se disputaient sur la place de chaque pièce en ignorant ma présence. Et la petite Catherine, quatre ans, le bébé, surnommée Wheelie parce qu'elle était née la nuit du 5 novembre[1], était assise devant la

1. La *Guy Fawkes Night* ou *Bonfire Night* («nuit des feux de joie» littéralement) est une fête annuelle britannique durant laquelle de nombreuses poubelles à roulettes (*wheelie bins* ou *wheelies*) sont incendiées. (*N.d.T.*)

télé mais ne prêtait pas attention à son épisode de *Thomas le petit train* et me regardait fixement avec une expression mi-fascinée, mi-terrorisée.

J'ai pris une profonde inspiration et me suis penchée en tendant les bras vers elle. « C'est l'heure d'aller au lit, Wheelie. »

Catherine s'est renfrognée et a croisé les bras sur sa poitrine comme une caricature de matrone du nord-est de l'Angleterre. « Nan. Ze reste. »

Je me suis accroupie devant elle. « C'est l'heure d'aller se coucher, Wheelie. Je parie que tu es fatiguée.

— Nan », a-t-elle regimbé, la lèvre inférieure en avant.

J'ai essayé de la prendre dans mes bras. C'était comme lutter contre un phoque sous l'eau. « Nan ! » a-t-elle hurlé en décroisant les bras et en me donnant un coup de poing sur la bouche, qui m'a écrasé la lèvre contre les dents. J'ai immédiatement senti la chair qui enflait. J'ai alors compris pourquoi certains enfants étaient maltraités.

Derrière moi, Maggot m'a dit : « Dis-lui que tu vas lui lire une histoire et qu'elle peut la choisir. Ça marche d'habitude. »

J'ai hoché la tête. « D'accord, Wheelie. Qu'est-ce que tu dis de monter avec moi et que je te lise une histoire ? Celle que tu veux ? »

Une demi-heure et cinq histoires plus tard, les yeux de Wheelie se sont fermés. Je l'ai observée pendant une petite minute pour m'assurer qu'ils n'allaient pas se rouvrir, puis je suis redescendue sans un bruit. Ça a été plus facile avec les garçons. J'ai conclu un marché avec eux : ils pouvaient regarder un documentaire sur Isambard Kingdom Brunel à condition qu'ils le regardent au lit et qu'ils me donnent leur parole qu'ils éteindraient ensuite la télé.

« Ils ne le feront pas, tu sais, m'a informée Maggot dès que le marché a été conclu.

— Peut-être pas, ai-je admis, indifférente. J'irai vérifier plus tard.

— Ils finiront par s'endormir et tu pourras l'éteindre avant que Maman et Papa rentrent, m'a expliqué Maggot. Sinon ils vont se mettre en rogne contre toi.

— Et comment je m'arrange avec toi ? ai-je demandé. Je suppose que tu ne veux pas que je te fasse la lecture ?

— Aucune chance, a répondu Maggot avec la supériorité de quelqu'un qui n'est pas encore en proie aux tortures de l'adolescence. Je me couche à neuf heures. Je lis jusqu'à la demie. Tu peux me faire confiance. D'ici là, on peut discuter. »

Je n'avais pas la moindre idée de ce dont parlaient les gentilles petites filles de onze ans de la classe moyenne. Là d'où je venais, c'étaient les garçons et la fauche. Or j'avais dans l'idée qu'aucun des deux n'intéressait Magdalene Newsam. « Tu sais jouer au crib ? ai-je demandé désespérément.

— Non, a répondu Maggot, curieuse. Qu'est-ce que c'est ? »

Alors, je lui ai appris. Il n'y avait pas de planche de crib dans la maison, mais j'ai improvisé avec les Lego des garçons. On a discuté en même temps, mais c'était plus facile en jouant aux cartes que face à face au-dessus de la table en pin brossé, à chercher quelque chose pour combler le silence. Rien dans cette première rencontre n'a laissé prévoir ce qui s'en est suivi. Mais ce n'est pas l'endroit pour cette histoire. Pas encore, cher lecteur.

Arrivée à la fin de ce premier semestre, je gardais les enfants Newsam environ une fois par semaine. Je sortais toujours boire des verres avec Corinna, et je passais chez elle chaque fois que j'étais dans ce coin de la ville. Pendant l'essentiel de ce semestre, j'ai eu le mal du pays et me suis sentie seule, livrée à moi-même du fait de la distance géographique et sociologique. Mais Corinna me donnait la sensation d'avoir un endroit où j'avais ma place, un endroit où l'on m'estimait. À cette époque-là, c'était un sentiment que j'éprouvais peu ailleurs dans ma vie.

Jay s'arrêta. Elle savait ce qu'elle avait envie de dire. Y avait-il un quelconque intérêt à taper une ligne qui ne pouvait survivre à la plus superficielle des relectures ? « Oui », dit-elle. Elle voulait voir ce que ça donnerait sur la page.

J'aurais alors tué avec joie pour Corinna Newsam.

9

Aller à Oxford sans Maria, sans que jamais Maria ne s'en rende compte : tel était le projet. C'était le défi de Charlie. Si l'on pouvait se fier aux stéréotypes, ç'aurait dû être un jeu d'enfant ; psychiatre contre dentiste, c'était couru d'avance. Mais Charlie connaissait trop bien Maria pour compter là-dessus. Maria avait souvent une vision d'ensemble alors que Charlie se concentrait sur le détail. Maria avait été la première personne à la mettre en garde contre les dangers de sa position dans l'affaire Bill Hopton. La première parmi beaucoup. Beaucoup qu'elle avait choisi d'ignorer parce qu'elle était obsédée par les principes et se moquait du piètre aspect pratique des choses. Et voilà ce que ça lui avait coûté.

Elle se demandait aujourd'hui si elle aurait pu agir différemment. Elle se rappelait leur conversation la veille du jour où elle avait rendu le rapport qui avait mis le feu aux poudres. Charlie prenait grand soin de ne pas révéler d'informations confidentielles à Maria, mais elle lui parlait toujours des problèmes que soulevaient ses dossiers. « Demain, je dois rédiger un rapport qui va emmerder tout le monde, lui avait-elle expliqué. Ils ont quelqu'un dans le collimateur pour un meurtre particulièrement horrible. Mais je ne crois pas que ce soit lui. Je crois que c'est un psychopathe et qu'il est fort probable qu'il devienne un jour un meurtrier violeur avéré, mais ce n'est pas encore le cas. Certains de mes collègues diraient que c'est une raison suffisante pour faire le nécessaire et la fermer. Mais je ne peux pas faire ça. »

Maria avait examiné ses options et sondé la profondeur de sa conviction, puis elle s'était assise à la table du dîner avec un air soucieux. « Il ne faut pas que tu fasses ça, avait elle dit.

— Je ne peux pas aller à l'encontre de mes principes.

— Il n'y a pas une autre solution ? Tu ne peux pas te retirer de l'affaire ? Dire que tu es en situation de conflit d'intérêts ? »

Charlie avait soupiré. « Je ne vois pas comment. »

Maria avait réfléchi. « Si tu rends ce rapport, ils ne l'utiliseront pas au tribunal, si ?

— Bien sûr que non. Il démonte complètement leurs arguments, qui ne sont déjà pas très solides. Ils pourraient faire appel à une autre personne pour voir si elle donnerait un avis différent, mais l'accusation ne peut en aucun cas se servir de moi maintenant.

— Dans ce cas, tu peux persuader la police et le procureur de rester très discrets sur ta participation. Laisse le tribunal se débrouiller. Reste en dehors de tout ça, Charlie. Tu sais comment ça se passe quand une procédure échoue. Quelqu'un doit porter le chapeau. »

Et si les choses s'étaient déroulées comme l'avait suggéré Maria, ça aurait pu aller. Mais cela n'avait pas été le cas. La situation n'aurait pu plus mal tourner. Quelqu'un avait divulgué son rapport aux avocats d'Hopton qui étaient venus chercher Charlie. Ils l'avaient traînée à la barre des témoins et c'en avait été fini pour l'accusation.

C'était embarrassant, mais la réputation et la carrière de Charlie auraient pu en réchapper. Si on l'avait écoutée préconiser qu'Hopton soit placé dans un hôpital psychiatrique sécurisé, on aurait même pu parler d'un dénouement satisfaisant. Mais au lieu de cela, Hopton était passé à l'acte et avait tué quatre femmes, et personne n'avait cherché d'autre responsable que Charlie.

Corinna avait raison. Son besoin de faire quelque chose qui lui redonne confiance en elle était bien plus pressant qu'elle ne voulait l'admettre. Or, c'était précisément en réparant une erreur judiciaire qu'elle l'assouvirait. Et l'occasion de passer du temps avec Lisa Kent pourrait même être la cerise sur le gâteau.

Charlie égoutta les pâtes et les remit dans la casserole, puis elle versa dessus un peu de la sauce piquante italienne à la saucisse et à la tomate qu'elle avait cuisinée plus tôt. « À table », cria t-elle en servant deux assiettes qu'elle apporta à la table de la cuisine. Maria arriva, encore à moitié plongée dans le dossier spécial du journal. Elle trouva sa chaise par habitude et s'assit, le front légèrement plissé.

« C'est flippant, dit-elle en posant le journal de côté et en hochant la tête d'un air satisfait à la vue de son assiette.

— Qu'est-ce qui est flippant ?

— Flippant dans le bon sens, précisa Maria en se servant dans le bol de copeaux de parmesan que Charlie avait préparé. Cette histoire de cellules souches. Tu sais que je t'ai dit il y a un moment qu'on va pouvoir faire pousser de nouvelles dents à partir de ces petits amas de cellules ? »

Charlie, qui prêtait en général attention à Maria car elle avait l'habitude d'écouter les gens à cause de son métier mais aussi par instinct, acquiesça de la tête. « Je me souviens. Tu m'as dit que le gros problème, c'était de réussir à comprendre comment les cellules savaient quel type de dent devenir.

— Exactement. Parce que personne ne veut une molaire à la place d'une incisive. Même si c'est leur propre molaire. » Maria engloutit deux bouchées de pâtes. « Mmm, c'est bon. Eh bien, il y a une équipe de chercheurs en santé dentaire qui pense être sur le point de trouver la clé de l'énigme. » Elle leva les yeux au ciel.

« Mais c'est bien, non ?

— C'est bien si tu es la personne qui a un gros trou à l'endroit où devraient se trouver tes dents. C'est pas si génial si tu es la dentiste qui a consacré du temps et investi de l'argent pour devenir la plus grande spécialiste en implants dentaires au nord de la ligne de partage des eaux Severn-Trent. » Maria saisit le verre d'eau posé près de son assiette et but une gorgée. « J'espère qu'il leur faudra plus longtemps qu'ils ne croient pour trouver la solution. Assez longtemps pour que je fasse mon beurre et que je prenne ma retraite. »

Charlie rigola. « Tu as à peine quarante ans. »

La main de Maria s'arrêta à mi-chemin de sa bouche. « Et pendant combien de temps crois-tu au juste que je veux passer mes journées à explorer les bouches ravagées des gens ? »

L'idée n'était jamais venue à Charlie qu'elles puissent parler de la retraite. Elle adorait son métier. Non, rectification. Elle avait adoré le métier qui avait été le sien. À l'époque où elle avait exercé sa profession, la retraite concernait les autres. Il aurait fallu l'arracher de son travail à son corps défendant. Elle avait présumé qu'il en était de même pour Maria. Apparemment, elle s'était trompée. Ses détracteurs avaient peut-être raison. Peut-être qu'elle n'avait pas l'étoffe d'une psychiatre. « Je croyais que tu adorais ton métier », déclara-t-elle d'un ton provocateur.

Les sourcils de Maria se contractèrent. « J'adore le défi. J'adore les cas difficiles. Mais la routine ? Où est le plaisir ? Ce que j'ai toujours envisagé, c'est d'arrêter les soins courants dans quelques années et ne travailler que quelques jours par mois sur les trucs vraiment spécialisés.

— Tu ne me l'as jamais dit. »

Maria tendit la main et caressa les cheveux de Charlie. « On n'a jamais abordé le sujet. Charlie, je ne sais pas si tu as déjà remarqué, mais on ne parle presque jamais de l'avenir. Ou du passé. Je ne vois aucun autre couple qui vit autant dans le présent que nous.

— Et c'est une bonne chose, fit Charlie en triturant sa nourriture.

— Mais ça ne correspond pas à ton attitude ces derniers temps. » La voix de Maria s'était adoucie, et elle posa sa fourchette sur son assiette. « Depuis l'affaire Hopton, tu ressasses le passé et tu t'inquiètes de l'avenir.

— C'est ce qu'on fait quand le présent n'est pas très rose. »

Maria soupira. « Je sais que c'est moche de devoir se contenter des quelques miettes que tu peux ramasser pour t'éviter de devenir folle d'agacement et d'ennui, mais c'est passager, Charlie. Tout le monde dit que tu vas en sortir blanchie. »

Charlie poussa un petit rire. « Professionnellement, peut-être. Mais dans l'opinion des gens...

— Ce ne sont pas les gens qui t'engagent pour établir des profils psychologiques et soigner des malades.

— Maria, je ne sers à rien comme témoin expert si ma réputation est si mauvaise qu'on ne peut pas trouver un jury qui ne se soit déjà fait son opinion sur moi. »

Maria regarda fixement son assiette. « Tu n'es pas obligée d'aller au tribunal. Il y a d'autres choses que tu fais et qui te satisfont tout autant. Du moins, c'est ce que tu m'as toujours dit. »

Charlie ne dit rien. Il n'existait aucune réponse qui n'eût paru futile et superficielle, or ça ne l'était pas pour elle. C'était important de témoigner devant la justice car c'était une des quelques facettes de son travail qui amenaient des résultats concrets. Si elle faisait son travail comme il fallait, les coupables allaient en prison, les innocents partaient libres et les malades étaient soignés. Et même si les choses ne se concluaient pas de la manière qui lui semblait juste, un trait était tout de même tiré. Quelque chose avait abouti. Lorsque vous passiez vos journées de travail en contact avec des gens dont les processus mentaux étaient suffisamment détraqués pour qu'on les amène à votre porte, vous développiez un désir maladif pour tout ce qui pouvait être classé. Maintenant qu'elle avait connu les bénéfices de la position de témoin expert, elle n'était pas sûre de pouvoir continuer à exercer sans eux.

« Il y a encore bien assez de défis pour toi », dit Maria avant de se lever pour aller chercher une bouteille de vin. Elle servit deux verres et les posa sur la table. Charlie reconnut ce geste. Maria mettait un terme à une conversation qu'elle ne voulait pas poursuivre car elle ne menait nulle part. Sa manœuvre suivante consisterait à changer radicalement de sujet. « À propos de défis, dit-elle, tu as élucidé le mystère de ces coupures de journaux ? Celles qui sont arrivées au courrier. »

Bingo. Charlie sourit. Il y avait beaucoup d'avantages à vivre avec quelqu'un dont vous compreniez le fonctionnement. « Oui, répondit-elle, se laissant mener là où elle voulait aller. J'ai cherché d'autres comptes rendus du procès sur Internet et il ne m'a pas fallu longtemps pour me rendre compte que je connaissais la veuve de la victime.

— Quoi ? Que tu connaissais, tu veux dire personnellement ?

— Je veux dire personnellement et au passé. Je la gardais quand elle était petite et moi étudiante.

— Comment ça se fait ?

— Sa mère était ma tutrice de philo. Elle avait quatre gamins et un mari bon à rien, alors elle choisissait tous les ans une ou deux étudiantes comme baby-sitters régulières. J'ai été l'heureuse élue en deuxième année. »

Maria prit un air horrifié. « L'heureuse élue ? Pour s'occuper de quatre gosses ? »

Charlie haussa une épaule. « C'étaient des enfants plutôt faciles. Et j'étais payée. Sans parler du cours particulier accompagné de verres de vin en fin de soirée. Corinna Newsam a toujours été généreuse de son temps et de ses bouteilles. » Elle but une petite gorgée de vin. « Et le moment est venu de lui rendre la pareille.

— Lui rendre la pareille ?

— Elle veut que je fasse quelque chose pour elle. D'où l'appât qu'était le pli de ce matin.

— C'est elle qui t'a envoyé les coupures ? Cette Corinna Newsam ?

— Oui.

— Mais pourquoi ? Pourquoi toi ? Et pourquoi tout ce mystère ? »

Charlie fit un grand sourire. « Elle est prof à Oxford. C'est comme une quête au Moyen Âge. Tu dois d'abord prouver que tu es digne de la tâche. Puis tu dois découvrir quelle est cette tâche. Puis tu dois partir au devant d'une multitude d'ennemis et revenir avec le Saint Graal. »

Maria secoua la tête, perplexe. « Je ne suis qu'une simple dentiste, Charlie. Tu vas devoir m'expliquer ça avec des mots d'une syllabe.

— Tu n'es qu'une "simple dentiste" de la même façon qu'Albert Einstein n'était pas trop mauvais en calcul. Corinna m'a envoyé une énigme. Si je n'arrivais pas à la résoudre ou si ça ne m'intéressait pas, alors à l'évidence je ne pouvais pas être la bonne personne pour l'aider. Ça lui permet d'éliminer le candidat qui ne convient pas sans jamais devoir perdre la face en demandant de l'aide. J'ai résolu l'énigme et je l'ai appelée, j'ai donc réussi le test d'admissibilité.

— Tu l'as appelée ? »

Charlie haussa de nouveau une épaule. « Ben, oui. Je veux dire, quel autre moyen avais-je de comprendre ce qui se passe ?

— Et qu'est-ce qui se passe ? »

Charlie leva les yeux au ciel. « Si seulement je le savais. Mais c'est Oxford. Il ne suffit pas d'un coup de fil pour tout comprendre. Si c'est ce que je veux, je dois aller parler en tête à tête avec Corinna. »

Déconcertée, Maria secoua de nouveau la tête. « Est-ce qu'on t'a retourné la cervelle comme ça pendant tout le temps où tu étudiais ? Pas étonnant que tu sois si douée pour t'occuper des esprits tordus. J'imagine que tu lui as dit que tu n'étais pas intéressée ?

— Ce n'est pas si simple, Maria. Corinna est futée. Elle est au courant de ce qui m'arrive en ce moment. Et elle m'a appâtée en prononçant *les* mots qui, comme elle le savait, me feraient craquer. “Erreur judiciaire”, elle a dit. » Charlie marqua une pause pour boire une gorgée et vit la consternation sur le visage de Maria. « Ça pourrait bien être l'occasion pour moi de trouver le salut. Je ne peux pas refuser à ce stade. Je dois y aller pour savoir quel est le problème de Corinna.

— Charlie, tu ne te mêles jamais des histoires des gens qui te contactent directement. “Adressez-vous à la police. Ou à un avocat. S'ils estiment que je suis la personne de la situation, ils viendront me voir.” C'est ce que tu dis toujours. C'est ton mot d'ordre. Je n'arrive pas à croire que tu vas courir à Oxford, probablement dans une quête impossible, juste parce que tu gardais autrefois les gosses de cette femme.

— Mais plus personne ne vient me chercher, si ? » La colère de Charlie éclatait tout à coup, telle une masse d'eau en ébullition dont la tension de surface ne pouvait plus résister. « Je suis suspendue en tant que médecin, je suis suspendue de la liste des témoins experts accrédités par le ministère de l'Intérieur, et même mes cours à l'université ont été suspendus. Je me retrouve à surveiller des examens du bac et à donner un cours de temps en temps au lycée. Une quête impossible, c'est toujours mieux que pas de quête du tout. » Elle ferma les yeux en serrant les paupières et essaya de respirer régulièrement.

« Soit, fit Maria après un long silence.

— Je suis désolée, dit Charlie d'un air las. Tu n'as pas mérité ça. » Elle s'arrêta un instant et s'efforça de prendre un ton nonchalant. « Tu peux venir avec moi, si tu veux.

— À Oxford ?

— À t'entendre, on croirait que c'est la lune.

— C'est une autre planète, ça c'est sûr. C'est ton monde, pas le mien. Moi, je suis une simple fille du Nord.

— Tu pourrais m'empêcher de m'embarquer dans une quête impossible. » Charlie fit une moue de clown triste. « Me protéger de moi-même. » Les meilleurs mensonges étaient toujours ceux qui se rapprochaient le plus de la vérité, se rappela-t elle.

« J'ai du travail. » Maria ramassa les assiettes désormais vides et les empila d'un air affairé.

« Je n'irai pas avant le week-end. J'ai encore des cours et des surveillances cette semaine. Pourquoi ne pas venir ? Tu n'as jamais vu St Scholastika. Ça pourrait même te plaire. »

Maria eut un petit rire. « Je suis trop vieille pour être séduite par ces beaux bâtiments et ces esprits fascinants. J'aime les jolis coins de nature déserts pour me détendre, pas les villes. Mais ne t'en fais pas. Vas-y, fais-toi un voyage sentimental. Va voir ce que ton ancienne prof pense que tu peux faire pour elle.

— Pour ensuite refuser poliment et rentrer ?

— Seulement si c'est ce que tu veux. »

Charlie lut l'inquiétude dans le regard de Maria et eut un pincement de culpabilité. Peu importait que Maria s'inquiétât pour la mauvaise raison. Ce n'était pas pour l'aspect professionnel de son séjour à Oxford qu'elle s'embarquait dans une dangereuse aventure. Quoi que puisse lui proposer Corinna, ce serait à coup sûr infiniment moins risqué que de se mettre sur le chemin de Lisa Kent. Mais elle était sous l'emprise de quelque chose qui dépassait sa capacité normale à se maîtriser. « Merci, dit Charlie en se levant de la table et se détournant pour que Maria ne puisse pas voir son visage. On ne sait jamais. Ça pourrait être précisément ce dont j'ai besoin. »

10

Le dos cambré, les muscles contractés, Magda poussa un cri, un son guttural qui aurait aussi bien pu traduire le désespoir que la joie. Ses mains étaient agrippées au drap sous elle. Au-delà de toute pensée consciente, au-delà de tout sinon de la puissante montée de l'orgasme, elle était incohérente et lâchait des mots à moitié formés. Jay posa les doigts sur les lèvres de Magda. « Je t'aime, murmura-t-elle.

— Mmmh », gémit Magda. Elle n'avait jamais fait l'amour de cette façon. Sauvage, sale, sombre, sans jamais tout à fait en avoir assez. C'était comme ça avec Jay. Enivrant, grisant. Un voyage dans un monde nouveau.

Ce n'était pas comme si Philip ne l'avait pas satisfaite au lit. Une fois qu'ils avaient appris à se connaître, ça avait toujours été agréable. Ça lui avait assez plu pour que ce soit le plus souvent elle qui prenne l'initiative. Mais avec Jay, depuis la toute première fois où elles étaient tombées ensemble sur le lit, leurs rapports avaient été extatiques. C'était peut-être lié au fait d'avoir accepté sa vraie sexualité. Ou peut-être était-ce parce que son amie était assurément douée. Le sexe seul aurait suffi à ce qu'elle la tienne à sa merci. Mais il y avait bien plus que ça. Magda gémit à nouveau lorsque les doigts de Jay effleurèrent sa joue et son cou. « Merci, dit-elle.

— Encore ? » La main de Jay glissa sur le sein de Magda puis sur son ventre.

Magda remua un peu. « Non, dit-elle. Je ne pense pas pouvoir en supporter plus pour l'instant. Je veux juste savourer le plaisir d'être avec toi. Et fêter ça. » Elle caressa le dos de Jay, consciente qu'il y avait autant de différences que de similitudes entre leurs corps. La couleur et la texture de la peau. Le tonus et la conformation des muscles. La forme du corps, ses courbes. La couleur des cheveux, leur implantation. Elle avait entendu des gens dire que l'homosexualité était une forme de narcissisme, mais elle ne le voyait pas ainsi. Il était difficile d'imaginer deux personnes aussi différentes que Jay et elle.

« Tu veux encore du champagne ? » demanda Jay. Elles avaient vidé une bouteille quand Magda était rentrée de l'Old Bailey, avec un tel soulagement qu'elles l'avaient descendue comme de la limonade par une chaude journée d'été.

« Je n'ai pas envie de bouger. J'ai envie de rester couchée là et de savourer ce moment. » Magda soupira. « C'est comme si on m'avait ôté un poids aujourd'hui. Comme si je pouvais tirer un trait sur le passé et regarder devant moi.

— Je comprends. » Jay se mit sur le flanc contre elle, le ventre collé à sa hanche, le bras posé jalousement sous la poitrine de Magda. « Justice a été faite. Paul et Joanna sont en prison pour ce qu'ils ont fait à Philip. Et tu as apporté ta contribution pour être sûre que sa mort ne reste pas impunie. Tu peux donc maintenant être fière de toi autant que te sentir soulagée. »

Magda passa ses doigts dans les cheveux de Jay. « Tout ça, c'est à toi que je le dois.

— Ne sois pas bête. Ce n'est pas moi qui ai dû aller à la barre pour témoigner.

— Non, mais il n'y aurait pas eu de procès où témoigner si tu n'avais pas mis ton grain de sel, précisa tendrement Magda avant d'embrasser Jay sur le front.

— C'est mieux si on laisse ça aussi derrière nous, je crois, répliqua Jay avec fermeté. Moins on en parlera, moins on aura de chances de laisser échapper quelque chose. »

Magda était trop hébétée pour s'offenser de la suggestion qu'elle puisse ne pas être capable de tenir sa langue. « En tout cas, je n'oublierai jamais. Ce que tu as fait, c'était risqué. Et tu l'as fait pour moi. Tu l'as fait pour moi alors qu'on venait juste de se mettre ensemble. Personne n'a jamais pris un tel risque pour moi.

— Je n'ai pas eu l'impression de prendre un risque. Je savais déjà que tu étais la bonne. Je savais à quel point tu souffrais de la mort de Philip, et il fallait que je fasse tout ce qui était en mon pouvoir pour atténuer ta douleur. » Elle se blottit contre Magda. « Ça aurait été insulter sa mémoire autant que toi que de les laisser vivre en liberté. J'ai donc fait ce qui était nécessaire.

— S'il me fallait la preuve que tu es la bonne... » Magda s'étendit et sourit. « Et maintenant, on peut arrêter de se cacher. On peut sortir ensemble, faire ce que font les amoureux sans avoir peur de finir dans les pages d'un magazine people. »

Jay gloussa. « Il y a toujours de grandes chances qu'on apparaisse dans un magazine people. Mais ça n'a plus d'importance maintenant. Cela ne risque pas de détourner l'attention durant le procès. On n'a plus à craindre qu'un avocat de la défense insinue que tu avais un mobile tout aussi valable que Joanna et Paul pour vouloir la mort de Philip.

— J'ai toujours dit que c'était idiot. C'est vrai, si j'avais su que je voulais être avec toi, je n'aurais jamais épousé Philip, si ?

— Tu aurais pu vouloir être respectable, répliqua Jay. Je sais que si tu l'as épousé, c'est en partie parce que c'est ce que tout le monde attendait de toi.

— Et j'ai toujours été celle qui faisait ce qu'on attendait d'elle. » Magda sourit, prise d'un sentiment de malice inconnu. « Du moins jusqu'à aujourd'hui.

— Dieu merci. Bien sûr, tu aurais pu vouloir l'argent de Philip. Un mobile tout aussi valable, constata Jay sur un ton plus pessimiste. N'oublie pas, il est toujours possible qu'une personne nous ait vues ensemble le jour de ton mariage. Une rencontre insignifiante, aura-t-elle pensé. À moins qu'elle ait lu les insinuations de quelque journaleux et décidé que ce n'étaient pas Joanna et Paul les conspirateurs maléfiques, mais nous.

— Avec une telle imagination, tu devrais écrire des polars. » Magda tendit le bras et chatouilla les côtes de Jay. « Personne parmi les gens qui nous connaissent l'une ou l'autre ne pourrait imaginer quelque chose d'aussi ridicule. Alors, où vas-tu m'emmener pour notre première sortie publique ? »

Jay fit semblant de réfléchir. « Je pourrais avoir des places pour voir Arsenal à l'Emirates Stadium samedi ? » Magda pinça la hanche de Jay. « Aïe ! C'était juste une blague.

— Je sais. Mais certaines blagues sont inacceptables. Allez, tu es l'éditrice des guides de voyage les plus cool de la planète. Tu as bien dû penser à quelque chose. »

Jay s'adossa aux oreillers. « Je me suis dit qu'on pourrait aller à Barcelone pour le week-end. Dans un petit hôtel de charme près des Ramblas, dîner dans un super resto... Qu'est-ce que t'en dis ?

— Ce week-end ?

— C'est ce que j'avais pensé. Est-ce un problème ?

— Je travaille dimanche, expliqua-t-elle. Et je pensais monter à Oxford samedi pour voir mes parents. Il faut que je leur dise pour nous.

— Je croyais que ta mère était déjà au courant ? Tu m'as dit qu'elle t'avait harcelée de questions sur moi quand tu y es allée le mois dernier.

— Elle sait parce qu'elle a deviné. Mais je ne lui ai pas réellement dit. Pas explicitement. Et Papa ne se doute de rien. Ça va être un cauchemar avec lui. » Magda s'écarta légèrement et bascula la tête en arrière pour regarder fixement le plafond. « J'entends déjà son coup de gueule de catholique intégriste. Franchement, à côté de lui, sa sainteté Mister Benoît XVI paraît tolérant.

— Est-ce que ça aiderait si je t'accompagnais ? » Jay leva la main pour caresser les cheveux de Magda.

Magda fit semblant de rire. « Pas dans le sens que je connais du mot "aider". Tu as oublié que ma mère t'a bannie de la maison il y a toutes ces années quand elle a découvert que tu étais homo ? Non, il faut juste que je serre les dents et que je tienne bon. Avec un peu de chance, les conséquences ne seront pas trop dramatiques. Et Wheelie vient avec moi, donc j'aurai quelqu'un dans mon camp.

— Ma pauvre Maggot, fit Jay. Je devrais peut-être t'attendre dans la voiture au cas où ils te chasseraient comme une femme perdue de l'époque victorienne.

— Ce n'est pas du domaine de l'impossible. » Magda s'appuya sur ses coudes. « Mais assez parlé de tout ça. On est censées être à la fête. Il y a quelque chose à manger dans la maison ou est-ce qu'on doit se faire livrer ? Je meurs de faim.

— Tous ces ébats. Ça creuse une femme. Qu'est-ce que tu dirais d'une pizza ? »

Magda sourit. « Parfait. On peut la manger au lit. Comme ça on n'a pas besoin d'aller loin après.

— En effet. Il faut qu'on profite au maximum des prochains jours si tu m'abandonnes ensuite pour Oxford. »

Magda haussa un sourcil. « Peut-être que tu devrais m'attendre dehors dans la voiture, après tout. »

11

Samedi

Charlie n'avait pas prévu de retourner voir St Scholastika, mais elle devait en franchir les portes pour aller chez les Newsam depuis la maison d'hôtes où elle avait pris une chambre. Et elle ne pouvait résister aux lieux de son passé. Elle savait que certaines personnes ne coupaient jamais tout à fait le cordon avec leur collège d'Oxford et y revenaient sans cesse sous n'importe quel prétexte – une conférence, un dîner, l'anniversaire d'une promo – mais elle n'en avait jamais fait partie. Elle avait passé dans l'ensemble des années merveilleuses à Schollie, mais elle avait ensuite été prête à affronter le monde extérieur moins hospitalier. Elle n'y était revenue qu'une seule fois pour les dix ans de sa promo, un événement qui l'avait déprimée au plus haut point.

Ça avait été étrange de revenir à Schollie cette fois-là. Presque schizophrénique. Charlie avait eu le sentiment d'être ce qu'elle était alors – une professionnelle réputée dont l'avis était recherché et respecté par ses pairs, une femme qui avait renoncé aux toquades obsessionnelles et choisi l'amour, une personne bien dans sa peau – et, en même temps, cette créature complexée à la charnière de l'adolescence et de l'âge adulte, qui cachait son manque d'assurance derrière de l'arrogance et essayait désespérément de comprendre comment son avenir allait se dessiner. Cela l'avait déstabilisée de tomber sur des gens qui ne connaissaient que la personne qu'elle avait été et non celle qu'elle était devenue. Elle avait eu l'impression de s'être changée en caméléon avant la fin de la soirée et s'était réjouie d'échapper à sa chambre spartiate du collège avec son sinistre lit simple. Cette expérience ne lui avait pas donné une folle envie de recommencer.

Ce n'avait donc pas été au programme de Charlie de flâner dans son ancien fief. Pendant la plus grande partie des trois heures de route de Manchester à Oxford, elle s'était alternativement laissée aller à des fantasmes impliquant Lisa Kent et peu de sommeil, et blâmée pour avoir simplement laissé ces pensées lui traverser l'esprit. Ce qu'elle ne pouvait nier, c'était qu'elle s'était exposée à la tentation.

Dès le moment où elle s'était arrangée pour se rendre à Oxford sans Maria, Charlie avait envoyé un SMS à Lisa. *Serai à Oxford vendredi/samedi, peut-être dimanche. On se voit ?* Lisa avait simplement répondu *Jt réponds + tard par e-mail,* laissant Charlie bouillir d'impatience. L'e-mail, quand il arriva, fut une déception. Mais Charlie devait reconnaître que, vu son actuelle disposition d'esprit, ç'aurait été le cas de presque n'importe quelle réponse. Comme elle l'expliquait, Lisa était malheureusement déjà prise pour l'essentiel de son week-end : séances de formation des personnes choisies pour enseigner comment « Surmonter sa Vulnérabilité », réunions avec des organisateurs de conférences, et quelques rendez-vous en tête à tête avec des clients en thérapie individuelle. Charlie se demanda si le seul moyen qu'elle aurait de passer un moment avec Lisa était de réserver un de ces rendez-vous.

Puis juste après ce message décevant en arriva un second. Charlie se demanda si c'était un jeu, mais peu lui importait. Au moins, elle jouait avec son égale. Lisa lui proposait à présent de se retrouver pour boire un verre le vendredi soir. *Je devrais être libre à neuf heures et demie, dix heures au plus tard. Pourquoi ne pas se retrouver au Gardener's Arms ? Près de ton hôtel, non ?*

Et Charlie était donc arrivée au pub juste après huit heures et s'était installée à une table d'où l'on voyait la porte dans un bar qui ressemblait à un salon. Elle avait commandé un curry thaï dans le menu végétarien et l'avait fait durer. À neuf heures et demie, elle en était à son troisième verre de vin et résistait à l'envie de le vider d'un trait pour calmer l'appréhension nerveuse à laquelle elle était en proie. Lisa serait bientôt assise face à elle, et l'air grésillerait sous l'effet de la tension entre elles. Irrésistible, voilà ce que ce serait, se dit Charlie. Le lit de la maison d'hôtes resterait vide ; elles rentreraient chez Lisa au village d'Iffley. Ce qui se passerait après cette nuit blanche et la matinée hébétée, Charlie n'en avait aucune idée. Mais cet événement partagerait sa vie en deux comme un coup de couteau. Les deux morceaux tomberaient de chaque côté comme un fruit découpé.

Le brouhaha du vendredi soir au pub semblait s'intensifier autour de Charlie au fur et à mesure que le temps s'écoulait. Les voix résonnaient dans ses oreilles, les rires l'agressaient. Dix heures moins le quart et pas de Lisa. Elle regardait son téléphone toutes les minutes, mais aucun message n'apparaissait. À dix heures, Charlie commença à se sentir mal. Ses mains étaient moites, sa peau enflammée et suante. Elle dut résister à l'envie pressante de se frayer un chemin à travers la foule pour sortir à l'air frais. Quand le téléphone vibra enfin à dix heures dix pour annoncer un message, Charlie sursauta de tout son corps.

Suis vraiment confuse, tt a pris du retard. Ri1 à faire. Jtapl 2main. Lx Elle lut ces mots et sentit la bile monter. Elle parvint tout juste à sortir dans la ruelle pour vomir son dîner et son vin dans le caniveau entre deux voitures garées tout près l'une de l'autre. Tremblotante, en sueur, elle s'adossa au mur et pesta contre elle-même. Pourquoi s'était-elle laissé prendre à ce jeu affectif ? Avec Lisa, tout n'était qu'ambiguïté. Son message était-il sincère ? Avait-elle eu les jetons à l'idée de s'engager dans une liaison avec une femme mariée ? Jouait-elle le jeu pour s'amuser ? Ou était-elle réglo et était-ce juste Charlie qui se torturait par culpabilité ?

Une fois rentrée à la maison d'hôtes, Charlie était restée étendue sur son lit, assaillie tour à tour par un sentiment d'apitoiement et un profond dégoût d'elle-même. Puis c'était le remords qui l'avait empêchée de s'endormir. Vers une heure du matin, elle avait abandonné et était allée sur Internet pour lire tout ce qu'elle pouvait trouver à propos du meurtre de Philip Carling. Au moins serait-elle prête pour sa rencontre avec Corinna. Comme pour une séance de tutorat. Les vieilles habitudes avaient la vie dure.

À trois heures, elle commençait à bâiller. Avant de se déconnecter, elle fit une rapide recherche sur Jay Macallan Stewart pour se rappeler les principaux renseignements accessibles au public. Wikipédia lui offrit un compte rendu honnête. Après Oxford, Jay avait mis en avant ses compétences universitaires en économie pour décrocher un poste de chercheuse au sein d'un laboratoire d'idées en politique sociale. Au bout de deux ans, elle avait compris la direction que prenait le monde et quitté son emploi pour monter sa propre société en ligne qui raflait au meilleur prix billets d'avion et locations de vacances non réservés pour les revendre à profit sous forme de forfaits sur mesure. Topdepart.com avait été un des francs succès du premier boom numérique, et Jay avait eu la présence d'esprit de vendre l'entreprise avant que la bulle n'éclate. Elle avait alors voyagé pendant deux ans, la plupart du temps en toute discrétion, tout en vendant des dépêches à divers journaux et magazines anglais.

Son entreprise suivante avait tiré partie de la seconde vague de l'Internet. Avec l'explosion des ventes de séjours de courte durée, ce dont le monde avait besoin, c'était d'une collection de guides de voyage, continuellement mis à jour, accessibles en ligne et adaptés aux centres d'intérêt du client. C'est ainsi que la marque 24/7 était née. Disponible uniquement sur abonnement, le site de Jay se targuait de ce qu'il n'y eût pas une grande ville du monde pour laquelle il ne puisse proposer un guide sur mesure. Charlie elle-même y était abonnée et versait allègrement ses 4,99 livres par mois afin de ne jamais se retrouver désemparée en voyage.

Tout cela avait permis à Jay de se faire une réputation dans le monde des affaires. Les journalistes économiques savaient qui était Jay Macallan Stewart. Mais ce qui l'avait révélée au grand public, c'était d'avoir pris sans scrupule le train des mémoires d'infortune en marche. Jay n'avait pas été élevée suivant le schéma classique. Sa mère avait été une hippie et une junkie. Durant les neuf premières années de sa vie, Jay avait été aussi libre qu'il est possible de l'être. Puis sa mère avait connu une conversion radicale à une des branches les plus rigoristes du christianisme et avait épousé l'un des hommes les plus autoritaires du nord-est de l'Angleterre. Ça avait été, pour citer Jay elle-même, « comme foncer tête baissée dans un mur ». Ajoutez à l'équation la sexualité naissante de Jay qui, comme elle s'en était rendu compte peu à peu, allait en faire d'autant plus une paria, et vous aviez précisément la recette pour ce genre d'autobiographies qui se vendaient par millions. Charlie ne savait pas du tout dans quelle mesure *Sans aucun remords* était fidèle à la réalité, mais personne ne s'était manifesté pour démentir ses propos, aussi rien n'était venu freiner l'élan qui l'avait mené en tête des meilleures ventes.

Et c'était là que s'arrêtait son histoire sur Internet. Il n'y avait aucune information sur la vie privée de Jay sinon qu'elle était homosexuelle. C'était quelqu'un dont les gens connaissaient le nom sans qu'elle tombe dans la catégorie douteuse des célébrités. Charlie devait reconnaître que Jay s'en était sortie à merveille. Elle avait réussi d'une façon ou d'une autre à gommer les points noirs de l'histoire.

Car il y avait des points noirs. Même Charlie le savait. Elle s'était endormie avec une image de Jay Macallan Stewart à l'esprit. Non pas Jay telle qu'elle était désormais, mais Jay telle qu'elle avait été la première fois que Charlie l'avait vue. Grande et longiligne dans son large pull de pêcheur, une crinière de boucles brunes en désordre, le visage enveloppé dans la fumée bleue d'une cigarette française. Elle avait donné à Charlie, de deux ans son aînée, le sentiment d'être gauche et adolescente. Déjà à l'époque, bien que son impression ne fût justifiée par aucune raison valable, elle avait compris qu'il y avait quelque chose de dangereux chez Jay Stewart.

Charlie, qui avait dormi plus profondément qu'elle ne s'y était attendue ou ne l'avait mérité, se réveilla groggy et put tout juste prendre une douche pour arriver à temps pour le petit déjeuner. Il lui restait ensuite plus d'une heure à tuer avant son rendez-vous avec Corinna. Une balade par une belle matinée de printemps dans les jardins et la prairie de Schollie qui bordait le fleuve aurait au moins l'avantage de la replonger dans le passé au lieu des venelles tourmentées où Lisa Kent emmenait son esprit. Plus important encore, cela lui permettrait de se faire une image plus claire de l'endroit où Philip Carling avait été tué. Elle ne pensait pas que le parc du collège aurait beaucoup changé depuis qu'elle y avait étudié. Oxford s'enorgueillissait de son attachement à la tradition, après tout. Mais il y aurait des différences, même si elles n'étaient que légères. Si – et à ce stade, c'était un très grand « si » – elle décidait de se pencher sur la supposée erreur judiciaire de Corinna, elle devrait l'examiner comme n'importe quelle autre affaire et laisser de côté toute idée préconçue. Et bien qu'elle fût une inspectrice de l'esprit, ça ne coûtait rien d'avoir sa propre image des lieux du crime.

À l'époque où Charlie y avait étudié, Schollie était encore un collège réservé aux femmes, l'un des six derniers établissements non mixtes. Avec St Hilda, ses responsables avaient résisté aux pressions pour qu'ils acceptent des hommes, fermement convaincus qu'une université divisée en collèges comme Oxford devait être en mesure de proposer un éventail complet de possibilités à ses étudiants. Mais ironiquement, ils avaient finalement été forcés d'abandonner leur position en raison des lourdes conséquences financières de la législation sur l'égalité des sexes. Schollie était donc désormais, comme tous les autres collèges de l'université, ouvert aussi bien aux hommes qu'aux femmes. Contrairement aux anciens collèges pour hommes, ses édifices étaient dénués de beauté ou de caractère et, bien que le parc fût étendu et agréable, le collège ne présentait aucun attrait particulier pour les touristes. On pouvait donc y entrer gratuitement et sans contrôle d'identité pour vérifier si un visiteur était autorisé à y pénétrer. N'importe qui, semblait-il, pouvait flâner comme il le voulait dans les jardins et la prairie fluviale du collège de Scholastika.

Le trimestre venait de se terminer, aussi les familles emportaient valises et sacs bleus Ikea vers leurs voitures, les parents tournant autour des jeunes étudiants qui s'efforçaient d'avoir l'air heureux de rentrer chez eux. Certains d'entre eux, qui payaient pour rester une semaine supplémentaire en résidence, se prélassaient sur des bancs, l'air suffisant, encore libérés des anciennes vies qui attendaient de les reprendre. Charlie traversa la loge du gardien et le parking accolé au Magnusson Hall jusqu'à la partie du jardin où la réception du mariage avait eu lieu. D'environ la taille d'un terrain de football, c'était une pelouse impeccable entourée d'une allée de gravier puis de plates-bandes de plantes herbacées à l'aspect ébouriffé et peu prometteur en mars. Mais au mois de juillet, où Magda et Philip s'étaient mariés, Charlie savait qu'elles auraient accueilli une profusion de fleurs et de végétation de toutes les couleurs. Au milieu de la pelouse se dressaient deux cèdres du Liban, plus grands et plus larges que dans le souvenir de Charlie. À l'autre bout se trouvait un banc où Charlie avait souvent passé des matinées d'été à lire ou simplement à regarder dans le vague en essayant de comprendre le sujet de sa prochaine séance de tutorat tandis que le fleuve boueux et gonflé s'écoulait mollement.

Charlie traversa la pelouse et essaya de se représenter le mariage estival qui avait connu une fin si violente. Il avait dû y avoir une grande tente, peut-être deux. Des tables sur l'herbe. Un groupe, une piste de danse. Des gens partout, qui discutent de choses et d'autres, dansent. Difficile de suivre les mouvements de quiconque. Même des mariés.

Le problème des mariages au collège, c'était qu'il n'y avait aucune véritable mesure de sécurité. Comme le reste du temps, n'importe qui pouvait entrer et sortir lors des réceptions privées. Surtout lors des événements en plein air. Il n'existait aucun moyen efficace de les rendre sûrs quand il y avait d'autres personnes sur le site ayant droit d'accès aux bâtiments entourant la pelouse. L'entrée latérale du Magnusson Hall avait dû rester ouverte pour que les invités puissent y utiliser les toilettes. Aussi n'importe quelle personne se trouvant dans Magnusson avait pu sortir directement pour se joindre à la fête. D'autres édifices encadraient le jardin : la Chapter House, un petit bâtiment qui ne contenait que des salles de TP et de tutorat, et la Riverside Lodge, un autre bâtiment de logements. Charlie se demanda si la Chapter House était fermée à clé le samedi. Ç'aurait été le cas à son époque.

Elle alla à son ancien banc et se retourna pour lever les yeux sur le Magnusson Hall. L'édifice victorien avait à une époque été un asile d'aliénés, ce qui était à l'origine de nombreux traits d'esprit sardoniques parmi les étudiants. Malgré cela, il avait des proportions respectables et ses briques jaunes et rouges étaient agencées de manière décorative. D'après les comptes rendus d'audience qu'avait lus Charlie, Magda s'était trouvée dans le bureau de sa mère lorsqu'elle avait vu Paul Barker et Joanna Sanderson s'éclipser de la fête. Ils avaient disparu derrière la Riverside Lodge, entre le bâtiment et le fleuve, une direction qui menait uniquement à l'appontement où l'on avait ensuite retrouvé le corps de Philip. « À moins que l'issue de secours de la Riverside n'ait été ouverte », dit Charlie à voix basse.

Elle marcha jusqu'au coin de Riverside et se retourna vers Magnusson en essayant de se rappeler où se trouvait le bureau de Corinna. Il avait un bow-window, se souvint-elle. Au deuxième étage. Il n'y avait que deux possibilités, et toutes deux offraient un point de vue sur l'endroit où elle se tenait. Rien à redire sur ce que Magda avait déclaré avoir vu, donc, en termes de plausibilité.

Charlie reprit son chemin sur l'étroite allée de dalles entre Riverside et le cours d'eau. Le muret à hauteur de genoux était surmonté d'un haut garde-fou en fer pour empêcher les étudiants de tomber dans le fleuve. À sa gauche s'élevait le pignon de Riverside, une falaise de briques grise abrupte ponctuée par ces fenêtres carrées qui avaient été à la mode dans les années 1970, quand l'édifice avait été bâti. Au milieu de la façade se trouvait l'issue de secours, un double carré de verre divisé par une large bande de métal noir. À l'époque de Charlie, l'atmosphère y était toujours si étouffante en été que la porte restait le plus souvent ouverte. Elle se demanda si c'était toujours le cas. Tout le monde était plus attentif aux questions de sécurité à présent. Mais si Charlie pouvait se fier à son expérience des étudiants, ils se croyaient indestructibles. Ils mettraient le danger en balance avec la chaleur insupportable dans le bâtiment et ouvriraient la porte. Elle était prête à le parier.

Au bout de l'édifice, l'allée débouchait sur une cale de lancement bétonnée en pente douce. Derrière se trouvait le solide appontement en bois où les bachots étaient enchaînés. C'était là qu'on avait retrouvé Philip. Frappé des deux côtés de la tête avec une lourde pagaie en bois qui lui avait fracassé le crâne, puis poussé dans l'eau la tête la première, coincé sous un bachot pour qu'il se noie. Ce n'était pas une façon très digne de partir, mais c'était sans doute assez rapide. Tous les bruits couverts par le brouhaha de la fête. L'agresseur avait dû être trempé, mais s'il avait eu la présence d'esprit de planquer des vêtements de rechange à côté dans Riverside ou même plus loin sur le bord du fleuve dans l'abri à bateaux du collège, il aurait vite effacé ses traces. Des témoins avaient déclaré que quand Barker et Sanderson étaient revenus à la noce, elle portait une robe différente et lui avait changé de chemise. Pour se défendre, ils avaient argué qu'ils s'étaient éclipsés pour faire l'amour ; qu'ils avaient eu une telle envie l'un de l'autre qu'ils avaient déchiré la robe et taché la chemise avec du rouge à lèvres et du mascara, et s'étaient donc changés. C'était une de ces explications qui, bien que plausibles, paraîtraient toujours tirées par les cheveux, surtout dans la mesure où ils étaient les seuls suspects apparents.

Bien sûr, cet argument perdait de son poids si l'on était au courant pour Magda et Jay. Si Charlie devait s'intéresser un tant soit peu à cette affaire, il y aurait beaucoup de questions auxquelles elle voudrait des réponses. Par exemple : quand Jay et

Magda s'étaient-elles mises ensemble ? Ou encore : où Jay se trouvait elle ce samedi soir ? Et pour un esprit méfiant et vicieux, combien de temps Magda avait-elle passé à l'écart de la fête ? Charlie eut un petit rire chuintant. Oh, Corinna adorerait cette question.

Charlie se retourna lentement et regarda le Meadow Building situé plus haut. Elle y avait vécu trois ans, d'abord dans une minuscule chambrette coincée entre une cage d'escalier et un cellier, puis dans une grande chambre claire et spacieuse au dernier étage, qu'elle avait réussi à récupérer grâce à son poste de trésorière du comité des étudiantes. Elle était devenue adulte dans ce bâtiment. Elle y avait autant appris sur elle-même que dans les matières qu'elle étudiait. Elle y était tombée amoureuse, avait eu le cœur brisé puis était de nouveau tombée amoureuse. Comme le voulait la règle. Elle s'était fait des amies et avait changé son avenir.

À présent, cet avenir qu'elle s'était créé lui échappait. Sur le plan professionnel mais aussi personnel, elle était sur une mauvaise pente. Et voilà qu'elle se trouvait de nouveau là où tout avait commencé. Il ne lui serait jamais venu à l'idée de venir chercher le salut ici. Mais Corinna avait peut être raison. Peut-être était-ce l'occasion pour elle de se réapproprier sa vie.

12

Debout à la fenêtre, Jay regarda Magda démarrer. C'était dur pour elle de la laisser s'engager seule dans une confrontation aussi pénible. Mais elle n'avait rien à gagner à provoquer une dispute à ce sujet. Si Corinna et Henry décidaient d'accabler Magda à cause de la compagne qu'elle avait choisie, il y aurait une bagarre qui mériterait qu'elle s'en mêle. Et dont elle se délecterait. Cependant, en un sens, c'était sans importance ; Jay savait que Magda lui était acquise, quoi que ses parents puissent dire ou faire. Pour l'instant, elle ferait meilleure impression en restant en retrait et en laissant Magda tenter de se battre seule. Et cela lui laissait la journée pour écrire. Elle n'avait pas eu beaucoup de temps pour ça depuis le verdict du procès. Jay se prépara un café et s'installa devant le clavier.

Je ne suis rentrée que quinze jours à la maison pour ces premières vacances. Ce n'était plus chez moi. Les gens que j'avais connus à l'école menaient des vies dont j'étais exclue. La plupart d'entre eux étaient partis à l'université avec une bande d'amis. D'autres travaillaient et touchaient donc un salaire qui leur donnait un statut privilégié. Je ne me sentais pas chez moi non plus dans la maison où j'avais passé une demi-douzaine d'années avant Oxford. La disparition de ma mère avait rendu la chose impossible. Mary Hopkinson, la voisine d'à côté, prenait plaisir à révéler que plus personne n'avait eu de nouvelles d'elle depuis cette froide soirée d'hiver où elle avait disparu avec une valise contenant ses plus beaux vêtements, ses affaires de toilette, et une photo encadrée de moi à six ans. Si elle avait été plus vieille, elle aurait dû avouer son âge véritable, ai-je pensé.

La maison de mon beau-père était un endroit où personne n'aurait choisi de vivre. Il l'avait vidée de tout objet pouvant lui rappeler ma mère, si bien qu'elle était désormais aussi dénuée d'images que la chapelle où l'on m'avait forcée adolescente à passer tous mes dimanches. Revenir là ne faisait que me rappeler à quel point mon départ avait été une libération. J'ai passé la majorité de mon temps en dehors de la maison, quitte à tenir trois heures et une douzaine de chapitres avec un seul café au fast-food du coin. Le 2 janvier, je me suis sauvée pour rentrer à Oxford et j'ai dormi trois nuits dans la mansarde des Newsam avant de pouvoir retourner au collège.

Pour le reste de l'année, Corinna a été mon point de repère et les enfants mes sauveurs occasionnels. Bien sûr, je m'étais alors fait des amies parmi les étudiantes de mon âge. J'avais même été élue représentante du bureau des étudiantes. Mais je pouvais parler plus ouvertement et sincèrement à Corinna qu'à aucune de mes condisciples. J'avais avec elle le sentiment de n'avoir rien à prouver. Cela ne nuisait pas non plus à mon travail universitaire. Je vous jure qu'il y avait de la stupéfaction dans la voix d'Helena Winter lorsqu'elle m'a communiqué mes résultats aux examens de première année. J'ai savouré ce moment comme peu de choses auparavant.

Ce souvenir faisait encore sourire Jay. Elle avait connu de nombreuses fois la gloire depuis lors, mais ce premier triomphe avait encore le pouvoir de l'émouvoir. C'était étrange de voir comme ces souvenirs étaient vivaces. Elle se demanda s'ils auraient été si prégnants sans la réapparition de Magda dans sa vie.

Jay ne pouvait ignorer le fait que Corinna avait été le centre de sa vie affective cette année là. Elle l'avait vénérée, avait rêvé d'elle, fantasmé sur elle et lui avait été éperdument reconnaissante d'avoir pu approcher de si près l'objet de ses désirs. Mais elle avait toujours dû se montrer prudente, éviter toute parole ou tout geste qui aurait pu laisser Corinna soupçonner qu'il y avait quelque chose de « contre nature » dans ses sentiments. Pour Corinna et tous les autres, Jay s'était employée à nourrir la croyance qu'elle n'était qu'une jeune étudiante que cette première avait prise sous son aile, notamment parce qu'elle s'en sortait bien avec les enfants.

Mais elle ne partagerait rien de tout cela avec Magda. Jay soupira et se leva. Elle avait besoin de s'ancrer dans le passé, de ne pas se laisser ramener dans le présent par des pensées pour Magda. Elle traversa la cuisine et prit un paquet de Gitanes et un Zippo en cuivre cabossé dans le tiroir de la grande table en pin.

Sur la terrasse, Jay alluma une des âcres cigarettes françaises et laissa la fumée remplir sa bouche. Elle n'avait pas vraiment fumé depuis des années, mais elle avait découvert en écrivant *Sans aucun remords* que le goût et l'odeur du tabac fort étaient les meilleurs déclencheurs pour la catapulter dans le passé. Elle se disait parfois que son choix de cigarettes était le seul point commun qu'elle avait avec sa mère. Elle laissa la fumée s'échapper de sa bouche ouverte et regarda la volute bleue se dissiper dans l'air frais du matin. Même après toutes ces années d'abstinence, la sensation d'avoir une cigarette entre les doigts était tout à fait naturelle. Elle la laissa se consumer jusqu'au bout en la tenant assez près de son visage pour que la fumée fasse son effet magique. Elle se rappelait maintenant la force de ces émotions, les sensations à l'état brut qu'elle voulait transposer sur la page.

Après l'été, les choses ont changé. Pas entre les Newsam et moi, mais entre moi et le reste du monde. La raison ? Ma nouvelle voisine de chambre au collège. Une première année qui étudiait les langues vivantes. Louise Proctor.

Chargée d'un lourd carton, j'avançais dans le couloir d'un pas chancelant quand Louise est sortie de sa chambre. Pendant que nous manœuvrions pour passer dans l'étroit couloir, nos regards se sont croisés et j'ai ressenti pour la première fois le choc du coup de foudre.

Ce fut un moment de pure terreur.

Je suis parvenue à croiser Louise et suis entrée dans ma chambre en trébuchant. J'ai pratiquement jeté le carton par terre et me suis écroulée sur le lit, le cœur battant à mes oreilles. Mes sens étaient à fleur de peau. Je pouvais sentir la trame du couvre-lit tissé sous mes doigts. Je pouvais voir la texture grossière du plâtre séché dans les éclats du mur où des punaises avaient laissé des trous. Je percevais l'odeur de la poussière, des mégots de cigarettes dans mon cendrier et du pot-pourri orange-citron que Corinna et ses filles m'avaient apporté ce matin-là en cadeau après le voyage organisé de deux semaines en Grèce des Newsam. J'ai alors entendu une voix dans la chambre voisine de la mienne qui appelait : « Louise ? »

Je me suis précipitée vers la fenêtre et l'ai ouverte. À celle d'à côté, une femme d'âge mûr aux cheveux ondulés grisonnants coiffés en un long carré était penchée et faisait signe à la fille que j'avais failli heurter quelques instants plus tôt. Louise a levé les yeux et nous a vues toutes les deux, à peu près au moment où sa mère m'a remarquée. « Bonjour ! m'a lancé gaiement Mme Proctor. J'essaie d'installer ma fille ! » Puis elle s'est retournée vers celle-ci. « Louise, apporte ensuite la valise grise, chérie. »

Louise a acquiescé d'un signe de tête et ouvert le coffre d'une Volkswagen Golf rouge. Sa chevelure brune et brillante a disparu un instant puis elle est réapparue avec la valise. Je me suis soudain rendu compte que je devais passer pour une parfaite idiote et suis rentrée à l'intérieur. J'ai traversé la pièce et fermé ma porte. Puis je me suis rassise sur le lit pour tenter de comprendre ce qui pouvait bien m'arriver. La réponse évidente ne me plaisait pas, et j'ai donc essayé de faire comme si rien ne s'était passé.

La réaction de Louise a facilité cette démarche. Quelle que fût l'émotion qui m'avait frappée, Louise se comportait comme si elle ne l'avait pas ressentie, bien que je fusse convaincue que ce moment de pure électricité avait été mutuel. Après cette première rencontre, Louise semblait m'éviter. Si nous ne pouvions éviter de nous croiser entre nos chambres et les salles de bain ou les escaliers, elle se renfrognait et baissait les yeux.

Il a fallu le pouvoir de la nature pour tout changer.

À l'époque, l'idée que des étudiants puissent avoir des salles de bain individuelles était risible. Chaque étage avait ses sanitaires communs avec des cabines de douche et de bain séparées. Sans le savoir, Louise et moi prenions un bain dans des cabines contiguës. Dehors, un orage prodigieux faisait rage, déchaînant des roulements et des éclats de tonnerre si puissants que les fenêtres tremblaient dans leurs châssis. Des éclairs irréguliers déchiraient le ciel comme la peur parcourant l'arborescence du système nerveux central. Puis un coup de tonnerre a grondé plus fort que les autres ; il y a eu un craquement, un hurlement du bois aux prises avec lui-même, et de gros morceaux de plâtre se sont soudain mis à tomber en cascade du plafond.

J'ai crié quelque chose d'incohérent et sauté hors du bain. J'ai immédiatement été couverte de poussière de plâtre qui collait à mon corps mouillé. J'ai attrapé mon peignoir et ouvert d'un geste brusque la porte de ma cabine au moment même où l'autre porte s'ouvrait. Les longs cheveux noirs de Louise pendaient en fines mèches autour de son visage effrayé, et elle était entièrement maculée de la même saleté dont j'étais recouverte. Nous sommes restées toutes deux bouche bée devant la porte qui menait des sanitaires au couloir. Une poutre la barrait selon un angle de quarante-cinq degrés. Étant donné qu'elle s'ouvrait vers l'intérieur, nous étions piégées. J'ai levé les yeux. À travers les décombres du toit et du plafond, j'ai vu la lourde branche de l'énorme hêtre pourpre qui n'ombrageait désormais plus la pelouse à l'extérieur.

« Oh merde, ai-je fait.

— Tu peux le dire, a répliqué Louise d'un ton pince-sans-rire.

— Justement, je viens de le faire, mais c'est sans doute pas le moment de pinailler », ai-je dit, prête à tout pour ne pas être en reste dès le départ.

Il a fallu presque toute la nuit aux pompiers pour dégager le passage. Après avoir jugé que les gémissements et les craquements des poutres sollicitées ne menaçaient pas nos vies, Louise et moi nous sommes blotties ensemble contre le mur extérieur et avons commencé à vraiment discuter pour la première fois. À l'aube, nous savions qu'il y avait quelque chose de sans précédent entre nous. Aucune de nous deux ne pouvait expliquer ce que c'était, mais nous savions que c'était là.

Une fois délivrées, nous avons été emmenées de force par l'infirmière du collège, bien que nous ayons protesté que nous ne souffrions tout au plus que de quelques coupures et bleus. Après qu'elle nous eut relâchées et que nous eûmes fait quelques déclarations aux médias, nous sommes allées nous réfugier dans une gargote de Banbury Road. Autour d'un petit déjeuner composé de bacon, d'œufs, de saucisses et de pain frit, j'ai fini par dire : « Je n'ai jamais ressenti ça de ma vie.

— J'ai peur, a dit Louise. Je ne sais pas ce qu'on est censées faire. »

J'ai haussé les épaules. « Ce qui nous vient naturellement ?

— Oui, mais c'est quoi exactement ?

— Je ne sais pas. On improvise ? » Je semblais incapable de dépasser les clichés, mais soit Louise ne le remarquait pas, soit elle s'en moquait.

Elle a trempé un morceau de saucisse dans le jaune d'œuf. « Je me croyais si futée en arrivant à Oxford. » Elle a levé vers moi des yeux suppliants. « Mais je ne comprends plus rien à rien.

— On va trouver une solution », ai-je promis. Je n'avais que six semaines de plus que Louise, mais j'avais une année d'avance sur elle. D'une certaine façon, cela me rendait responsable de ce qui se passerait ensuite. C'était la perspective la plus effrayante de ma vie. J'avais soudain perdu l'appétit.

J'ai regardé Louise terminer son petit déjeuner, puis nous sommes rentrées au collège bras dessus bras dessous. C'était un geste quelque peu osé, mais tout le monde était maintenant au courant de notre aventure et il n'était donc pas difficile de voir là une attitude innocente. Arrivées dans ma chambre, nous sommes restées debout face à face. Puis, timidement, centimètre par centimètre, nos visages se sont rapprochés jusqu'à ce que nos lèvres se touchent.

Mon principal souvenir est d'avoir eu la sensation qu'il y avait une explosion de lumière dans ma tête. Et lorsque j'ai regardé dans les yeux de Louise, j'ai vu mon émerveillement reflété. À ce moment précis, je me suis sentie invincible.

Malheureusement, comme je devais l'apprendre à mes dépens, c'était un sentiment qui ne durait jamais longtemps.

13

Charlie eut du mal à croire que Corinna ait si peu changé. Elle portait toujours les mêmes lunettes ovales à monture épaisse qui avaient pu être à la mode pendant quinze minutes en 1963 dans son Canada natal mais n'avaient pas connu un seul instant de gloire depuis. Aujourd'hui encore, sa coiffure était typique des années 1960 : raie sur le côté, cheveux crêpés et recourbés sous sa mâchoire plutôt large, tout ce monstrueux ouvrage maintenu par une couche de laque dure comme de la résine. Elle avait gardé la même teinte brune uniforme du cirage Cherry Blossom. Charlie ne put s'empêcher de se demander si elle cachait un portrait magique dans son grenier. Elle salua Corinna d'un sourire hésitant.

« Charlie. Vous êtes venue. » La même voix chaude d'outre-Atlantique. Corinna vint poser la main sur le bras de Charlie.

« Je vous l'avais dit. » Charlie se laissa entraîner dans l'entrée. Contrairement à Corinna, cette pièce n'était pas comme dans son souvenir. Il n'y avait plus trace des rayures et éraflures faites par quatre jeunes enfants, repeintes et effacées. Sur le plancher poncé et ciré, un tapis de couloir afghan remplaçait le tapis chocolat usé. Et de vrais tableaux ornaient les murs à la place des gribouillages criards des gamins. « Waouh, fit elle. Ça a changé. »

Corinna lâcha son gloussement rauque familier. « C'est ce qui arrive quand vos enfants grandissent et que votre mari vieillit. Plus rien ne vous empêche de décorer l'endroit comme vous l'avez toujours voulu. » Elle prit l'escalier qui menait à la cuisine du sous-sol. « Ici, ça n'a pas beaucoup changé, par contre. »

Elle avait raison. La cuisine ressemblait toujours à une pièce qu'une tornade aurait traversée. Vêtements, livres, matériel de sport, magazines, journaux et CD étaient éparpillés anarchiquement sur les canapés et les fauteuils qui occupaient la moitié de la pièce. La cuisinière rouge foncé avait toujours une porte couleur crème, car les Newsam avaient l'habitude de prendre ce qui venait, surtout si cela permettait d'économiser de l'argent. Charlie reconnut Radio 4 en fond sonore.

« Seuls les titres des livres sont différents », indiqua Corinna. Elle tira une chaise à la table de cuisine et la désigna d'un geste à Charlie. « Café, oui ? » Elle jeta un coup d'œil à l'horloge. « Nous n'avons pas autant de temps que je l'espérais. Magda et Wheelie viennent déjeuner. On pourra se raconter nos vies à ce moment-là. »

Raconter ma vie ? À Corinna ? « Ce ne serait pas un peu étrange ? Étant donné la raison pour laquelle je suis ici ? Même si, bien sûr, je ne suis toujours pas tout à fait certaine de la connaître. »

Corinna la regarda bizarrement tout en versant du café dans la cafetière à piston. « À vrai dire, je ne pensais pas vraiment que vous interrogeriez Magda autour de ma tourte poulet-jambon. Je vous avais crue un peu plus subtile que ça. » Puis, plus brusquement : « Par ailleurs, elles ont l'habitude de voir passer d'anciennes étudiantes. Notre maison a toujours été plutôt ouverte. » Elle apporta la cafetière à table ainsi que deux grandes tasses. « Alors, que savez-vous sur ce qui est arrivé à Magda ?

— Je sais qu'elle a épousé Philip Carling en juillet dernier. Ils se connaissaient depuis trois ou quatre ans, tout dépend du journal qu'on lit. La cérémonie et la réception ont eu lieu à Schollie, et tard dans la soirée on a trouvé Philip Carling mort dans le fleuve près de l'appontement à bachots. On l'avait assommé et coincé sous un bachot. Comment je m'en sors ? » Charlie faisait exprès d'être brutale pour essayer de provoquer une réaction.

Elle obtint grosso modo le résultat voulu. « Nom d'une pipe, Charlie. Je vois que l'euphémisme n'a jamais été votre fort.

— Je préfère ne pas laisser place à l'ambiguïté. Quelques semaines plus tard, les associés de Philip ont été arrêtés pour son meurtre. Ils utilisaient des renseignements confidentiels pour se remplir les poches en Bourse. Philip avait découvert leur combine et comptait les dénoncer après sa lune de miel. Ils l'ont donc tué. Magda a trouvé l'élément clé qui a permis de les coincer. Et cette semaine, ils ont tous les deux été déclarés coupables du meurtre. Et quelque part au milieu de tout ça, vous m'avez envoyé un pli de coupures de journaux. »

Corinna remua machinalement son café. « Vous n'avez pas perdu votre don pour la synthèse.

— Mais pourquoi est ce que je suis là, Corinna ? Où voulez-vous en venir, bon sang ? Pourquoi vous soucier des assassins jugés coupables du meurtre de votre gendre ? »

Elle remua encore un peu son café puis soupira. « Ça va vous sembler fou. J'ai pensé aller voir la police, mais je savais qu'on ne me prendrait pas au sérieux, pas avec un tel dossier contre Paul et Joanna. Voilà pourquoi j'ai voulu m'adresser à vous et non à un quelconque détective privé. Vous savez que je ne suis pas une folle. »

Charlie sourit d'un air triste et narquois. « Pas besoin d'être fou pour faire une fixation délirante de temps en temps, Corinna. Ça arrive à tout le monde.

— Croyez-moi, Charlie. Ce n'est pas une fixation délirante. Je suis persuadée que Paul Barker et Joanna Sanderson n'ont pas tué Philip. »

Corinna s'attendait de toute évidence à ce que cela fasse l'effet d'une bombe sur Charlie, mais celle-ci s'attendait déjà à entendre quelque chose de la sorte. « La police s'est trompée ? Le jury s'est trompé ? »

Corinna posa finalement sa cuillère. « Ce ne serait pas une première. »

L'attaque était bien lancée et fit mouche. « Ça arrive moins souvent que vous ne le pensez.

— Ça a failli arriver à Bill Hopton, dit Corinna d'une voix aussi calme que l'était son regard. Et je parie que vous le regrettez. »

Charlie inspira profondément par le nez et compta jusqu'à dix. Elle avait oublié à quel point Corinna pouvait vous tester. « Non. Je ne le regrette pas. Je sais que ce n'est pas une position très en vogue, mais je persiste à croire que le système juridique n'a aucune valeur si nous ne plaçons pas la vérité en son cœur. »

À sa surprise, Corinna lui adressa un grand sourire. « Voilà la Charlie dont je me souviens. C'est pour ça que je vous voulais. »

Charlie secoua la tête. « Une experte discréditée qui attend d'être radiée ? Aucune personne sensée ne voudrait me mêler à ses affaires par les temps qui courent. »

Corinna tapa sur la table d'un geste impatient. « Ça va s'arranger. Vous verrez. En attendant, vous êtes la personne qu'il me faut pour creuser tout ça.

— Creuser quoi ? Pourquoi êtes-vous si sûre que c'est une erreur judiciaire ?

— Parce que je sais qui a réellement tué Philip. »

Charlie su que c'éta it le moment où elle aurait dû, telle une journaliste d'investigation dans un salon de massage, trouver une excuse et partir. Tout en sachant qu'elle le regretterait, elle demanda : « Qui ?

— La personne qui a assassiné mon gendre est Jay Macallan Stewart. »

14

Il semblait parfois à Jay que le passé était plus immédiat que le présent. Elle pouvait être totalement absorbée en faisant l'amour avec Magda, mais lorsqu'elles restaient allongées ensemble ensuite, Jay se surprenait souvent à laisser ses pensées s'égarer, à passer ses souvenirs en revue avant de s'arrêter sur un épisode particulier. Ce n'était pas seulement parce qu'elle fouillait dans le passé pour faire en sorte que ses mémoires soient captivants. Ça avait toujours été comme ça. C'était comme si elle réexaminait en permanence le passé pour tenter de le figer sous une forme qui lui conviendrait. Jay voulait regarder l'image des années antérieures et y voir un chemin ascendant ininterrompu et régulier. Certaines fois cela demandait plus d'efforts que d'autres.

Au moment où Louise et moi avons commencé à découvrir ce que les lesbiennes faisaient au lit, je m'étais déjà lancée dans la campagne pour le poste de présidente du bureau commun des étudiantes – le nom vieillot du corps étudiant des trois premières années d'un collège d'Oxford. Ça a toujours été un de ces rôles qui sont bien plus impressionnants sur un CV qu'en réalité. Mais pour moi, c'était la prochaine étape dans la reconstruction de l'insignifiante Jennifer Stewart. Un moyen de mesurer à nouveau la distance que j'avais parcourue.

Tout ce que cette fonction impliquait réellement à Schollie à mon époque, c'était de s'assurer que les autres membres du bureau faisaient ce pour quoi elles avaient été élues ; de rencontrer toutes les semaines la directrice du collège pour débattre d'éventuelles questions litigieuses et boire le *dry sherry* que j'avais dû m'entraîner à apprécier ; d'organiser des réunions du collège et, suivant le degré de stalinisme de la tenante du poste, de modifier la gestion de la vie politique et pratique des étudiantes en licence. Si, par exemple, le cœur vous en disait, vous pouviez persuader les membres du bureau de donner tous leurs fonds à la Société pour les dames de bonne famille dans le besoin. Ou à quelque armée de guérilleros marxistes radicaux d'Amérique centrale. Suivant votre point de vue, c'était soit le pouvoir sans les responsabilités, soit les responsabilités sans le pouvoir.

Ma principale rivale pour la présidence s'est révélée être Jess Edwards, une géographe dotée d'un fin talent pour la rhétorique, membre de l'équipe d'aviron et qui éprouvait une admiration troublante pour les accomplissements historiques de Margaret Thatcher. Les questions qui nous divisaient étaient pragmatiques autant qu'idéologiques. Par exemple : je proposais une collecte de fonds visant à pourvoir le collège d'une véritable laverie automatique équipée de machines dernier cri ; Jess voulait augmenter le budget destiné aux entraîneurs d'aviron afin d'asseoir la réputation grandissante du collège sur le fleuve. Nos débats avaient été acharnés, mais peu après que Louise et moi avons entamé notre liaison, je me suis rendu compte que j'avais perdu de ma pugnacité. L'amour avait sapé mon énergie. Là où auparavant j'aurais acculé et métaphoriquement mis Jess en pièces, je marmonnais désormais des propos plus conciliants que le plus mou et charitable des libéraux.

Jay s'enfonça dans son fauteuil en se rappelant sa frustration lorsqu'elle s'était aperçue que tout lui échappait parce qu'elle avait perdu sa combativité. Elle ne s'était jamais vue comme une personne à qui l'amour suffirait. C'était la conséquence inévitable du laisser aller de sa mère dans sa petite enfance conjugué à l'austérité drastique qui avait suivi. Mais avec Louise, l'émotion l'avait submergée et le sentiment de se trouver au centre du monde de quelqu'un d'autre s'était avéré curieusement grisant.

Le problème était qu'elle ne pouvait mettre ses ambitions de côté. C'était son quatrième trimestre sur ses trois années à Schollie. Elle allait bientôt arriver au milieu de sa scolarité. Ce n'était pas long pour faire une impression, pour poser les fondements d'une vie à des années-lumière des perspectives d'avenir sombres et limitées qu'elle avait eues adolescente. Les gens comme elle n'avaient pas droit à une seconde chance. C'était l'occasion ou jamais pour elle, et elle devait en tirer le meilleur parti. Il lui fallait trouver un moyen de renverser la situation.

Tel un carnivore flairant l'odeur du sang, Jess s'attaquait sans merci à vos faiblesses. Quatre jours avant l'élection, je travaillais à ma place habituelle de la bibliothèque du collège quand une ombre s'est abattue sur mes notes. « Faut que je te parle », m'a dit Jess à voix basse.

Je l'ai suivie dans le jardin et en ai profité pour allumer une de mes Gitanes agressives. Ce n'était qu'un plaisir de plus de savoir que Jess avait mes cigarettes en horreur. « Je te donne le temps qu'il me faudra pour fumer ça, ai-je annoncé sèchement.

— Il m'en faudra moins que ça. Je veux que tu retires ta candidature. »

J'ai secoué la tête avec indifférence. « Quand tu reviendras sur la planète Terre, fais-moi signe, ai-je dit d'un ton sarcastique.

— Je te fais cette suggestion dans ton intérêt. Je ne veux pas que tu soies humiliée. Les membres du bureau n'éliront pas une lesbienne comme présidente », a répliqué Jess avec un air de délectation qui s'est étalé sur son visage comme une merde de chien sous une chaussure.

J'ai eu un moment de panique. Nous avions fait si attention. Nous ne nous étions jamais embrassées ailleurs qu'en lieu sûr dans nos chambres. Il me semblait que nous n'avions jamais fait quoi que ce fût en public qui puisse être utilisé contre nous ; nous n'étions même jamais allées dans un bar homo. Jess ne pouvait que bluffer, ai-je décidé. Elle ne pouvait pas être au courant. *Personne* ne pouvait être au courant. « Je suis sûre que tu as raison, ai-je répondu avec douceur. Mais pourquoi crois-tu que ça pourrait m'embêter ?

— J'ai fait dix ans de pensionnat, Jay. Ne me prends pas pour une débile. Je sais que tu n'as pas eu les mêmes avantages que moi, mais tu n'es tout de même pas naïve au point de penser que Louise et toi pouvez vous dévorer des yeux à chaque petit déjeuner depuis que le toit s'est effondré sur vous sans que la moitié du bureau ne le remarque ? »

J'ai senti mes oreilles virer à l'écarlate. Sur le coup, je ne savais pas si j'étais plus en colère parce qu'elle réduisait notre amour à un flirt d'ados ou parce qu'elle me rappelait que je n'étais pas de la même classe sociale. Dans un cas comme dans l'autre, ça ne changeait rien. Avec ce seul discours, Jess avait réussi à mettre fin au ramollissement qui m'avait frappée sous l'effet de l'amour. « Tu racontes n'importe quoi, Jess, ai-je répondu avec hargne.

— Je ne crois pas. Comme je t'ai dit, je peux pas être la seule à avoir remarqué. Et à moins que tu ne retires ta candidature, j'ai dans l'idée que d'autres le sauront d'ici le jour de l'élection.

— Tu essaies de me faire chanter ?

— Mon Dieu, non, a protesté Jess. Mais en sortant, je n'ai pas pu m'empêcher de remarquer que l'affiche électorale collée dans la cuisine de ton étage du Sackville Building avait été saccagée. On ne voudrait pas que ce genre de chose se produise dans tout le collège, si ? »

Depuis que j'avais quitté le Nord-Est, j'avais plusieurs fois éprouvé une forte envie de démontrer mon habileté au combat de rue. Mais jamais autant qu'à ce moment-là. Je suis toutefois parvenue à me retenir, à laisser se desserrer mes poings qui s'étaient fermés par réflexe. À défaut, j'ai bousculé Jess et, laissant derrière moi mes livres et mes notes que j'allais revenir chercher plus tard, je me suis immédiatement rendue au Sackville Building.

C'était encore pire que je ne l'avais imaginé. Sur l'affiche qui le matin même avait annoncé « Remettez une Stewart sur le trône » s'étalait désormais le mot « gouine » à la place de mon nom. On avait en outre ajouté à la liste des promesses essentielles que j'avais faites « Création d'une section Littérature érotique lesbienne dans la bibliothèque du collège » et « Ateliers coming-out avec des conseillers professionnels ».

J'ai arraché la feuille du mur et l'ai déchirée en morceaux. J'ai jeté les restes dans l'évier et, d'une main tremblante, actionné la molette de mon Zippo pour réduire cette infamie en cendres. Je me suis appuyée à l'évier, haletante, consciente que ce n'était pas seulement à cause de la fumée que mes yeux me piquaient. L'idée que peu de gens avaient pu voir l'affiche entre l'aube et ce moment-là ne suffisait pas à me rassurer. Je n'arrivais pas à croire que Jess Edwards ait pu me faire ça. J'avais pensé que c'était moi la fille impitoyable.

Mais je savais avec une froide certitude que si je ne cédais pas, il y aurait une campagne de diffamation dans tout le collège d'ici le lendemain matin.

Et j'aurais vu mes chances de devenir présidente du bureau des étudiantes s'envoler en subissant une humiliation dont les gens parleraient ensuite pendant des années. À chaque fois que mon nom serait prononcé dans une conversation en présence d'une ancienne de ma promotion à Oxford, ce serait : « Oh, n'est-ce pas la lesbienne qui a cru pouvoir devenir présidente du bureau des étudiantes ? »

Il fallait aussi que je pense à Louise. Ses ambitions étaient différentes des miennes ; elle n'aspirait nullement au pouvoir ou à la notoriété. Elle avait eu suffisamment de mal à se faire à l'idée qu'elle était homo pour ne pas en plus se voir humilier par nos condisciples. Et il ne fallait pas se leurrer, me suis-je dit, on nous humilierait bel et bien. Il n'y a pas beaucoup de réalité derrière les notions romantiques de solidarité et de soutien au sein d'une communauté de femmes instruites. À St Scholastika, elles étaient tout aussi mesquines, envieuses et égoïstes que partout ailleurs. Grâce aux bavardages indiscrets de Corinna, je savais que deux profs du collège ne se parlaient plus depuis près de vingt ans à cause d'un différend insoluble concernant le véritable berceau de la civilisation antique. Non, mes condisciples toléreraient tout juste Louise et ne me pardonneraient assurément jamais d'avoir introduit de manière si brutale des questions d'ordre personnel dans l'arène publique, même si je n'avais rien eu à voir avec leur propagation.

Pour la première fois de ma vie, je ne savais vraiment pas quoi faire. Je ne pouvais même pas demander conseil à Corinna. Je ne lui avais pas parlé de Louise ; une intuition m'en avait retenue. Je ne connaissais que trop bien la position de l'Église catholique sur l'homosexualité, puisque c'était la principale pierre d'achoppement entre Louise et moi. Je n'avais simplement pas suffisamment confiance en Corinna pour croire qu'elle laisserait son affection personnelle supplanter ses opinions religieuses. Une position judicieuse, s'est-il avéré.

Jay inclina la tête et réfléchit à ce qu'elle venait d'écrire sur Corinna. Il n'y avait rien qui puisse contrarier Magda, lui semblait-il. Après tout, le comportement qu'avait eu Corinna par la suite était on ne peut plus parlant, et Jay n'allait pas édulcorer ses propos quand elle aborderait cette partie de l'histoire. Quelle que serait maintenant l'issue des événements, sa description restait valable. Si Corinna l'acceptait comme belle-fille, on y verrait un retournement radical ; dans le cas contraire, Jay pourrait se donner beau rôle et garder la tête haute sous le poids de la réprobation inébranlable de Corinna. Cela pourrait contraindre Magda à faire un choix difficile, mais Jay était convaincue qu'elle préférerait sa compagne à sa mère à ce stade. Et une fois que ce choix était fait, on ne pouvait pas revenir dessus. Tout comme elle n'avait pu revenir sur les événements qui s'étaient produits tant d'années plus tôt.

J'étais assise à mon bureau en train de regarder la prairie quand Jess a reparu. Elle a frappé à la porte et passé la tête dans l'embrasure. « Je vois que tu as enlevé l'affiche.

— Tu ne l'aurais pas fait ?

— Tiens-moi au courant de ta décision, m'a-t-elle dit d'un ton aussi désinvolte que si elle me demandait comment je trouvais mon café. Je te vois au petit déjeuner. »

Mais cela n'est pas arrivé. À l'heure du petit déjeuner, Jess Edwards était morte.

DEUXIÈME PARTIE

1

Charlie dévisagea Corinna d'un air incrédule. « Vous êtes en train de me dire que vous croyez sincèrement que Jay Macallan Stewart est une meurtrière ? Jay Macallan Stewart, la multimillionnaire du Net et auteur de mémoires d'infortune ? Jay Macallan Stewart, l'amie de votre famille ? »

Corinna parut outrée. « Elle n'est pas l'amie de la famille.

— Elle l'est d'après les journaux. Je sais que Magda n'a rien dit à la presse, mais j'ai bel et bien vu une photo prise dans la rue où elle apparaissait avec – Charlie dessina des guillemets dans l'air – "l'amie de la famille" Jay Macallan Stewart. » Elle pencha la tête sur le côté. « Je me suis interrogée là dessus.

— Elle n'est en aucune façon une amie. Elle n'est pas la bienvenue dans cette maison. Et ce, depuis au moins quinze ans. Bon sang, Charlie. Ces saletés de médias avec leurs mensonges.

— Mais bon Dieu,*Jay* ? Pourquoi pensez-vous que Jay a tué Philip ? »

Corinna grimaça. Le blasphème et l'obscénité la choquaient, une pruderie qui avait toujours amusé Charlie. « Parce qu'elle l'a déjà fait. Au moins une fois, et presque certainement plus. »

Jusque-là, Charlie avait bien voulu accorder le bénéfice du doute à Corinna. Mais là c'était trop. « C'est une sorte de blague raffinée d'universitaire, Corinna ? Une farce à mes dépens ?

— C'est la vérité, Charlie. » Au moins, Charlie connaissait bien ce ton grave d'après son expérience professionnelle. Il accompagnait souvent les illusions les plus sincères.

Charlie leva les mains, paumes ouvertes. « Bon, reprenons pas à pas. Pour l'instant, laissons de côté l'hypothèse selon laquelle Jay Stewart est une tueuse en série et considérons l'affaire qui nous intéresse. Corinna, pourquoi diable Jay voudrait-elle la mort de Philip ? Quel est le lien logique ? »

Elle avait déjà vu Corinna déçue par ses déclarations auparavant, mais Charlie pensait que cela ne pouvait plus l'affecter. À sa grande surprise, elle fut irritée lorsque Corinna lui dit : « Vous ne pouvez pas le déduire, Charlie ? C'est vous qui avez mentionné la photo dans le journal.

— Magda ? Vous suggérez sérieusement que Jay a tué Philip parce qu'elle voulait Magda ? Corinna, est-ce que vous mesurez seulement à quel point ça paraît cinglé ? Même de la part de la plus protectrice des mères, ça semblerait fou.

— Soit, Charlie. Mais elles sont ensemble. Jay est la petite amie de ma fille. De ma belle et brillante fille. Magda n'a pas eu le cran de me le dire franchement, mais je connais ma fille et je sais ce qui se passe. Je ne sais absolument pas comment elles se sont revues, mais je suis persuadée que la version des faits de Magda est un mensonge. Elle dit qu'elles se sont rencontrées par hasard chez une collègue quelques mois après le décès de Philip. Mais je crois qu'elles se voyaient déjà à ce moment-là. »

Charlie fronça les sourcils. « Pourquoi Magda aurait-elle épousé Philip si elle avait déjà une liaison avec Jay ? »

Corinna haussa les épaules d'un air agacé. « Je ne pense pas qu'elles étaient déjà amantes. Magda est trop honnête, trop droite. Je ne peux pas imaginer qu'elle ait trompé Philip, peu importe son attirance pour Jay. Et Jay est loin d'être bête. Elle a dû comprendre que le seul moyen pour elle d'avoir sa chance avec Magda, c'était de se débarrasser de Philip.

— C'est sacrément tiré par les cheveux. Tuer le marié le jour du mariage dans l'espoir de pouvoir mettre la main sur la mariée ? Dans ma vie professionnelle, c'est ce que j'appellerais une pensée mégalomaniaque. »

Corinna remplit à nouveau leurs tasses et se remit à remuer son café machinalement. « Oh, allons, Charlie. Vous êtes psychiatre. Vous savez à quel point les gens sont vulnérables face aux prédateurs affectifs quand ils ont perdu un proche. C'était la meilleure chance que Jay pouvait avoir. C'est une manipulatrice. Vous devez vous souvenir de ça, tout de même ?

— Je ne l'ai pas si bien connue que ça. J'étais deux années au-dessus d'elle, rappelez vous. Ça fait un grand écart pour des étudiantes. Mais Corinna, il y a une très grande différence entre se dire "Elle me plaît" et "Je vais tuer pour elle".

— Pas si grande pour quelqu'un qui a déjà tué. »

Charlie leva la main pour l'arrêter. « On reviendra là-dessus, je vous le promets. De façon purement hypothétique, supposons que Jay ait eu des vues sur Magda et qu'elle fût prête à tout pour arriver à ses fins. Mais ce n'est qu'une supposition. Ce ne sont – pardonnez-moi, Corinna, mais ce ne sont que des élucubrations. Il vous faut quelque chose qui ait vaguement valeur de preuve avant de pouvoir lancer de telles accusations.

— Vous croyez que je ne m'en rends pas compte ? Mais j'ai autre chose, justement. Le mariage n'était pas le seul événement au collège ce jour-là. Il y avait également un week-end de séminaire sur la création d'entreprises Web. Et devinez qui était l'intervenant principal ?

— Jay ?

— Ni plus ni moins. Elle était là, sur les lieux, quand Philip a été tué.

— De même que beaucoup d'autres personnes. Dont au moins deux avec un mobile établi, contrairement au mobile éventuel que vous venez d'imaginer. »

Corinna fit une moue désapprobatrice. « En parlant de mobile… savez-vous comment la police a découvert les preuves contre Barker et Sanderson ?

— D'après ce que j'ai lu, il y avait une lettre sur l'ordinateur de Philip adressée au service de lutte contre la grande délinquance financière et à l'autorité des marchés financiers indiquant comment ses deux collègues avaient obtenu des renseignements confidentiels et comment ils s'en étaient servis pour pratiquer le délit d'initié et devenir très riches. Ce n'est pas comme ça que ça s'est passé ? »

Corinna parut contente d'elle, comme si incontestablement elle avait enfin piégé Charlie. « Presque. Si ce n'est qu'elle n'était pas sur l'ordinateur de Philip. Ni sur son ordinateur du bureau, ni sur son fixe chez lui, ni sur son portable. Elle était sur un disque dur de sauvegarde qu'il avait laissé ici dans l'ancienne chambre de Magda. Il y a dormi la veille du mariage, et donc il l'aurait soi-disant caché dans son tiroir à sous-vêtements pour qu'il soit en lieu sûr, expliqua Corinna d'un ton profondément sceptique. Et Magda l'a justement trouvé au moment où la police commençait à perdre l'espoir d'épingler un jour quelqu'un pour le meurtre. »

Perplexe, Charlie dit : « Je ne vois pas le rapport avec Jay.

— Cette lettre est très détaillée. Elle n'apparaît nulle part ailleurs dans les documents de Philip. Mais apparemment, c'est le cas de la plupart des renseignements qu'elle contient. D'après un policier très obligeant à qui j'ai parlé il y a quelque temps, elle aurait pu être rédigée par une personne calée en comptabilité et en informatique et ayant accès au système sur lequel Barker et Sanderson avaient laissé des traces numériques. Même avec la meilleure volonté du monde, ça ne peut pas correspondre à ma fille. En revanche, ça ressemble beaucoup aux compétences que doit posséder Jay Stewart pour avoir atteint les sommets où elle est arrivée dans les affaires. Vous ne pensez pas ?

— Jay Stewart et des tas d'autres personnes, précisa Charlie. Et ce n'est pas comme si quelqu'un avait fabriqué cette lettre de toutes pièces. On l'a juste rendue facile d'accès quand il est devenu évident que la police piétinait.

— Certes. Mais Magda a fait une erreur. Le week-end précédant le procès, elle est venue pour le déjeuner du dimanche. Bien entendu, on discutait de l'affaire, et Patrick a fait remarquer que ça avait été un coup de chance que Magda trouve le disque dur de sauvegarde qui avait joué un rôle crucial dans l'enquête de police. Et Magda a dit, presque comme si de rien n'était, que c'était Jay qui avait suggéré qu'il pouvait y avoir une sauvegarde quelque part et que Magda devrait revenir sur les pas de Philip les jours précédant le mariage pour voir si elle pouvait retrouver quelque chose.

— Et pourquoi était-ce une erreur ?

— Parce que la découverte du disque dur précède d'environ deux semaines le jour où Magda est soi-disant retombée sur Jay. » Corinna ne quittait pas Charlie des yeux, et son regard semblait posé et dénué de toute trace de folie.

« Ça laisse supposer des choses, déclara Charlie. Mais pas nécessairement une complicité visant à faire porter le chapeau à Paul Barker et Joanna Sanderson. Et la police a sans doute regardé les informations internes du disque dur pour vérifier quand le dossier a été créé et enregistré. »

Corinna leva les mains en l'air. « Je ne connais rien à ce genre de choses. Mais j'ai lu que des gens arrivaient à trafiquer les dates de fichiers. Et toute la vie professionnelle de Jay a été consacrée à des entreprises Internet. Si quelqu'un sait où trouver le genre de cracks de l'informatique qui savent comment modifier des informations numériques, c'est bien elle.

— Ce n'est toujours pas une preuve. Corinna, vous n'avez rien pour attaquer ici, pour dénoncer une erreur judiciaire. Même si j'approchais Jay et que cela me convainquait, en tant que professionnelle, qu'elle est capable d'avoir fait ce que vous suggérez, il n'y a toujours rien que l'on puisse qualifier de preuve. »

Corinna croisa étroitement les bras sur sa poitrine. « Je craignais que vous ne me disiez cela. Et j'ai beau vouloir du fond du cœur qu'il en soit autrement, je comprends en effet qu'il y a peu d'espoir d'amener Jay à répondre de la mort de Philip. Mais il faut l'arrêter, Charlie. C'est ma fille dont nous parlons. Jay est peut-être prête à décrocher la lune et les étoiles pour elle maintenant, mais que va-t-il se passer quand ça changera ? Que se passera-t-il si elle se désintéresse de Magda et que Magda ne veut pas la laisser partir ? Ou si Magda revient à la raison et qu'elle veut la quitter ? Pouvez-vous imaginer ce que ça fait de savoir que votre fille passe ses nuits avec une meurtrière ?

— Non. Et je vois bien comment à force de s'inquiéter pour son enfant, on peut se retrouver en pleine élucubration.

— Ce ne sont pas des élucubrations. » Pour la première fois, Corinna avait haussé le ton. « Il y a une série de cadavres dans son sillage. Magda croit que j'ai banni Jay de cette maison il y a tant d'années parce que j'ai découvert qu'elle était lesbienne. Or, vous me connaissez assez bien pour savoir que ça ne peut pas être le cas. Je n'ai jamais essayé de vous tenir à l'écart de mes enfants même si je savais pratiquement depuis le début que vous étiez lesbienne. La raison, la vraie raison pour laquelle j'ai exclu Jay de nos vies, c'est parce que j'étais convaincue qu'elle avait tué Jess Edwards. »

Charlie resta sans voix tandis que les mots résonnaient à ses oreilles. Elle secoua très légèrement la tête. « C'était un accident, dit-elle enfin, les yeux plissés dans son effort pour se remémorer Jess.

— Je ne le croyais pas à l'époque, et je ne le crois toujours pas, indiqua Corinna.

— Qu'est-ce qui peut bien vous faire dire ça ? » Charlie était au bord des larmes. Jess la belle et intelligente, une fille promise à un avenir brillant et glorieux qu'elle n'avait jamais pu vivre. Bien qu'elle fût seulement entrée au collège alors que Charlie entamait sa dernière année, elle lui avait fait une forte impression. Charlie avait quitté Schollie depuis peu quand Jess était morte, mais c'était un décès qui résonnait en elle, une négation du possible qui pouvait ressurgir pour toucher chacune d'entre elles.

« Le matin où Jess est morte... » Corinna regardait fixement par la fenêtre du sous-sol, les yeux à hauteur de la pelouse boueuse de l'hiver. Elle soupira. « À cette époque, j'avais l'habitude de venir très tôt au collège. Je travaillais pendant deux heures, puis je rentrais en vitesse à la maison pour m'assurer que les enfants étaient propres, qu'ils avaient mangé et s'étaient habillés pour l'école. Ce matin-là, je suis arrivée vers six heures par la porte qui donne sur la prairie. Et je jure que j'ai vu Jay Stewart traverser la prairie en provenance de l'abri à bateaux. »

Après un instant de silence stupéfait, Charlie demanda : « Est-ce qu'il ne faisait pas noir aussi tôt ?

— Il faisait noir. Et c'était aussi un peu brumeux. Mais je sais ce que j'ai vu. Je connaissais bien Jay. Assez bien pour être certaine que c'était elle.

— Et vous n'avez jamais rien dit ? » Charlie était formée à interroger les tueurs les plus malfaisants sans laisser son jugement transparaître dans le ton de sa voix. Mais elle dut faire appel à tout son savoir-faire professionnel à cet instant pour ne pas crier après Corinna. « Vous avez gardé ça pour vous ? »

Corinna enleva ses lunettes et les essuya sur son pull. « Je me suis dit qu'il devait y avoir une explication toute simple. Peut-être que Jay avait rendez-vous avec Jess pour tenter de calmer un peu la campagne électorale. » Elle leva les yeux vers Charlie. Sans ses lunettes, son visage paraissait petit et nu. Charlie se demanda dans quelle mesure ce geste était calculé. « Je n'avais alors aucune raison d'imaginer que Jay était une meurtrière. Je croyais la connaître. Et réfléchissez, Charlie. Si j'avais raconté à la police ce que j'avais vu – elle ouvrit grand les mains – ça n'aurait rien prouvé. Ça n'aurait fait que déchaîner rumeurs et suspicions et sali la réputation du collège. Je ne voulais pas que Schollie se retrouve à la une des tabloïds. Qui plus est, rien n'indiquait alors, ni à aucun moment après, que la mort de Jess pouvait être autre chose qu'un terrible accident. Ça n'aurait servi à rien que je parle de ce que j'avais vu. Et je n'ai pas pris cette décision seule. J'en ai discuté avec le Dr Winter qui était d'accord avec moi. »

Helena Winter, châtelaine de la légende de Schollie, songea Charlie. Qui aurait accepté n'importe quoi tant que la réputation du collège restait intacte. Charlie s'appliqua à rester sereine, à ne pas montrer l'état d'agitation dans lequel l'avaient mise les paroles de Corinna. « Bon, ça fait une mort suspecte. Et le reste ? »

Corinna remit ses lunettes et jeta un coup d'œil à sa montre. « Nous n'avons pas beaucoup de temps. Il y en a deux autres sur lesquelles il faudrait d'après moi enquêter. Son associée pour topdepart.com, Kathy Lipson.

— Je me souviens de ça. C'était un accident d'escalade.

— Jay a coupé la corde.

— Et elle a été jugée non coupable. » Charlie haussait maintenant la voix pour être au même niveau que Corinna.

« Ça ne lui enlève pas toute responsabilité. Et étant donné les termes de leur partenariat, cela impliquait que Jay héritait de la part de l'entreprise qu'avait Kathy. Quelques semaines seulement avant qu'elle ne la vende pour des millions.

— C'est de la folie, Corinna. Tout ceci ne mène nulle part. Il n'y a pas le moindre semblant de preuve.

— Ensuite, il y a eu un dénommé Ulf Ingemarsson. J'ai découvert son cas sur Google. Après avoir appris que Jay était au collège le soir où Philip est mort, j'ai commencé à me demander quels autres cadavres pouvaient bien traîner dans son placard. Et je l'ai trouvé, lui. Ingemarsson a été assassiné. Il était en vacances en Espagne. Il avait loué une villa dans les montagnes au-dessus de Barcelone. Très isolée. Mais écoutez bien, Charlie. C'est lui qui a eu l'idée à l'origine de 24/7. Il était en train de développer le projet. Mais Jay a volé son travail. Il s'apprêtait à la poursuivre en justice. Il était parti en Espagne pour avoir un peu de calme afin de préparer le procès. On l'a tué à coups de couteau. Il était mort depuis au moins une semaine quand on l'a retrouvé. La police espagnole a dit que c'était un cambriolage qui avait mal tourné. Mais sa petite amie n'était pas de cet avis. Son ordinateur portable avait disparu, de même que les papiers qu'elle dit l'avoir vu emporter pour travailler. Ils n'avaient aucun intérêt pour un cambrioleur. Mais ils en avaient un immense pour Jay Stewart. »

Charlie ferma les yeux et soupira. « Et y a-t-il la moindre preuve qui établisse un lien avec Jay ?

— Je ne sais pas, dit Corinna. Mais c'est une coïncidence incroyable, vous ne trouvez pas ? Chaque fois que quelqu'un se trouve entre Jay Stewart et ce qu'elle veut, il ou elle meurt. C'est bien plus qu'une coïncidence, Charlie. »

Charlie se sentit très fatiguée. Elle ne trouvait plus l'énergie pour débattre avec Corinna. « Peut-être, concéda-t-elle avec lassitude. Mais je ne suis pas enquêtrice. Et vous non plus. Il va falloir renoncer, Corinna. Sinon ça va vous ronger et vous rendre folle. »

Elle secoua vigoureusement la tête. « Je ne peux pas renoncer, Charlie. C'est la vie de ma fille qui pourrait être en jeu. Si vous ne pouvez pas m'aider – si la justice ne peut pas m'aider –, je vais devoir prendre les choses en main moi-même. Je n'ai pas peur des conséquences. Je préfère passer le restant de mes jours en prison et savoir que Magda est hors de danger. »

Charlie avait cru connaître Corinna. Elle se rendait à présent compte de son erreur. Peu importaient les capacités intellectuelles de Corinna ou ses compétences en matière de recherche philosophique. Quand il était question de ses enfants, son instinct primaire prenait le dessus. Charlie ne doutait pas une seconde que Corinna était tout à fait sérieuse. Elle était prête à tuer Jay pour sauver Magda. Et elle avait parfaitement calculé son coup. Elle comprenait le besoin qu'avait Charlie de racheter ses erreurs. Même si elle n'en était pas responsable, des gens étaient morts à cause d'elle. Corinna lui offrait à présent l'occasion de sauver une vie qui ne méritait peut-être pas de l'être. Charlie savait en toute rationalité qu'on ne pouvait expier ses torts par compensation, mais quelque chose en elle pensait le contraire.

« Je la tuerai, dit Corinna. Je le ferai s'il le faut. »

Voilà à quoi se résumait le choix qui lui était imposé. À moins que Charlie ne parvienne à amener Jay devant une forme de justice ou à prouver son innocence, Corinna était au moins prête à attenter à sa vie. Le problème était que Charlie n'était pas du tout convaincue de pouvoir remplir l'un ou l'autre de ces objectifs. Mais au moins si elle acceptait d'aider, elle pourrait gagner assez de temps pour dissuader

Corinna de commettre cette folie. « Je comprends, dit-elle doucement. Et je ne peux pas vous laisser faire ça. » Elle se passa la main dans les cheveux, qu'elle avait plutôt envie de s'arracher de dépit. « Je vais vous aider. »

Corinna esquissa seulement un sourire, le regard méfiant. « Je savais que je pouvais compter sur vous, Charlie. » Elle tendit la main et tapota celle de Charlie dans un rare instant de contact physique.

Avant que Charlie ne puisse répondre, elle entendit s'ouvrir la porte d'entrée. Des bruits de pas, puis des voix : « Maman, tu es où ?

— Bonjour, Maman, on est là. »

Corinna se leva. « Merci, Charlie. On reparlera de tout ça. » Puis elle se tourna en direction de l'escalier. « On est en bas, mes chéries. »

Doux Jésus, se dit Charlie. Voilà un sacré déjeuner qui s'annonce.

2

Magda tendit le bras et ouvrit la portière côté passager à Catherine, qui sauta du mur sur lequel elle était assise et gagna rapidement la voiture. Magda baissa le volume du CD d'Isobel Campbell et Mark Lanegan quand Catherine grimpa à bord. « Tu es gelée », remarqua Magda en embrassant la joue glacée de sa sœur.

Catherine fit la grimace. « Tu sais bien que je ne sens pas le froid. »

C'était dur de le contester, étant donné que Catherine avait choisi de se vêtir par une froide matinée de printemps d'un collant noir, d'une robe en coton et d'un fin gilet en cuir. « Tu aurais dû m'attendre à l'intérieur, Wheelie, dit Magda, une réprimande affectueuse de sœur aînée habituée à être responsable de ses cadets.

— J'étais prête. Et c'est toujours un cauchemar d'essayer de se garer par ici un samedi matin, tu le sais. Alors je me suis dit que j'allais te rendre service en attendant dehors. Franchement, Magda. » Catherine leva les yeux au ciel et passa la main dans ses cheveux ébouriffés d'un geste agacé.

Magda, la grande sœur tirée à quatre épingles, démarra et se faufila à travers le dédale des rues situées sous Shepherd's Bush Green. « D'accord, d'accord. Tu as petit-déjeuné ?

— Bien sûr que j'ai petit-déjeuné, il est presque onze heures. Et j'ai vingt-deux ans. Bon sang, Magda, je pensais que Jay te permettrait d'assouvir tes instincts de mère poule. »

Magda sourit. « Loin de là. Jay n'a vraiment pas besoin qu'on s'occupe d'elle. »

Catherine grogna. « Oh oui, comment ai-je pu oublier ? Tu ne veux materner que tes frères et sœur. Pour ce qui est de tes amours, tu préfères toujours quelqu'un qui prenne soin de toi. Il suffit que tu battes de tes beaux cils et que tu leur fasses ton sourire à la Grace Kelly pour qu'ils te mangent dans la main.

— Merci, Wheelie. À t'entendre, on dirait que je suis une vraie garce. »

Catherine gloussa. « Eh, est-ce que j'ai dit que c'était mal ? Si je pouvais trouver un type qui me courrait après comme Philip avec toi, je ne dirais pas non, crois-moi. »

Les mains de Magda se crispèrent un instant sur le volant. « Si un jour tu trouves quelqu'un qui arrive à la cheville de Philip, tu pourras t'estimer heureuse. »

Catherine se tortilla sur son siège et dévisagea sa sœur si ostensiblement que Magda détourna le regard de la route. « Quoi ? fit-elle avant de se reconcentrer sur la circulation.

— Tu tenais vraiment à lui, n'est-ce pas ? »

Magda poussa un soupir exaspéré. « Nom d'un chien. Bien sûr que je tenais à lui. Je l'ai épousé, tu te souviens ?

— Oui, mais... » La voix de Catherine s'éteignit.

« Il n'y a pas de mais, Wheelie. Je l'aimais. » Magda monta brusquement la musique.

Elles roulèrent en silence pendant quelques minutes, puis l'infatigable Catherine relança la conversation. « Je sais que tu n'as sans doute pas envie de parler de ça, mais je vais quand même te poser la question parce que je veux savoir et que tu es la seule personne qui puisse me répondre. »

Magda grogna. Elle reconnaissait là l'ouverture familière d'un des interrogatoires obstinés de sa sœur.

« Tu as raison, Wheelie. Quel que soit le sujet, je n'ai sans doute pas envie d'en parler.

— Je comprends tout à fait que tu étais amoureuse de Philip. Jusqu'à ce que tu me parles de Jay, je n'avais jamais imaginé que tu puisses ne pas l'être. Mais maintenant, tu aimes Jay. Et je veux dire, pour moi c'est évident que tu l'aimes et que ça te rend heureuse de l'aimer. Mais c'est aussi ce que je pensais avec Philip. Chacune de ces choses est logique en soi. Mais ensemble ? Je n'arrive pas à comprendre. » Catherine se cala dans son siège et entoura ses tibias de ses bras.

Magda s'efforçait de se concentrer sur sa conduite. Mais les paroles de Catherine l'affectaient trop profondément pour qu'elle les ignore. Et si elle ne pouvait pas se défendre face à Catherine, qui était dans son camp, comment allait-elle bien pouvoir s'en sortir avec ses parents ? « C'est compliqué, dit-elle.

— Oui, bon. Ça j'avais pigé. Ce que j'essaie de comprendre… est-ce que tu es lesbienne et que tu l'as toujours été sauf que tu refusais de l'admettre, ou est-ce simplement Jay ? »

Magda eut la sensation d'avoir une pierre dans l'estomac. Pourquoi ne pouvait-elle pas vivre sa vie tranquillement ? Pourquoi devait-elle se justifier auprès de tout le monde ? Mais elle connaissait bien la réponse. Parce qu'elle était l'aînée. Parce que sa vie ne lui avait jamais appartenu. Parce qu'elle avait grandi avec deux jeunes frères et une sœur qui voulaient toujours savoir le pourquoi de tout. Elle avait pris l'habitude de répondre et ils s'étaient habitués à ce qu'on leur réponde, ce qui leur semblait désormais être un droit divin. « Je crois que j'ai toujours été lesbienne, répondit-elle lentement. Mais je ne voulais pas l'avouer. Surtout pas à moi-même.

— Pourquoi pas ? C'est le vingt et unième siècle, Mag. Tu peux même te marier maintenant.

— J'ai mis longtemps à en prendre conscience, Wheelie. Tu sais comment ça se passe quand on est ado, tout le monde en pince pour des profs, d'autres filles, des actrices, etc. Il n'y a donc rien de bizarre à être amoureuse de sa meilleure copine sauf que la règle tacite veut qu'on n'en parle pas. On dort l'une chez l'autre, on se blottit l'une contre l'autre, on discute jusqu'au petit matin, mais on ne parle jamais des sentiments qu'on peut avoir l'une pour l'autre. Puis toutes les filles se mettent à sortir avec des garçons, et c'est ce que tu fais. Tu suis le mouvement. Et tu as toujours les mêmes sentiments pour ta meilleure amie, seulement maintenant il est totalement hors de question d'en parler. » Magda s'enlisait sans savoir au juste où aller ensuite.

« Bon, oui. D'accord. Sauf la partie sur le fait de garder les mêmes sentiments. Ça m'a passé quand j'ai commencé à embrasser des garçons. »

Magda eut un sourire crispé qui assombrit sa beauté. « Maintenant, je comprends ça. Mais je ne comprenais pas à l'époque. Je pensais que c'était normal. Et j'ai eu de la chance. Les garçons avec qui je suis sortie étaient des types bien.

— Sans doute parce que tu es belle et donc tu avais le choix, glissa Catherine avec une grimace de clown triste.

— N'importe. Tout ce que je savais, c'était qu'avec eux ça ne me faisait pas un coup à la poitrine comme avec les filles. Avec eux, ma respiration ne s'accélérait pas et je ne comptais pas les heures avant de les revoir. Mais ils se conduisaient assez bien avec moi et leur compagnie ne me déplaisait pas. C'était plus facile de simplement suivre le mouvement, Wheelie. » Elle écarta une mèche folle de son visage et regarda dans ses rétroviseurs avant de changer de voie.

« Pourquoi était-ce si important pour toi de suivre le mouvement ?

— Oh, mon Dieu... Pour toutes sortes de raisons. Je voulais être médecin et travailler avec les enfants. J'étais trop absorbée par mon travail pour m'embarquer dans une relation complexe sur le plan affectif. Je ne voulais pas faire d'histoires à la maison. La situation est tellement horrible entre Maman et Papa depuis si longtemps, je ne pouvais pas supporter l'idée de leur donner un nouveau sujet de dispute. Et j'ai toujours été censée montrer le bon exemple. Je ne voulais pas devenir l'exclue de la famille, Wheelie. » Elle soupira. « Tout ça paraît vraiment idiot maintenant, mais c'était important à l'époque.

— Tu as donc épousé Philip pour que tout le monde soit content ? », demanda Catherine d'un ton incrédule. Magda ne pouvait lui en vouloir.

« Je ne l'ai pas fait si froidement, protesta-t-elle. Je croyais l'aimer. J'avais sincèrement de l'affection pour lui, Wheelie. On s'amusait bien ensemble. J'aimais bien être avec lui.

— Et sexuellement ? Tu ne t'es pas *aperçue* qu'il ne t'attirait pas ? Et plus précisément, est-ce que *lui* ne s'en est pas aperçu ? »

Magda grimaça. « Comme toujours, tu n'y vas pas par quatre chemins. Écoute, ça se passait bien sexuellement. Je ne vais pas rentrer dans les détails, parce que ça ne te regarde absolument pas. J'ai épousé Philip en connaissance de cause. Je savais que je pouvais faire en sorte que ça marche entre nous. Je me moquais vraiment que ce ne soit pas une grande passion débordante. Franchement, je trouvais qu'on en faisait trop là-dessus, quand je voyais comment ça se terminait pour la plupart de mes amis. »

Catherine émit un sifflement grave. « Et puis tu as rencontré Jay. » Elle lâcha un rire joyeux. « Et elle t'a mise complètement sens dessus dessous. Les dieux sont en train de bien se foutre de toi, Mag. Ta grande passion, tu l'as, et pas qu'un peu.

— Va te faire foutre, Wheelie, fit Magda sans rancœur. Maintenant, à mon tour de te poser une question. »

Catherine haussa les sourcils. « Raconte, sœurette.

— Étant donné que tu n'as aucune limite en ce qui concerne la vie privée des autres, comment ça se fait que tu aies mis si longtemps à me poser la question ? »

3

Jay sourit intérieurement. Elle avait appris en écrivant son premier volume de mémoires que plus elle reproduisait la structure d'un roman, plus ses lecteurs étaient captivés. Les fins de chapitres accrocheuses avec des allusions à ce qui suivait, voilà le secret pour que le lecteur ne puisse plus lâcher le livre. Elle avait été d'abord réticente à l'idée de revenir sur certaines parties de son passé, mais maintenant qu'elle trouvait son rythme, elle éprouvait une étonnante satisfaction à le voir prendre forme. Et à présent que le procès était fini, elle se sentait beaucoup plus concentrée. De toute évidence, ce qui s'était passé au tribunal l'avait stressée plus qu'elle ne voulait se l'avouer.

Cette prise de conscience lui fit se demander si elle s'était seulement rendu compte de son niveau de stress au moment de la mort de Jess. Sur le coup, elle avait simplement fait profil bas et continué son chemin. En y repensant maintenant, cela avait dû plus l'affecter qu'elle ne s'en était aperçue. Ça valait la peine de garder cela à l'esprit en rédigeant la section suivante. Ça ne pouvait pas faire de mal de montrer un peu de vulnérabilité, un soupçon de corps-à-corps avec le chagrin.

> Je prenais mon petit déjeuner seule dans le réfectoire quand j'ai appris la nouvelle. En dépit de la pique cruelle de Jess, Louise et moi avions mis un point d'honneur à ne jamais arriver ensemble pour

petit-déjeuner, même si généralement l'une rejoignait l'autre quand elle terminait son toast et son café. Mais ce matin-là, Louise n'était pas encore apparue. J'avais choisi une place d'où je pouvais surveiller l'entrée ; la dernière chose que je voulais après ses menaces du matin précédent, c'était que Jess me prenne par surprise.

L'annonce de la nouvelle a commencé par un murmure suivi d'un cri étouffé au bout de la pièce, provoqués par l'arrivée d'une poignée de rameuses ébouriffées. Elles étaient normalement parmi les premières au petit déjeuner, en quête de calories pour remplacer celles qu'elles venaient de brûler dans leurs efforts matinaux sur le fleuve. Mais ce jour-là, elles étaient en retard. Et Jess n'était pas parmi elles.

La rumeur a circulé de table en table dans le réfectoire, et de petits groupes se sont formés dans les allées. « Jess Edwards est morte », ai-je finalement entendu quelqu'un dire d'un ton horrifié et stupéfait à quelques places de moi. J'ai lâché ma fourchette qui tomba bruyamment.

« Jess ? me suis-je écrié. Jess Edwards ?

— Oui, a confirmé la fille qui venait de s'installer à la place diagonalement opposée à la mienne. Je viens de l'entendre devant le passe-plat. » Elle a fait un mouvement de tête en direction des rameuses, maintenant assises au-dessus de tasses de café, le dos voûté et les épaules rentrées, formant un groupe fermé. « C'est elles qui l'ont trouvée.

— C'est horrible ! Qu'est-ce qui s'est passé ? a demandé quelqu'un d'autre avant que je ne puisse le faire.

— Personne ne sait encore, a déclaré notre informatrice. Ils l'ont trouvée dans la rivière. Sur le ventre. Au bout de la prairie, près du hangar à bateaux. Elle était prise dans les lianes d'un des saules. Elles étaient en train de mettre le bateau à l'eau ce matin quand l'une d'elles a aperçu ses jambes.

— Oh mon Dieu. Ça a dû être atroce. Je n'arrive pas à y croire », ai-je dit, presque à part moi. Un mélange complexe d'émotions m'assiégeait. J'étais horrifiée par la mort d'une de mes contemporaines. Aussi dures qu'aient pu être les choses entre nous, Jess était une personne au même point que moi dans sa vie, et j'étais sensible à l'effroyable tragédie que constituait son décès. Mais je serais malhonnête si je n'avouais pas avoir ressenti un certain soulagement. Jess était morte mais j'étais hors de danger. Même si les acolytes de Jess connaissaient son projet de campagne de diffamation, sa mort les plongerait dans un bien trop grand désarroi pour le mettre à exécution.

J'ai reculé ma chaise dans un grincement et me suis levée. « Je ne peux pas le croire », ai-je répété avant de quitter le réfectoire comme une somnambule.

Inévitablement, mes pas m'ont conduite à l'extérieur du Sackville Building, dans les jardins embrumés. J'ai descendu maladroitement les marches de rocaille et me suis dirigée lentement vers la prairie. Je n'ai pas dû aller bien loin pour voir une zone délimitée par un ruban de police et les silhouettes sombres de policiers debout près du hangar à bateaux. C'était donc vrai. Jess était morte. Elle avait été l'une de ces filles de ma génération qui avaient tout pour elles, et maintenant tout était terminé.

Un tel événement peut être un moment déterminant pour le groupe qu'il touche. Je ne vais pas faire croire que nous étions amies, mais le souvenir de Jess Edwards ressurgit devant moi plusieurs fois par an. À chaque Boat Race[1], je l'imagine qui mène le

1. Célèbre course d'aviron annuelle entre les universités d'Oxford et Cambridge. (*N.d.T.*)

bateau du collège à la victoire. Chaque fois que je regarde de jeunes athlètes, je me rappelle la force et la beauté de son corps. Je regrette les espérances brisées et je me demande ce qu'elle aurait fait de sa vie. Je regarde celles des autres filles qui avaient tout pour elles pour me rappeler que la plupart d'entre elles n'ont rien fait de spectaculaire, comme si c'était une sorte de consolation. Ça ne l'est pas, bien sûr.

Le ton était-il juste ? Le truc, c'était de paraître sincère sans se laisser vraiment aller à la sincérité. Jay savait que l'honnêteté absolue était totalement vouée à l'échec, non seulement pour elle mais pour toute personne se lançant dans une entreprise comme celle-ci. La vérité, c'était qu'elle avait été folle de joie quand Jess Edwards était morte. Ça l'avait arrangée à l'époque, et à présent encore elle ne pensait pas que le monde se portait plus mal du fait de l'absence d'une garce réactionnaire privilégiée de plus qui avait le sentiment que tout lui était dû.

Et c'était une chose impossible à dire. Peut-être que les structures de la fiction fonctionnaient si bien pour elle parce c'était ce qu'elle écrivait vraiment.

À l'heure du dîner, tout le collège était au courant. Jess s'était apparemment rendue au hangar à bateaux plus tôt que d'habitude. D'après une de ses collègues rameuses, elle s'était plaint que son siège ne glissait pas assez aisément, et on supposait donc qu'elle était venue pour tenter de le régler. Vu l'atmosphère humide et brumeuse, le sol était glissant et boueux. Jess semblait avoir perdu l'équilibre sur l'appontement, s'être cogné la tête sur le bord de celui-ci et être tombée inconsciente dans l'eau, où elle s'était noyée. Un tragique accident, selon l'avis général, conclusion que le médecin légiste avait fini par rendre à son tour. Pour ma part, j'ai promis que ma première tâche en tant que présidente du bureau des étudiantes serait d'exiger du collège un revêtement antidérapant sur l'appontement. C'était trop peu, trop tard, mais c'était la meilleure chose que je pouvais faire pour honorer sa mémoire.

Parce que plus rien ne pouvait désormais m'empêcher de devenir présidente du bureau. Il y avait bien deux ou trois autres candidates, mais en vérité, seules Jess et moi avions eu de réelles chances de gagner. Trois jours plus tard, j'ai remporté l'élection haut la main. Le bruit avait couru qu'elle pourrait être reportée après les funérailles de Jess, mais la tradition a toujours été un argument de taille dans les collèges d'Oxford. Par ailleurs, la titulaire du poste était décidée à quitter ses fonctions à la fin du semestre afin de pouvoir se concentrer sur ses examens de fin d'études. Il lui avait suffi de rappeler que Jess était attachée à St Scholastika et qu'elle n'aurait pas voulu que sa mort perturbe le bon fonctionnement du bureau des étudiantes pour faire en sorte que le calendrier habituel soit respecté.

C'est donc en tant que présidente élue du bureau des étudiantes que j'ai participé aux funérailles de Jess. J'y ai évoqué l'importance de la confrontation, la nécessité de rencontrer une opposition afin de pouvoir éprouver nos idées. J'ai rappelé l'engagement profond de Jess dans tout ce qu'elle faisait et combien elle nous manquerait. Et ces paroles venaient du cœur, au point que leur force m'a un peu surprise. Les personnes présentes à St Mary the Virgin ce jour-là se sont souvenues de mon allocution pendant des années, si j'en crois ce qu'elles m'ont dit lorsqu'on s'est rencontrées par hasard aux fêtes du collège ou ailleurs.

Jay se leva et s'éloigna de l'ordinateur. La section suivante devait être parfaitement au point, et elle voulait bien y réfléchir avant de reprendre son récit. À une époque, elle serait allée sur un mur d'escalade et aurait laissé son subconscient faire le travail pendant qu'elle se concentrait pour enchaîner une série de prises de main et de pied qui l'emmènerait au sommet du mur avec un peu de panache. C'était désormais au-dessus de ses capacités. Les blessures qu'elle avait subies dans l'accident qui avait coûté la vie à son associée, Kathy Lipson, n'avaient pas paru trop graves sur le coup. Juste des ligaments déchirés au genou, des raideurs dues au froid, un lumbago douloureux. Rien de bien sérieux. Mais au fil des années, il était devenu de plus en plus évident que ces lésions étaient liées à des prédispositions neurogénétiques. Ses doigts n'avaient pas la force de s'agripper aux prises, ses genoux ne voulaient plus la laisser faire le crabe sur les parois rocheuses, elle avait des crampes aux orteils dans les fissures. Elle était devenue un fardeau en montagne et se voyait donc privée de la seule activité qui l'ait jamais passionnée.

À présent, elle marchait. Cette activité ne présentait aucune difficulté, mais elle induisait un rythme et le rythme faisait fonctionner son esprit. Elle adorait marcher au bord de la Tamise, le fleuve d'un coté et la circulation de l'autre. C'était là qu'elle construisait ses projets d'entreprise, qu'elle résolvait ses problèmes et élaborait des stratégies. C'était aussi là qu'elle s'exerçait à l'écriture en déterminant comment raconter l'histoire qu'elle avait en mémoire de sorte qu'elle fasse sens. Formuler et reformuler, organiser ses idées de différentes manières, donner une forme agréable à son brouillon.

La section qu'elle comptait écrire ensuite concernait Corinna et ne pouvait être éludée. Il était impossible de raconter cette partie de l'histoire en lui donnant toute son ampleur et sa résonance sans inclure ce qui s'était passé entre elle et la mère de Magda. Ce serait bien sûr plus facile à certains égards de l'ignorer totalement.

Mais quoi que Jay écrive, cela allait provoquer un malaise entre elles deux. Il lui fallait trouver un moyen de présenter la vérité acceptable pour toutes. Et ça n'allait pas être facile.

Jay parcourut le dédale de petites rues étroites qui la conduisit au jardin botanique de Chelsea. Elle marchait parfois du quai de Chelsea jusqu'à Blackfriars et au-delà si elle était aux prises avec un problème particulier. Mais depuis que Magda était arrivée dans sa vie et y occupait une telle place, les moments qu'elle avait pour écrire étaient devenus d'autant plus précieux. Elle ne voulait pas passer plus de temps que nécessaire loin de son clavier.

Elle marchait d'un bon pas dans les allées sans vraiment prêter attention à ce qu'elle voyait. Elle dévorait en même temps des reinettes « Orange de Cox », sa mâchoire se refermant à contretemps de ses pas. Il existait forcément un moyen de le faire en révélant suffisamment la vérité pour que personne ne vienne la contredire tout en dissimulant le côté sinistre des véritables réactions de Jay.

À force de méditer en marchant, Jay finit par trouver ce qui, espérait-elle, satisferait plus ou moins tout le monde. Elle allongea le pas et ses yeux étincelaient lorsqu'elle rebroussa chemin à plus vive allure, impatiente de rentrer pour voir ce que ça donnait.

> Tout ne s'est pas aussi bien passé que mon accession à la présidence, cependant. Inévitablement, la vilaine rumeur qu'avait lancée Jess n'était pas morte avec elle. Les gens avaient commencé à parler. Il m'arrivait de me demander si la révolution féministe avait vraiment eu lieu.
>
> En lisant cela, certains d'entre vous vont se demander si je n'étais pas parano. Je sais qu'il est difficile de croire que je parle de 1993, et non de 1973. À l'extérieur, il y avait des tenniswomen, des actrices et des écrivaines ouvertement lesbiennes.

Peu, certes, mais il y en avait. Néanmoins le monde dans lequel je vivais restait férocement homophobe bien qu'il prétendît le contraire. Les diplômés d'Oxford avaient tendance à être attirés par le genre de carrières où l'on considérait avec une incrédulité polie l'égalité des sexes – ne parlons pas de libération homosexuelle. On ne voulait donc pas être cataloguée comme lesbienne, ni même jugée parce qu'on en fréquentait.

Et pourtant, j'avais quelque part envie de croire que je pouvais oser être différente. Une fois bien à l'abri au poste de présidente du bureau, j'ai refusé de m'inquiéter. J'ai même songé à faire mon coming-out pour prendre une position de principe, mais Louise a paniqué et opposé son veto dès que j'ai abordé le sujet. Si je révélais mon homosexualité, a argué Louise, elle serait forcée de faire de même. Et contrairement à moi, elle était encore profondément attachée à sa famille et à son foyer, où l'on adhérait fermement aux principes moraux de l'Église catholique. Être lesbienne dans la famille de Louise revenait à reconnaître que l'on vivait dans le péché mortel, et elle n'était pas prête à cela.

« Ce n'est pas un problème pour toi, a-t-elle murmuré dans mes bras au petit matin. Tu es gay. Tu sais que tu es lesbienne. Moi non. Je sais que je t'aime, mais ça ne veut pas dire que je dois être comme toi. »

Je me suis donc retenue. J'ai estimé que, si j'ignorais la rumeur, celle-ci s'éteindrait et mourrait quand quelque chose de plus intéressant se produirait. J'étais naïve ; je ne mesurais pas les dégâts que pouvaient causer ces propos venimeux.

Les choses ont commencé de manière apparemment innocente. Le jour de l'élection, j'ai laissé un mot dans le casier de Corinna pour confirmer que je la retrouverais comme d'habitude ce soir-là pour boire un verre. J'avais hâte de fêter ma victoire et, malgré ma relation avec Louise, Corinna restait une personne avec qui je voulais partager mon moment de gloire. Au moment de sortir pour me rendre à notre rendez-vous, j'ai jeté un œil à mon casier et j'y ai trouvé un mot de Corinna. « Chère Jay, je vais devoir remettre notre verre de ce soir à une autre fois. La mère d'Henry va débarquer, je suis donc coincée à la maison. Mes excuses. Corinna. »

J'étais déçue, mais pas peinée outre mesure. Ce n'était pas la première fois que l'une de nous deux avait dû annuler un rendez-vous. Les occasions ne manqueraient pas de se rattraper, du moins je le croyais.

Et j'avais tort. Le lendemain, un autre message de Corinna est arrivé. « Chère Jay, avec la mère d'Henry à la maison, je n'ai pas besoin que tu viennes garder les enfants vendredi soir. Je suis sûre que tu ne manqueras pas de choses à faire ! Corinna. » J'étais un peu fâchée car je m'étais habituée à ce que mes gardes pour Corinna viennent alimenter ma bourse de manière salutaire et régulière. Mais je savais que les relations entre Corinna et sa belle-mère avaient toujours été tendues et que Dorothy se serait sentie insultée si j'étais venue pour m'occuper des enfants alors qu'elle était à la maison.

J'ai attendu un mot de Corinna pour convenir de notre prochaine soirée ensemble ; elle ne me donnait pas cours ce semestre-là, aussi à moins de tomber l'une sur l'autre dans le collège, nous communiquions ainsi. J'ai attendu en vain. Deux semaines avaient passé depuis qu'elle avait annulé, même si j'avais à peine vu les jours filer, à cause de la pesante routine du travail universitaire. Il y avait mes nouvelles responsabilités de présidente, qui m'imposaient de me mettre au courant de l'état actuel des choses puis de développer des stratégies pour les changements que j'avais prévu d'opérer. Et bien sûr, il y avait ma relation avec Louise, encore neuve, encore excitante mais également accaparante.

Puis, un après-midi, j'ai été à une réunion intercollégiale des présidents de bureaux des étudiants à St John. Pour une fois, la réunion s'est terminée plus tôt que prévu, et puisque j'étais à moins de cinq minutes de vélo de chez Corinna, j'ai décidé de passer pour le thé. La voiture de Corinna était dans l'allée, et j'ai vu à travers les fenêtres éclairées du sous-sol que les enfants étaient à la maison. J'ai fait le tour jusqu'à la porte latérale et posé mon vélo contre le mur. Comme d'habitude, j'ai donné un coup de sonnette et tourné la poignée de la porte pour entrer. Mais à ma grande surprise, elle était fermée. Depuis tout le temps que je venais là, Corinna n'avait à ma connaissance jamais fermé la porte à clé pendant la journée.

J'ai froncé les sourcils et reculé avec l'étrange sensation de me faire rabrouer. J'ai alors entendu des bruits de pas dans l'escalier en provenance du soussol, et quelques instants plus tard, la porte s'est ouverte. Corinna se tenait là, l'air légèrement inquiet. Derrière elle, j'ai seulement aperçu Patrick qui faisait le tour du pilastre au bas de l'escalier. « Oh ! Jay, a fait brusquement Corinna. Tu tombes vraiment mal. On s'apprêtait à sortir.

— Non, c'est pas vrai, a dit Patrick. Tu viens de mettre une tarte au four. »

Corinna s'est empourprée et s'est retournée pour décocher à Patrick un regard qui l'a fait dévaler les escaliers. « C'est pour Henry », a-t elle indiqué avec humeur, clairement troublée. Elle a pris une profonde inspiration et dessiné un rictus que je n'avais jamais vu auparavant. Le sourire d'une personne qui aurait suivi des cours d'expression du visage mais raté l'examen pratique. Son regard restait anxieux, tandis que les coins de sa bouche remontaient de manière peu convaincante. « Désolée, a-t-elle dit. Une autre fois, hein ? »

Et la porte s'est fermée devant mon nez. C'était aussi douloureux et humiliant que si Corinna m'avait giflée. J'ai senti mes genoux flageoler et des larmes m'ont brûlé les yeux. J'étais totalement sidérée par ce rejet si définitif. Depuis plus d'un an, Corinna et ses enfants avaient été ma famille, mon foyer. Corinna m'avait confié ses enfants, ses griefs, ses rêves, et je lui avais rendu la pareille. Et maintenant, sans préavis, sans explication, sans désaccord flagrant, je me retrouvais exclue.

J'ai péniblement fait faire un demi-tour à mon vélo et descendu l'allée en chancelant. Au portail, je me suis retournée pour jeter un rapide coup d'œil sur la maison. Patrick était debout sur la banquette de la fenêtre du bow-window du sous-sol, l'air interdit, et me fixait. Lorsque mon regard a croisé le sien, il a fait un petit geste de la main. Il savait que quelque chose avait changé ; c'était un adieu, pas un salut.

Je n'ai jamais pu me rappeler les détails de mon retour à vélo au collège sinon que des larmes m'aveuglaient. Je ne voyais qu'une raison au désaveu de Corinna. Elle avait entendu les rumeurs et son affection n'avait pas suffi à vaincre ses préjugés. Ou, plus probablement, elle avait parlé à Henry de ces bruits de couloirs et il avait insisté pour que je ne sois pas autorisée à approcher ses précieux enfants à moins d'une distance respectable.

Si une telle chose devait arriver à Jay Macallan Stewart, chef d'entreprise et auteur, la colère la transpercerait comme une lame chauffée à blanc. Mais à l'époque, je n'avais pas assez confiance en moi pour me mettre en rage. J'avais eu beau essayer, je n'avais pas encore réussi à être fière de mon homosexualité, et j'avais quelque part le sentiment de mériter le châtiment que m'infligeait Corinna, aussi la culpabilité ajoutait à mon anéantissement. Je comprenais presque Corinna et souffrais d'autant plus que je me dégoûtais moi même.

Le coup de grâce est arrivé quelques jours plus tard, à nouveau par mon casier. Je me suis avidement emparée de mon courrier en reconnaissant l'écriture brouillonne sur l'enveloppe du collège. J'ai déchiré celle-ci, jouant mon bonheur sur le fol espoir qu'il s'agisse d'une sorte de demande de réconciliation. « Chère Jay, osait encore commencer Corinna. Comme tu dois t'en souvenir, tu m'avais demandé d'être ta directrice d'études au prochain semestre pour ton option d'éthique. Malheureusement, je me rends compte aujourd'hui que ma charge de travail ne va pas me le permettre et j'ai donc fait le nécessaire pour que le Dr Bliss te prenne en charge à St Hilda. Elle te contactera directement pour que vous conveniez d'un rendez-vous. Cordialement, Corinna Newsam. »

Paralysée au milieu de la loge de l'appariteur, je me suis efforcée désespérément de garder contenance. Le reniement de Corinna me donnait la sensation physique d'une profonde blessure. De chaque côté, des filles me bousculaient par mégarde en venant relever leur propre courrier. Je ne les voyais pas. Tout ce que je voyais, c'était Patrick à la fenêtre, dont le petit visage triste n'exprimait qu'un pâle reflet de mon propre chagrin.

4

En voyant quelqu'un d'autre dans la cuisine à côté de sa mère, Magda se sentit dupée. Toute la matinée, elle s'était armée de courage et préparée à la confrontation, n'écoutant que d'une oreille le récit de la vie étudiante de Catherine, et elle allait maintenant devoir repousser le moment fatidique. Presque aussitôt après avoir eu cette pensée amère, elle se rendit compte que le visage de la femme qui se levait de la table de la cuisine lui était trop familier pour qu'il s'agisse d'une inconnue. Lorsque sa mère la prit dans ses bras, Magda ne quitta pas l'autre femme des yeux.

« Ma chérie, je suis tellement heureuse de te voir, s'exclama Corinna en serrant Magda à l'étouffer. Quelle semaine tu as eue. »

Magda lui tapota le dos et s'écarta pour laisser sa sœur saluer leur mère. « Bonjour », dit-elle avec le sourire protocolaire d'une femme qui a été bien éduquée dans le genre de milieux où l'on acceptait sans sourciller les étrangers à la table du déjeuner. Elle jaugea cette femme pas tout à fait inconnue, ses cheveux noirs striés de mèches argentées, qui donnait globalement l'impression d'une personne à l'aise et sûre d'elle dans son jean et son ample chemise bleue bien coupée. Un visage agréable à l'air malicieux. Mais c'étaient les yeux qui lui disaient quelque chose – calmes, attentifs, d'un bleu pâle saisissant entouré d'un trait plus foncé. Comme un husky, songea Magda.

La femme appuya une hanche contre la table, l'air parfaitement décontracté. Elle salua Magda et Catherine d'un signe de tête. « Vous ne vous souvenez pas de moi, si ? »

Catherine, libérée de l'étreinte de sa mère, l'examina de la tête aux pieds en fronçant les sourcils. Elle avait toujours eu une bien meilleure mémoire visuelle que sa sœur. « Vous êtes une des gardiennes, pas vrai ? Mais je ne me rappelle plus laquelle.

— Les gardiennes ? questionna la femme d'un ton amusé.

— C'est comme ça qu'on appelait nos baby-sitters, expliqua Magda. Les étudiantes de Maman. Vous nous gardiez toujours pendant une période limitée, et vous étiez donc toutes les mêmes pour nous. » Elle s'excusa d'un haussement d'épaules. « N'y voyez pas de critique. C'était la nature des choses. Vous n'étiez jamais à Oxford que le temps d'une licence. Aucune d'entre vous n'est jamais restée longtemps dans nos vies.

— Alors vous êtes laquelle ? » demanda Catherine avec son éternelle et irrépressible brusquerie.

Corinna grogna. « Que puis-je dire ? J'ai fait de mon mieux. Je ne sais pas pourquoi mon enseignement des bonnes manières n'a pas pris avec Catherine. »

La femme rigola. « Je suis Charlie. Charlie Flint. Je t'ai souvent lu *Winnie l'ourson,* Wheelie. Tu préférais toujours Bourriquet. »

Catherine poussa un petit rire. « Encore maintenant. C'est le seul personnage sensé de la bande. » Elle tendit la main. « Ravie de vous revoir, Charlie Flint. »

Charlie lui serra la main. « Moi de même. » Elle inclina la tête de côté et considéra les sœurs Newsam. « Je ne t'aurais pas reconnue, Wheelie. Mais je crois que j'aurais pu désigner Magda dans une séance d'identification. »

Magda répondit à sa remarque par un haussement de sourcils puis se tourna vers Corinna. « Où est Papa ? »

Corinna traversa la pièce jusqu'à la cuisinière et ouvrit une des portes, libérant un nuage de vapeur et un dense fumet de poulet, jambon et pâte à tarte. « Il a une journée portes ouvertes à l'école. Il doit être présent pour faire visiter les lieux aux parents intéressés. » Les traits de Magda se contractèrent mais elle ne dit rien. « Il sera de retour vers trois heures, il a dit. » Corinna vérifia la cuisson de sa tourte, la replaça dans le four puis mit une casserole de pommes de terre à bouillir sur une des plaques.

« N'importe », fit Catherine avant de tirer une chaise et de s'asseoir. Elle sourit gaiement à Charlie. « Maman, est-ce que Charlie est au courant qu'on a quelque chose à fêter ou est-ce qu'on va devoir se taper toute l'explication ?

— Catherine, pour l'amour du ciel ! s'écria sévèrement Corinna.

— Si tu parles du verdict du tribunal, oui, je suis au courant, dit Charlie. Et je devrais peut-être vous laisser entre vous. Je ne veux pas vous déranger. »

Magda vit l'air contrarié que prit un instant sa mère, et fut donc étonnée quand Corinna répondit : « Bien sûr que non, Charlie. Vous ne nous dérangez pas.

— Loin de là, dit Magda. Ces derniers temps, j'ai l'impression que ma vie privée n'a de secret pour personne. »

Charlie sourit. « Ce n'est jamais agréable d'être le centre de l'attention des médias. »

Catherine écarquilla les yeux et prit un air stupéfait. « C'est de là que je vous connais, dit-elle avec satisfaction. Pas seulement en tant que gardienne. C'est vous qu'on a vue aux infos. » Elle se tourna vers sa sœur. « Tu te souviens ? Le type qui n'a pas été condamné pour un meurtre puis qui est allé tuer d'autres femmes. » De nouveau à Charlie : « C'est vous qui l'avez blanchi. »

Charlie garda un air agréablement intéressé. « Ce n'est pas comme ça que je décrirais ce qui s'est passé mais oui, certains journalistes ont choisi d'exprimer ça en ces termes.

— Catherine – Corinna posa lourdement une bouteille de vin rouge devant sa fille cadette –, Charlie est notre invitée. Généralement, on n'insulte pas ses invités.

— Pas avant qu'ils aient bu un verre, au moins, dit Magda, ôtant sa veste d'un mouvement d'épaules et apportant quatre verres à la table. Je vous prie d'excuser ma sœur. Je crois que je devrais tout simplement avoir des cartes imprimées que je pourrais distribuer lorsque je l'accompagne. "Magda Newsam est vraiment désolée du manque de tact de sa sœur."

— Ou alors, on pourrait instaurer le prix Catherine Newsam du tact et de la diplomatie, dit Catherine. Je suis désolée, Charlie. Quand je m'intéresse à quelqu'un ou à quelque chose, j'ai tendance à ouvrir la bouche sans réfléchir aux conséquences.

— Continue de cultiver ton charme, alors, dit Charlie. Ça t'évitera sans doute de te faire gifler trop souvent. »

Catherine parut choquée pendant une milliseconde, puis elle éclata de rire. « Ça casse, dit-elle en acquiesçant. Mais alors, si c'est pas comme ça que vous décririez ce qui s'est passé, c'est comment ?

— Charlie n'a peut-être pas envie de parler de ça, déclara Corinna d'un ton réprobateur.

— S'il vous plaît, Charlie, dit Catherine. On a tous été si tendus avec cet affreux procès, ça nous changerait les idées. »

Magda avait suivi la conversation sans quitter Charlie des yeux et se demandait si, du fait de sa sexualité nouvellement découverte, elle verrait toute sa vie des lesbiennes partout ou si cela passerait avec le temps. Elle dit alors : « Wheelie a raison. J'aimerais tellement arrêter de ressasser sans arrêt mes obsessions. »

Charlie gonfla les joues puis soupira bruyamment. « D'accord. Mais il me faut ce verre. » Charlie rassembla ses pensées pendant que Magda servait le vin. « Je suis psychiatre. Je m'intéresse en particulier à l'étude des personnalités psychopathiques et aux moyens de les soigner.

— Qu'est-ce que ça veut dire exactement ? demanda Catherine. C'est un de ces trucs qu'on lit dans les journaux sans jamais vraiment être sûr de ce qu'ils signifient.

— Les psychopathes sont des individus incapables d'empathie ou de remords. Ils sont totalement indifférents aux conséquences que leurs actes peuvent avoir sur les autres. Ils mentent, ils essaient de contrôler le monde pour qu'il fonctionne comme ils le veulent. Les plus malins sont enjôleurs et manipulateurs et apprennent à s'intégrer. »

Catherine poussa un grognement. « Ça ressemble à la plupart des hommes que je connais.

— Tu n'as pas de chance, alors. On estime qu'ils ne représentent qu'environ un pour cent de la population. Je travaille surtout avec des personnes qui ont été jugées coupables pour des crimes graves, mais je m'occupe parfois de personnes qui ont d'autres problèmes de santé mentale. Leur psychopathie n'est que d'une importance secondaire quand je les vois, mais il y a toujours une certaine inquiétude à l'idée que si on les laisse aller librement en société, leur condition mentale ne les pousse à commettre des crimes violents. Grâce à mon expérience professionnelle, j'ai fini par devenir profileuse criminelle et témoin expert. » Charlie fit la grimace. « Je m'en sortais bien. Comme on l'attend des anciennes élèves de Schollie.

— Et c'est mérité, précisa Corinna. Vous étiez l'une de mes meilleures étudiantes. »

Charlie rigola. « J'ai du mal à le croire, vu le nombre de fois où j'ai séché pour faire autre chose.

— Vous n'étiez pas seulement là pour travailler.

— Vous n'avez jamais dit ça à l'époque, dit Charlie. Enfin… Le service du procureur de la Couronne a fait appel à moi pour une affaire de meurtre près de Leicester. Ils avaient un suspect en instance de jugement et ils voulaient mon expertise judiciaire pour appuyer leur plaidoirie. C'était plutôt routinier pour moi. J'ai organisé un entretien avec le suspect, un certain Bill Hopton. Mais j'ai fini par le voir à quatre reprises et, arrivée au bout de ces séances, j'avais de sérieuses inquiétudes. J'ai demandé un rendez-vous avec l'avocat du service du procureur. » Elle soupira et but un peu de vin.

« Je lui ai expliqué que, de mon avis d'experte, Bill Hopton était une personnalité psychopathique capable de violence sexuelle sadique. Que très probablement, il allait commettre des agressions sexuelles avec violences ou des viols qui se termineraient sans doute en meurtres. Mais j'étais également convaincue qu'il n'avait pas commis le meurtre en question. Ça ne collait tout simplement pas avec l'image que j'avais construite de son type de personnalité.

— Je parie que vous avez eu la cote, dit Catherine.

— Tu parles. L'avocat a essayé de me faire changer d'avis, mais je n'étais pas prête à réviser mon opinion professionnelle pour m'accorder à leur théorie sur ce crime. Ils m'ont donc virée de l'affaire. Et les choses en seraient restées là si la défense n'avait eu vent de ce qui s'était passé. Ils sont venus me voir et m'ont demandé d'être témoin expert pour eux. J'ai dit non, je ne peux pas, il y a conflit d'intérêts, si j'ai les informations dont je dispose, c'est seulement parce que j'ai été engagée par le service du procureur, aussi en théorie elles leur appartiennent. Donc ils sont partis et j'ai cru en avoir fini avec Bill Hopton. Ce qui m'allait bien, car c'était un individu particulièrement déplaisant et fourbe.

« Les mois ont passé et le meurtre de Leicester m'est complètement sorti de la tête. Puis un matin, je suis entrée dans l'amphithéâtre de l'université où je donnais cours et un huissier de justice m'a collé une assignation à comparaître. Que je le veuille ou non, j'allais devoir témoigner pour Bill Hopton. Or, cette idée ne me plaisait pas du tout, car je savais que les arguments de l'accusation n'étaient fondés que sur des présomptions. Les gens croient que ça se passe comme dans*Les Experts* de nos jours, mais c'est pas toujours aussi simple. La victime avait été complètement déshabillée et jetée dans un étang, donc la police scientifique n'avait relevé que des éléments négligeables.

« Des témoins avaient vu Bill Hopton rôder autour du lieu de travail de la victime. Il apparaissait sur un grand nombre de vidéos de surveillance. La défense a objecté qu'il aimait bien venir s'asseoir dans ce square en particulier parce qu'il pouvait pirater le Wi-Fi d'un des cafés voisins sans devoir dépenser d'argent. » Charlie plia un doigt pour éliminer ce premier point. « L'arme du crime était un démonte-pneu d'une Vauxhall de la même génération que celle de Hopton, et sa voiture n'avait plus de démonte-pneu. La défense a déclaré qu'il n'y avait pas eu de démonte-pneu quand Hopton avait acheté la voiture, et ils ont fait témoigner la femme qui la lui avait vendue, qui a dit qu'elle pensait en effet qu'il n'y en avait pas. » Un deuxième doigt se joignit au premier. « Hopton avait fourni un alibi qui s'avérait mensonger. Mais la défense a expliqué qu'il avait menti parce qu'il ne voulait pas avouer qu'il était avec une prostituée. Ils ont fait venir la fille, un témoin assez minable, mais elle a campé sur sa position. » Troisième doigt. « Et puis il y a eu moi. » Charlie plia le quatrième doigt puis serra le poing. « Je n'ai pas pu mentir. Et le jury, à raison, a jugé Bill Hopton non coupable.

— Je parie que les avocats de l'accusation étaient fous de rage, dit Corinna.

— Ils étaient furieux et ils me l'ont fait savoir, dit Charlie. J'ai pensé que ma carrière de témoin expert était terminée. Je suis donc retournée à mes autres occupations. Avoir des entretiens avec des psychopathes, donner cours à Manchester et passer du temps avec ma femme tout à fait normale Maria. »

Magda s'efforça de ne pas montrer sa stupeur. Certes, on ne leur avait pas inculqué l'homophobie ; on leur avait toujours appris à mépriser le péché mais à aimer le pécheur. Néanmoins, elle n'avait pas le souvenir d'avoir déjà vu quelqu'un parler d'homosexualité de manière aussi désinvolte dans cette maison. Les invités qui connaissaient les Newsam se gardaient bien de se mêler de leurs convictions. Aussi personne ne blasphémait devant Corinna et personne ne parlait de son homosexualité ou de se faire avorter lorsqu'Henry ou elle étaient dans les parages. Et pourtant, voilà que Charlie parlait ouvertement de sa compagne lesbienne qu'elle appelait sa « femme » sans se voir mise à la porte et rejetée comme c'était arrivé à Jay des années plus tôt. Peut-être que ses parents s'adoucissaient. Peut-être que ses révélations ne provoqueraient pas le drame qu'elle craignait.

Elle se rendit compte qu'elle avait manqué une partie du récit de Charlie et reporta son attention sur leur invitée.

« ... au moins deux ans plus tard. Mais cette fois-ci il n'y avait pas de doute. C'était exactement le genre d'agression sauvage et inconsidérée que j'aurais prédit. Il y avait une profusion de preuves scientifiques ainsi que des preuves numériques sur l'ordinateur de Bill Hopton. Mais vu qu'il se déplaçait, il leur a fallu quelques semaines pour l'attraper. Et entre-temps, il avait tué trois autres femmes. » La voix de Charlie s'éteignit et elle eut tout à coup l'air plus âgée, des rides apparaissant autour de ses yeux comme ils se plissaient. « J'avais le moral à plat, pour être honnête. Je savais que j'avais fait ce qu'il fallait, mais j'avais tout de même le sentiment que j'aurais pu empêcher ce qui s'était passé.

— Vous n'auriez rien pu faire, c'est certain, dit Corinna.

— J'avais bien recommandé que Hopton soit envoyé dans un hôpital psychiatrique sécurisé, mais son avocat a crié à la violation des droits de l'homme – son client avait été jugé non coupable par un jury, c'était un homme innocent, les autorités essayaient juste de se tirer d'affaire. Personne n'a envie de se retrouver mêlé à ce genre de complications, dit Charlie. Il a donc été relâché pour aller tuer quatre femmes.

— Et les médias adorent les boucs émissaires, dit Magda. Est-ce pour cela qu'ils ont fini par s'en prendre à vous ?

— En partie. Mais ça a vraiment démarré quand la famille d'une des victimes a voulu que quelqu'un paie pour leur perte. Littéralement. Ils ont décidé de me poursuivre en justice pour avoir failli à mon devoir de vigilance. D'autres parents de la défunte ont suivi le mouvement, puis l'un d'eux a eu la brillante idée de formuler une plainte contre moi à l'ordre des médecins.

— Mais tout ce que vous avez fait, c'est témoigner en faveur d'un homme innocent, dit Catherine.

— Eh bien, ce n'est pas comme ça qu'ils le voient. » Charlie vida son verre et prit la bouteille. « Personne d'autre n'a jamais été inculpé du meurtre du Leicestershire, et les flics sont toujours contents de s'adresser en douce aux journalistes pour leur dire qu'ils sont convaincus d'avoir fait passer le bon type en jugement. Et que s'il s'en est tiré, c'est grâce à ma déposition. Et c'est pour ça qu'on a parlé de moi dans tous les journaux.

— Et que se passe-t-il maintenant ? demanda Corinna.

— Je dois attendre que l'affaire passe devant le tribunal. Et que l'ordre des médecins réunisse un conseil de discipline. D'ici là, je ne peux pas exercer. L'université m'a suspendue de mes fonctions sans perte de salaire. Je récupère quelques cours et autres juste pour me forcer à sortir de la maison. Pauvre Maria, je ne connais personne qui ait autant la tête sur les épaules, et elle doit me supporter avec toute mon angoisse et ma paranoïa.

— C'est pour ça que vous êtes à Oxford ? Pour donner des cours ? questionna de nouveau Catherine, la curiosité prenant le pas sur la délicatesse.

— Si seulement. Non, je suis venue rendre visite à un collègue. Et vu que mon hôtel est à deux pas, je me suis dit que j'allais passer voir Corinna. » Charlie leva son verre en direction de son hôtesse. Puis elle se tourna vers Magda. « Je ne m'étais pas rendu compte que je tomberais à un moment aussi délicat. Je vais être honnête. J'avais vu les articles sur le procès dans les journaux, mais je n'ai pas fait le rapprochement avec toi. » Elle ouvrit les mains en signe d'excuse. « Ils n'ont pas utilisé ton nom de jeune fille et je suppose que dans ma tête tu es restée Maggot. »

Magda sentit le rouge lui monter aux joues. « C'est drôle, dit-elle. Personne ne m'a appelée Maggot depuis des années. Mais vous êtes la deuxième personne récemment à utiliser mon ancien surnom.

— Vraiment ? » Charlie parut soulagée d'avoir réussi à changer de sujet. « Quelqu'un que tu as connu gamine ? Ou une autre de vos gardiennes ? »

Regardant sa mère, Magda leva le menton et redressa les épaules. « Une personne qui nous a gardés jusqu'à ce que ma mère la mette à la porte. »

Corinna leva les yeux au ciel. « Et maintenant, qui est-ce qui dépasse les bornes ? Je suppose que tu parles de Jay Stewart. Pour information, Magda, je n'ai pas mis Jay à la porte.

— Tu lui as dit qu'elle n'était plus la bienvenue. Parce que tu ne voulais pas que tes enfants fréquentent une lesbienne. » L'atmosphère de la pièce avait tout à coup changé. Toute l'émotion que Magda contenait depuis des mois surgissait soudain à flots.

« Je n'ai rien dit de tel. » La voix de Corinna avait perdu toute sa chaleur.

« Alors pourquoi lui as-tu dit de partir ? La seule chose qui avait changé dans sa vie, c'était que des bruits de couloirs au collège avaient révélé son homosexualité. Quoi ? Est-ce une coïncidence si c'est arrivé la semaine où tu as décidé que tu ne voulais plus d'elle chez nous ? » Mère et fille se toisaient furieusement, mais Corinna ne dit rien.

Catherine se tourna vers Charlie, secoua la tête et déclara : « Et on dit que c'est moi qui mets les pieds dans le plat. Je parie que vous êtes contente d'être venue. »

Magda parut ne pas entendre cette remarque. « J'attends, Maman. Si ce n'est pas parce qu'elle est lesbienne, pourquoi as-tu chassé Jay de nos vies ?

— Quoi que tu puisses penser, Magda, je ne suis pas homophobe. J'ai toujours su que Charlie était gay et ça n'a jamais contrarié notre amitié. J'ai toujours été heureuse que Charlie s'occupe de vous.

— Alors pourquoi ? » Magda avait presque hurlé. Ce n'était pas comme ça qu'elle avait prévu cette conversation, mais elle ne voyait pas comment faire marche arrière maintenant qu'elle était allée si loin.

Corinna lança un regard à Charlie comme si elle pouvait avoir une réponse. Charlie se contenta de hausser les épaules. « J'avais de bonnes raisons, répondit finalement Corinna. Et ça n'avait rien à voir avec la personne avec qui Jay choisissait de coucher. Je suis désolée, Magda, mais je ne vais pas te dire pourquoi.

— Il va falloir faire mieux que ça, Maman.

— Non, Magda. J'ai droit à ma vie privée. Je ne suis pas forcée de tout te dire. »

Magda parut incapable de décider si elle devait éclater en sanglots ou jeter quelque chose. « Eh bien, quelle que soit ta raison stupide, il va falloir lever la fatwa. Parce que si Jay n'est pas admise dans cette maison, je n'y viendrai pas non plus. J'ai essayé de trouver le bon moment pour te dire ça, mais il est évident qu'il n'y aura jamais de bon moment. Jay et moi, on est ensemble. C'est ma petite amie. » Elle n'attendit pas de voir la réaction de Corinna, mais se tourna vers Charlie. « Je suis contente que vous soyez là. Vous pouvez peut-être expliquer à ma mère que ce n'est pas la fin du monde.

— Oh, pour l'amour du ciel, Magda ! Bien sûr que je ne pense pas que c'est la fin du monde », répliqua Corinna d'un ton brusque.

Magda eut un déclic et son expression changea. Le visage rouge de colère, elle s'en prit à Charlie : « C'est pour ça que vous êtes là. Vous êtes là parce que ma mère s'est rendu compte que Jay et moi sommes plus qu'amies. Vous êtes la lesbienne de service, celle qu'elle peut utiliser comme alibi si je l'accuse d'être une bigote fanatique. Elle a dû fouiller dans l'histoire ancienne, mais elle en a finalement déniché une. Vous devriez avoir honte de vous laisser manipuler comme ça.

— Tu es en train de te ridiculiser, Magda, dit Corinna avec la froideur implacable d'un iceberg attendant une collision. Charlie, je suis vraiment désolée. »

Charlie se leva en soupirant. « Je crois qu'il vaut mieux que je m'en aille. Magda, je ne suis pas ici pour servir de caution à ta mère concernant les questions d'identité. Tu en penses ce que tu veux, mais ma sexualité n'a semble-t-il jamais posé problème à ta mère. Je me suis toujours dit qu'elle avait totalement compris ce passage du Nouveau Testament où il est dit qu'on peut détester le péché mais qu'il faut aimer le pécheur. » Elle ramassa son manteau et son sac à dos et se dirigea vers la porte. « Pas la peine de me raccompagner. » Elle esquissa un signe de main et fit un sourire en coin. « Je connais le chemin, après tout.

— Je vous appellerai ! » lui lança Corinna. Au moment où Charlie disparut derrière le coin de l'escalier, elle se tourna vers ses filles et dit : « Comme mes enfants sont devenus charmants ! Comment oses-tu chasser mes amies de ma cuisine ?

— De la même façon que tu chasserais avec joie la femme que j'aime de ma vie, dit Magda.

— Comment peux-tu être si sûre de tout ce que tu as dit aujourd'hui, Magda ? On n'a jamais discuté d'aucune de ces choses. C'est la première fois que tu avoues que tu sors avec Jay, répliqua Corinna d'un ton aussi sec qu'un coup de trique.

— Tu vois ? Même les mots que tu utilises sont chargés de sens : "tu avoues". Comme si je plaidais coupable d'un crime. C'est justement pour ça que je n'ai rien dit jusqu'à maintenant. Parce que je savais que ça allait être un cauchemar, et franchement, le procès était déjà bien assez pour moi. » Magda prit son manteau. « Je ne sais pas. J'avais le fol espoir que le monde avait changé. Qu'en ce qui concernait la chair de leur chair, même mes parents pouvaient mettre de côté leur bigoterie et accepter l'idée que l'amour est plus important que le dogme. » Elle se débattit pour passer les bras dans ses manches en tirant violemment sur son manteau. Elle était maintenant au bord des larmes, mais bien décidée à ne pas y céder. « J'espérais sincèrement que tu dirais quelque chose comme : "Oublions le passé, quelle que soit la personne que tu aimes, elle a une place dans cette famille." Eh bien, ça montre juste à quel point je peux être bête. » Elle tourna les talons et partit en trombe vers l'escalier.

« Magda, attends ! » fit Corinna.

Magda regarda derrière elle depuis la troisième marche. « Je n'appartiens plus à cette famille. »

5

Charlie avait fait un pari avec elle-même. Cinq minutes avant que Magda ne sorte. Elle était prête à aller jusqu'à dix par précaution, mais elle ne pensait pas perdre. Elle espérait ne pas perdre ; c'était peut-être théoriquement le printemps, mais il faisait encore un froid de canard. Elle s'était installée sur le muret en briques à hauteur de genou qui séparait le jardin des Newsam du trottoir. C'était une rue typique du nord d'Oxford. De grosses maisons victoriennes construites à une époque où tout le monde avait des domestiques. En retrait de la rue, généralement protégées par de denses massifs d'arbustes. Quatre étages, avec de petites chambres mansardées pour les bonnes et les enfants, et les cuisines au sous-sol. À l'époque où Charlie venait régulièrement chez les Newsam, ces demeures étaient encore en majorité des maisons familiales, dont les jardins, les soirs d'été, retentissaient de cris d'enfants en train de jouer. Désormais, seules quelques-unes étaient restées individuelles. Étant donné l'évolution des prix de l'immobilier dans la zone, elles avaient le plus souvent été transformées en complexes d'appartements et de meublés reconnaissables à leurs rangées de sonnettes et d'interphones. Elle se demanda quels bruits étaient désormais portés par la brise du soir.

Elle était assise sur le muret depuis un peu plus de trois minutes quand la porte claqua et Magda descendit l'allée à grandes enjambées furieuses. Ses yeux étaient baignés de larmes, mais elle se contrôlait encore. Même dans cet état, remarqua Charlie, elle avait ce genre de beauté qui vous coupait le souffle. Lorsqu'elle vit Charlie, elle s'arrêta net. « Mais qu'est-ce que vous fabriquez assise ici ?

— Je t'attendais. » Charlie resta à sa place. « Je vais à Schollie pour voir le Dr Winter. Tu veux faire le chemin avec moi ? Ou on peut aller boire un verre, si tu préfères. »

Magda parut décontenancée. « Vous feriez attendre le Dr Winter juste pour m'offrir un verre ? Vous avez dû oublier comment elle est. »

Charlie sourit et se leva. « Je n'ai pas de rendez vous précis. Je me suis juste dit que j'allais passer chez elle en espérant qu'elle y soit. »

Magda eut un petit rire. « Où pourrait-elle être d'autre ? Ce n'est pas comme si elle avait des amis avec qui sortir.

— J'ai toujours cru que ta mère s'entendait plutôt bien avec elle.

— Elle est devenue plus ronchon avec l'âge. Maman, je veux dire. Et le Dr Winter ne supporte que les poltrons soumis. Leur relation n'est donc plus aussi facile qu'avant.

— À t'entendre, je me dis que tu devrais travailler dans ma branche, indiqua Charlie. Alors, qu'est-ce que ce sera ? Une balade jusqu'au collège ou un verre ?

— Une balade, je crois », répondit prudemment Magda.

Un choix judicieux pour qui voulait être sûr de pouvoir se sauver, songea Charlie. Elle s'engagea dans la rue et Magda se mit au même pas à côté d'elle. « Pourquoi m'avez-vous attendue ? demanda immédiatement Magda.

— Je me suis dit que tu apprécierais peut-être d'avoir une personne dans ton camp auprès de qui t'exprimer.

— Et vous êtes dans mon camp ?

— Je suis ouvertement gay depuis que j'ai vingt ans. Les gens parlent de coming-out comme si c'était un moment précis. Tu vis au placard et tout à coup, tu révèles ta sexualité. Seulement ça ne marche pas comme ça. C'est toute une succession de moments. Tu l'annonces à tes amis. À ta famille. À tes collègues. À la personne sans visage que tu as au téléphone chez la compagnie d'assurance auto. Au courtier en crédit immobilier. Aux nouveaux voisins. À ton équipe de quiz. De nos jours, ça se passe bien en général parce que même les pires homophobes se gardent bien d'étaler leurs préjugés en public. » Charlie poussa un profond soupir. « Mais tous les homosexuels que je connais ont fait les frais d'une réaction abjecte et blessante au moins une fois dans leur vie. J'imagine que c'est à peu près la même chose pour les Noirs, sauf qu'ils n'ont pas d'autre choix que d'y faire face. Alors oui, je suis dans ton camp. Je sais comme c'est difficile. Surtout depuis que tu as été présentée aux yeux de tant de gens comme une hétéro après la chose atroce qui est arrivée à Philip.

— Je veux juste qu'ils soient contents de me voir heureuse, expliqua Magda d'une voix plaintive. J'ai vécu un tel enfer depuis la mort de Philip, tu te dis qu'ils pourraient peut-être arriver à ça.

— C'est pas comme ça que ça marche. Ça les rend même plus protecteurs. Corinna veut à tout prix que tu ne sois pas plus blessée que tu ne l'es déjà. Elle pense que ce que tu fais, c'est le meilleur moyen de souffrir.

— Pourquoi Jay me ferait-elle du mal ? Elle m'aime. »

Par où commencer, se demanda Charlie. Comme tant de docteurs qu'elle avait rencontrés, Magda semblait être une anxieuse à la fois mûre et naïve. Charlie imputait cela à des études d'une durée anormalement longue doublées d'une exposition à des moments stressants. « Nos parents veulent toujours que nous ayons la vie la plus facile et la plus heureuse possible. Vu de l'extérieur, être lesbienne ne promet pas ça. Et ajoute à ça le fait que, pour je ne sais quelle raison, Corinna et Jay se sont brouillées il y a longtemps. Elle a peur pour toi. C'est pour ça qu'elle réagit comme ça.

— Elle n'a aucune raison d'avoir peur. Je suis plus heureuse que jamais. Je croyais que j'aimais Philip, mais c'est comme de regarder un film en couleurs après n'avoir jamais vu que du noir et blanc. » Elles tournèrent dans une autre rue qui était la réplique parfaite de celle qu'elles venaient de quitter sinon que les bourgeons des arbres étaient un peu plus avancés à cause d'une orientation différente.

Charlie sourit. « Crois-moi, je connais ce sentiment.

— Depuis combien de temps vous êtes ensemble, Maria et toi ? »

C'était l'invariable question des novices. « Sept ans. On a fait notre union civile il y a trois ans.

— Qu'est-ce qu'elle fait ?

— Elle est dentiste. Elle est spécialisée dans les implants. Franchement, ça me rendrait complètement dingue en moins de trois heures, mais elle est passionnée par son métier.

— Comment vous vous êtes rencontrées ? »

L'autre question inévitable. « À un mariage. Une de ses collègues épousait un des miens. On était toutes les deux invitées à la réception. Elle m'a repérée au flair en premier et elle est venue me draguer devant le buffet des desserts. Je l'ai trouvée très mignonne. À vrai dire, j'ai pensé que c'était peut-être un peu une bimbo. » Charlie rigola, encore honteuse de son erreur. « Je me trompais complètement. Et Jay et toi ? Comment vous vous êtes rencontrées ? » Elle jeta un rapide coup d'œil à Magda, qui avait le menton rentré et le regard sur le trottoir.

« Eh bien, évidemment, on s'est rencontrées quand Jay était encore considérée comme une personne digne et capable de s'occuper d'enfants.

— Bien sûr. Mais j'imagine que vous n'êtes pas restées en contact toutes ces années. Comment êtes-vous retombées l'une sur l'autre ?

— Il y a un raccourci ici, dit Magda en indiquant une ruelle bordée de hautes palissades en bois qui courait entre les maisons. Ça débouche près de l'entrée de la prairie.

— Je me souviens. » L'étroitesse du passage contraignit Charlie à passer derrière elle. « Alors, où est-ce que vous vous êtes revues ? »

Magda soupira. « Je sais que tu es une amie de ma mère mais, si je te le dis, tu me promets de ne pas lui répéter ? »

Charlie força un petit rire. Ça devenait intéressant et elle ne voulait pas perdre Magda maintenant. « Ne me dis pas que c'était dans un endroit mal fréquenté.

— Non, rien de la sorte. Mais je veux juste éviter qu'elle se fasse des idées. C'est promis ?

— D'accord, je te le promets. » En évitant une flaque Charlie sentit l'herbe mouillée frôler son pantalon.

« On ne peut pas faire moins romantique, expliqua Magda. On est tombées l'une sur l'autre dans les toilettes du Magnusson Hall. À mon mariage. Je suis sortie d'un des cabinets et elle était en train de se laver les mains au lavabo. Nos regards se sont croisés dans le miroir, et on s'est immédiatement reconnues. C'était incroyable. Électrique. Mais bien sûr, il ne s'est rien passé de plus. Je veux dire, comment aurait-il pu en être autrement ? Je venais de me marier, ça n'avait aucun sens pour moi. »

Menteuse, pensa Charlie. L'insistance de Magda sentait l'imposture. Comme un politicien qui trouve cinq manières différentes de ne pas dire la vérité, elle répondait à ce qu'on ne lui avait pas demandé. « Mais ça a été un contact.

— Oui. Un contact. Puis, quand Philip est mort, elle m'a appelée. Et demandé si elle pouvait faire quoi que ce soit. À vrai dire, l'idée de passer un peu de temps avec une personne qui n'avait pas connu Philip était un soulagement. Tu comprends ? »

Le passage s'élargit et Charlie reprit place au côté de Magda. « Parfaitement. La mort d'un proche peut prendre une place écrasante dans nos vies. On n'échappe pas aux morts. Alors oui, je comprends tout à fait pourquoi ça a pu te séduire. »

Magda hocha la tête. « En effet. » Elle sourit et tout son visage s'éclaira pour la première fois. « Alors j'ai dit oui, elle pouvait m'emmener manger une pizza. »

C'était une version très différente de celle à laquelle croyait Corinna. Et elle ne ferait que conforter Corinna dans son étrange conviction que Jay était une meurtrière multirécidiviste dont la dernière victime avait été son gendre. Néanmoins cette version dérangeait Charlie. Quelque chose la gênait. Leur rencontre semblait l'œuvre calculée d'un prédateur, ce qui l'amenait à se demander si Corinna se faisait vraiment des idées finalement. « Jolie histoire, dit-elle sans rien laisser transparaître de son trouble.

— Charlie ?

— Oui ?

— Est-ce que tu sais pourquoi Jay et ma mère se sont brouillées ? Est-ce que c'est vraiment autre chose qu'une simple histoire d'intolérance et de préjugés ? »

Charlie examina ses options et décida qu'elle n'en avait en fait pas. « Je ne sais pas. Tout ce que je peux dire, c'est que ta mère n'approuve peut-être pas l'homosexualité, mais elle n'est pas intolérante. Autant que je sache, elle a toujours été capable de distinguer le général du particulier. J'étais en deuxième année quand j'ai commencé à annoncer à des gens que j'étais lesbienne, et ça a été une des premières. Et ça n'a rien changé entre nous, d'après moi. En tout cas, elle n'a pas arrêté de me prendre comme baby-sitter. Alors quelle que soit la raison pour laquelle elle a banni Jay, je ne pense pas que ce soit parce que Corinna a pensé qu'elle aurait une mauvaise influence. » Charlie frappa légèrement Magda sur le bras. « Mais en fin de compte, il semblerait que*moi*, j'en ai eu une. »

Magda eut un sourire vague. « C'est une pensée curieuse. Mais ça ne tient pas debout. Jay dit qu'elle ne voit aucune autre raison pour que Corinna ait agi ainsi.

— Ça remonte à loin. Elles ont peut-être toutes les deux oublié ce qu'il y avait derrière. Ça arrive parfois aux gens, tu sais. »

Elles arrivèrent à une intersection en T et Magda pointa le doigt vers la gauche. « L'entrée est là, juste après le tournant. Elle donne sur la prairie de Schollie. Je rentre à la maison. » Elle se tourna face à Charlie. « Je suis venue pour annoncer à mes deux parents ma relation avec Jay. Je ne me réjouis pas à l'idée de le dire à mon père. Il va complètement péter les plombs. Mais je ne vais pas laisser Maman lui apprendre.

— Ça va aller, lui dit Charlie. Tout ça, on peut y survivre. Tu as ta femme qui t'attend chez toi. Ça, ils ne peuvent pas te l'enlever. »

Magda se jeta soudain au cou de Charlie. « Merci. Ça m'a vraiment aidée de parler avec toi. »

Surprise, Charlie la serra dans ses bras. « Appelle moi quand tu veux. » Elle recula d'un pas et tira une carte de son sac à dos. « Tiens. Tu peux me joindre à n'importe quel moment. Je serai contente d'avoir de tes nouvelles. »

Charlie se demanda si le rouge aux joues de Magda était dû à l'air frais ou à leur étreinte impulsive. Dans tous les cas, cela faisait ressortir sa jeunesse et rappela à Charlie l'enfant qu'elle avait connue tant d'années auparavant. Magda prit la carte et la mit dans sa poche. « C'est bizarre. Mes gardiennes qui reviennent pour s'occuper de moi.

— Je suppose que Corinna avait bon goût en matière de baby-sitters. »

Magda recula en grommelant : « Ça n'a vraiment rien de drôle. Écoute, j'espère que tu trouveras le Dr Winter. »

Charlie la regarda se retourner et regagner la rue en courant par la ruelle. Ça avait été une rencontre intéressante. Elle fit volte-face et se dirigea vers l'entrée de la prairie en espérant qu'elle parviendrait à tirer le même genre d'indiscrétions d'Helena Winter, mais elle en doutait.

Alors qu'elle ouvrait la grille en fer forgé, son téléphone sonna. Comme elle s'attendait à ce que ce soit Maria, elle ne se pressa pas pour répondre. Mais lorsqu'elle jeta un coup d'œil à l'écran, son cœur fit un bond dans sa poitrine. Elle trifouilla maladroitement les boutons et faillit raccrocher dans son empressement. « Lisa, dit-elle en s'efforçant de prendre un ton détendu.

— Salut, Charlie. Comment se passe ta journée ? »

Charlie ne put retenir un petit rire sec. « C'est intéressant, dit-elle. Autrement dit pas de tout repos.

— Bien. On a tous besoin de journées intéressantes pour nous stimuler. Mais tu sais bien de quoi je parle. » Le ton de Lisa était intime, sa voix séduisante, comme toujours. « Je suis tellement désolée de t'avoir ratée hier soir. Ça m'a mis en rage de devoir te faire faux bond. » Elle soupira comme si elle avait été sincèrement peinée. « Tu sais ce que c'est. C'est difficile de dire non quand on pense être capable d'aider. Ça paraît vraiment égoïste de partir pour son plaisir personnel. J'aurais préféré être avec toi, crois-moi. »

Charlie se moquait bien de savoir si Lisa la baratinait. Ça lui semblait convaincant et tant qu'il restait une possibilité que les choses se passent comme elle l'avait rêvé, elle acquiescerait à tout ce que lui dirait

Lisa. « Je comprends, dit-elle. On n'est jamais maître de son temps.

— Exactement, approuva Lisa. Mais j'ai réussi à trouver un moment aujourd'hui, si tu es toujours dans les parages. Je me suis libérée une heure, et si tu peux venir chez moi, ça m'éviterait de perdre du temps à venir te retrouver puis à rentrer. Comme ça on pourrait profiter au maximum du peu de temps qu'on a. Qu'est-ce que tu en dis ? »

Fabuleux ? Le rêve ? Charlie s'éclaircit la voix. « Quelle heure avais-tu en tête ? » Elle changea son téléphone de main pour pouvoir consulter sa montre. Il était à peine une heure passée. Pourquoi même se poser la question ? Peu importait quelle heure il était, elle savait qu'elle était à la botte de Lisa.

« Tu peux être là à trois heures et demie ? »

Relax, Charlie, relax. « Ça ne devrait pas poser de problème. Je suis en chemin pour passer voir quelqu'un à St Scholastika, mais je ferai en sorte d'être libre largement à temps.

— C'est merveilleux, dit Lisa. Je suis impatiente de te voir. J'ai vraiment hâte de tout savoir sur tes mystérieuses aventures. »

Et ce fut fini. Plus rien. Pas de petit mot affectueux ni de bavardages. Juste Lisa qui organisait un rendez-vous puis passait à la chose suivante. Charlie s'en moquait. Elle donna un coup de poing dans l'air telle une ado, tout sourire, puis fit une petite pirouette étonnamment gracieuse sur la pointe de ses bottes. En l'espace de quelques minutes, le monde avait bougé sur son axe. Les événements lui souriaient. Peu importait qu'elle ait passé toute sa carrière d'étudiante dans la peur et le malaise face au Dr Helena Winter. Aujourd'hui, les rôles allaient s'inverser.

Aujourd'hui, elle allait pourfendre le dragon.

6

Pénétrer dans l'antre d'Helena Winter, c'était comme franchir un portail spatiotemporel. Rien ne semblait avoir changé au cours des dix-neuf années qui s'étaient écoulées depuis que Charlie s'était assise sur le canapé rouge foncé pour sa première séance de tutorat sur Aristote. Les murs étaient couverts de livres du sol au plafond – et un rapide coup d'œil fit penser à Charlie que la plupart d'entre eux étaient les mêmes livres situés aux mêmes emplacements – excepté sur le manteau de cheminée, occupé par une grande aquarelle qui représentait Zénon s'adressant à un auditoire captivé dans un portique peint. Le mobilier était spartiate : un canapé et un fauteuil, une table et une chaise en pin toutes simples près de la fenêtre. Le chauffage à gaz sifflait et détonait comme tant d'années auparavant, et Helena Winter elle-même semblait ne pas avoir changé malgré le passage du temps.

Elle avait ouvert la porte après que Charlie avait frappé, aussi mince et raide que toujours. Dr Helena Winter, titulaire de la chaire Prescott de philosophie, impeccable dans sa jupe ajustée et son twin-set en cachemire, un simple rang de perles à son cou, le même chignon parfait de cheveux blancs. Une version intello d'Audrey Hepburn, se dit Charlie. Elle avait lu l'incertitude dans son regard bleu foncé pendant un bref instant, puis le soulagement lorsque l'enseignante avait reconnu sa visiteuse. « Mademoiselle Flint, dit-elle. Ou est-ce toujours docteur ? »

Directement au point sensible, comme autrefois. « C'est toujours docteur. Mais je préfère Charlie. »

Helena inclina la tête. « Entrez, Charlie. En voilà une surprise. » Elle ouvrit grand la porte pour laisser entrer Charlie. « Asseyez-vous. »

Pendant un instant, Charlie envisagea pernicieusement de prendre le fauteuil, mais soit le courage lui manqua soit ses bonnes manières l'emportèrent et elle se dirigea vers le sofa.

« On ne vous voit pas très souvent au collège », déclara Helena en s'installant dans son fauteuil et en prenant une des cigarettes fortes et sans filtre qu'elle fumait autrefois lors des séances de tutorat, mais seulement après dix-huit heures. Elle remarqua les sourcils levés de Charlie et indiqua : « Je ne suis plus autorisée à fumer en compagnie de mes étudiants. Je m'offre donc mes petits plaisirs quand je le peux. Dites-moi, qu'est-ce qui me vaut cette visite, Charlie ? Avez-vous décidé qu'une carrière purement universitaire était finalement ce qui vous attirait le plus ? »

Elle joue avec moi. Elle est au courant de l'affaire Hopton et elle s'amuse. Charlie sourit. « Trop tard pour ça, je crois.

— Quel dommage. Si seulement vous aviez cru en vos compétences et vous en étiez tenue à la philosophie, vous auriez pu décrocher une mention très bien, et tout ceci aurait pu être vôtre. » Helena fit un généreux geste des deux mains pour indiquer que la pièce, le collège, Oxford même, avaient tous été à sa merci et à la portée de Charlie.

« Je n'étais pas si bonne philosophe.

— Au contraire, ma chère. Vous aviez une compréhension très fine des complexités de l'éthique. Vous auriez pu apporter une contribution durable. J'ai toujours regretté que vous ayez choisi de travailler dans un domaine aussi éphémère. »

Charlie était arrivée bien décidée à ne pas se laisser déstabiliser par Helena, mais elle se sentait agressée par ses insinuations et ses piques. « Aider les gens à soigner leurs psychoses, ce n'est pas exactement éphémère. Et je n'aurais jamais pu éprouver un enthousiasme pour les philosophes grecs aussi fort que celui que vous avez pour Zénon et Aristote. » Il y avait une part de vérité dans ces paroles ; Helena était une prof passionnée possédant la faculté d'expression et l'énergie nécessaires pour transmettre son enthousiasme à ses élèves. Mais Charlie était venue à Oxford pour obtenir plus que des qualifications universitaires, et il n'avait pas été question pour elle de se voir détournée de ses objectifs par une intello au regard d'acier qui voulait à tout prix en faire une universitaire. Charlie se rendit compte que l'attitude d'Helena était en partie due au fait qu'elle avait fait preuve d'indépendance d'esprit pour tracer elle-même sa voie et qu'elle avait ainsi tourné le dos à la carrière qu'on lui avait imaginée. « Vous avez l'air remarquablement en forme, au fait. J'ai entendu dire que vous avez été malade. »

La large bouche d'Helena se courba pour former un mince sourire en faucille, et les profondes rides de sa fine peau s'étendirent comme des ondulations concentriques dans un étang. « On m'a enlevé une grosseur à l'aine, expliqua-t-elle crûment. Certaines de mes collègues ont certainement dû se rappeler le commentaire d'Evelyn Waugh lorsque Randolph Churchill avait vécu une expérience similaire. »

Charlie haussa un sourcil interrogateur. Helena avait toujours savouré ses petits triomphes ; même si Charlie connaissait la citation, ça ne coûtait rien de feindre l'ignorance.

« "Quel chirurgien au talent extraordinaire pour avoir trouvé l'unique partie de Randolph qui ne fût pas viciée et la lui avoir ôtée", déclara Helena avec un sourire sans joie.

— Je suis contente de savoir que ce n'était rien de grave. »

Elle accueillit sa réponse d'un autre hochement de tête courtois. « Et vous ? Il paraît que vous traversez une épreuve d'un tout autre genre. »

Charlie se détourna de son regard incisif et contempla le paysage au-delà du fleuve. « Ce n'est pas facile. Mais je vais m'en sortir.

— Bien sûr. Vous êtes solide, et vous êtes douée. Alors, pourquoi êtes-vous ici, Charlie ? Je suppose que vous ne comptez pas trouver les réponses à vos problèmes dans les doctrines d'Antisthène. »

Charlie sourit. « Je vais vous laisser le rôle de maîtresse du cynisme. Si je suis ici, c'est parce que j'ai besoin que vous me confirmiez une chose qu'on m'a dite.

— Ça semble intriguant. Je n'imagine pas où peut se recouper ce que je sais et ce que vous avez besoin de savoir. »

Charlie savait qu'elle devait agir avec prudence. Helena avait toujours été aussi compréhensive devant une affirmation infondée qu'un renard devant un poulet blessé. « Il y a dix-sept ans, Corinna Newsam est venue vous soumettre un dilemme moral. Il faut que vous me confirmiez ce qu'elle vous a dit ce matin-là. »

Charlie n'avait jamais vu Helena réellement désemparée. C'était un moment magnifique. « Je ne vois absolument pas à quoi vous faites référence », dit-elle. C'était une belle tentative de déni, mais elle échoua.

« Laissez-moi vous rafraîchir la mémoire. Je sais ce que c'est quand on vieillit, les choses ne refont plus surface aussi aisément qu'avant. » Charlie se délecta de la brève contraction des muscles autour de la bouche d'Helena. « Ça s'est passé un jour inoubliable ici. Le jour où Jess Edwards est morte. » Helena ne détourna pas les yeux ; elle soutenait le regard fixe de Charlie tandis qu'un filet de fumée imperturbable s'élevait de sa main. « Corinna me dit qu'elle est venue vous voir.

— Supposons un instant que l'événement que vous décrivez ait eu lieu. Pourquoi diable vous le dévoilerais je ? Vous n'avez aucune autorité ici. Nous ne nous sommes pas parlé depuis des années. Je ne sais rien de vos intentions. » Elle leva la main et avala une longue bouffée de fumée. « Mais ce ne sont que de vaines conjectures. Je n'ai aucun souvenir d'un tel événement. »

Charlie secoua la tête. « Appelez Corinna et demandez-lui si vous pouvez me faire confiance. » Elle plongea la main dans sa poche et en sortit son portable. « Tenez. Ne vous donnez pas la peine de vous lever. Servez-vous de mon téléphone. »

Helena ignora sa proposition et s'empara du combiné de son téléphone fixe. Elle écrasa sa cigarette puis composa de mémoire un numéro et attendit. « Corinna ? C'est Helena. Je... » Visiblement coupée par Corinna, elle pinça les lèvres, agacée. « Oui, elle est ici, dit-elle avant de se taire à nouveau. Très bien. Viens me voir demain à neuf heures moins le quart. » Elle mit fin à l'appel et scruta longuement Charlie. « Quelles que soient les informations en ma possession, elles n'ont aucune valeur. Vous ne pourrez rien en faire. Rien ne sert de propager ce qui n'est pas prouvé. Vous me comprenez ?

— Je n'ai pas l'intention de courir voir les tabloïds, indiqua Charlie, la réprobation perçant dans sa voix. Si j'étais ce genre de personne, croyez-vous un seul instant que Corinna m'aurait confié cela ?

— Quoi que “cela” soit, répliqua Helena avec aigreur, je ne comprends pas du tout pourquoi Corinna ressent le besoin de revenir sur cet épisode.

— Ça la regarde. Qu'est-ce qu'elle vous a dit ? »

Helena détourna enfin les yeux et examina la main qui avait tenu sa cigarette. « C'était vers la fin de la matinée. La nouvelle du décès de Jess avait ébranlé tout le monde. C'est toujours pareil quand un étudiant meurt. Cela éveille un profond sentiment d'horreur, mais aussi de la colère à l'idée que tant d'espérances ne se réaliseront jamais. C'est encore plus fort quand il s'agit de quelqu'un comme Jess qui a des dons évidents, au-delà de ses capacités intellectuelles. L'information a circulé dans le collège comme une traînée de poudre, si bien qu'en milieu de matinée tout le monde savait que, quelles que soient les circonstances exactes, Jess était tombée, s'était cogné la tête et noyée. On savait également que cela avait dû se produire très tôt dans la matinée, car elle était déjà morte quand le reste des rameuses étaient arrivées pour leur entraînement du matin. D'après les autres filles, Jess s'était plainte que son siège ne glissait pas bien et avait prévu de venir au hangar à bateaux avant l'entraînement pour voir si elle pouvait régler le problème.

— Est ce que tout le monde savait cela avant l'accident ? » demanda Charlie. Élargir le sujet était souvent le meilleur moyen de tirer des renseignements d'un témoin réticent.

« Je ne pourrais vous le dire. Je crois me souvenir que les filles ont dit que Jess en avait parlé au dîner la veille au soir. En théorie, je suppose que n'importe qui aurait pu entendre. » Helena prit une autre cigarette mais ne l'alluma pas tout de suite et préféra la faire rouler entre ses doigts. Ses mains, sillonnées de veines et marquées de taches de vieillesse, révélaient bien plus le passage des années que son visage ou sa façon de se tenir. Charlie fut soudain bouleversée de se rendre compte qu'Helena était devenue une vieille femme.

« Pourquoi Corinna a-t-elle eu besoin de vous voir ? » questionna-t-elle.

Helena prit son temps pour allumer sa cigarette. « Elle avait besoin de conseils. Elle avait vu quelque chose – ou plutôt quelqu'un – dans la prairie ce matin-là. Très tôt le matin. Et elle ne savait pas du tout quoi faire à cet égard.

— Pourquoi ne savait-elle pas quoi faire ? Elle avait vu quelqu'un sur les lieux d'une mort violente. Il est évident que ce qu'il fallait faire, c'était le dire à la police ? demanda Charlie sans prendre un ton accusateur pour que sa question paraisse anodine.

— Mais ce n'était pas si simple. On était fin novembre. Quand Corinna était arrivée à la prairie par l'entrée du côté, il faisait encore nuit. Elle était certaine d'avoir identifié la personne en question car elle la connaissait très bien, mais elle était bien consciente que dans le cadre d'une enquête judiciaire ou devant la cour d'assises, on pourrait vite mettre en cause sa capacité à reconnaître une personne au loin dans la pénombre. En outre, la présence d'un individu, en soi, n'indiquait aucunement que celui-ci était impliqué dans la mort de Jess. Même si la personne en question avait parlé avec Jess au hangar à bateaux, il n'y avait aucune raison d'y voir quoi que ce soit de sinistre.

— Même si la mort de Jess profitait à la personne en question ? Et il n'y a pas de mal à employer son nom, Helena. On sait toutes les deux qu'on parle de Jay Stewart. C'est elle que Corinna a vue, et c'est elle dont l'ambition était contrariée par la popularité de Jess Edwards. Et d'après Corinna, qui était victime d'une campagne de diffamation menée par Jess. »

Helena adressa un sourire peiné à Charlie. « J'ai beau adorer ce collège, j'ai du mal à croire que quelqu'un serait prêt à tuer juste pour devenir présidente du bureau des étudiantes.

— Je suis d'accord là-dessus. Mais j'ai passé du temps avec de nombreux tueurs, et vous seriez totalement abasourdie par la futilité apparente de la plupart de leurs mobiles.

— Vous avez peut-être raison. Cependant j'ai fait remarquer à Corinna que ce qu'elle croyait avoir vu pouvait faire l'objet de plusieurs interprétations. Et que dès l'instant où elle exprimerait le moindre soupçon à la police, le collège de même que la personne en question deviendraient la proie des médias pour leur plus grand désagrément. À cette époque où le collège essayait désespérément d'obtenir des dotations, ç'aurait été une catastrophe. Une catastrophe inutile, qui plus est. »

C'était époustouflant, se dit Charlie. Étouffer tout soupçon éventuel concernant ce qui pouvait bien être un meurtre dans le seul but de protéger la réputation d'un collège et son programme de collecte de fonds. Ce n'était possible qu'à Oxford. Enfin, peut-être à Cambridge aussi. « Vous ne pensez pas que si on avait attiré l'attention de la police sur la possibilité d'un acte criminel, elle aurait peut-être trouvé des preuves ?

— Ma chère Charlie, notre intention n'était pas de supprimer des preuves. Comme je l'ai dit à l'époque à Corinna, si la police avait fait la moindre allusion à une anomalie dans la mort de Jess, il aurait été de son devoir de signaler ce qu'elle avait vu. Mais elle n'a jamais laissé entendre que le décès de Jess était autre chose qu'un accident.

— Pour autant que vous le sachiez, précisa Charlie.

— Je suis convaincue que la police a tenu le collège pleinement informé de ses réflexions. »

Charlie secoua la tête avec lassitude. C'était peut être une pensée rassurante à laquelle se raccrocher pour Helena, mais elle savait qu'il était peu probable que la police ait fait part de vagues soupçons à des personnes extérieures à leur cercle fermé. « D'après mon expérience, la police ne dévoile que ce qu'elle veut bien vous faire savoir, expliqua-t-elle. L'information dont disposait Corinna aurait pu transformer la nature de leur enquête. »

Helena pencha la tête en arrière et savoura la fumée. « Il est d'après moi bien plus probable que cela n'aurait servi qu'à ternir la réputation du collège et de la personne concernée.

— Vous n'avez toujours pas prononcé son nom, remarqua Charlie.

— Et j'ai bien l'intention de rester discrète sur ce point. Corinna vous fait peut-être confiance, mais ce n'est pas mon cas. Pour autant que je sache, vous pourriez bien être en train d'enregistrer cette conversation sur quelque appareil électronique ingénieux. Je n'ai nullement envie de m'exposer à un procès en diffamation.

— Vous êtes vraiment étrange, Docteur Winter.

— Je vais prendre ça comme un compliment, Docteur Flint. »

Charlie eut un petit rire moqueur. « Vous ne devriez pas. Y a-t-il autre chose que Corinna a dit et qui pourrait intéresser une personne réexaminant la mort de Jess Edwards ? »

Helena regarda Charlie d'un air songeur, comme si elle la jaugeait, la soupesait sur une balance imaginaire. « Pour être tout à fait franche, j'ai été surprise que Corinna fasse part à qui que ce soit de ce qu'elle avait vu.

— Parce qu'un secret peut être gardé par deux personnes, seulement à condition que l'une d'elles soit morte ? »

Helena eut un sourire forcé. « D'une certaine façon. Mais plus précisément parce qu'à l'époque, l'étudiante en question était la protégée de Corinna. Tout comme vous l'aviez été quelques années plus tôt. Corinna disait toujours beaucoup de bien d'elle et la défendait contre toute critique. J'ai trouvé très surprenant qu'elle soit prête à formuler une quelconque critique vis-à-vis de sa favorite. Et stupéfiant qu'il s'agisse d'une information si compromettante pour cette fille. Pour moi, ça indiquait à quel point Corinna était contrariée par ce qu'elle avait vu.

— Vous le lui avez fait remarquer ? »

Helena dévisagea Charlie d'un air sévère et condescendant. « Ça n'aurait pas été approprié.

— Approprié. Bien sûr. » Charlie secoua la tête en se redressant, prête à se lever et à partir. « Une petite chose. Pourquoi Corinna venait-elle si tôt le matin au collège ? »

Il n'y avait rien de gentil dans le sourire d'Helena. « Elle avait de l'ambition. Elle voulait à tout prix obtenir une chaire d'enseignante chercheuse. Elle refusait d'accepter l'idée qu'elle était trop différente, que trop de choses jouaient contre elle – en tant que femme mariée, mère de famille, canadienne, catholique. Aussi, elle venait au collège vers six heures du matin pour travailler quelques heures avant de rentrer en vitesse chez elle afin de préparer ses enfants pour l'école. Elle pensait que travailler dur suffirait à compenser ses désavantages.

— Apparemment, elle avait raison, signala Charlie en se levant. Je veux dire, elle a une chaire maintenant.

— Nous avons des hommes qui ont des chaires à présent, répliqua Helena en prononçant le mot "hommes" comme s'il s'était agi de "chats" ou "singes".

— Merci pour cette conversation, dit Charlie en se dirigeant vers la porte. Vous savez, j'ai toujours pensé que vous étiez une philosophe brillante. J'avais un tel respect pour vos qualités intellectuelles. » Cette fois-ci, le sourire d'Helena était sincère, bien qu'étonné. « On fait tous des erreurs, je suppose. » Charlie continua : « Corinna et vous, qui êtes prêtes à tout pour protéger le collège… il semblerait que vous ayez laissé un assassin courir en liberté et tuer d'autres personnes. » Une main sur la poignée, Charlie se rendit compte qu'à un moment donné au cours de la dernière demi-heure, elle avait franchi une étape. Elle avait décidé que Jay Stewart devait répondre de certains faits, et elle allait faire de son mieux pour que cela se produise. « Vous auriez dû l'arrêter à l'époque, si vous teniez vraiment au collège. »

7

Après avoir trouvé la fin parfaite pour son chapitre précédent, Jay se sentit bloquée. Raconter ses exploits en tant que présidente du bureau des étudiantes, les derniers trimestres à Oxford, les étapes de son coming-out une fois qu'elle avait eu une petite amie londonienne journaliste et glamour, les amitiés et les relations qui contribueraient à son avenir – tout cela semblait plat et sans intérêt après ce cocktail sulfureux d'amour et de mort. Le drame de sa séparation forcée d'avec Louise suivi de la tentative de suicide de sa bien-aimée feraient un bon sujet, elle le savait. Et elle se réjouissait d'avoir enfin l'occasion de se venger de la famille intolérante et obtuse de Louise. Mais cela posait d'autres problèmes. Et ce n'était pas à cela qu'elle voulait songer maintenant.

Elle avait entendu des écrivains expliquer que, pour écrire leurs mémoires, ils commençaient par le début et continuaient progressivement jusqu'à la fin. Mais cette formule n'avait pas fonctionné pour elle. Elle se rappelait comment cela s'était passé pour*Sans aucun remords*. Elle avait d'abord rédigé les passages clés : les souvenirs poignants, les événements dramatiques qui avaient changé le cours de sa jeunesse. Puis elle était revenue en arrière et avait comblé les intervalles. Pour terminer, elle avait complété l'arrière-plan, tel un graphiste coloriant ses dessins et donnant à Superman sa cape écarlate. Lorsqu'elle avait décrit sa méthode à son agent, il avait froncé les sourcils. « Mais ça ne te barbe pas une fois que tu t'es offert les meilleurs morceaux ? Ce n'est pas ennuyeux de revenir en arrière pour boucher les trous ? »

Jay avait réfléchi puis répondu : « Je crois que c'est plus comme le travail d'un joaillier. Tu commences par la pierre. On l'a coupée et polie pour obtenir le meilleur résultat possible. Puis le bijoutier doit confectionner une monture qui la mette en valeur. C'est un vrai défi de rendre une chose encore plus étincelante qu'elle ne l'est naturellement. »

Jasper avait ri gaiement. « Comme c'est poétique. Chérie, tu n'es pas faite pour l'autobiographie. Il faut vraiment que je te fasse écrire un roman d'amour. »

Tous deux savaient parfaitement à quel point cette idée était absurde. Jay regarda l'heure sur l'écran de son ordinateur. Presque quatre heures. Combien de temps cela prenait-il de déjeuner et se disputer avec ses parents ? Elle savait que Magda l'appellerait avant de repartir d'Oxford, et il lui restait donc au moins une heure pour écrire.

Étant donné le thème qui occupait son esprit ce jour-là, la section suivante était toute trouvée. Pas besoin d'en écrire beaucoup sur Kathy – une fois que le lecteur aurait atteint ce point, il saurait tout ce qu'il avait besoin de savoir sur son associée. La technicienne, la pragmatique du duo à l'origine de topdepart.com. La grimpeuse folle, celle qui prônait toujours la prudence dans le travail mais qui prenait tous les risques lorsqu'il s'agissait de parois rocheuses et de versants périlleux. Elles travaillaient ensemble depuis trois ans à ce moment-là, et grimpaient ensemble depuis presque aussi longtemps. Cela faisait des mois qu'elles avaient prévu cette expédition sur l'île de Skye. L'ascension hivernale des Black Cuillin, le plus grand défi, l'expérience la plus impressionnante qu'on puisse vivre sur une montagne au Royaume-Uni.

On a tout le temps de renoncer lorsqu'on grimpe le Pic Inaccessible. Comme pour la plupart des ascensions sur Skye, la marche est longue pour atteindre l'endroit où l'effort prend le dessus sur le panorama. La crête des Black Cuillin à l'ouest de Skye est le seul endroit du pays où la roche nue et déchiquetée est presque comparable à celle des Alpes et des Rocheuses. Et le Pic Inaccessible – le Pic In pour les initiés qui l'ont gravi – est le sommet le plus difficile de tous.

Même l'homme qui a donné son nom à la liste des montagnes écossaises d'une altitude supérieure à 3 000 pieds, soit 914,4 mètres, Sir Hugh Munro, n'a jamais réussi l'ascension du Pic In sur Sgurr Dearg. Tout le monde s'accorde pour dire que Sgurr Dearg est le Munro le plus dur à conquérir, parce que c'est le seul qui requiert des compétences en escalade. On ne gravit pas le Pic In à la petite semaine. Il faut savoir ce qu'on fait. Et c'était notre cas. Nous n'étions ni des novices ni des imbéciles.

Pendant des semaines, nous avions attendu les bonnes conditions, prêtes à abandonner le bureau et nos obligations professionnelles à la minute où nous apprendrions que l'état des glaces permettait une ascension hivernale. Nos sacs à dos siégeaient dans le bureau, bouclés, vérifiés et revérifiés. Quand nous avons reçu l'appel de notre correspondant à Glen Brittle, nous sommes parties pour l'aéroport. Quand vous dirigez une agence de voyages dénommée topdepart.com, vous êtes bien placées pour dénicher ces vols de dernière minute ! Un rapide saut de puce jusqu'à Glasgow, puis sept heures de route verglacée à se ronger les ongles jusqu'à Skye même.

Nous avions décidé de gravir le Pic In le deuxième jour de grimpe de notre séjour. Le premier jour était un échauffement, pour s'habituer à l'effet de la neige et de la glace sur le basalte et le gabbro noirs qui se combinaient pour former sur les Cuillin une surface aussi fantastique pour la varappe. Nous avons monté quelques dalles et des cheminées, assez pour nous mettre en train pour l'attraction principale. Comme d'habitude, nous grimpions bien ensemble. Kathy et moi n'avons jamais dû beaucoup parler quand nous étions sur la paroi ; nous comprenions instinctivement les besoins de l'autre. Ça m'a toujours étonnée de voir à quel point on s'entendait bien quand on faisait de l'alpinisme. En toutes autres circonstances, on n'avait pas grand chose à se dire à moins qu'il ne fût question de travail.

Nous nous sommes couchées tôt ce premier soir afin d'être en pleine forme pour l'ascension. Ce n'était pas pour nous les moments de camaraderie et de bringue que partageaient certains des autres alpinistes qui projetaient de s'attaquer à la crête et à Sgurr Alasdair le lendemain matin. Les prévisions météo n'étaient pas très bonnes et nous voulions donc nous lever et partir tôt. Nous avions déjà décidé de nous mettre en route alors qu'il ferait encore nuit. C'est le problème de l'alpinisme en hiver dans le Nord : les journées sont très courtes et les meilleures ascensions exigent souvent une longue marche avant et après.

On s'est garées à côté du poste de secours en montagne de Glen Brittle. Nous étions tout excitées par la journée qui nous attendait ; il ne m'est jamais venu à l'idée que nous pourrions avoir besoin des services de cette équipe de secouristes. Nous avions des lampes frontales, et même sous la fine croûte de neige il était impossible de rater le départ du sentier, une large bande enfoncée qui longeait les enclos à moutons. On pouvait entendre s'écouler l'Allt Coire na Banachdich, et nous avons vite atteint le pont de bois qui traverse le ruisseau, un torrent noir et blanc dans la lueur de l'aube.

J'ai regretté de ne pas avoir pu partir plus tard car il faisait encore trop noir pour apprécier la splendeur de la cascade d'Eas Mor qui se jette dans la gorge. Je me suis souvenue du guide touristique que j'avais acheté pour ma première venue à Skye. « Sur l'île de Skye, annonçait-il, il pleut 323 jours sur 365. Mais c'est sans importance. Pensez seulement aux magnifiques cascades que cela fait naître. » Kathy restait indifférente, notamment à cause des rafales de neige fondue qui nous fouettaient régulièrement le visage tandis que nous montions sur le sentier raboteux face à d'impressionnants contreforts et couloirs qui constituaient un défi plus grand que tout ce que j'avais jamais gravi. Une fois le jour totalement levé, nous fûmes entourées d'un panorama stupéfiant : de grands rochers escarpés, des formes et des reliefs sensationnels, une ligne d'horizon en dents de scie, le tout zébré de neige et scintillant de glace.

En apercevant pour la première fois le Pic In, nous avons été un peu déçues. De cette distance, il semblait insignifiant, une canine à peine plus longue que les incisives et les prémolaires qui nous entouraient. Mais au fur et à mesure que nous avons progressé et traversé, franchissant *bealachs* – le mot gaélique pour cols – et éboulis, nous avons peu à peu mesuré l'envergure de ce que nous allions tenter. Et c'était terrifiant.

Le pic à proprement parler est un obélisque de gabbro, un aileron de roche qui s'élève à cinquante mètres au-dessus d'un petit plateau juste en dessous du sommet principal de Sgurr Dearg. Ça ne paraît pas énorme, mais une fois qu'on attaque l'ascension, il y a d'un côté un à-pic de mille mètres jusqu'au fond de la vallée. Si vous pouvez regarder cela sans avoir le vertige, vous êtes plus vaillant que la plupart des alpinistes.

Avant de grimper, nous avons mangé une barre chocolatée et bu de longues gorgées dans nos bouteilles d'eau. Il n'y a pas d'eau une fois qu'on atteint la crête des Cuillin et il faut donc porter les réserves nécessaires avec soi. En buvant beaucoup avant de se lancer, on diminue la charge à porter sur son dos. Kathy rayonnait d'impatience et d'excitation. J'imagine que la même chose devait se lire sur mon visage.

Je ne sais comment expliquer l'euphorie que suscite l'alpinisme à quelqu'un qui n'en a jamais fait. Je n'ai jamais rien ressenti de semblable dans ma vie. Je me suis un jour trouvée dans un refuge des Alpes avec un poète écossais qui m'a dit que pour lui c'était similaire à l'ivresse que l'on éprouve lorsque le courant passe avec une personne que l'on sait importante et qu'on comprend que la nuit qui vient sera la première que l'on passera ensemble. Je n'étais pas d'accord à l'époque, et je ne le suis toujours pas. Voici la différence. On n'entre pas dans une relation d'égal à égal avec une montagne. Une ascension est un défi, et il est question de victoire. L'amour ne me donne pas ce sentiment-là, ni le sexe.

Jay sourit intérieurement. Un autre petit mensonge pieux pour préserver le bonheur de Magda. Bien sûr que l'amour était un défi. Dès l'instant où elle avait vu Magda comme une femme et non plus comme une enfant, elle avait été déterminée à trouver un moyen de gagner son cœur. Alors oui, c'était comme une ascension. Il fallait identifier les obstacles, trouver comment les surmonter ou les contourner, élaborer un itinéraire, et c'est seulement alors qu'on passait à l'action.

Mais ce qu'on ressentait au départ d'une ascension... c'était différent de lorsqu'on menait une campagne pour conquérir une femme. C'était peut-être lié à la concentration absolue qu'il fallait pour grimper. L'association du corps et de l'esprit fonctionnant tous deux au maximum de leurs capacités pour faire en sorte d'arriver là où on le voulait. C'était peut-être aussi en rapport avec le danger. L'amour présentait ses risques, mais ils étaient rarement mortels. Alors qu'une ascension contenait toujours les germes d'une catastrophe. Jay se rappela les paroles du légendaire Joe Simpson, l'homme qui était parvenu à redescendre d'une montagne sud américaine avec une jambe cassée et des engelures après qu'on l'eut laissé pour mort au fond d'une crevasse : « Il n'y a pas de danger jusqu'à ce que les choses tournent mal. »

8

En retournant chez ses parents, Magda se sentit légèrement déroutée. Ce n'était pas dans son habitude de se livrer à des quasi-inconnus. Mais il y avait quelque chose chez Charlie Flint qui invitait aux confidences. C'était peut-être pour cela qu'elle était si douée pour son travail. Ou peut-être était-ce un talent qu'elle avait acquis grâce à sa position. L'œuf ou la poule ? Puis Magda se rendit lentement compte que depuis qu'elle était tombée amoureuse de Jay, Charlie était la première lesbienne avec qui elle passait un moment et qui n'était pas déjà une amie de sa compagne. Et elle avait saisi cette occasion pour parler de la réalité, pas des chimères qu'elle avait créées à l'attention du grand public. Bien qu'elle n'en fût pas encore consciente alors, Magda venait de franchir le cap qui marquait la fin de la première phase dans le cycle amoureux : l'apparition du besoin de confidents autres que sa bien-aimée.

Elle sentit son courage défaillir lorsqu'elle approcha de la maison. Le vélo de son père avait rejoint les autres attachés dans l'appentis près de la porte de derrière. Henry était rentré. Aussi difficiles qu'avaient pu être les choses avec sa mère, elles s'apprêtaient à devenir bien pires.

Quand Magda entra dans la cuisine, Henry leva les yeux de l'assiette de nourriture qu'il était en train de manger et sourit. « Je me demandais où tu étais passée. Ta mère m'a dit que tu étais sortie faire un tour, ce qui m'a paru... » Il chercha le mot. Magda avait perçu sa légère difficulté à articuler et savait qu'il avait déjà bu deux ou trois gins. « Étonnant de ta part », termina-t-il.

Corinna et Catherine semblaient toutes deux sur leurs gardes. Magda s'avança vers son père et embrassa son crâne dégarni. « J'ai passé la semaine enfermée dans des salles d'audience étouffantes, expliqua-t-elle. J'avais juste besoin d'un peu d'air frais. » Elle se débarrassa de son manteau et s'assit face à lui. Henry vida son verre de vin rouge et secoua le verre vide en direction de sa femme. Elle poussa la bouteille vers lui et il se resservit à ras bord. Comme si elle le revoyait pour la première fois après une longue absence, Magda remarqua avec stupeur à quel point il avait vieilli. Sa mère semblait imperméable au temps, mais les années foulaient Henry aux pieds. Ses cheveux ternes aux reflets roux avaient grisonné pour prendre la couleur des cendres dans une cheminée au petit matin. La chair de son visage semblait avoir fondu, creusant ses joues et rendant ses yeux bleus humides plus globuleux. Il avait toujours eu la peau rose et comme frictionnée, tel un des élèves à qui il faisait cours, mais dernièrement ses joues avaient viré au rouge violacé. Il n'avait que cinquante-huit ans mais avait l'air d'un vieillard accablé. Elle n'avait pas besoin de formation médicale pour savoir que c'était dû à la boisson. À un moment donné, elle l'avait méprisé pour son incapacité à se maîtriser ; à présent il lui faisait pitié.

« Au moins, le jury a rendu le bon verdict, dit Henry. Remarque, je suppose qu'ils seront de nouveau en liberté dans peu de temps. Saletés de meurtriers, la moitié d'entre eux reçoivent des peines plus courtes que les braqueurs de banque. La punition devrait être à la hauteur de la faute. » Après une nouvelle lampée de vin et deux ou trois bouchées de nourriture, il repoussa son assiette à moitié pleine. « Tu me sers toujours trop. » Corinna ne dit rien et se contenta de ramasser l'assiette et de la racler bruyamment au-dessus de la poubelle.

« Comment s'est passée ta journée portes ouvertes ? », questionna Magda, s'attendant à une série de plaintes.

Elle ne fut pas déçue. Le niveau d'exigence, apparemment, chutait à vue d'œil. La qualité des futurs élèves potentiels, la classe sociale de leurs parents et la paresse de ses collègues essuyèrent toutes ses critiques. « Dieu merci je serai à la retraite dans quelques années », conclut Henry. D'aussi loin que Magda se souvenait, il avait toujours compté les années avant sa retraite. Un jour, adolescente, elle lui avait demandé pourquoi il restait s'il détestait tant son travail. Il l'avait regardée avec des yeux voilés par l'alcool et lui avait dit : « La pension de retraite, imbécile. La pension de retraite. » Elle en avait saisi assez pour se rendre compte que c'était une des choses les plus déprimantes qu'elle ait jamais entendues.

« Est-ce que tu vas prendre ta retraite au même moment que Papa ? demanda Catherine à Corinna. Je parie que tu fais déjà des projets. »

Corinna parut très surprise. « Il me reste encore quelques années, Wheelie. Je ne peux pas dire que j'y ai réfléchi. Bien sûr, je peux continuer au-delà de l'âge minimal de départ en retraite si je le veux. Et contrairement à ton père, j'adore toujours enseigner. Alors je ne sais pas.

— Saleté de collège. Ça a toujours été plus important que ta famille », marmonna Henry.

Bien joué, Wheelie. La dernière chose que Magda voulait à cet instant, c'était une resucée de l'habituelle engueulade parentale qui s'était répétée toute sa vie. « Papa, dit-elle rapidement, j'ai quelque chose à te dire. Je voulais attendre que le procès soit fini. Pour prendre un nouveau départ, tu vois ? »

Henry s'adossa à sa chaise et fit un grand sourire à sa fille, son agacement vis-à-vis de Corinna vaincu par la perspective d'une bonne nouvelle venant de son enfant préféré. « Ça semble prometteur. Un nouveau départ. Alors, qu'est-ce que c'est ? Tu as rencontré quelqu'un ? Un type qui t'a fait oublier toute cette tristesse ? Il est temps, ma fille, tu ne peux pas porter le deuil éternellement. »

Magda ferma les yeux un instant et pria pour trouver le courage. Catherine passa la main sous la table et lui tapota la cuisse. « J'ai rencontré quelqu'un, oui. Mais ce n'est pas un homme. »

Henry l'interrogea du regard, comme s'il n'arrivait pas bien à saisir ce qu'elle avait dit. « Je ne comprends pas. Pas un homme ? Quoi ? On t'a proposé un travail ou quelque chose comme ça ?

— Non, Papa. Ce n'est pas un travail. Je suis amoureuse de quelqu'un. Mais ce n'est pas un homme, c'est une femme. J'ai une relation avec une femme. »

Henry parut déconcerté puis épouvanté. « Tu es lesbienne ? » On pouvait difficilement imaginer comment concentrer plus de dégoût en trois mots.

« Oui », répondit Magda.

Il recula sa chaise et se leva puis s'écarta de la table d'un pas chancelant, la tête entre les mains. « Comment est-ce possible ? Tu étais mariée à Philip. Tu as toujours eu des petits copains. C'est de la folie. » Il se retourna brusquement et lança des regards noirs aux trois femmes. « Quelqu'un t'a dépravée. On a profité de ton chagrin. Elle s'est sournoisement immiscée dans ta vie pendant que tu étais déprimée. » Sa voix s'éteignit, sombre de colère. « Qui t'a fait ça ? Qui a séduit ma fille ? Dis-moi, Magda. »

Magda se leva d'un bond, bien décidée à ne pas se laisser écraser. « Je suis une adulte, Papa. Pas une enfant qu'on peut amadouer avec des paroles mielleuses pour l'obliger à faire quelque chose dont elle n'a pas envie. Je suis amoureuse et je n'en ai pas honte. Et si ça t'intéresse de savoir qui est la femme que j'aime, je vais te le dire. C'est Jay Macallan Stewart. Tu te souviens sans doute d'elle sous le simple nom de Jay Stewart. »

Henry se figea et articula le nom sans qu'aucun son ne sorte de sa bouche. Puis il se tourna vers Corinna. « Jay Stewart. N'est-ce pas… n'a-t-elle pas… n'était-ce pas une de tes groupies ? Ces imbéciles qui t'adulaient et que tu prenais pour garder les enfants ? »

Corinna soupira. « Oui, Jay était une de mes étudiantes. Et oui, elle a en effet gardé les enfants. »

Henry prit son menton entre ses mains. « Tu as laissé mes enfants avec une perverse. » Ses mains ressemblaient désormais à des serres qu'il agitait devant lui comme s'il cherchait une proie à déchiqueter. « Regarde ce qui se passe maintenant. » Il pointa le doigt sur Corinna. « Tout ça c'est de ta faute, fit Henry en prononçant soigneusement et doucement chaque mot avec un mépris évident.

— Papa, calme-toi. » Catherine marcha jusqu'à son père et posa une main apaisante sur son épaule. « Jay n'est pas une perverse, pas comme tu le laisses entendre. Elle était super avec nous quand on était petits. Elle n'a jamais fait ou même dit quoi que ce soit d'un tant soit peu déplacé. » Henry chassa sa main d'un mouvement d'épaule et fit un pas en avant en la repoussant. Il était à moins d'un mètre de Corinna, les poings fermés. Corinna se campa bien droite sur ses jambes et Magda comprit que sa mère ne risquait rien. Henry était trop lâche pour se hasarder à frapper une femme aussi robuste que son épouse.

« Jay est lesbienne, pas pédophile, précisa Magda, la mâchoire serrée de colère. Tout comme moi, en fait. Comprends-moi bien, Papa. Ce n'est pas un prêtre catholique, elle ne s'en prend pas aux enfants. Et même s'il était question de culpabilité, ce qui n'est pas le cas, ce ne serait pas la faute de Maman.

— C'est dégoûtant, dit Henry d'une voix cassée. Tu me dégoûtes. On t'a élevée avec des valeurs, des croyances. Et maintenant cette... cette horrible infamie. »

Catherine tenta à nouveau de ramener un peu de calme. « Papa, tu te trompes complètement. Comment deux personnes qui s'aiment peuvent-elles être infâmes ? »

Cette fois-ci, Henry s'en prit à elle. « Comment peux-tu être aussi naïve, imbécile ? Si l'amour suffisait, alors l'inceste et la pédophilie seraient acceptables aux yeux du monde et de l'Église. Certaines choses sont tout simplement mal. Ce sont des péchés. Elles sont contre nature. » Il se retourna à nouveau et jeta un regard furieux à Magda. « Que ta sœur puisse seulement poser la question... tu l'as dépravée elle aussi. » Il haussa l'épaule pour enlever la main de Catherine et s'écroula sur sa chaise, la tête entre les mains. « Je ne peux pas supporter ça. » Il leva ses yeux humides et injectés de sang vers elle. « Ma charmante fille. Désormais salie.

— Est-ce qu'on peut arrêter le mélodrame ? demanda Catherine d'une voix plaintive. Asseyons-nous simplement et discutons de ça comme des adultes.

— Tais-toi, Catherine, ordonna sévèrement Henry d'une voix basse et dure. Magda, je ne peux même plus te regarder. Je veux que tu quittes cette maison, tout de suite. Et ne pense pas à revenir tant que tu ne te seras pas repentie de ton péché. Sors d'ici, Magda.

— C'est injuste, Papa, dit Catherine. C'est tellement injuste. Nous sommes une famille. Tu ne peux pas traiter Magda comme ça.

— Je le peux et je le fais, parce que je suis dans mon droit, dit Henry, le visage méchant et crispé d'obstination.

— Tu me rends malade, Henry, dit Corinna.

— C'est toi qui as amené le mal chez nous, répliqua-t-il. Crois-moi, je sais à qui en attribuer la faute. Estime-toi heureuse que je ne te mette pas à la porte avec ta malade de fille.

— J'en ai assez entendu, dit Magda. S'il y a un malade dans cette maison, c'est toi. Tu es un ivrogne et tu adorerais jouer les tyrans si seulement tu en avais le cran. Une chose est sûre, tu ne m'enlèveras pas mon bonheur. » Elle s'empara de son manteau et courut jusqu'aux escaliers.

Catherine se plaça face à son père. « Et je te dis au revoir moi aussi. Ce que fait Magda, c'est un choix de vie. C'est une question d'amour. Je crois que tu ne sais plus ce que ça veut dire. Tu as besoin d'aide, Papa. » Sans attendre les injures qui, comme elle le savait, viendraient, elle suivit sa sœur.

Elle rattrapa Magda en arrivant à la voiture. Elle prit sa sœur dans ses bras et la serra fort. Magda eut un rire chevrotant, les yeux baignés de larmes. « Alors, comment tu trouves que ça s'est passé, Wheelie ? »

Catherine lui passa la main sur le dos. « Ça aurait pu être pire, Maggot. On voit difficilement comment, mais je suis sûre que ça aurait pu être pire. »

9

C'était incroyable comme ses souvenirs de cette matinée sur Sgurr Dearg étaient vifs. Jay n'avait même pas besoin de fermer les yeux pour revoir le paysage monochrome de nuages, de roche, de neige et de glace. Le blouson et le bonnet en polaire rouge de Kathy faisaient une tache de couleur extravagante dans ce cadre. Ce qui aurait dû être un panorama époustouflant de pics surplombant les bras de mers à l'est et à l'ouest était totalement amoindri par les nuages bas et les averses intermittentes de neige fondue. Mais le but de ce voyage n'avait jamais été de profiter de la vue.

Nous sommes restées silencieuses en enfilant nos baudriers et en nous encordant en vue de l'ascension. La corde est le symbole du lien qui unit les coéquipiers. Concrètement, elle sert à minimiser le risque face à des dangers qu'un alpiniste seul aurait du mal à surmonter. Quels que soient votre niveau, votre expérience et vos capacités physiques, il est toujours plus facile psychologiquement d'être attaché à quelqu'un d'autre lorsqu'on peine à attraper la prise suivante sur une dalle de roche glissante et abrupte.

L'itinéraire est menant au sommet du Pic In était décrit par les alpinistes victoriens qui l'ont conquis en premier comme une crête de moins de trente centimètres de large, « avec un précipice à pic et infini d'un côté, et un autre encore plus abrupt et profond de l'autre ». Ils n'exagéraient pas. Techniquement, ce n'est qu'une ascension « moyenne » en ce qui concerne les aptitudes nécessaires pour pouvoir l'accomplir. Mais il suffit d'un coup d'œil d'un côté ou de l'autre à n'importe quel moment de la montée pour vous liquéfier les boyaux et vous retourner l'estomac. Quant aux conséquences en cas d'erreur, elles sont parfaitement impitoyables. Personne ne sait cela mieux que moi.

Lorsque nous nous sommes mises en route, les nuages étaient lourds et l'air glacial, mais la pluie de neige fondue avait cessé et nous étions sûres de pouvoir réussir notre ascension. Et au départ, nous nous en sortions très bien. Nous avons commencé par une côte courte et raide mais facile, le moyen idéal pour se mettre en confiance avant ce qui nous attendait. Puis nous avons attaqué le tronçon suivant, une section de roche qui exigeait une progression lente et régulière. Nous avions trouvé un rythme avec nos mains et nos pieds et avancions avec assurance en nous fiant à la roche et l'une à l'autre. À mi-chemin, nous avons fait une courte pause sur une saillie. Mais on ne pouvait s'abriter du vent cinglant, et nous sommes donc reparties presque tout de suite. Les premiers passages étaient délicats et j'ai dû sortir mes piolets, mais la voie est ensuite apparue aussi évidente qu'une volée de marches.

Mais quelle volée de marches ! Imaginez-vous grimper quinze mètres de marches irrégulières avec un à-pic de chaque côté. Maintenant imaginez-vous le faire sur de la glace. Et maintenant figurez-vous en train de le faire sur la glace avec quelqu'un qui vous jetterait des poignées de neige cinglantes à la figure. Car à ce stade, notre pire crainte s'était réalisée. Il neigeait. Pas seulement quelques flocons, mais de véritables chutes de neige. De gros flocons qui me couvraient les yeux et me remplissaient la bouche et le nez, projetés contre moi par un vent violent. Kathy s'était postée en tête à mi-chemin, et la neige surgie de nulle part était comme un rideau entre nous. Elle n'était qu'à quelques mètres devant moi, et pourtant je la voyais à peine.

Dans les moments comme celui-là, il n'y a pas un alpiniste au monde qui ne connaisse pas la peur. On essaie de l'évacuer de son esprit en se concentrant sur chaque mouvement, en s'assurant d'avoir une prise solide avant de lui faire supporter notre poids. Mais on ne peut ignorer cette peur. Elle circule dans vos veines comme l'adrénaline qui vous fait avancer. Ce jour-là, alors que je continuais de grimper vers le sommet, mon unique pensée était que je ne voyais rien, que je n'entendais rien, et au fur et à mesure que le froid et l'humidité pénétraient en moi, je sentais de moins en moins mes mains et mes pieds. En un rien de temps, j'ai eu le sentiment d'être un automate s'efforçant d'obéir à son programme.

La transition, lorsqu'elle s'est produite, a été inattendue. La corde s'est tendue de façon si subite et si brutale qu'elle a failli m'emporter directement dans le vide. Si je n'avais pas porté des crampons à mes chaussures, j'aurais immédiatement glissé de la surface glacée et plongé dans la vallée. Mais j'ai été tirée d'un coup sec sur le côté, si bien que je me suis retrouvée étendue sur la crête avec le haut du corps en torsion. La douleur a été immédiate et insoutenable. J'ai eu le réflexe d'attraper la corde et d'essayer de diminuer un peu ce poids qui m'entraînait avec une telle force par dessus le bord de la crête que je pouvais à peine respirer. Il m'a fallu un moment atrocement long, mais je suis parvenue finalement à me redresser suffisamment pour pouvoir reprendre haleine et tenter de comprendre ce qui s'était passé.

La première chose qui m'a semblé évidente dès que je me suis mise à réfléchir au lieu de réagir, c'est que Kathy était tombée de la montagne. Ce qu'il fallait à tout prix que je sache, c'était dans quel état elle était. Si elle était consciente et n'avait pas de blessure grave, ça ne devrait pas être un problème. Nous transportions toutes les deux le matériel nécessaire pour faire ce qu'on appelle un nœud de Prusik, qui peut servir à aider un grimpeur à remonter sur une corde. Si j'arrivais à tenir bon, elle pourrait se hisser petit à petit.

Si elle n'était pas capable de remonter, la situation serait plus délicate. En utilisant le même type de nœud, la personne restée sur la montagne peut attacher la corde à une solide saillie rocheuse et la laisser supporter la tension. Si je pouvais me libérer ainsi de la corde, je pourrais tenter de remonter Kathy sur la crête. Ou dans le pire des cas, je pouvais fixer la corde et aller chercher du secours.

J'ai prié pour ne pas être prise de vertige et avancé la tête pour pouvoir regarder en contrebas de la crête du Pic In. Je n'avais pas besoin de m'inquiéter pour ça : la neige était désormais si épaisse que je distinguais à peine le rouge du blouson de Kathy. D'après ce que je pouvais discerner, elle ballottait dans le vide, bras et jambes pendants dans le vide. « Kathy ! ai-je crié à pleins poumons. Kathy ! »

J'ai eu la certitude d'entendre une réponse, un faible gémissement émis par ma partenaire. Mon moral est remonté comme le pic qui s'affiche soudainement sur le moniteur cardiaque près d'un lit d'hôpital. Elle était consciente. On allait s'en sortir. Tout finirait bien. Je l'ai appelée de nouveau. Puis encore une fois.

Rien.

Désespérée, j'ai crié une nouvelle fois, mais la seule réponse a été le bruit du vent. J'ai alors compris que c'était une bourrasque que j'avais entendue et non Kathy. Cette prise de conscience m'a fait l'effet d'un coup de poing. Le plan A semblait voué à l'échec. Je ne voyais qu'une possibilité : elle s'était cogné la tête dans sa chute. Aujourd'hui, il ne me viendrait pas à l'idée de grimper sans casque, mais à cette époque, comme la plupart des jeunes alpinistes que je connaissais, j'étais persuadée d'être immortelle. Aucune de nous deux ne portait de casque ce jour-là. Une des nombreuses choses que je changerais si je pouvais revenir en arrière.

Le plan B nécessitait la présence d'un point d'ancrage pour le nœud de Prusik. Si je voulais me libérer de l'effroyable tension de la corde, il me fallait trouver quelque chose d'assez résistant pour supporter cette force. Le basalte et le gabbro étaient assez robustes. Tout ce qu'il me fallait, c'était un solide éperon rocheux ou un petit pic autour duquel passer la corde. J'ai relevé la tête et examiné l'espace qui m'entourait.

Rien.

J'ai regardé de nouveau. Mais il n'y avait rien qui ressemblât un tant soit peu au type de relief dont j'avais besoin. Nous étions passées devant une foule de saillies rocheuses qui auraient fait l'affaire en montant, mais par malheur l'endroit où nous nous trouvions était un ensemble de plans et d'angles qui ne permettait nulle part d'arrimer la corde.

Il restait une dernière possibilité. La technologie de l'escalade nous a procuré une gamme incroyable d'accessoires et instruments. À partir de la moindre fissure, nous pouvons créer un point d'ancrage en utilisant un des bicoins ou des coinceurs hexagonaux ou mécaniques que nous transportons tous couramment. Mais tout ce que j'avais à portée de main, c'étaient mes piolets. Et je n'étais pas convaincue qu'ils offriraient assez de prise pour retenir le poids de Kathy. J'allais devoir me débrouiller pour atteindre mon sac à dos.

Ce n'était pas si facile qu'on pourrait le croire. Ma première tentative a failli tourner au désastre. Le fait de déplacer mon poids, même de si peu, a suffi à me déstabiliser. J'ai senti mon équilibre s'ébranler et, pendant un terrible instant, j'ai cru que j'allais plonger dans le vide en emportant Kathy avec moi. Je me suis rendu compte que j'allais devoir agir avec une extrême lenteur.

Ça n'aurait pas été un problème si nous avions grimpé par une chaude journée d'été avec plusieurs heures de jour devant nous. Mais nous étions dans une tempête de neige un jour de février dans les Cuillin, et maintenant que je ne bougeais plus, mon corps commençait à s'engourdir. J'avais les doigts glacés, et le froid ralentissait mon cerveau et mes réactions. Mais il fallait que je persévère. Le temps et la lumière filaient maintenant que midi était passé et que la nuit approchait.

Tout en enlevant mon sac de mes épaules avec une lenteur accablante, je me suis souvenue qu'il y avait peut-être un autre espoir. J'avais un téléphone portable dans mon sac à dos. Pas n'importe quel vieux portable, qui n'aurait bien sûr capté aucun réseau à l'époque au fin fond de l'île de Skye. Grâce à la passion de Kathy pour les gadgets, nous avions toutes les deux des téléphones satellite. J'avais rechigné à prendre ce poids supplémentaire dans mon sac, mais elle avait insisté. À présent, si les dieux me souriaient et que je captais un réseau, je pourrais simplement appeler l'équipe de secouristes en montagne pour qu'ils viennent nous décrocher de cet odieux rocher.

En essayant de libérer mon sac, je me trouvais écrasée contre la roche car je retenais tout le poids de Kathy avec le haut de mon corps. Je commençais à être non seulement gelée mais aussi épuisée. Et pourtant la neige continuait de tomber, de couvrir mes cils et de former des crêtes sur mes sourcils, de bloquer chacune de mes inspirations. J'ai fini par dégager un bras de la bretelle et soulever l'épaule pour que le sac glisse vers mon autre bras, puis dans ma main prête à le réceptionner.

Mais c'était compter sans le froid paralysant. J'ai retourné la main pour attraper la bretelle tandis que le sac glissait le long de mon bras. Mes doigts n'ont pas réussi à se refermer sur la bretelle et le sac a continué de glisser en prenant de la vitesse à cause de son poids. J'ai entendu dans ma tête l'écho de ma propre voix qui criait « Non ! » alors que mon sac basculait dans le vide et disparaissait à travers la neige.

J'ai alors sangloté pour la première fois. L'espoir se dissipait avec la lumière. Certes, nous avions laissé notre itinéraire à la réception de l'hôtel, mais on ne sonnerait pas l'alerte avant de remarquer notre absence au dîner. D'ici là, je serais restée pendant six heures allongée sur la crête du Pic In dans une tempête de neige à soutenir le poids de ma coéquipière. Mes chances me paraissaient bien maigres. Mais je n'avais pas l'impression d'avoir le choix.

Le vent, déjà fort, a commencé à s'intensifier. J'avais à présent l'impression d'être dans un ouragan sur la roche glacée. Puis les choses ont empiré. Le vent a tourné du plein nord au nord-est. Le corps de Kathy, jusque-là abrité par la masse de Sgurr Dearg, se trouvait désormais exposé au vent. Il a commencé à se balancer, mais pas de manière prévisible comme un pendule. Auquel cas j'aurais pu anticiper son mouvement et m'y adapter. Son ballottement était aléatoire et saccadé. Je me suis arcboutée pour tenter d'enfoncer davantage mes crampons dans la glace, en vain. Après avoir été violemment tirée sur le côté à plusieurs reprises, j'ai fini par comprendre que nous allions mourir toutes les deux. Je ne pouvais pas maintenir ma position sur la roche, pas avec les à-coups irréguliers que le vent donnait sur la corde. Si je lâchais prise, il n'y aurait rien entre nous et le fond de la vallée. Nos corps se pulvériseraient sur la roche.

Le vent a de nouveau sifflé autour de nous et cette fois-ci ma jambe s'est tordue alors que je m'efforçais de rester en place. J'ai senti un déchirement puis une douleur fulgurante dans mon genou gauche. Mon pied s'est brusquement décroché de la glace. Je l'ai recramponné dans le sol et ai failli m'évanouir de douleur. Je connaissais assez bien mon corps pour comprendre que je m'étais déchiré les ligaments du genou. J'ai alors su que je ne pourrais pas tenir longtemps. J'étais foutue.

Puis je me suis souvenue que j'avais un petit couteau multifonctions dans la poche intérieure de mon blouson. Mini pince, lime à ongles, tournevis et lame de canif de cinq centimètres. Au moment même où j'ai pensé l'impensable, mon cœur a bondi d'horreur. Couper la corde condamnerait Kathy à mort. Mais ne pas la couper nous y condamnerait toutes les deux. Aucun autre grimpeur ne monterait là maintenant, pas si tard dans la journée. Rien ne pouvait nous sauver. Ni personne. Pas avant un long moment.

J'ai ôté mon gant avec mes dents et fourré une main glacée dans mon blouson. J'ai eu des picotements et une sensation de brûlure dans les doigts lorsque la chaleur résiduelle de mon corps les a réchauffés un peu. J'ai refermé la main sur le couteau et je l'ai sorti. En le maintenant entre ma main gantée et la roche, je suis parvenue à ouvrir la lame. Mais j'hésitais encore. Je ne pouvais me résoudre à le faire.

Puis une autre bourrasque m'a projetée contre la roche et a cogné ma tête et ma poitrine contre le gabbro gelé. Je n'avais plus le choix. À la moindre nouvelle rafale, je basculais moi aussi par-dessus le bord.

J'ai coupé la corde.

Le téléphone sonna à cet instant précis. Jay décrocha machinalement. Le combiné était à mi-chemin de son oreille lorsqu'elle se rendit compte qu'elle pleurait.

10

Charlie sentait les battements de son cœur, une pulsation rapide et régulière sous ses côtes. Elle vibrait d'excitation, comme parcourue par un faible courant électrique. Elle n'avait aucun souvenir de son trajet à travers la ville, depuis le nord d'Oxford jusqu'au village d'Iffley. Elle avait toujours adoré venir là pendant ses études et se promener sur le chemin de halage entre le Folly Bridge et l'écluse. Le fleuve n'était jamais désert ; il y avait toujours des bateaux : des avirons de collèges à huit rameurs qui y mettaient toute leur énergie, des bachots aux bateliers intrépides prêts à affronter la grande rivière, des petits bateaux de plaisance à moteur et à voile errant de-ci de-là. En revanche, le chemin qui menait à Iffley, cet incongru village dans la ville, était souvent calme. Prospère, tranquille et indépendant, il semblait avoir résisté à la contamination de la vie universitaire. Bien que les maisons fussent d'un style différent, il rappelait à Charlie le village du Lincolnshire où ses grands parents avaient vécu. Aussi, chaque fois qu'elle avait eu besoin d'un point de repère durant ces années parfois orageuses à Oxford, c'était là qu'elle était venue.

La maison de Lisa se trouvait dans une ruelle calme bordée de grandes villas, à quelques rues du fleuve. Charlie avait imaginé que l'air serait frais et humide comme par l'une des nombreuses journées de brouillard hivernales typiques d'Oxford, mais au déclin de l'après-midi, de tardifs rayons de soleil s'étaient échappés des nuages et avaient créé une atmosphère charmante. Elle roula doucement pour regarder les numéros jusqu'à trouver le bon. Elle reconnut l'élégante Audi gris métallisé de Lisa, mais pas le break Toyota collé à elle dans l'allée étroite. Charlie dut faire une cinquantaine de mètres supplémentaires avant de pouvoir garer sa propre voiture. Elle consulta sa montre. Trois heures vingt-cinq. Elle resta assise trois minutes derrière le volant puis marcha jusqu'à la maison en se demandant ce qui l'y attendait.

Elle ne put s'empêcher d'admirer l'édifice en s'en approchant. Elle avait dû passer devant une douzaine de fois durant ses explorations d'étudiante, mais elle n'en avait aucun souvenir. Il n'avait rien de très original – brique rouge érodée, toit en tuiles, boiseries peintes en blanc – mais sa symétrie et ses proportions étaient agréables à l'œil. Au-dessus du porche à colonnes bien propre se trouvait une fenêtre circulaire dont les vitraux aux couleurs chaudes ressortaient même à la lumière du soleil. Les voitures étaient garées sur une allée de briques en chevron, et le jardinet situé devant la maison était aménagé en parterre miniature de buis taillés. Tout était impeccable. Charlie eut le sentiment de souiller l'endroit rien qu'en marchant jusqu'à la porte d'entrée.

Elle prit une profonde inspiration pour tenter de calmer son agitation. Elle était aussi excitée qu'une ado à la perspective de voir Lisa dans son élément. Charlie donna un coup de sonnette et recula d'un demi-pas. Elle entendit presque immédiatement quelqu'un approcher, et la porte s'ouvrit en grand. Devant Lisa qui lui souriait, le cœur de Charlie fit un bond et elle avança dans les bras que celle-ci lui ouvrait. « Je suis si contente de te voir », dit-elle.

Les lèvres de Lisa effleurèrent sa joue et son souffle chaud lui chatouilla l'oreille lorsqu'elle lui dit : « Tu tombes à pic. Il y a encore deux personnes mais elles sont sur le point de partir. » Puis elle lâcha Charlie et s'écarta pour la laisser entrer.

Même dans un tel état d'émotion, Charlie fut rattrapée par sa formation professionnelle. Elle ne put se retenir d'examiner ce qui l'entourait, formant ainsi son jugement. Le hall d'entrée était décoré simplement : murs et plafond blancs, parquet patiné par le temps, quatre petites marines abstraites à l'huile épaisse. Les vitraux projetaient une lumière aux couleurs changeantes et gaies. Et au centre de tout cela, Lisa elle-même. Hanches minces, épaules larges, haut sans manches choisi pour mettre en valeur son teint doré et chaud et les belles courbes de ses muscles bien dessinés, et une démarche insolente qui rappelait à Charlie celle des mannequins dans les défilés. Lisa marchait de manière à attirer le regard des gens et parlait de façon à retenir cette attention sur elle.

Charlie la suivit dans un salon meublé d'un trio de canapés en chintz crème, de plusieurs tables basses et d'une cheminée art nouveau ouvragée. Un garde-feu William Morris reposait devant celle-ci. Des portes-fenêtres donnaient sur une longue pelouse fermée par un mur d'arbustes. Un homme et une femme occupaient deux des canapés, des papiers éparpillés autour d'eux. Leurs regards étaient déjà fixés sur la porte, dans l'attente de Lisa.

« Charlie, voici deux de mes collègues. Tom et Linda. Je vous présente mon amie Charlie », dit rapidement Lisa. Tous échangèrent des sourires et des hochements de tête. « Bien, c'est fini pour aujourd'hui. Quand vous aurez eu l'occasion d'analyser les nouveaux documents, envoyez-moi un e-mail avec vos commentaires. Sinon, je vous vois mardi à Swindon. »

Tom et Linda ramassèrent leurs papiers en vitesse et se levèrent pour partir. De toute évidence, Lisa gérait son entreprise avec poigne. Elle fit signe à Charlie de s'installer sur le canapé libre tandis qu'ils rangeaient leurs affaires. « Café, thé ? Un jus de fruits ? De l'eau ? », proposa-t-elle.

Si Charlie n'avait vraiment qu'une heure du temps de Lisa, elle n'allait pas en perdre une minute à attendre que l'eau bouille. « Ça va aller, merci.

— Je reviens tout de suite. » Lisa reconduisit gentiment mais fermement Linda et Tom, bien que ce dernier fût encore en train d'essayer de fermer la sacoche de son ordinateur.

À son retour presque immédiat, Lisa s'assit sur le canapé placé à la perpendiculaire de Charlie, ramena ses jambes sous elle et s'appuya sur l'accoudoir, de sorte qu'elle semblait totalement captivée par son invitée. Pour Charlie, qui avait tellement l'habitude d'analyser le langage corporel des autres, c'était appréciable. « Alors, reprit Lisa en étirant longuement la dernière syllabe. Une journée intéressante. » Il y avait une note séductrice dans le ton de sa voix, une allusion à quelque chose qui dépassait les politesses conventionnelles.

Charlie sourit. Elle avait envie de lui faire remarquer que ça s'améliorait de jour en jour, mais elle craignait d'avoir l'air cucul. Ou d'être à l'affût. « En intéressante compagnie, qui plus est.

— Alors, raconte-moi tout, fit Lisa en posant le menton sur son bras et en fixant Charlie avec de grands yeux. J'adore t'écouter. »

Charlie retraça pour Lisa sa rencontre avec les Newsam sans s'étendre ni faire de digression. Elle termina par un bref compte rendu de son entrevue avec le Dr Winter, puis s'adossa au canapé. « Tout cela s'est avéré bien plus bouleversant que je ne l'avais prévu, expliqua-t-elle.

— Sans blague. Quelle histoire incroyable, dit Lisa d'une voix grave et traînante. Ton ancienne tutrice pense que Jay Macallan Stewart est une meurtrière multirécidiviste ? Je crois n'avoir rien entendu d'aussi farfelu depuis qu'Edwina Currie a avoué sa liaison avec John Major.

— C'est aussi ce que je me suis dit au départ. Mais ensuite, j'ai découvert que Jay se trouvait à Schollie le jour du meurtre. Et Helena Winter m'a confirmé que Corinna lui avait parlé du matin où Jess Edwards est morte. Et ça a commencé à me paraître... je ne sais pas. Presque plausible. »

Lisa rigola. « C'est un très gros presque. Et que pense Maria de tout ça ? »

Cette allusion à Maria décontenança Charlie. Elle avait réussi à enfouir sa compagne dans un coin de son esprit depuis qu'elle et Lisa s'étaient donné rendez-vous. C'était gênant d'entendre son nom dans la bouche de Lisa. « Je n'ai pas encore pu lui en parler. »

Lisa prit un air satisfait. « Je suis flattée que tu me l'aies raconté en premier, dit-elle. Et qu'est-ce que tu vas faire maintenant ? T'esquiver discrètement ? Je sais que tu es une pro pour comprendre ce qui se passe dans la tête des gens, mais j'ai l'impression que ce qu'il faut à Corinna, c'est un vrai détective.

— Je sais. Mais à vrai dire, je me suis dit que j'allais peut-être y jeter un œil, déclara Charlie un peu timidement. C'est assez intéressant. Et s'il y a quelque chose à trouver et que j'arrive à mettre le doigt dessus...

— Je comprends que c'est tentant, Charlie. Mais même si en effet tu mets au jour une erreur judiciaire, ça ne va pas te racheter aux yeux de l'ordre des médecins, indiqua gentiment Lisa d'un air préoccupé. Ni à ceux des lecteurs du *Daily Mail*. » C'était une remarque perspicace, qui prouvait à quel point elle saisissait bien les motivations de Charlie.

« Peut-être pas. Mais ça pourrait apaiser ma conscience.

— Tu es sûre que ce n'est pas juste une excuse pour revisiter ton propre passé ? Pour te transporter dans une époque et un lieu où tu étais heureuse ? Où tout était encore possible pour toi ? »

Charlie réfléchit un instant à cette idée. « Je ne pense pas, dit-elle. Je ne m'appesantis pas sur le passé. Et puis j'ai toujours le sentiment de pouvoir trouver le bonheur. En étant assise ici avec toi, par exemple. C'est un moment et un lieu qui me conviennent très bien. »

Lisa se passa la langue sur la lèvre supérieure. « À moi aussi. Même si on ne se connaît pas depuis longtemps, je sens vraiment un truc entre nous. »

Le cœur de Charlie fit un bond. Il n'y avait pas d'autre manière de décrire cette secousse dans sa poitrine. Comment quelques mots pouvaient-ils provoquer une réaction physique si forte ? « Il est des choses qu'on ne peut ignorer, dit elle avant de s'éclaircir la gorge en entendant le timbre rauque que sa voix avait pris. J'ai vraiment envie d'explorer ce qui se passe entre nous.

— Mais rien ne presse, Charlie. On va être amies pendant très, très longtemps. J'en suis persuadée. Je crois qu'on s'accorde très bien au niveau de nos faiblesses et de nos forces. »

Charlie avait la bouche sèche. Elle regrettait finalement de ne pas lui avoir demandé quelque chose à boire. « Tu as raison. Parfois on sait, tout simplement. Dès le début. » Elle se déplaça pour s'appuyer sur l'accoudoir du canapé et rapprocher son visage de celui de Lisa.

« Mais si tu es occupée à pourchasser des ombres pour Corinna Newsam, tu ne vas pas avoir beaucoup de temps pour autre chose », signala Lisa d'une voix traînante et pleine de regret.

Charlie ne se démonta pas. « Je le trouverai. »

Lisa lui jeta un long regard scrutateur. « Je crois que tu vas perdre ton temps. »

Après tout ce jeu de séduction, Charlie eut l'impression de recevoir une gifle. Sa tête eut un brusque mouvement de recul. « Comment ?

— À essayer de prouver que Jay Stewart est une tueuse, je veux dire. » Lisa rigola. « Qu'est-ce que tu avais compris, Charlie ? »

Charlie ne savait pas quoi répondre. Ses émotions grimpaient en flèche puis retombaient aussi sec. « Pourquoi dis-tu que je vais perdre mon temps ? »

Lisa haussa les épaules. « C'est juste que ça me semble peu probable.

— Tu la connais ? » La vigilance professionnelle de Charlie, jusque-là endormie par ses hormones, s'efforçait soudain de refaire surface. Était-il possible que Lisa lui cache quelque chose ?

« Pas vraiment, répondit Lisa. On était à la fac en même temps. Mais bien sûr, j'étais à University College, donc on ne se croisait pas très souvent. Je l'ai vaguement connue, comme quand on tombe sur quelqu'un à des fêtes de temps en temps. Elle avait une certaine réputation – la gouine qui avait réussi à devenir présidente du bureau des étudiantes – et elle attirait donc plus l'attention.

— Les gens savaient qu'elle était gouine ? Je croyais qu'elle s'en cachait à l'époque ? »

Lisa gloussa. « Elle croyait peut-être que personne ne le savait. Mais tu sais comment ça marche, Charlie. À Oxford, le moulin à rumeurs tourne à plein régime. Rien ne lui échappe. Je ne sortais encore qu'avec des hommes à ce moment-là, mais je savais que Jay Stewart était lesbienne. »

Le cœur de Charlie fit à nouveau un bond dans sa poitrine. Peu importait ce que Lisa avait dit à propos de Jay Stewart, « je ne sortais encore qu'avec des hommes à ce moment-là », avait-elle dit. Il n'y avait qu'une interprétation possible, et elle réveilla les fantasmes de Charlie comme une averse en plein désert. Le sang battait dans ses tempes et sa bouche était de nouveau sèche. « Apparemment, ton instinct pour repérer les homos était bien développé pour une femme qui ne sortait qu'avec des hommes. »

Lisa s'enfonça dans le canapé et étira ses bras au-dessus de sa tête, les doigts entrelacés. Charlie fut fascinée par la beauté de ses bras et de ses seins. Lisa lui lança un sourire malicieux. « Je suppose que je ne m'en rendais pas compte à l'époque, mais j'étais déjà douée pour repérer les points vulnérables des gens. »

11

Lundi

Malgré sa douche matinale, Charlie était encore hébétée par le manque de sommeil. Le café du petit déjeuner aiderait peut-être. Elle avait passé deux nuits à remuer en tous sens sous les couvertures en s'efforçant de ne pas déranger Maria. Il y avait trop d'agitation dans son cœur et son esprit, et le plus difficile, ironiquement, était de ne pas pouvoir en faire part à Maria. Depuis sept ans, Charlie s'était tellement habituée à ce que Maria endosse le poids de ses dilemmes et de ses décisions qu'il était étrange de lui cacher quelque chose.

Mais elle avait au moins pu lui parler de la curieuse requête de Corinna. Elle était rentrée tard le samedi soir, encore étourdie par son rendez-vous avec Lisa. Son commentaire sur la vulnérabilité avait marqué la fin de leur conversation. Leur heure était écoulée, et le doigt du client de Lisa pressait la sonnette. Charlie avait ravalé sa déception à l'idée que ce tête-à-tête n'ait pas fait avancer leur relation.

Son jugement avait été trop rapide à cet égard. Alors qu'elle suivait son hôtesse dans le hall d'entrée, Lisa s'était retournée pour lui faire face et avait marché à reculons jusqu'à la porte. Là, elle s'était arrêtée, avait pris la main de Charlie et l'avait attirée dans ses bras. Charlie avait senti une explosion de lumière et de chaleur en elle. Ce n'était pas un baiser d'au revoir amical. C'était cette sorte d'étreinte passionnée qui précède un moment moite et brûlant. C'était venu de nulle part, et alors même qu'elle s'y abandonnait, Charlie s'était rendu compte que cela ne pouvait mener nulle part non plus. Tandis que leurs lèvres, langues et mains s'exploraient mutuellement, l'horloge tournait.

Elles s'étaient séparées en sursaut au deuxième coup de sonnette. Charlie était toute rouge et haletante. Lisa, deux taches de couleur sur les joues, lui avait fait un sourire de côté charmeur. « Affaire à suivre », avait-elle dit.

Et elle avait ouvert la porte.

Charlie n'avait qu'un souvenir confus de son départ. Elle avait à peine discerné la présence de l'homme qui était arrivé. Elle avait remarqué l'adieu désinvolte de Lisa et s'était demandé comment elle pouvait passer si brutalement d'un état à un autre. Puis elle était retournée d'un pas chancelant à sa voiture, pas tout à fait convaincue d'être capable de conduire. Elle était restée assise un moment à essayer de comprendre ce qui venait de se passer, à tenter de dominer ses émotions pour analyser calmement le comportement de Lisa. Cela aussi s'avéra une perte de temps ; son esprit tournait tout simplement en rond.

Elle ne savait plus bien comment le temps s'était écoulé entre son départ de chez Lisa et son arrivée à Manchester à près de minuit. Sept heures pour un trajet de trois et demie. Elle avait le vague souvenir d'être assise à la cafétéria d'une aire d'autoroute, mais tout le reste n'était que brouillard. Elle avait été heureuse de pouvoir se changer les idées en racontant à Maria ses aventures avec les Newsam quand elle s'était enfin effondrée dans leur lit.

L'histoire de Corinna avait plus intéressé Maria que Charlie ne l'avait escompté. « C'est fascinant, avait-elle dit en se blottissant dans le dos de Charlie. C'est vraiment une réaction flagrante de "mère lionne protégeant ses petits". À l'évidence, Corinna ne s'inquiétait pas beaucoup des méthodes meurtrières de Jay Stewart tant que c'étaient les enfants d'autres femmes qui étaient visés. Mais dès que sa fille est un tant soit peu menacée, elle sort l'artillerie lourde. Qu'est-ce que tu vas faire ?

— Je ne suis pas tout à fait sûre, éluda Charlie. Parfois je me dis que Corinna est parano, puis la seconde suivante je fais volte-face et je me dis qu'il y a trop de choses suspectes dans le passé de Jay pour que ce soit une coïncidence. J'ai du mal à imaginer que cette femme d'affaires charismatique et prospère puisse être une tueuse en série.

— Pourtant, tu vas le faire. N'est-ce pas ? demanda Maria, une note de résignation dans la voix.

— Tu crois que je devrais ?

— J'y ai réfléchi pendant ton absence. Même si d'un côté je ne veux pas que tu te mêles des combats d'autres personnes, je dois être honnête avec moi-même. Je te connais, Charlie. Tu as besoin de quelque chose pour empêcher ton esprit de tourner en rond comme un lion en cage. » Maria mit le bras sur la cuisse de Charlie. C'était un geste de réconfort, dénué d'érotisme. « On en discutera demain. »

Et elles en avaient discuté. Par intermittence, elles en avaient discuté pendant la plus grande partie de la journée et exploré la moindre éventualité à partir de ce que savait Charlie. Maria ne connaissant aucun des protagonistes, Charlie avait confiance en son jugement. Maria n'était pas influencée par son passé avec Corinna, sa compassion pour Magda ou sa tendance à adhérer à l'opinion qu'avait Lisa de Jay Stewart.

« Le problème, c'est que tu déprimes quand tu n'as pas quelque chose pour t'occuper, comme un chien avec un os », avait conclu Maria d'un ton ferme après le dîner. Aucune des deux ne prêtait vraiment attention au feuilleton historique du dimanche soir de la BBC ; celui-ci atteignait un niveau de bêtise qu'aucune d'entre elles ne pouvait facilement supporter. Le drame qui se déroulait en marge de leurs propres vies était bien plus intéressant.

« Je donne encore quelques cours.

— Ce n'est pas ce que je veux dire. Ton métier consiste à résoudre des problèmes vraiment complexes. Ce qui te réussit, c'est le défi. Quand il n'y en a pas, tu ne sais pas quoi faire de ta peau. C'est dur pour une personne qui t'aime de voir comme c'est difficile pour toi de ne pas avoir un problème avec lequel te débattre. »

Charlie eut un petit rire ironique. « J'ai eu bien assez de problèmes grâce à Bill Hopton.

— Je ne te parle pas de ce genre de problèmes. Je sais que tu essaies de mettre au point un argumentaire pour te défendre devant l'ordre des médecins, mais ce n'est pas le type de défis qui te maintient en bonne forme. Ce qu'il te faut, c'est plutôt une énigme. Un mystère. Quelque chose qui fasse travailler ton imagination. Tu as toujours eu besoin de ça. C'est pour ça que tu t'en sortais si bien avec la police en tant que profileuse. Il fallait résoudre des problèmes de haut niveau. Tu n'as rien fait de tel depuis que tu as dû rendre tes dossiers. Et c'est mauvais pour toi, Charlie.

— Et tu crois que ce dont j'ai besoin pour que mon esprit fonctionne normalement, c'est d'aller remuer les cendres du passé de Jay Stewart ?

— Je ne peux pas répondre à ta place. Mais je suppose que la vraie question c'est : pourquoi pas ?

— D'abord, je ne suis pas détective. Je suis psychiatre. Je ne sais pas comment réunir des preuves et constituer un dossier d'inculpation.

— Ne sois pas bête. C'est exactement ce que tu fais tout le temps. Tu passes ta vie à réunir des preuves sur l'état mental des gens puis à tirer des conclusions à partir de ce que tu en as déduit.

— Ce n'est pas pareil, objecta Charlie. Je ne suis pas flic. Je n'ai pas accès à tout ce que je veux. »

Maria lui donna un petit coup dans les côtes. « Tu observes les flics depuis des années. Tu as assisté à assez d'interrogatoires. Et personne n'est meilleur que toi pour se glisser à l'esbroufe là où il n'est pas censé aller. Qui est-ce qui réussit toujours à nous faire entrer au salon classe affaires des aéroports ? »

Charlie gloussa. « Pas toujours. Tu te souviens de cette vache intraitable à Charles de Gaulle ? J'ai cru qu'elle allait nous faire arrêter.

— N'essaye pas de changer de sujet, Charlie. Si Corinna est même un tant soit peu dans le vrai, alors il est certain que l'enjeu est assez important. Il est question de réparer une erreur judiciaire et d'arrêter une personne qui considère peut-être que le moyen le plus efficace d'obtenir ce qu'elle veut, c'est de tuer. Et si Corinna a raison et que tu le prouves, ça démontrera une fois pour toutes ton intégrité. Ça deviendrait délicat pour l'ordre des médecins de te mettre à l'écart si tu es l'héroïne du jour. »

C'était intéressant, songea Charlie, de constater que le point de vue de Maria sur les bénéfices d'un tel succès devant l'opinion était presque diamétralement opposé à celui de Lisa. Il était difficile de savoir laquelle des deux voyait probablement le plus juste. Charlie appuya sa tête sur l'épaule de Maria. « Ça ne suffirait pas à me blanchir dans l'affaire Bill Hopton, chérie. Elle ne va pas s'effacer, quelle que soit la conclusion de cette histoire avec Jay. Je ne peux toujours pas ignorer le fait que si j'avais insisté plus pour qu'on l'interne, quatre femmes seraient encore en vie. »

Maria émit un murmure désapprobateur. « Tu sais que ce n'est pas vrai. Tu as dit toi-même que rien dans la loi ne permettait de l'enfermer. Il aurait fallu que tu mentes pour le faire interner. Et il aurait fallu que tu persuades un autre médecin de mentir à son tour. Et même si tu avais réussi, il aurait fini par être relâché. Tu le sais. Et ça aurait donc juste été quatre femmes différentes. Alors arrête de culpabiliser et concentre toi sur un problème que tu peux aider à résoudre. Soit tu trouves des preuves contre Jay, soit tu la disculpes. »

Charlie s'étendit sur le canapé et posa sa tête sur les genoux de Maria. « Tu as de solides arguments. Mais il y a autre chose qui me fait hésiter.

— Quoi donc ? » Maria se mit à tripoter les cheveux de Charlie, à y passer sa main, à entortiller des mèches en tire bouchon pour ensuite les regarder se détendre d'un coup. C'était une petite habitude qui apaisait toujours Charlie.

Elle gigota pour se mettre plus à l'aise. « La solidarité lesbienne. Est-ce que je suis en train de jouer les collabos ? Est-ce que je me laisse utiliser dans ce qui est au fond une chasse aux sorcières homophobe ? Est-ce que Corinna m'aurait appelée si Jay avait été un mec ?

— Peut-être. Enfin, sans doute que non, à vrai dire. Mais si Jay avait été un mec, Corinna n'aurait rien su de son passé. La question ne se serait donc jamais posée. »

Charlie sourit. Elle pouvait faire confiance à Maria – Maria la réaliste, la pragmatique – pour résoudre au moins une des questions qui la torturaient avec une explication logique qu'elle aurait dû avoir la jugeote de trouver elle-même.

« Qui plus est, poursuivit Maria, tu n'es pas obligée de faire part de tes conclusions à Corinna. Tu n'es pas détective privé. Elle ne t'a pas embauchée. Tu pourras faire ce qui te paraîtra le plus approprié avec ce que tu découvriras. Le dire ou non à Corinna. Le dire ou non à Magda. Le dire ou non à Jay, même. »

Charlie avait donc cessé de tergiverser et décidé de faire ce que Corinna lui avait demandé. Même si Lisa était persuadée que Jay n'était pas une meurtrière,

Charlie allait partir en quête des informations qui pouvaient encore exister et les évaluer avec vigilance.

Ce choix lui avait paru simple au moment d'aller se coucher, mais au matin, c'était redevenu un problème épineux. Charlie regardait fixement son café en fronçant les sourcils. Très bien, elle s'était décidée à enquêter sur Jay. Mais par où commencer ? Et puis, que cherchait-elle exactement ?

Maria claqua des mains. « Allô ? Il y a quelqu'un ? »

Charlie sourit faiblement. « Je ne sais pas par où commencer », avoua-t-elle.

Maria haussa les épaules. « J'ai toujours été d'avis qu'il faut commencer par le commencement.

— Et dans ce cas-ci, le commencement, ce serait... ?

— Le premier événement que l'on connaisse. La mort de la capitaine de l'équipe d'aviron.

— Et où est-ce que je cherche ? »

Maria se tartina un toast, les sourcils froncés. « À Oxford, bien sûr. C'est arrivé bien avant que tout soit sur Internet. Tu vas devoir aller sur place pour consulter les archives des journaux. Il y a forcément eu une enquête du coroner. Il doit bien y avoir un rapport quelque part ? Et la police aussi a dû enquêter. Tu vas peut-être trouver un vieux flic à la retraite disposé à vendre la mèche, comme dans les meilleurs polars. »

Charlie rigola. « J'ai l'impression que c'est plus ton truc que le mien.

— Tu dois reconnaître que c'est une sacrée histoire. J'imagine qu'il a dû y avoir des rapports complets à toutes les étapes de l'enquête. »

Charlie se sentit quelque peu coupable. Il y aurait certains aspects de ses activités qu'elle ne rapporterait pas à Maria. Peut-être que le fait de fouiller dans le passé de Jay s'avérerait un antidote à son attirance pour Lisa. Elle avait tenté de se convaincre que ses sentiments interdits s'étaient simplement développés pour remplir l'espace disponible, mais ça ne marchait pas. « Je te tiens au courant, dit-elle. Je n'ai pas de cours avant mercredi, donc je peux retourner à Oxford aujourd'hui.

— Bonne idée, dit Maria. Corinna va-t-elle t'héberger ? »

Charlie secoua la tête. « Je ne pense pas que ce soit une bonne idée. Si Magda a annoncé hier à Henry qu'elle était homo comme elle l'avait prévu, il ne va pas faire bon accueil à une autre lesbienne sous son toit. Je vais demander à Corinna de me réserver une des chambres d'amis du collège. Retour à ma cellule spartiate d'étudiante. »

Maria eut un grand sourire. « Sans rien pour te détourner de ta tâche. »

Charlie eut la bonne grâce d'avoir honte. « Pas à Schollie, non », dit elle.

Maria termina sa dernière bouchée de toast et se leva. « Sois prudente, recommanda-t-elle en contournant la table pour venir serrer Charlie dans ses bras. Il pourrait bien y avoir une meurtrière là-bas. »

Ce n'était pas le seul danger, se dit Charlie avec un sourire pâle. Loin de là.

12

Le 4:16 sur l'écran du réveil se transforma en 4:17. Jay bougea avec précaution de peur de réveiller Magda. Elles avaient tendance à dormir les jambes entremêlées et le haut du corps séparé. C'était rapidement devenu une position dans laquelle elles étaient toutes deux à l'aise. Le contact était agréable, mais ce n'était pas facile de se dégager lorsqu'elle se réveillait au petit matin en sachant qu'elle ne pouvait espérer se rendormir. Il en était ainsi depuis la mort de Kathy et les cauchemars qui s'en étaient suivis. Nuit après nuit, Jay s'était réveillée en sueur, le corps rigide. Son rêve était toujours le même : les tourbillons de neige, le froid glacial, la montagne monochrome. Puis le cri imaginé, un cri qui n'avait jamais existé, un cri qui chaque nuit interrompait le sommeil de Jay.

Le cauchemar s'était répété pendant des mois avant qu'elle n'accepte finalement l'idée qu'il ne cesserait pas tant qu'elle ne demanderait pas de l'aide. La personne idéale lui était immédiatement venue à l'esprit – une thérapeute qu'elle connaissait depuis qu'elles étaient étudiantes. Jay avait été stupéfiée par sa réceptivité à l'hypnose. Elle avait toujours imaginé que les tempéraments déterminés comme elle avaient du mal à lâcher prise. Mais elle avait aisément glissé dans cet état second et avait peu de souvenirs de ce qui s'était passé pendant cette phase. Peu importait. Ce qui comptait, c'était que les mauvais rêves s'étaient arrêtés. Elle pouvait aller se coucher avec l'assurance que ses rêves, quels qu'ils soient, n'allaient pas dégénérer et gâcher son sommeil.

Mais cette période de nuits de cauchemars avait changé une chose à tout jamais. Jay avait découvert que, à l'instar de Margaret Thatcher, il lui fallait moins de sommeil que la plupart des gens pour être en parfaite forme. À présent, quatre ou cinq heures suffisaient à la délasser et à la remettre d'aplomb pour une nouvelle journée. C'était, estimait-elle, une des raisons de son succès professionnel. Pendant que les autres gens dormaient encore, elle était déjà devant son ordinateur en train de surfer sur le Web, de traiter ses e-mails, de contacter des gens et de caresser de nouvelles idées. Ou d'écrire.

Elle s'était demandé si le fait de revenir sur ce jour terrible sur Sgurr Dearg ferait ressurgir les mauvais rêves. Elle se l'était demandé, non pas avec angoisse et frayeur, mais plutôt de manière froidement objective, pour comprendre. Cependant, rien n'avait refait surface bien qu'elle ait été submergée par l'émotion en rédigeant le passage sur le moment où elle avait coupé la corde.

Elle avait retrouvé son calme apparent avant que Magda ne revienne d'Oxford troublée et furieuse. Sur la suggestion de Jay, Catherine était restée avec elles pour le dîner, un DVD et une bouteille de vin. Magda s'était apaisée au fil de la soirée et, lorsque sa sœur était repartie, elles étaient allées se coucher en ayant écarté tout conflit éventuel. Elles avaient fait l'amour avec toute l'ardeur nécessaire pour réaffirmer leur lien, puis Jay s'était endormie comme si on avait éteint un interrupteur dans son cerveau.

La journée de dimanche avait été parfaite. Jay était sortie acheter des viennoiseries fraîches et des journaux pendant que Magda dormait encore. Elles avaient traîné au lit à lire et discuter, manger et boire du café, au son du piano de Craig Armstrong. Quand elles s'étaient enfin sorties du lit, elles étaient allées se promener le long du fleuve pour finir par un dîner de bonne heure dans un petit restaurant italien près de St James's Park. « En semaine, c'est bourré de politiciens et de journalistes, avait expliqué Jay à Magda. Mais le dimanche, l'ambiance est complètement différente. » Elle avait le sentiment que sa connaissance intime de Londres était une des choses que Magda trouvait séduisante dans les moments qu'elles partageaient. Il semblait que Philip, malgré tout son argent et sa générosité, avait assez mal connu la ville.

Après le dîner, elles avaient parcouru les rues dans la nuit jusqu'à l'appartement de Magda. Elles n'y passaient pas souvent la nuit, mais elle devait reprendre le travail le lendemain, et Jay avait suggéré que ce serait moins compliqué si elle partait de chez elle. Épuisée par l'air frais et l'exercice, Jay s'était endormie plus facilement que ce n'était en général le cas dans un lit qui n'était pas le sien.

Mais elle était à présent bien éveillée, deux heures et demie avant que le réveil de Magda ne sonne. Avec précaution, centimètre par centimètre, elle retira sa jambe coincée entre les cuisses de Magda. Celle-ci grogna dans son sommeil et se tourna sur le côté, ce qui permit à Jay de se libérer. Elle traversa la chambre à pas feutrés, prit la robe de chambre de Magda au dos de la porte et se dirigea vers la petite pièce qui avait servi de bureau à Philip. Elle savait qu'elle y trouverait un ordinateur qu'elle pouvait utiliser, et elle avait une clé USB dans la poche de son pantalon pour transférer ce qu'elle écrirait sur son propre poste.

Pendant que la machine démarrait, Jay se remémora l'endroit où elle s'était arrêtée le samedi, avant que le téléphone ne sonne et ne la déconcentre. Parfois, toutes les excuses étaient bonnes.

Je me rappelle très mal comment je suis redescendue du Pic In. Tout ce que je sais, c'est qu'il m'a fallu longtemps. La douleur dans mon genou me coupait le souffle chaque fois que je devais appuyer sur ma jambe gauche. Plus d'une fois, j'ai cru être sur le point de rejoindre Kathy au fond de la vallée. Ce n'était pas seulement à cause du poids mort de ma jambe. Et ce n'était pas à cause du temps ; ironie du sort, la météo s'était en effet un peu arrangée, en tout cas assez pour qu'un alpiniste sérieux soit d'une manière générale sûr de pouvoir redescendre en toute sécurité. Non, c'était parce que j'étais anéantie. J'avais entraîné la mort de mon associée et plus proche alliée. Peu importait que je l'aie fait afin que l'une de nous deux survive. J'étais bouleversée. Sans doute au bord de l'hypothermie. Et presque certainement en état de choc.

Tout cela avait pris si longtemps que l'équipe de secours en montagne avait été alertée. J'ai découvert plus tard que je me trouvais à une soixantaine de mètres sous le sommet de Sgurr Dearg lorsqu'ils m'ont retrouvée en train de me traîner vers la vallée avec une lenteur atroce. Ils m'ont enveloppée dans des couvertures de survie et je suis parvenue, malgré un discours haché, à leur raconter ce qui s'était passé. Une des rares choses dont je me souvienne, c'est le regard que deux d'entre eux ont échangé quand je leur ai dit que j'avais dû couper la corde. La pitié et la tristesse que j'ai lues sur leurs visages continuent de me hanter. Je savais que, dans le monde extérieur, j'allais être condamnée et injuriée. Mais ces hommes qui comprenaient la cruauté des montagnes n'avaient aucune colère contre moi dans leurs cœurs.

Ils ont formé un peloton de soutien autour de moi et m'ont ramenée au pied de la montagne. Si un jour vous avez un peu d'argent à donner mais que vous ne savez pas bien à qui, envoyez-le s'il vous plaît aux secouristes de Glen Brittle. Ces gars sont incroyables. Être capable sans une hésitation de partir de nuit dans une tempête de neige pour aider un inconnu, voilà une démonstration de courage comme on en voit peu dans le monde moderne. J'aurais pu mourir ce jour-là.

À cette époque, toutefois, l'idée d'être en vie m'est apparue comme une bénédiction toute relative. Le décès de Kathy était un coup terrible. Perdre son amitié, son sens des affaires, sa compagnie – tout cela était difficile à supporter. Mais on ne m'a pas laissée pleurer sa mort en paix. Ce qui nous était arrivé sur le Pic In a immédiatement fait sensation dans les médias. En tant que propriétaires d'une des principales sociétés en ligne britanniques, Kathy et moi avions l'habitude de voir nos noms dans les pages économie. Cela nous plaisait assez – nous étions fières de ce que nous avions accompli.

Mais ce phénomène-ci était très différent. N'importe quel accident d'alpinisme dans lequel une personne aurait péri à cause d'une corde coupée aurait fait la une de la plupart des journaux pendant un jour. Mais étant donné qui nous étions et le moment où cela avait eu lieu, cette histoire avait tout pour durer. J'ai donc dû lutter contre les sollicitations perpétuelles de journalistes insatiables qui n'arrivaient pas à décider si j'étais une héroïne tragique ou un monstre malfaisant.

Comme si cela ne suffisait pas, j'étais au beau milieu d'une très importante transaction. En réalité, Kathy et moi n'aurions pas dû nous éclipser dans les Cuillin au moment où nous l'avions fait, car nous étions au cœur de la période la plus cruciale de toute notre vie professionnelle jusque-là. Ce que personne, excepté les contractants, n'avait su lorsque nous étions parties sur Skye, c'était que Kathy et moi étions en train de revendre topdepart.com. J'avais eu depuis des semaines des entretiens secrets avec Joshua Pitt, le directeur général d'AMTAGEN, et l'accord était sur le point d'être signé quand la météo nous avait offert l'occasion parfaite pour cette ascension dont nous avions toujours rêvé. Mais maintenant que Kathy avait disparu, par égard pour tous ceux qui travaillaient pour nous, je devais trouver un moyen de conclure ce marché. Le problème était que Kathy détenait la moitié de topdepart.com, et bien que nous ayons toutes les deux rédigé des testaments léguant nos moitiés respectives de la société à l'autre, cela prend du temps de transmettre un héritage. Les avocats de la société devaient convaincre les exécuteurs testamentaires de Kathy qu'il était dans l'intérêt de la personne à qui elle avait légué ses parts de topdepart.com de les vendre. Même s'il s'agissait de la même personne qui tentait de les persuader de vendre les parts... J'avais parfois l'impression d'être Alice au pays des merveilles. De toute ma vie, je n'ai jamais subi une telle pression.

Ce qui était pire que cette pression, c'était de ne pas avoir le temps de faire mon deuil. J'avais envie de m'insurger contre cette mort, de pleurer devant un tel gâchis, de maudire ce moment d'inattention qui avait coûté la vie à Kathy. Mais je devais rester aimable envers la presse, les avocats et les personnes qui essayaient de racheter mon entreprise.

J'ai parfois l'impression de n'avoir jamais vraiment eu l'occasion de pleurer la perte de Kathy.

Au lieu de cela, je me suis appliquée à préserver les emplois de tous ceux qui travaillaient pour nous. Je croyais sincèrement que j'allais leur offrir l'occasion de gravir de nouveaux sommets au sein d'une société bien plus grande, une entreprise qui avait de vraies ambitions pour l'avenir du numérique.

Nous avons conclu la vente le 9 mars 2000, trois semaines après le décès de Kathy. Et le 10 mars, la bulle Internet éclatait.

Un mois après que j'ai vendu topdepart.com, AMTAGEN avait perdu quatre-vingt dix pour cent de sa valeur.

Jay passa la main dans ses cheveux en pétard. Elle était sur un terrain glissant. Elle avait perdu son associée mais avait au moins réussi à préserver son capital. N'importe quelle personne assez intéressée pour faire une petite recherche découvrirait rapidement que la vente de topdepart.com lui avait rapporté 237 millions de livres. Ce n'était pas la peine d'écœurer ses lecteurs en en rajoutant. Le moment était plutôt venu de déformer un peu la vérité de manière judicieuse.

Par pur hasard, Kathy et moi avions entrepris de vendre topdepart.com au parfait moment. Grâce notamment à sa compréhension de l'univers d'Internet, j'étais une femme très riche.

J'aurais tout donné pour récupérer Kathy.

« Tu parles », dit Jay à voix haute en enregistrant le fichier et en le transférant sur sa clé USB avant de l'effacer de l'ordinateur de Magda. Elle se recula en poussant sur le bureau et s'étira voluptueusement. Si elle réveillait Magda maintenant, elles auraient le temps de faire l'amour avant qu'elle ne parte au service de cancérologie. Jay sourit. Rien de tel qu'un peu de travail de bon matin pour éveiller ces appétits.

13

Charlie avait passé un nombre incalculable d'heures dans des bibliothèques d'Oxford. Mais elle n'avait jamais franchi le seuil de la bibliothèque municipale. Bizarrement située au beau milieu du centre commercial de Westgate, cette structure de béton, de verre et d'acier restait plus moderne que la plupart des bâtiments où elle avait étudié. Elle ne pensait pas que les usagers souffraient ici de la présence des touristes qui se hissaient aux fenêtres pour prendre des photos, comme cela arrivait régulièrement aux étudiants dans la Radcliffe Camera. Elle ne pensait pas non plus devoir prêter serment avant de pouvoir consulter son fonds. Charlie se rappelait encore avoir été enchantée de devoir promettre de ne jamais apporter de feu ou de flamme à l'intérieur de la Bodleian Library avant qu'on lui remette une carte de lectrice.

En un quart d'heure, Charlie se trouva installée devant un lecteur de microfiches avec les films du journal local qui l'intéressaient. Elle connaissait déjà la date du décès de Jess Edwards, et une recherche préliminaire sur Internet lui avait indiqué la date de l'enquête du coroner. Elle s'attela à la tâche fastidieuse de parcourir les pages, en s'efforçant d'ignorer l'homme assis devant le lecteur voisin qui tantôt reniflait bruyamment et tantôt grattait diverses parties de son corps. Sa manière languissante de tourner le bouton de sa machine convainquit Charlie qu'il était seulement là pour passer le temps dans un endroit chaud.

Mais lorsqu'elle trouva le premier article sur la mort de Jess, elle oublia vite toute distraction. C'était là, noir sur blanc.UNE ÉTUDIANTE VEDETTE SE NOIE TRAGIQUEMENT, annonçait le titre.

Tôt ce matin, une étudiante a été retrouvée morte dans la rivière Cherwell au collège St Scholastika.

Jess Edwards, une rameuse passionnée, a été découverte dans l'eau près du hangar à bateaux du collège par ses coéquipières quand celles-ci sont arrivées pour leur entraînement matinal. Les secours n'ont pas pu la ranimer sur les lieux et elle a été déclarée morte à leur arrivée à l'hôpital John Radcliffe.

D'après une des étudiantes qui l'a trouvée, elle semblait avoir subi une blessure à la tête. La police a déclaré que sa mort avait tout d'un tragique accident.

Jess, vingt ans, était étudiante en deuxième année de géographie à St Scholastika. Elle était capitaine de l'équipe d'aviron à huit du collège et avait déjà été sélectionnée comme représentante d'Oxford dans sa discipline. Elle était membre du bureau des étudiantes du collège et était en lice pour en devenir présidente.

Une amie a déclaré : «Tout le collège est en deuil. Tout le monde adorait Jess. C'est un coup terrible.»

Charlie fit une moue moqueuse. Cette citation était une invention tellement évidente. Si le journaliste avait parlé à une étudiante de Schollie, Charlie voulait bien danser nue dans le centre commercial. Mais ce qui était plus ennuyeux que la paresse du journaliste, c'était que l'article ne lui apprenait rien qu'elle ne sût déjà.

Elle survola les éditions des jours suivants, mais il n'y avait pas d'articles de suivi. La mort de Jess avait fait grand bruit à St Scholastika, mais le décès accidentel d'une étudiante n'était pas un événement aussi important aux yeux des habitants d'Oxford n'appartenant pas au milieu universitaire. À cet égard, songea Charlie, l'université était aussi nombriliste qu'un petit enfant – le centre de son propre univers, ébahi que le reste du monde ne voie pas les choses de son point de vue.

Charlie retira la bobine et en chargea une autre qui couvrait la période de l'enquête du coroner sur la mort de Jess. Lorsqu'elle trouva ce qu'elle cherchait, elle fut surprise de lire le titre MORT ÉVITABLE D'UNE ÉTUDIANTE.

La noyade d'une étudiante prometteuse aurait pu être évitée par une simple mesure de sécurité, a indiqué le coroner d'Oxford au jury de l'enquête.

Jess Edwards est morte dans la rivière Cherwell après s'être cogné la tête sur le bord de l'appontement du hangar à bateaux du collège St Scholastika en novembre dernier. Mais si l'établissement avait posé un revêtement antidérapant, ce tragique accident n'aurait peut-être pas eu lieu.

Concluant à un décès accidentel, le coroner David Stanton a déclaré : «Nous ne pouvons être certains de ce qui s'est passé ce matin-là près du hangar à bateaux, mais d'après les éléments criminalistiques, il semble clair que Mlle Edwards a glissé et s'est cogné la tête sur le bord de l'appontement en tombant dans l'eau. Les spécialistes ont indiqué que ce coup lui avait presque assurément fait perdre connaissance, ce qui a subséquemment provoqué sa noyade.

«Je n'impute aucune responsabilité au collège St Scholastika, cependant il paraît clair que si l'appontement avait été équipé d'un revêtement antidérapant, cet accident aurait pu ne jamais se produire. Je conseille vivement à tous les collèges et clubs d'avirons de contrôler d'urgence l'état de leurs appontements.»

Après le rapport d'enquête du coroner, Terry Franks, avocat de la famille Edwards, a lu un communiqué en leur nom. «Nous sommes satisfaits des conclusions de l'enquête. Nous approuvons les observations du coroner, mais nous n'accusons personne de ce qui est un authentique accident.»

Lorsqu'on lui a demandé de commenter les réflexions du coroner, Wanda Henderson, directrice de St Scholastika, a affirmé : «La mort de Jess Edwards a été un coup pour ce collège. Nous avons déjà entrepris de revoir entièrement la sécurité de la zone entourant le hangar à bateaux et avons réalisé des améliorations significatives, notamment la pose de revêtement antidérapant sur toutes les surfaces extérieures. Nous souhaitons présenter nos plus sincères condoléances à la famille de Jess.»

Et c'était tout. Charlie était étonnée de la réaction de la famille. Le mouvement naturel après la mort accidentelle d'un enfant est de vouloir trouver un responsable. Dans la situation des Edwards, beaucoup de familles auraient crié à la négligence et engagé des poursuites contre le collège au lieu d'accepter sans faire de vagues l'idée que Schollie n'était pas responsable de la mort de leur fille. Cela dénotait une maturité remarquable de la part des parents. Ou peut-être que la mère était elle-même une ancienne de Schollie d'une profonde loyauté envers le collège qui l'avait éduquée. Dans tous les cas, cela n'aidait en rien Charlie. Elle aurait pu tirer parti de l'amertume et du ressentiment chez la famille, même après tout ce temps. Accepter calmement cette mort était la voie la plus sage, mais pour une fois, Charlie aurait préféré une réaction passionnelle.

Avec un soupir, elle éteignit le lecteur et rendit les films au bibliothécaire. Charlie retraversa la zone piétonne en direction de Carfax, dont la tour médiévale ridiculisait les devantures éphémères qui l'entouraient. Elle se retrouvait déjà dans une impasse. Ce qu'il fallait qu'elle voie, c'était le rapport de l'enquête judiciaire, mais elle avait bien compris après un appel au bureau du coroner que ce ne serait pas possible sans l'autorisation de la famille de Jess Edwards. Le fait de n'avoir aucun statut officiel faisait expérimenter à Charlie un degré de frustration qu'elle n'avait jamais connu jusque-là.

Elle descendit Cornmarket Street puis continua sur Banbury Road en direction de Schollie. Elle avait garé sa voiture dans une petite rue voisine, une des premières où les limitations de stationnement du centre-ville ne s'appliquaient pas. Chemin faisant, Charlie considéra ses options, qui étaient limitées. Elle ne voulait pas s'avouer déjà vaincue, mais elle ne voyait pas comment avancer dans son enquête sur la mort de Jess Edwards. Elle devait peut-être simplement accepter l'idée que ce n'était pas avec cette mort qu'elle allait compromettre Jay. Et si c'était le cas, ça ne servait pas à grand-chose de traîner davantage à Oxford. Elle avait espéré trouver quelque chose qui la ferait rester assez longtemps pour revoir Lisa. Mais elle ne pouvait justifier le fait de rester dans les parages si elle n'avait pas de pistes à suivre.

Cependant, il n'y avait rien de mal à passer devant chez elle à tout hasard. C'était presque l'heure du déjeuner, après tout. Même Lisa devait s'arrêter pour manger à un moment donné.

En évitant le centre-ville, il ne fallait pas trop longtemps pour arriver au village d'Iffley. Charlie passa au ralenti devant chez Lisa et fut déçue de voir une autre voiture dans l'allée à côté de son Audi. Mais peut-être que ce visiteur n'allait pas rester longtemps. Charlie trouva une place qui lui offrait une vue sur la porte d'entrée de Lisa et son allée et s'y gara pour patienter.

En attendant, elle réfléchit à ce qu'elle allait faire ensuite. À l'évidence, elle devait à présent se pencher sur la mort de Kathy Lipson sur l'île de Skye. Les articles à ce sujet ne manquaient pas sur Internet, mais il lui fallait aller au-delà des gros titres et parler à quelqu'un qui comprenait ce qui s'était réellement produit. Ce qui impliquait sans doute de se rendre à Skye. Tout cela commençait à coûter cher. Charlie se demanda si Corinna avait pensé à cet aspect de ce qu'elle lui avait demandé.

D'un autre côté, si elle acceptait de l'argent de Corinna, même s'il ne s'agissait que de défraiement, elle se trouverait liée par un engagement. Si Corinna payait pour cette enquête, elle était en droit d'en réclamer les résultats. Et Charlie voulait rester maîtresse de ce qu'elle pourrait découvrir. Elle ne voulait pas se retrouver dans une position qui lui interdirait de partager des informations avec quelqu'un parce que Corinna ne le souhaitait pas. Malgré toute l'admiration qu'elle avait pu avoir autrefois pour Corinna, elle n'avait pas aujourd'hui une confiance aveugle en elle. À tout prendre, Charlie décida qu'elle financerait sa rédemption de sa poche. Désormais il lui restait seulement à mettre la main sur les renseignements qui lui permettraient de trouver son salut.

Charlie avait beau s'efforcer de développer une stratégie pour la phase suivante, elle en revenait toujours à Jess Edwards. L'idée que Jay avait peut-être commis le meurtre parfait insupportait Charlie. Et ce d'autant plus qu'elle ne pouvait rien y faire.

La sonnerie de son téléphone la tira en sursaut de sa rêverie. Maria, indiquait l'écran. Mal à l'aise à l'idée de prendre un appel de sa compagne alors qu'elle guettait la maison de la femme qu'elle voulait pour amante, Charlie prononça un « Salut » aussi maussade qu'elle l'était.

« Je viens de voir mon dernier patient du matin et je me suis dit que j'allais te passer un coup de fil. Comment ça se passe ? » Maria, enjouée, optimiste. Celle qui l'avait toujours poussée à avancer.

« Je suis dans une impasse, dit Charlie. Les articles de journaux ne disent rien que je ne sache déjà. Le rapport d'enquête a été transféré aux archives du comté, et je ne peux pas y accéder à moins de compter parmi les parties concernées. Comme la famille de Jess, en bref.

— Ma pauvre, dit Maria. Et la police ?

— Je ne me suis même pas donné la peine de leur parler. Personne ne va se rappeler qui était chargé d'enquêter sur une mort accidentelle il y a dix-sept ans. Il n'y a jamais rien eu de suspect officiellement, ça n'aura donc certainement marqué personne à la Crim.

— Non, non, ce n'est pas ce que je voulais dire.

— Quoi, alors ?

— Est-ce que la police ne pourrait pas avoir accès au rapport d'enquête ?

— Je suppose. Mais ça ne m'avance à rien. Je ne suis pas de la police.

— Bon sang, Charlie, fit Maria d'un ton qui équivalait verbalement à lever les yeux au ciel. Tu n'es peut-être pas policière, mais tu en connais plein. »

Charlie lâcha un petit rire. « Dont la majorité veut aujourd'hui oublier qu'elle a même jamais entendu mon nom.

— Je ne pense pas forcément à ceux avec qui tu as travaillé. Et Nick ? Il te voue un véritable culte.

Tu le sais. Il t'a envoyé une carte quand on t'a suspendue, tu te souviens ? »

Charlie grogna. « Tu as raison. Pourquoi n'ai-je pas pensé à Nick ? Oh, oui. Serait-ce parce que c'est un jeune flic ambitieux qui ne va pas mettre en danger sa carrière juste parce que je me suis transformée en Don Quichotte ?

— Tu ne peux pas savoir avant de lui avoir demandé. Appelle le. Il est à deux pas. Tu pourrais l'emmener dîner et lui poser la question.

— À deux pas, marmonna Charlie. Il est à Londres.

— C'est ce que je veux dire. C'est à deux pas. Ou tu pourrais prendre un train. C'est toujours mieux que de rentrer ici la queue entre les jambes, signala Maria. Qu'est-ce que tu as à perdre ? S'il refuse, tu ne seras pas plus mal lotie que maintenant. »

Elle avait raison, et Charlie le savait. « D'accord, soupira-t-elle. Je vais lui passer un coup de fil. Comment s'est passée ta matinée ? » ajouta-t-elle en se rappelant soudain que Maria aussi avait une vie professionnelle.

Celle-ci gloussa. « Rien qui mérite d'être raconté. Mais il faut que je te laisse maintenant et que je me lave les mains pour mon premier rendez-vous de l'après-midi. Je dois enfoncer deux vis en titane dans la mâchoire d'un footballeur. Je pense qu'il a dû passer toute son adolescence à sucer des bonbons, vu l'état de ses dents. Je t'aime. Tu me rappelles plus tard, d'accord ?

— Promis. » Charlie raccrocha juste à temps pour voir s'ouvrir la porte d'entrée de Lisa. Elle reconnut l'homme qui sortait, chargé d'une sacoche d'ordinateur. Tom, le collègue qui s'était trouvé là quand elle était arrivée le samedi. Lisa le suivit sur le pas de sa porte. Elle portait ce qui semblait être une version occidentalisée du *salwar kameez* : une longue chemise sans col et un pantalon bouffant resserré aux chevilles, tous deux d'un turquoise vif. Elle était pieds nus mais ne semblait pas remarquer le froid. Tom se tourna vers Lisa et passa son bras libre autour de son épaule. Lisa posa les mains sur le torse de Tom et se blottit contre lui.

Leur baiser dépassa de loin ce à quoi Charlie s'attendait entre une patronne et son subalterne. Certes, ce n'était pas comparable à ce que Lisa et elle avaient partagé de l'autre côté de la porte, mais aucun des deux ne paraissait avoir été pris au dépourvu. Ce geste semblait habituel ; comme un fragment de quelque chose qui allait plus loin.

Charlie réprima une subite nausée. La dernière chose qu'elle voulait à cet instant, c'était être surprise en train de vomir sur cette bordure de gazon qu'on ne pouvait rater de chez Lisa. La détresse qu'elle ressentait était suffisamment pénible pour ne pas devoir y ajouter une dose d'humiliation. Une petite voix dans sa tête lui répétait : « Tu l'as échappé belle. » Le problème était que Charlie n'y croyait toujours pas vraiment.

Ce n'était pas terminé.

14

Le sergent-détective Nick Nicolaides échangea sa guitare National contre sa Martin D16 et vérifia l'accordage. C'était sa première journée de congé où il ne se faisait pas rattraper par son travail depuis plus de deux semaines, et il était bien décidé à poser les pistes de guitare d'accompagnement pour le nouveau morceau qui lui trottait dans la tête depuis des jours. Il savait que ses collègues se méfiaient de lui parce qu'il ne s'intéressait ni au foot, ni à la pêche, ni à la boxe, ni à la gonflette, ni à aucune autre activité qui faisait de vous un vrai mec. Il n'y avait pas de mal à aimer la musique tant qu'il s'agissait d'avoir les bons disques dans sa bagnole ou sur son lecteur MP3. Mais vouloir passer son temps libre à faire de la musique seul ou avec une bande de pékins, c'était vraiment bizarre.

Ce qu'ils ne savaient pas, c'est que la musique était ce qui empêchait Nick de devenir fou, lui permettait de préserver son identité propre. La musique était le dernier vestige de sa vie d'avant. C'était le pont qui couvrait une distance que la plupart de ses collègues n'auraient pas pu imaginer.

C'était un miracle qu'il soit sorti de l'adolescence sans un casier bien chargé. Un type moins malin, moins rapide sur ses jambes, moins capable de brouiller les pistes aurait fêté ses vingt ans en garde à vue plutôt qu'à l'université.

Mais c'était un passé secret. Et Nick avait bien l'intention qu'il le reste. Il gravissait rapidement les échelons depuis le début de sa carrière dans la police. Il avait d'abord rapidement évolué grâce à sa licence en psychologie avec mention très bien, mais il avait ensuite prouvé son aptitude aussi bien à l'École nationale de police qu'en première ligne. C'était un jeune homme qui faisait son chemin. Et il n'oubliait jamais que si tout cela était devenu possible, c'était grâce à Charlie Flint.

Nick avait été admis de justesse dans le cursus de psychologie à Manchester, avec des résultats ultra-limites pour une branche aussi demandée. S'il avait choisi d'aller à l'université, c'était essentiellement pour étendre la clientèle de son trafic de drogue et pour repousser le moment où il devrait envisager une carrière qui serait incompatible avec le fait de jouer de la musique, de prendre de la drogue et de baiser des nanas trop bêtes pour l'envoyer balader. En quelques semaines, malgré lui, il avait découvert qu'en fait certains aspects de ce cours auquel il s'était inscrit l'intéressaient. Et ce principalement grâce au Dr Charlie Flint.

C'était le seul prof du département sur lequel il était tombé qui était psychiatre et non psychologue. Son travail nécessitait une formation de médecin ; et ce qui était presque aussi intéressant que ce qu'elle avait à dire, c'était qu'elle pouvait prescrire des drogues autorisées. Et elle lui semblait assez jeune dans le métier pour ne pas savoir comment lui tenir tête. Au milieu du premier semestre, il était allé la voir pour lui faire une proposition qu'elle ne pouvait d'après lui pas refuser. Elle lui ferait des ordonnances pour des trucs qu'il revendrait. En échange, il la paierait. Et surtout, il ne ferait pas de sa vie un cauchemar. Quand elle lui avait demandé ce qu'il entendait par là, il avait répondu : « Je ne suis pas quelqu'un qui manque d'imagination. Croyez-moi, vous ne voudriez pas connaître ça.

— Essayez voir, avait-elle dit en se carrant dans son fauteuil de bureau, les mains croisées derrière la tête, l'insouciance incarnée.

— Eh bien, pour commencer, il y a le harcèlement sexuel, avait expliqué Nick. Pour une femme de votre âge, c'est pas joli-joli d'être accusée de s'être jetée sur un jeune étudiant. » Elle avait ri aux éclats, ce qui l'avait offusqué. « Ne croyez pas que je le ferais pas.

— Ne vous gênez surtout pas, avait répondu Charlie. Mais avant ça, laissez moi simplement vous dire une chose. La manière dont vous avez choisi de m'agresser me laisse entendre que vous avez bien plus besoin de ce cours que vous ne le pensez.

— Comment ça ? » En général, les gens cédaient à toutes les exigences de Nick. Il était à la fois attirant et menaçant, jouant tour à tour le rôle de la carotte et du bâton.

« Vous ne comprenez pas ? Dans ce cas, il ne vous reste qu'à passer à l'action et à vous ridiculiser totalement. » Charlie s'était redressée et avait posé les mains à plat sur le bureau. « Et je compte bien que vous le fassiez depuis une cellule de commissariat. Ce que vous ne savez pas à propos de moi, Nick, c'est que je travaille avec la police. J'ai des amis qui prendront un malin plaisir à ne pas vous lâcher d'une semelle et à vous pincer pour tout, jusqu'au moindre détritus jeté par terre. Et je vous balancerai. Ne vous y trompez pas. J'avais dans l'idée que vous essayiez d'étendre votre petit empire dégueulasse à mes étudiants mais je n'en étais pas sûre. Maintenant oui. Et je ne le tolérerai pas.

— Vous me menacez ? » Il était amusé, mais aussi scandalisé. Pour qui cette putain de grosse vache se prenait-elle ? Et surtout, comment ne pigeait-elle pas qui il était, ce qu'il était ?

Charlie avait haussé les épaules. « Ce n'est pas une menace. C'est un avertissement. Vous êtes un jeune homme très intelligent. La dissertation que vous m'avez rendue la semaine dernière a clairement été expédiée à la dernière minute. Et sans doute sous cocaïne. Vous n'aviez manifestement pas lu la majorité des textes. Pourtant c'est un des meilleurs travaux que j'aie jamais vus de la part d'un étudiant dans son premier semestre. À mon sens, vous avez deux possibilités. » Elle avait écarté les mains comme si elle mettait littéralement ces choix en balance. « Vous pouvez continuer à vivre comme aujourd'hui. Bâtir un empire du crime. Ne jamais dormir la nuit de peur d'être trahi et envoyé en prison, voire pire. Ou vous pouvez exploiter votre potentiel. Travailler un peu. Montrer à quel point vous êtes en fait doué. Dormir la nuit. »

À certains égards, ça avait été une prise de conscience assez anodine. Ce que Charlie ne pouvait alors savoir, c'était à quel point Nick se trouvait sous pression. De la part de sa famille, des dealers plus haut placés dans la chaîne, des flics qui sévissaient contre le deal avec des gosses trop jeunes pour sortir en boîte. Jusque-là, il avait évité les ennuis. Mais il voyait bien ce qu'elle voulait dire. Ça ne durerait pas. Il finirait par se faire moucharder et il n'aurait plus d'alternative. « Pour devenir comme vous ? » était tout ce qu'il avait trouvé à répliquer. Il avait immédiatement perçu la faiblesse de sa réponse.

« Je vous aiderai », avait dit Charlie. Et elle l'avait fait. En trois ans, il avait totalement changé de vie. Au moment de ses examens de dernière année, il ne consommait même plus. Il étudiait et faisait de la musique. Il n'avait de temps pour rien d'autre.

Il avait également compris pourquoi Charlie avait trouvé si amusant qu'il la menace de l'accuser de harcèlement sexuel. Il rougissait aujourd'hui en repensant au petit con qu'il avait été alors.

Aussi, quand l'écran de son téléphone afficha son nom au milieu de son premier essai pour ce nouveau morceau, il abandonna son arpège pour décrocher. « Charlie, dit-il.

— Bonjour, Nick. Je ne te dérange pas ? Tu peux parler ?

— Je suis en congé, dit-il. Je commençais à ne plus savoir à quoi ça ressemblait.

— Je suis désolée. Je te rappelle demain si c'est mieux ?

— Non, Charlie. C'est toujours un plaisir de te parler. Comment ça va ? Quoi de neuf ?

— Ben, c'est un peu compliqué.

— C'est pas Maria, si ? Elle va bien, hein ?

— Oui, elle va bien. C'est juste que... En fait, je suis au beau milieu d'une affaire et j'aurais bien besoin d'un petit coup de main. Mais je ne veux pas entrer dans les détails au téléphone. Je peux t'inviter à dîner ? »

Nick regarda l'heure. Il était à peine deux heures. « Pour le dîner, je ne vais pas pouvoir, indiqua-t-il. Un de mes copains a réservé un studio, j'ai promis de lui faire quelques accompagnements. Tu es à Londres ?

— Non. Je suis à Oxford.

— Écoute, je ne suis qu'à dix minutes à pied de Paddington. Tu es prise cet après-midi ? Tu peux sauter dans un train ? Tu pourrais être ici pour quatre heures. Je peux rester jusqu'à six heures. Ça irait pour toi ? »

Charlie remarqua que les nouveaux logements du quartier de Paddington Basin englobaient deux extrêmes : soit on avait une super vue sur les toits de Londres, soit on avait une vue sans pareille sur la voie express ouest sur pilotis et son flot interminable de voitures. En attendant l'ascenseur, elle fit un pari avec elle-même. Quelques minutes plus tard, elle se félicitait d'avoir vu juste. Nick n'avait pas opté pour une adresse luxueuse au prix d'une vue minable. Le panorama depuis le mur de verre qui fermait un côté de son salon était époustouflant. La pièce elle-même était consacrée à la musique : des guitares suspendues à un mur, un clavier posé sur un long bureau à côté d'une rangée de périphériques informatiques, une batterie de micros et de pupitres à musique dans un coin. Un canapé en cuir mou était installé face à la vue, seule concession au mobilier de salon habituel. « C'est tout à fait toi, remarqua Charlie en balayant la pièce du regard.

— Pas besoin d'être psychologue pour deviner que la musique est très importante pour moi, dit Nick en ricanant. Je vais chercher le vin. »

Charlie le regarda disparaître dans l'étroite kitchenette. Il avait bonne mine, songea-t-elle. Quand elle l'avait rencontré, il ressemblait au roi des chats de gouttière : tout maigre, sauvage, plein de vie et beau dans le style pirate. Il avait un peu forci, musclé son corps sec, appris à se faire discret. Son jean tombait sur ses hanches étroites, sa chemise n'était pas repassée, ses cheveux étaient plus ébouriffés que la dernière fois qu'ils s'étaient vus. Il n'avait pas l'allure d'un flic en congé. C'était un de ses atouts dans son métier. Il revint avec une bouteille de vin rouge corsé et deux verres droits et lui adressa ce sourire éclatant qu'elle connaissait bien, ses yeux marron plissés aux coins. « Tu as bonne mine, lui dit-elle.

— C'est une illusion. J'ai besoin de vacances. Je suis tout le temps fatigué. » Il se jucha sur le bord d'un haut tabouret en bois, servit le vin et en passa un verre à Charlie. « Santé. » Il se pencha en avant pour trinquer, et elle respira son odeur : une légère senteur musquée couvrant le parfum piquant de son shampoing aux agrumes.

« Trop de travail ou trop de musique ? »

Il rigola. « Trop de musique. » Il montra ses guitares d'un geste du pouce. « Plus je vois d'horreurs au boulot, plus j'ai envie de me noyer dans la musique. Mais assez parlé de moi. » Il secoua la tête. « Ils ont perdu la boule ou quoi ? Virer la meilleure profileuse et analyste du milieu ? Je n'arrive pas à croire ce qui t'arrive.

— Tu devrais. Tu es dans le métier depuis assez longtemps.

— Et qu'est-ce que je peux faire pour t'aider ? C'est pour ça que tu es là, non ? Pour que je t'aide ? »

L'empressement de Nick lui donna la sensation d'être aimée, une sensation qu'elle avait rarement éprouvée depuis le second procès de Bill Hopton. « J'aimerais que mes problèmes professionnels soient assez simples pour que tu puisses m'aider, déclara-t-elle. Mais je suis ici pour une raison tout à fait différente. »

Nick la regarda d'un air interrogateur. « Tu es venue pour le flic, pas pour l'ami ?

— J'aime penser que les deux sont de mon côté, dit Charlie. Laisse-moi te raconter dans quoi je me suis lancée. » Elle lui exposa brièvement la tâche qu'elle avait acceptée de la part de Corinna, sans rien omettre sauf sa discussion avec Lisa Kent. La dernière chose qu'elle voulait, c'était aborder le sujet Lisa avec une personne aussi perspicace que Nick. « Maria veut que j'accepte, termina-t-elle. Elle pense que j'ai besoin d'un défi pour m'éviter de devenir folle. Mais je n'ai ni les compétences ni l'accès aux informations nécessaires à cette mission. »

Nick lui jeta un regard sceptique. « Tu as les compétences, objecta-t-il. Pas de doute là-dessus. Je n'ai jamais vu de meilleur enquêteur. Mais tu as raison, l'accès aux informations est un problème.

— Oui. Si je veux avancer dans mes recherches sur Jess Edwards, il me faut ce rapport sur l'enquête du coroner. Je ne suis pas habilitée à le consulter. Mais toi oui. »

Nick secoua la tête et Charlie se sentit tout à coup abasourdie. Elle avait cru pouvoir compter sur Nick, mais elle semblait s'être fourvoyée. C'était un coup dur. Cependant, sa réponse ne fut pas celle qu'elle avait imaginée. « Tu n'as pas besoin de ce rapport d'enquête.

— Comment avancer autrement ?

— Si le coroner avait révélé quoi que ce soit d'important devant le jury, ça aurait fini dans les journaux. À mon avis, on a conclu dès le départ à un accident, et la PJ s'est à peine penchée dessus. Il n'y aura rien du tout dans les dossiers de la police et pas un flic en circulation ne se souviendra de cette affaire. La seule personne qui pourrait avoir quelque chose à dire – et je dis bien “pourrait” –, c'est le médecin légiste. Ils remarquent parfois des choses qui n'apparaissent pas dans le rapport définitif parce qu'elles sont trop insignifiantes. Ou parce qu'il s'agit de détails inutiles pour la résolution de l'affaire. La seule chose qu'il te faut dans le rapport d'enquête, c'est le nom du médecin légiste qui a pratiqué l'autopsie.

— Et comment j'obtiens ça ? »

Nick eut un sourire en coin. « Tu ne fais rien. Je m'en charge. Je vais appeler les archives du comté et les baratiner pour qu'ils me le donnent.

— Ça ne te dérange pas ?

— Ça me changera un peu. » Il détourna les yeux. « En ce moment, je travaille sur le trafic d'enfants dans l'industrie du sexe. Tout ce qui ne touche pas à ça, c'est comme des vacances. Je ferai ça à la première heure demain matin. Il faut que je passe ce coup de fil depuis le boulot pour qu'ils puissent me rappeler et vérifier mon habilitation, sinon je le ferais tout de suite. Est-ce que tu seras toujours à Oxford ? »

Charlie se sentit tout d'un coup abattue. Oxford sans la perspective de passer le temps avec Lisa. Parce qu'elle ne pouvait plus l'envisager à présent, malgré toute la peine que ça lui faisait de lui tourner le dos, pas après ce qu'elle avait vu plus tôt. Elle soupira. « Ouais, j'y serai toujours.

— D'accord. Je t'appelle dès que j'ai ce qu'il te faut. » Il se pencha et remplit à nouveau le verre de Charlie. « Tu veux écouter ce que j'ai fait récemment ? »

Charlie ne put réprimer un sourire tant elle admirait sa capacité à rebondir. « Pourquoi pas ? » dit-elle. Ce serait forcément mieux que d'écouter les débats qui faisaient rage dans sa tête.

15

Mardi

D'autres auraient pu la décevoir, mais Nick n'avait pas fait faux bond à Charlie. Juste après dix heures, il lui envoya un SMS avec tout qu'il lui fallait savoir. *Dr Vikram (Vik) Patel. Tjs @ Hôp. John Radcliffe*. Au moins, le Dr Patel était à Oxford. Elle pouvait essayer de le voir le jour même puis quitter Oxford avant que la déprime qui la guettait ne s'empare vraiment d'elle.

Nick lui avait offert le dernier moment agréable de sa journée en lui faisant écouter ses compositions de guitare aux arrangements complexes. Elle avait ensuite pris un train surchauffé et bondé, acheté un plat chinois gras et fade à emporter sur le chemin de sa triste chambre à Schollie, et Maria était allée au cinéma avec un collègue si bien qu'elle n'avait même pas pu s'épancher. Lorsqu'elles avaient finalement pu parler, Charlie, trop fatiguée, n'en avait plus trouvé le courage. La seule chose dont elle pouvait s'enorgueillir, c'était de s'être tenue à distance de Lisa : ni coup de fil, ni SMS, ni e-mail, ni même un coup d'œil à sa page Facebook.

Malgré l'épuisement, elle avait eu un sommeil agité. À un moment donné elle avait failli tomber du lit étroit et s'était réveillée *in extremis*. « Je n'arrive même plus à rester couchée dans un lit, maintenant, avait-elle dit à voix haute. C'est simplement moi ou est-ce que tout déconne ? » En toute objectivité, elle devait admettre que c'était juste elle. Elle aurait parfois souhaité prendre goût à la drogue. Au moins, cela aurait tenu le monde à distance.

Le petit déjeuner avait été un supplice. Des visages de ses années d'étudiante n'avaient cessé de défiler ou de s'arrêter pour la saluer. Des employés de cuisine aux profs du collège, elle semblait avoir fait plus forte impression qu'elle ne le croyait. Ou peut-être était-ce simplement qu'ils lisaient tous le *Daily Mail* et que c'était sa triste réputation plutôt que leur affection qui ravivait leurs souvenirs. Bien sûr, ils étaient tous curieux de savoir pourquoi elle était là. Heureusement, le personnel et les bibliothèques d'Oxford offraient toujours une réponse facile : « Je fais quelques recherches. » Même les disgraciés pouvaient se planquer derrière cette excuse.

Au moment où elle avait quitté le réfectoire, Corinna était sortie du bureau des professeurs en face. Après un coup d'œil furtif pour voir à quelle distance se trouvaient les observateurs potentiels, Corinna s'était précipitée vers elle. « Comment ça avance ? » avait-elle demandé. Elle avait le visage fatigué, les yeux cernés. Charlie avait supposé que l'ambiance ne devait pas être particulièrement agréable chez les Newsam depuis les révélations de Magda le samedi précédent.

« Ce n'est pas facile, avait dit Charlie. Vous auriez mieux fait d'engager un détective privé. »

Corinna lui avait jeté un regard malicieux. « Il ne comprendrait pas les choses comme vous. Et il n'y aurait pas d'enjeu pour lui. J'ai confiance en vous, Charlie. Je sais que vous ferez tout ce qui est en votre pouvoir pour protéger ma fille. Tenez-moi au courant, hein ? Un petit coup de fil tous les jours, ça devrait faire l'affaire, d'accord ?

— Je suis désolée, Corinna, mais je ne vais pas faire ça, avait indiqué Charlie avec fermeté. Je ne peux pas donner le meilleur de moi même quand j'ai l'impression que quelqu'un surveille par-dessus mon épaule. Laissez-moi faire les choses à ma façon, et je vous contacterai quand j'aurai quelque chose à vous dire. » La porte du bureau des professeurs s'était ouverte et deux autres profs en étaient sortis. Cela avait marqué la fin de leur conversation et évité à Charlie d'entrer dans une discussion.

« On se reparle bientôt, avait dit Corinna, les sourcils froncés.

— Quand je serai prête. » Charlie s'était éloignée en se demandant une nouvelle fois comment elle s'était laissé entraîner dans cette histoire.

Lorsque le SMS de Nick arriva, elle rôdait autour des vestiges du hangar à bateaux pour examiner elle-même les lieux du crime présumé. La construction, remplacée à présent par une installation plus moderne sur l'Isis, avait radicalement changé depuis la mort de Jess. Devenu gris avec le temps et l'absence d'entretien, le bois était dans un état de dégradation avancé. Charlie était étonnée que le collège n'ait pas démoli le bâtiment pour des raisons d'hygiène et de sécurité tristement célèbres. Mais il en restait assez pour lui permettre de visualiser l'endroit. Le principal changement, en dehors de son mauvais état, était le fameux revêtement antidérapant. Celui-ci couvrait toutes les surfaces en bois exposées, son vert vif ayant pris à présent une teinte terne de vase, ses bords rongés par le temps. Cette visite n'apportait aucun élément nouveau. Mais elle ravivait les images floues du passé. Charlie se figurait désormais bien plus clairement les lieux.

Et c'est alors qu'elle avait reçu ce SMS lui ôtant tout prétexte pour traîner à Schollie. Charlie prit la Marston Ferry Road en direction de l'hôpital John Radcliffe et passa en revue différentes stratégies tout en conduisant. Aucune ne lui paraissait fiable. La seule chance qu'elle avait de faire parler Vik Patel, c'était qu'il ait passé la dernière année sur Mars.

Comme la plupart des hôpitaux, le John Radcliffe n'indiquait pas l'emplacement de sa morgue sur les plans commodément prévus pour les patients et visiteurs. Charlie se dirigea vers l'accueil, son sourire le plus charmant aux lèvres. « Je cherche le Dr Vikram Patel, le médecin légiste. Je me demandais si vous pourriez m'indiquer le chemin du service des autopsies ? » Par une heureuse négligence du sort, personne ne lui avait demandé de rendre la carte d'habilitation du ministère de l'Intérieur qu'on lui avait donnée pour lui permettre de pénétrer dans les locaux de la police. Elle la posa devant la femme sur le guichet de l'accueil, qui y jeta un coup d'œil. Elle tira un plan vers elle et griffonna dessus, puis le passa à Charlie. « Vous êtes ici. Vous devez aller là. » Elle lui montra une direction. « Voici l'entrée, les ascenseurs sont au bout du couloir. »

Charlie n'en revenait pas d'avoir autant de chance. Elle s'était attendue à ce qu'on l'envoie promener ; ou au minimum, à un coup de fil à Patel pour vérifier qu'elle avait rendez-vous. C'était peut-être parce qu'elle s'était donné la peine d'avoir l'air d'une professionnelle de la santé, avec son plus beau tailleur et sa sacoche d'ordinateur à l'épaule. Ça lui donnait presque le sentiment d'avoir le vent en poupe.

Soit le bâtiment qui hébergeait la morgue était assez neuf, soit il avait été rénové récemment. Il ne donnait pas cette impression d'usure légère et de froideur totale que Charlie associait aux locaux des services de santé publique. Les murs étaient propres, les portes tournaient bien sur leurs gonds, et les plaques sur les portes étaient toutes de la même police. Elle suivit le plan et arriva dans une minuscule salle de réception avec deux chaises face à un bureau sur lequel tenaient à peine l'écran et le clavier d'ordinateur qui formaient une barrière entre les visiteurs et le réceptionniste, un homme squelettique d'une vingtaine d'années en blouse chirurgicale bleu pâle.

Charlie constata, et ce n'était pas la première fois, qu'elle n'avait jamais rencontré quelqu'un que la blouse avantageait. À cet égard, la réalité n'était jamais comparable à *Urgences*.

Le réceptionniste ne leva pas les yeux quand Charlie entra. Son regard était fixé sur l'écran tandis que ses doigts couverts de taches de rousseur pianotaient sur les touches. Il fallut un moment à Charlie pour se rendre compte que sous sa crinière rousse frisée, il avait des écouteurs qui dictaient sans doute directement du texte à son cerveau. Elle s'approcha et lui fit un signe de la main.

Il sursauta et recula en poussant sur le bureau comme si elle l'avait atteint physiquement. « Bon Dieu ! fit-il en arrachant ses écouteurs. Vous avez failli me donner une attaque.

— Désolée, dit Charlie. Je cherche le Dr Patel. Vik Patel. »

Le jeune homme fronça les sourcils. « Est-ce qu'il vous attend ? C'est qu'il est en train de faire une autopsie. »

Charlie prit un air contrit. « Je sais que j'aurais dû téléphoner avant de venir. Mais j'étais dans les parages et je me suis dit que j'allais tenter ma chance. » Elle sourit. « Vous avez une idée du temps que ça va encore lui prendre ? »

Le jeune homme parut surpris, comme si personne n'avait jamais posé une telle question auparavant. « Puis-je vous demander qui vous êtes ? » Charlie présenta de nouveau sa carte d'habilitation. Cette fois-ci, l'homme l'examina minutieusement. Le visage sans expression, il demanda : « Pour quelle raison voulez-vous voir le Dr Patel, docteur Flint ?

— Je veux parler au Dr Patel d'une vieille affaire, déclara-t-elle. Je ne lui prendrai pas beaucoup de son temps.

— Il faut que j'aille voir si c'est possible », dit-il. Il la regarda en fronçant à nouveau les sourcils et verrouilla son ordinateur avant de sortir par une porte située au fond de la pièce. Charlie s'assit sur une des chaises destinées aux visiteurs, croisa les jambes et attendit.

Presque dix minutes s'écoulèrent avant que le jeune homme revienne. « Si vous pouvez attendre un quart d'heure, le Dr Patel vous recevra. » Il la considéra comme s'il inscrivait son visage dans sa mémoire au cas où il devrait participer à une séance d'identification plus tard.

Charlie sourit. Toutes ces amabilités commençaient à lui faire mal au visage. « Merci. C'est parfait. »

En fin de compte, il fallut presque vingt-cinq minutes pour que la porte du fond de la pièce s'ouvre à nouveau. Un petit Indo-Pakistanais trapu en blouse verte apparut dans l'embrasure de la porte et dévisagea Charlie. Il passa la main sur son impressionnante mèche d'épais cheveux noirs ramenée en arrière et eut un rictus. « Vous êtes le docteur Flint ? » demanda-t-il.

Charlie se leva. « Oui. Docteur Patel ?

— Appelez-moi Vik, dit-il. Entrez. Nous allons devoir faire vite. J'ai une autre autopsie avant le déjeuner. »

Charlie le suivit dans un autre couloir immaculé. À mi-chemin, il vira à gauche dans un bureau compartimenté. Un des murs était constitué d'une longue fenêtre donnant sur une salle d'autopsie. Un assistant en blouse blanche et chaussures en caoutchouc nettoyait méthodiquement les surfaces. Patel émit un murmure désapprobateur et baissa les stores. « Asseyez-vous », dit-il en désignant une chaise pliante coincée dans un coin au bout de son bureau. Des piles de papiers bien rangées étaient posées à côté d'un ordinateur portable étincelant. Un thermos en inox et un téléphone siégeaient à côté de l'ordinateur. Charlie ne pouvait s'imaginer une vie qui impliquait d'être constamment entouré de dépouilles humaines, mais elle enviait par contre à Vik Patel son sens de l'organisation.

Il chaussa des lunettes à monture noire et regarda Charlie d'un air songeur. De plus près, elle discerna quelques mèches argentées dans ses cheveux et de fines rides sur sa peau couleur de thé. Il était plus âgé qu'elle ne l'avait cru au premier abord. « Je suis intrigué, dit-il. Vous êtes psychiatre, n'est-ce pas ? »

Ce renseignement ne figurait pas sur sa carte. Soit ils avaient reconnu son nom, soit ils avaient fait une rapide recherche sur Google. Mais Patel avait tout de même décidé de la recevoir. C'était sans doute un point en sa faveur. « Oui, répondit Charlie, toutefois sur ses gardes.

— Par définition, vous vous occupez des vivants. Moi, je suis médecin légiste. Par définition, je m'occupe des morts. Je vais être franc avec vous, docteur Flint. J'ai du mal à voir ce qui peut bien nous réunir. »

Il n'avait pas l'accent de la région. Il était du Nord, comme elle. De Leeds ou Bradford, pensa-t-elle, et elle se demanda si elle pouvait s'en servir pour établir un lien entre eux. Mais au lieu de cela, elle dit : « Appelez-moi Charlie. » Un autre de ses sourires charmeurs. « Je cherche des informations, Vik. Sur un de vos anciens dossiers.

— En quoi un de mes anciens dossiers vous concerne-t-il ? »

Il ne lui facilitait pas la tâche. Mais à vrai dire, pourquoi l'aurait-il fait ? « Dans mon métier, les gens ont tendance à avouer ou à alléguer des choses qui ne sont pas toujours exactes. Mais parfois elles sont vraies, et cela nous force à réexaminer des dossiers qui ont pu être classés des années plus tôt. J'ai affaire à une situation dans laquelle une personne affirme des choses concernant un décès pour lequel on a conclu à l'accident. Si cette personne dit vrai, cela pourrait conduire à une enquête pour meurtre. »

Patel hocha la tête avec impatience. « Je comprends, Charlie. J'imaginais que c'était quelque chose de la sorte. Ce que je ne saisis pas, c'est pourquoi c'est vous qui êtes assise là et non un policier. D'après mon expérience, ce sont eux qui pourchassent les meurtriers. » Il se lissa à nouveau les cheveux. Un geste mécanique pour se rassurer, songea-t-elle. Il maîtrisait sa coiffure, de même que la situation.

« Ça ne sert à rien de faire perdre son temps à la police tant que je ne suis pas sûre que cela mérite une enquête, n'est-ce pas ? » Elle avait préparé cette réponse au petit déjeuner et espérait qu'elle passerait en situation de stress.

« On ne va pas faire perdre son temps à la police, hein ? Et du temps, vous en avez beaucoup en ce moment, n'est-ce pas, Charlie ? » Il voulait faire son petit effet, et Charlie eut donc délibérément l'air plus contrarié qu'elle ne l'était.

« Je me demandais si vous aviez reconnu mon nom, dit-elle. C'est vrai que je ne suis pas aussi occupée que d'habitude. Ça me donne l'occasion de regarder de plus près certains dossiers que j'avais dû mettre de côté. » Elle ouvrit les mains, paumes vers le ciel. Un geste de franchise et de confiance. « Vous savez ce que c'est. On n'a pas tout le temps qu'on voudrait, et certaines affaires sont prioritaires. » Une remarque visant directement à créer un lien de complicité.

Patel lui rendit son sourire. « Ne m'en parlez pas. » Il jeta un coup d'œil par-dessus son épaule à l'horloge accrochée au mur. « Il me reste dix minutes. Je suis curieux de savoir ce qui vaut plus la peine pour vous que de préparer votre défense contre l'ordre des médecins. »

Charlie lâcha un rire sec. « Ce n'est pas grand-chose. Je travaille avec une personne qui prétend avoir été témoin d'un meurtre. J'entends tout le temps ce genre de choses, mais quand j'ai vérifié ses dires, j'ai découvert qu'il y avait eu une mort brutale au moment et à l'endroit précis qu'elle m'avait indiqués. C'est plus rare que vous ne le croiriez.

— Et c'est moi qui me suis occupé de cette mort brutale ? C'est pour ça que vous êtes là ?

— Grosso modo, c'est ça, Vik. L'enquête du coroner a conclu à un décès accidentel. La police a dit que tout concordait avec un décès accidentel. Mais je voulais vous demander s'il y avait quoi que ce soit de douteux dans ce que vous avez vu sur le billard. Quoi que ce soit qui vous ait interpellé mais n'aurait pas suffi à faire revenir la police sur sa position. » Charlie haussa les épaules. « Pour être honnête, Vik, je suis convaincue que je vais repartir d'ici bredouille. » Cette réplique était calculée pour l'inciter à lui donner tort.

« La police de la vallée de la Tamise me prend très au sérieux, déclara-t-il en se lissant une nouvelle fois les cheveux. Ils tiennent compte de ce que je leur dis.

— J'en suis sûre. Mais comme vous l'avez dit, on doit tous donner la priorité à certaines choses. » Il n'avait pas dit cela ; c'était elle. Mais elle ne pensait pas qu'il protesterait.

« De quand date cette affaire ?

— Novembre 1993. »

Patel écarquilla les yeux. « Et vous espérez que je me souvienne des détails d'une affaire vieille de dix-sept ans ? questionna-t-il en élevant la voix d'incrédulité. Avez-vous la moindre idée du nombre d'autopsies que je pratique chaque semaine ?

— Vous n'en pratiquez pas beaucoup sur des femmes de vingt ans au meilleur de leur forme physique, objecta Charlie. Elle s'appelait Jess Edwards et elle s'est noyée dans le Cherwell près du hangar à bateaux de St Scholastika. »

Ce fut un plaisir de voir le regard de Patel s'illuminer. « Je m'en souviens, oui, dit-il lentement. Pas en détail, cela dit. Mais je me souviens en effet de cette affaire. » Il claqua plusieurs fois la langue. « Novembre 1993. On utilisait des ordinateurs à ce moment-là. Ça devrait être sur le serveur... » Il décrocha son téléphone et se détourna de Charlie. « Matthew ? J'ai besoin que tu me retrouves un rapport de novembre 1993... Jess Edwards... Dans combien de temps ? » Il hocha la tête. « Merci. »

Il ralluma son ordinateur portable. Son emploi du temps de la journée envahit l'écran. Il parcourut du bout du doigt la liste de ses obligations puis se retourna vers Charlie. « Vous pouvez revenir cet après midi ? Trois heures et demie ? Ça irait pour vous ?

— Ce serait parfait, répondit Charlie en se levant. Je vous remercie du temps que vous me consacrez. »

Patel hocha la tête. « Elle avait le même âge que ma fille, dit-il. Il faut parfois savoir se donner un peu de mal. »

16

Attendre patiemment n'avait jamais été le fort de Charlie. Elle avait des amis et des collègues qui accueillaient les temps morts comme un cadeau du ciel, mais elle avait toujours souffert d'un besoin irrépressible de combler ces interruptions inévitables de l'action avec quelque chose de productif. Elle quitta donc le bureau de Vik Patel pour retourner à Schollie avec le grand projet de continuer ses recherches sur le Net. Mais lorsqu'elle connecta son ordinateur portable, la première chose qui apparut sur son écran fut un e-mail de Lisa.

Si elle essayait maintenant de travailler sur Internet, le message la narguerait jusqu'à ce qu'elle l'ouvre. Et elle n'avait pas envie de lire ce que Lisa avait à lui dire. Charlie se connaissait assez bien pour comprendre que Lisa avait encore de l'emprise sur elle. Et elle ne voulait pas se laisser à nouveau séduire par ses paroles. Elle ferma donc l'ordinateur et s'étendit sur le lit pour examiner ses alternatives.

Lorsqu'elle se réveilla, il était plus de deux heures. Charlie n'arrivait pas à croire qu'elle avait dormi près de trois heures. Elle ne faisait jamais la sieste, et elle se rappela pourquoi en voyant l'état dans lequel elle était maintenant. Groggy, la tête lourde, elle se déshabilla et prit une douche pour tenter désespérément de réactiver ses méninges. Vik Patel n'était pas facile à se mettre dans la poche ; elle ne pouvait se permettre d'avoir la tête pleine de coton pour leur rendez-vous.

Les cheveux encore humides, elle se dépêcha de gagner sa voiture en regardant sur le chemin si elle avait des messages sur son téléphone. Un SMS de Lisa. « Bon sang », marmonna Charlie. Quand elle avait été prête à tout pour une miette de la vie de Lisa, elle n'avait presque rien eu. Et maintenant qu'elle voulait qu'elle la laisse tranquille, Lisa semblait la poursuivre. « Je vais t'ignorer, dit-elle en montant dans la voiture. Je n'ai pas besoin de ça. »

Elle arriva à la morgue de l'hôpital avec cinq minutes d'avance. Mais cette fois-ci, le réceptionniste la conduisit directement au bureau de son chef. Patel se leva d'un bond lorsqu'elle entra, l'air préoccupé. « C'est très troublant, dit-il, en venant tout de suite à l'essentiel.

— Vous avez trouvé quelque chose ? » questionna Charlie sans se donner la peine de cacher son empressement.

Patel prit une vive inspiration. « Oh oui, dit-il. Dès que j'ai regardé le dossier, je me suis souvenu. Une anomalie. Une très nette anomalie. » Il lui fit signe de s'asseoir dans le coin et montra son bureau du doigt. À la grande stupéfaction de Charlie, l'espace où s'était trouvé son ordinateur portable était occupé par une grossière maquette en Lego posée sur une feuille de papier. Il s'assit et posa le doigt sur un bloc rectangulaire fixé sur le support vert. « Considérez cela comme le hangar à bateaux et l'appontement du collège St Scholastika, dit-il. Et cette feuille de papier est la rivière. »

Charlie hocha la tête. C'était une représentation approximative des lieux où elle s'était rendue le matin même, mais elle pouvait se l'imaginer. « D'accord. »

Il sortit une figurine Lego qui ressemblait étrangement à la princesse Leia. « Ça, c'est Jess. Elle sort du hangar à bateaux... » Il déplaça la frêle figurine du bâtiment vers le bord de la jetée. « Elle glisse... » La princesse Leia culbuta et sa tête percuta le bord saillant. Elle tomba à plat ventre sur le papier. « Elle est inconsciente quand elle bascule dans l'eau. Elle se noie. Et voilà. Un parfait récit de décès.

— Où est l'anomalie ? demanda Charlie, vibrante d'excitation. Quel est le problème dans ce récit parfait ?

— Imaginez le crâne qui heurte le bord de l'appontement selon une trajectoire descendante. La blessure est une ligne en forme de coin. Aussi quand j'ai examiné le crâne de Jess Edwards, je m'attendais à voir une blessure en forme de coin. Et c'est bien ce que j'ai vu. Sauf que la blessure n'était pas du bon côté. » Il ramassa la princesse Leia. Il la fit aller à reculons du hangar au bord de l'appontement et la refit culbuter. Cette fois-ci, l'arrière de sa tête heurta le bord de l'appontement mais son corps resta sur la plate-forme. « Pour que la blessure présente la forme que j'ai vue, il aurait fallu qu'elle tombe en arrière sur le bord. Son corps serait donc resté sur la jetée. Et elle ne se serait pas noyée. »

Charlie réfléchit à ce qu'il avait dit pour trouver une autre interprétation possible. « Et si elle était restée consciente ? Qu'elle s'était roulée par terre de douleur ? Est-ce qu'elle n'aurait pas pu passer par-dessus bord à ce moment-là ? » Ce n'était pas que Charlie doutait de Patel. Elle avait envie de le croire, d'être convaincue que Corinna ne l'avait pas entraînée dans une quête futile. Mais sa formation voulait qu'elle se méfie, remette en question, vérifie.

« Exactement ce que le policier m'a dit. Et je vais vous répéter ce que je lui ai répondu. De mon avis de professionnel, je pense qu'elle n'a pas pu être consciente après ce coup sur la tête. Mais voilà. Il est bien connu qu'on peut difficilement rendre des conclusions définitives sur les effets d'une blessure à la tête. On a des cas avérés de personnes qui ont reçu une balle dans la tête et ont ensuite continué de marcher de façon parfaitement cohérente. Donc en théorie, ce que vous suggérez est en effet juste à la limite du possible. »

Charlie lâcha la respiration qu'elle avait retenue. « Qu'a répondu le policier ?

— Il a dit qu'aucun élément n'indiquait qu'il s'agissait d'autre chose qu'un tragique accident. Rien. Aucune présomption, aucune preuve criminalistique, aucun témoignage. S'il y avait une explication plausible, il la prendrait. Si la seule explication était une anomalie, il ferait avec cette anomalie.

— Vous n'avez rien dit de tout ça lors de l'enquête du coroner, signala Charlie.

— Non. Parce que les anomalies existent. Et hormis cela, il n'y avait rien qui soulevait la moindre question dans l'esprit de quiconque. Dans ces circonstances, il faut réfléchir aux conséquences sur la famille. Il n'y avait aucun élément pour justifier une enquête criminelle, et si j'avais semé le doute dans leurs esprits… » Patel passa la main dans ses cheveux. « Tout ce que j'aurais fait, c'était les empêcher de tourner la page. À tout jamais. Parce qu'il n'y avait aucun moyen de la tourner.

— Et si elle a vraiment été assassinée ?

— Vous voulez dire, et si votre patient dit la vérité et a été témoin d'un meurtre ?

— Oui. »

Patel parut soucieux. « Alors de nombreuses personnes vont beaucoup souffrir.

— Vous y compris ? »

Il eut un sourire triste. « Je ne vais pas entrer dans votre club, Charlie. Je ne suis pas du genre à semer le trouble. » Il se leva. « Bonne chance pour trouver quelqu'un qui prendra votre fou au sérieux. »

Charlie était assez contente d'elle. Elle avait parcouru la moitié du parking quasi immobile qu'était le périphérique de Birmingham et n'avait toujours pas ouvert le SMS ou l'e-mail de Lisa. Au moment précis où elle se félicitait de sa fermeté, son téléphone sonna. « Inconnu », indiquait l'écran. Ce pouvait être n'importe qui, son avocat comme sa mère, qui aimait bien l'appeler du travail quand son patron était absent. Charlie décida de décrocher. « Allô ? fit-elle prudemment, essayant de prendre un accent qui n'était pas tout à fait le sien.

— Charlie ? » À l'entendre, il semblait qu'elle avait réussi à dérouter Nick. « C'est toi ?

— Salut, Nick.

— Je me suis juste dit que j'allais te passer un coup de fil pour voir comment ça s'était passé avec le Dr Patel. »

Charlie lui raconta. À la fin de son récit, il siffla entre ses dents. « Une anomalie, hein ? On aime ça nous, les anomalies, pas vrai, Charlie ?

— Qu'est-ce que c'est que ce "on", Nick ? »

Après un instant de silence, il répondit : « Tu n'es pas en état d'être laissée là-dedans toute seule, Charlie. Il te faut quelqu'un qui ait les idées claires.

— Et ce serait toi ?

— Oui. »

Charlie était touchée, mais elle voulait aussi protéger Nick. Elle ne souhaitait pour rien au monde qu'il se retrouve entraîné dans son cauchemar professionnel à elle. « Tu as déjà un boulot. Ne sois pas si gourmand, dit-elle sévèrement en freinant quand la camionnette qui était devant elle s'arrêta brusquement.

— C'est comme un remède anti-stress pour moi, rétorqua-t-il. Je veux t'aider, Charlie. Tu ne m'as jamais rien laissé faire pour toi, et ce n'est pas bien. L'amitié, c'est censé marcher dans les deux sens. Alors laisse-moi t'aider à mener cette enquête. »

Charlie sentit les larmes lui serrer la gorge. Elle n'avait pas l'habitude que les gens voient sa vulnérabilité, encore moins qu'ils y réagissent. « Bon, dit-elle d'un ton bourru. Je ne peux pas vraiment t'en empêcher, si ?

— Très bien. Maintenant, à mon avis, on ne va pas aller beaucoup plus loin avec l'affaire Jess Edwards. Sa principale valeur devant la loi, c'est qu'elle établit un*modus operandi* : c'est comme ça qu'elle a tué Jess Edwards, presque exactement de la même manière que Philip Carling. Et les deux personnes coffrées pour ce meurtre n'ont assurément pas tué Jess Edwards. Donc ce qu'il faut que tu fasses maintenant...

— Nick ? le coupa Charlie, y aurait-il une signification du mot "aider" que je ne connaîtrais pas ? Celle où tu prends tout simplement le contrôle ? questionna-t-elle d'une voix rieuse, en espérant toutefois qu'il percevrait son sérieux sous-jacent.

— Désolé, Charlie. Je m'emballe quand on entre dans mon domaine. Que comptais-tu faire ensuite ?

— Je veux en apprendre le plus possible sur la mort de Kathy Lipson. Apparemment, en Écosse, ils font ce qu'ils appellent une enquête pour accident mortel au lieu d'une enquête du coroner, et les rapports sont dans le domaine public. En ligne, même. Ça te paraît comment, en termes d'avancée ?

— Très impressionnant. Tu vas aller sur Skye pour interroger les secouristes ?

— C'est curieux, j'envisageais justement de faire ça. » La circulation commença à reprendre tout doucement, et Charlie passa la première.

« N'oublie pas de les questionner sur le téléphone, dit-il.

— C'est-à-dire ?

— Leur demander s'ils l'ont retrouvé avec le sac à dos de Jay.

— Je ne sais même pas s'ils ont retrouvé le sac à dos, fit remarquer Charlie.

— Une chose de plus à leur demander, alors.

— Nick, sachant que c'était un téléphone satellite, est-ce qu'il y aurait une trace des appels passés et reçus avec ?

— En 2000 ? Je suppose, en théorie.

— Tu crois que tu pourrais trouver le moyen de récupérer l'information ?

— Probablement pas sans un mandat. Même si je savais de quel opérateur il s'agissait.

— Il ne devait pas exister beaucoup d'opérateurs satellite en 2000.

— Oui, et il y a assez peu de chances qu'aucun d'eux existe encore sous la même forme, dit Nick d'une voix morose.

— C'était tellement cher à l'époque, ce serait vraiment intéressant de voir avec qui elle estimait que ça valait la peine de dépenser de l'argent pour parler.

— Je ne vais pas te contredire là-dessus. Mais je pense simplement que les chances d'obtenir cette info sont quasi nulles. »

Voyant un espace s'ouvrir, Charlie se déplaça sur la voie de droite. « Tu as sans doute raison. Dieu merci, ce n'est pas notre seule cartouche. Je veux aussi rediscuter avec Magda, dans l'idéal sans Jay. Elle s'est confiée si volontiers à moi samedi, je crois que ce serait utile d'en tirer parti. De découvrir ce qu'elle pourrait savoir sans savoir qu'elle le sait, si tu vois ce que je veux dire.

— Parfaitement. Bonne idée.

— Et alors, qu'est-ce que tu voulais me conseiller de faire ensuite ? »

Nick rigola. « Je crois que tu devrais parler à Paul Barker ou à Joanna Sanderson. Si Corinna a raison et qu'ils sont victimes d'un coup monté, ils pourraient avoir des choses à dire qui méritent d'être écoutées. Tu sais ce que c'est – les avocats décident d'une stratégie de défense et mettent de côté tout ce qui ne colle pas exactement avec. »

Charlie soupira. « Tu as sans doute raison. Mais ils sont en prison maintenant et je ne suis pas habilitée à aller les voir.

— Tu pourrais parler à leur avocat. Proposer de les aider pour la procédure d'appel. Ils sauteront sur l'occasion si tu leur offres une évaluation psychologique gratuite, Charlie. »

Charlie eut un petit rire incrédule. « Je suis en disgrâce, Nick. Je suis *persona non grata*. Personne ne voudrait une évaluation de ma part, gratuite ou non.

— Ah, c'est des conneries, Charlie. Tu vas te remettre en selle en un rien de temps. On sait tous les deux qu'ils ne vont te trouver aucun tort sinon d'avoir été honnête. Tu feras à nouveau partie du sérail en moins de temps qu'il ne faut pour le dire. »

Elle aurait aimé le croire. Mais l'affaire Bill Hopton n'était pas près de disparaître des mémoires et des gros titres. Et tant qu'elle subsisterait dans l'esprit des gens, Charlie ne serait pas engagée en tant que témoin expert. « Oui, bien sûr, fit-elle, minée.

— Parle à l'avocat, Charlie. Appelle-le en arrivant chez toi. Si tu as le soutien de l'avocat, tu pourras rapidement les voir. Qu'est-ce que tu as à perdre ? Promets-moi que tu appelleras.

— D'accord, Nick. J'appellerai. Et puisque tu tiens tant à m'aider, tu peux contacter tes homologues en Espagne et dénicher ce que tu peux sur Ulf Ingemarsson. »

Ce fut au tour de Nick de soupirer. « C'est le type dont elle aurait piqué le boulot sur 24/7, c'est ça ? Comment tu épelles ça ? »

Elle s'exécuta. « Il est mort en Espagne en 2004. Si tu pouvais parler aux flics, ce serait super. Ce que je veux vraiment, ce sont les coordonnées de la copine d'Ingemarsson. Elle savait apparemment tout sur son travail. Ça m'intéresserait d'entendre ce qu'elle a à dire au sujet de Jay.

— D'accord, chef. Je contacte l'Espagne, tu contactes un des avocats de la défense. On se rappelle. »

Et ce fut la fin de leur conversation. De même que celle des embouteillages, dissous comme par magie. Charlie appuya sur l'accélérateur avec une joie et une légèreté qu'elle n'avait pas ressenties depuis longtemps. Jusqu'à ce que Nick lui apporte sa contribution, elle ne s'était pas autorisée à prendre conscience de son isolement. Ni des dommages que cela lui avait causés. Elle avait maintenant quelqu'un à qui soumettre ses idées et, plus important encore, elle avait quelqu'un qui se chargeait des choses qu'elle ne pouvait faire.

En arrivant chez elle, Charlie était plus joyeuse qu'elle ne l'avait été depuis longtemps. Il était bien trop tard pour contacter les avocats ; elle s'en occuperait à la première heure le lendemain. Elle donnait deux heures de cours le matin dans un lycée, mais elle avait le reste de la journée pour traquer les avocats.

Elle se gara dans l'allée, contente d'avoir terminé le trajet. La M6 était chaque fois un enfer. Embouteillée, encombrée de camions et infestée de travaux. En automobiliste invétérée, Charlie avait peine à l'avouer, mais maintenant qu'ils offraient gratuitement le Wi-Fi et des prises de courant, elle commençait vraiment à préférer le train. Elle descendit de sa voiture et s'étira, puis se rendit compte que la voiture de Maria n'était pas près du garage. Elle consulta sa montre. Huit heures passées. Lorsqu'elle avait appelé plus tôt pour lui dire qu'elle rentrait, Maria n'avait pas parlé de sortir.

Il faisait sombre et froid dans la maison. Le chauffage était manifestement resté éteint depuis que Maria était partie le matin. Charlie alluma les lumières pièce par pièce pour finir dans la cuisine où il n'y avait pas de mot sur la table. Étrange, songea t-elle en sortant son téléphone pour appeler Maria. Elle s'aperçut qu'un SMS était arrivé plus tôt, sans doute pendant qu'elle parlait avec Nick. *Vais au ciné en début de soirée avec les filles du boulot. Rentre avant neuf heures. Bisous,* lut Charlie. Ce n'était pas raisonnable de sa part, mais elle était en rogne. Elle aurait voulu que Maria soit à la maison.

Au moment même où elle pressa les touches, elle sut qu'elle s'apprêtait à commettre un geste puéril et colérique. Mais elle s'en moquait. Le SMS de Lisa emplit l'écran. Prise d'une soudaine douleur au ventre, Charlie le lut. *Jt envoyé 1 e-mail, jsuppose k tu l'as pas eu. J'espère k ça va. Jveux te voir avt que tu repartes. Qd tu veux après 3h. Stp ? JespR k tu vas b1. Bisous.* De la part de Lisa, c'était extrêmement affectueux. C'était la première fois, constata Charlie, que Lisa la sollicitait et non l'inverse. La deuxième anomalie du jour, d'autant plus appréciable que la première.

Après cela, elle ne pouvait plus résister à l'e-mail. Charlie grimpa quatre à quatre dans le cagibi situé au dessus du garage qui était devenu son bureau. Elle alluma l'ordinateur et ouvrit immédiatement sa messagerie. Là, niché parmi les vingt-sept e-mails qu'elle avait reçus depuis lundi après-midi, se trouvait le message de Lisa.

Salut,
J'espère que tu vas bien et que le fardeau que Corinna a essayé de te mettre sur les épaules ne te pèse pas trop. Je regrette qu'on n'ait pas pu passer plus de temps ensemble samedi. J'ai le sentiment qu'on n'a ni l'une ni l'autre eu vraiment l'occasion de se dire ce qu'on voulait. Malgré tout, il me semble que ça a été pour toutes les deux un moment plus agréable que nos autres activités. Je me suis occupée du pauvre Tom, qui supporte péniblement le cancer de sa femme en phase terminale. Il est à fleur de peau, et ça se comprend. Il voit en moi

une figure maternelle, ce qui n'est pas l'attitude la plus sage.
Es-tu de retour à Oxford? J'ai cru te voir dans la voiture. Viens me voir si tu es là. D'un côté, je ne veux pas que tu perdes ton temps avec cette chimère insensée à qui Corinna fait cracher du feu. De l'autre, l'idée me plaît assez que tu aies une raison de venir à Oxford. C'est difficile pour toutes les deux quand on a si peu l'occasion d'avoir de vraies conversations.
Je pense à toi.

Lisa

Charlie bondit en lisant le commentaire sur Tom et la détresse qu'il éprouvait. Elle se repassa immédiatement la scène dans la tête. Avait-elle pu se tromper ? Son esprit lui avait-il fait voir ce qu'elle redoutait dans une étreinte affectueuse mais dépourvue de tout caractère sexuel ? Ce n'était pas impossible. Charlie elle-même s'était trouvée dans un état de trouble, déjà bouillonnante d'émotions incontrôlables. Et voilà l'inoffensive explication qui s'offrait à elle avant même qu'elle ne l'ait cherchée. Elle faillit éclater de rire et se maudit d'avoir été idiote au point d'être prête à croire le pire au lieu de réserver son jugement. Des années d'expérience professionnelle parties en fumée simplement parce qu'elle était en proie à des tourments d'adolescente, se languissant de quelqu'un qu'elle croyait inaccessible. « Tu es une andouille, Charlie Flint, dit-elle en appuyant sur "Répondre" avec un grand geste du bras. Mais il n'est jamais trop tard pour se rattraper. »

17

Magda courut sous la pluie et se réfugia dans le petit Sainsbury's situé au coin de sa rue. Elle était rentrée chez elle prête à se faire à dîner et avait été ébahie de voir le peu de provisions qu'il lui restait. Elle avait passé tellement de temps chez Jay qu'elle ne s'était pas rendu compte qu'elle avait petit à petit vidé les placards de sa cuisine à chacun de ses passages dans son appartement. Ce soir-là, Jay était à Bologne, sans doute en train de déguster un repas sensationnel dans une chaleureuse trattoria familiale, tandis qu'elle n'avait même pas un paquet de pâtes et un pot de sauce à verser dessus.

L'esprit à moitié ailleurs, Magda remplit son panier et fit la queue. Encore une différence entre sa vie passée et celle d'aujourd'hui. Quand elle avait vécu avec Philip, elle avait savouré les moments épisodiques où il s'était absenté pour affaires. Cela avait été l'occasion de faire ces choses qu'elle ne semblait jamais parvenir à faire quand il était là : prendre un long bain aux chandelles avec un gin-tonic ; traîner dans les librairies de nuit sur Charing Cross Road ; louer un DVD pour le regarder avec quelques-unes des infirmières en oncologie dont la compagnie l'égayait toujours ; ou simplement se mettre au lit avec un bon roman accompagné d'une bouteille de San Pellegrino et d'un paquet de *digestives* au chocolat.

Mais quand Jay quittait la ville, elle ne voyait jamais aucune raison de se réjouir. Son appartement lui paraissait vide comme jamais auparavant. Magda se sentait agitée, incapable de se concentrer. C'était peut-être parce qu'elle ne culpabilisait jamais de se livrer à toutes ses fantaisies quand Jay était là. Soit Jay se joignait à elle, soit elle s'occupait de son côté sans l'ombre d'un reproche. Elle n'avait donc rien à faire en l'absence de Jay qu'elle ne pût faire en sa présence.

Sauf regretter son absence, bien sûr.

Lorsqu'elle eut payé son panier de courses, la pluie s'était calmée. Elle fut tout de même contente de s'abriter dans son hall d'immeuble. Elle secoua les cheveux comme un chien mouillé en se dirigeant vers les ascenseurs. Avant qu'elle ait pu poser un de ses sacs pour appuyer sur le bouton, un homme apparut à ses côtés et l'enfonça.

C'était un inconnu, ce qui n'était pas particulièrement inhabituel. L'immeuble était assez grand et ses horaires suffisamment irréguliers pour que Magda ne connaisse pas bien la plupart de ses voisins. L'homme la suivit dans l'ascenseur et elle lui jeta un coup d'œil furtif en se retournant vers les portes. Non, elle ne l'avait assurément jamais vu auparavant. Seulement quelques centimètres de plus qu'elle, une couronne de cheveux châtains raides entourant le sommet de son crâne, des traits délicats et des yeux couleur de groseilles bouillies. Il portait un de ces pardessus qu'elle avait toujours considérés comme l'apanage des élèves de lycées privés – couleur caramel avec un col en velours marron, légèrement pincé à la taille – et avait avec lui un parapluie et une serviette. Il ne semblait guère plus âgé qu'elle, mais ils avaient au moins une génération d'écart en termes de vêtements.

« C'est Magda, n'est-ce pas ? », demanda t-il dès que les portes se fermèrent et qu'ils furent seuls dans le petit compartiment métallique. Sa voix s'accordait avec son pardessus : maniérée, snob et très mielleuse.

Étonnée, Magda se retourna et recula en même temps. « Pardon ? Est-ce que je vous connais ?

— J'étais en chemin pour vous rendre visite quand vous êtes apparue à l'instant, fit-il comme si elle ne lui avait pas parlé de son ton le plus glacial. J'ai quelque chose pour vous. J'étais un ami de Phil, voyez-vous. »

Pas si vous l'appeliez Phil, se dit Magda. Philip avait toujours détesté qu'on l'appelle autrement que par son nom de baptême.

Comme s'il lisait dans ses pensées, l'homme haussa légèrement les épaules d'un air contrit. « Enfin, pas vraiment un ami. Plutôt un associé. » Il enfonça une main dans son pardessus et fouilla dans sa poche intérieure. Pendant un instant d'égarement, Magda crut qu'il allait sortir un pistolet. Trop de soirées devant des films noirs, se dit-elle lorsqu'il lui présenta une innocente carte de visite. « C'est moi. » Il ne semblait pas s'être rendu compte que Magda n'avait pas de main libre pour l'accepter.

Les portes s'ouvrirent et Magda s'empressa de sortir de l'ascenseur et de se diriger vers sa porte d'entrée. Elle posa ses sacs de courses et se tourna face à l'homme. Il était à moins d'un mètre d'elle et lui tendait sa carte. Elle la prit et lut :*Nigel Fisher Boyd. Société d'investissement Fisher Boyd.* Un numéro de portable et une URL mais pas d'adresse postale. « Je n'ai jamais entendu parler de vous, dit-elle.

— Je comprends bien, dit Fisher Boyd. Mais comme je vous l'ai dit, j'ai quelque chose pour vous. Et je préférerais ne pas régler cette affaire ici dans le couloir.

— Et je n'invite pas les inconnus dans mon appartement.

— Vous faites bien. Pourquoi ne pas déposer vos courses à l'intérieur et me rejoindre en bas ? J'ai remarqué un petit bar à vin agréable à deux pas. Nous pourrions aller y boire un verre ? »

Magda examina sa proposition sous tous les angles et n'y vit pas d'objection. « Très bien, dit elle enfin.

Je vous retrouve en bas. » Ils restèrent un instant immobiles à se dévisager. Puis il comprit.

Il agita le doigt dans sa direction. « Très judicieux. » Il recula puis fit volte-face et marcha rapidement jusqu'à l'ascenseur. Magda le regarda disparaître derrière les portes en acier brossé avant d'entrer chez elle.

Cette curieuse rencontre l'avait perturbée. Bien sûr, elle voulait savoir ce que Nigel Fisher Boyd avait pour elle qu'il ne pouvait lui remettre sur le pas de sa porte. Mais elle avait conscience que sa récente notoriété la rendait intéressante aux yeux de cette sorte de criminels qui voyaient dans les victimes de crimes des proies potentielles. Et il avait appelé son défunt mari « Phil ». Elle aurait voulu que Jay soit présente ; non pas parce qu'elle ne pouvait faire face à cette situation toute seule, mais parce que c'était toujours agréable d'avoir un soutien.

Magda laissa ses sacs sur le plan de travail de la cuisine à côté de la carte de Fisher Boyd. S'il venait à lui arriver quoi que ce soit, elle aurait au moins laissé un indice derrière elle.

Dix minutes plus tard, elle était assise à une table dans le coin d'un bar à vin où elle n'était jamais venue malgré sa proximité avec son appartement. Elle n'avait jamais été tentée d'y entrer ; l'endroit lui avait toujours paru plutôt sombre et triste, ses occupants formant une curieuse brochette de personnes qui semblaient n'avoir trouvé leur place nulle part ailleurs et s'être donc retrouvés là tels des morceaux de bois flotté. Fisher Boyd revint à la table avec une bouteille de sancerre et un air dubitatif. « Pas sûr qu'il soit assez frais », déclara-t-il avant de servir deux verres et de boire une petite gorgée. Il fit tourner le vin dans sa bouche en gonflant les joues et en pinçant les lèvres, puis avala avec affectation. « Ça ira, je suppose. »

Magda goûta le vin. Il lui sembla bien. « Comment connaissiez-vous mon mari ? » demanda-t-elle.

Fisher Boyd ôta son pardessus et le plia méticuleusement sur le dossier d'une chaise. Magda avait horreur de ces costumes rayés chics à double fente et poches obliques qu'elle ne voyait que sur le dos de ce genre d'hommes que Philip décrivait comme les « maux nécessaires » du monde qu'il fréquentait. Du fait du rôle spécialisé de sa société en tant qu'imprimerie de documents confidentiels, il avait dû travailler avec une grande variété de personnes dont les activités consistaient à gagner et prendre de l'argent. « Ça va du combinard douteux au grand ponte de la banque », lui avait-il dit un jour avant d'ajouter : « Et parfois les extrêmes sont plus proches qu'on ne croirait. » Elle était à peu près sûre de savoir de quel côté de l'éventail se trouvait Nigel Fisher Boyd.

« Certains de mes clients ont besoin d'impressions confidentielles de très haute qualité. Certificats d'actions, obligations, ce genre de choses. C'est comme ça qu'on s'est rencontrés. »

C'était plausible. Mais rien qu'il n'ait pu inventer en lisant les comptes rendus du procès. « Mais si vous avez quelque chose pour moi, pourquoi vous a-t-il fallu si longtemps pour me l'apporter ? »

Fisher Boyd lui adressa un regard plein de pitié. « Il m'a semblé sage d'attendre la fin du procès. Pour qu'il ne vous soit pas possible de faire un faux témoignage.

— Un faux témoignage ? » L'indignation rivalisa avec la stupéfaction et finit par l'emporter. « Comment osez-vous insinuer que j'aurais pu mentir à la barre des témoins ! »

Il lui fit un rapide sourire, révélant des dents pointues. « Exactement ce que je craignais. Vous êtes quelqu'un de bien trop honnête pour avoir pu dire autre chose que la vérité, toute la vérité, rien que la vérité au tribunal. Et ç'aurait été gênant pour nous tous.

— Tout ça ne me dit rien qui vaille. De quoi s'agit-il ? » Complètement dépassée, Magda serra fermement le pied de son verre.

Fisher Boyd ouvrit sa serviette et en sortit une fine chemise en cuir de la taille d'un roman grand format. Il la fit glisser vers elle. « Allez-y, ouvrez », dit-il alors qu'elle la considérait sans bouger avec un mauvais pressentiment.

Magda souleva le rabat et regarda à l'intérieur. Il y avait quelques feuilles d'un épais papier de lin mais elle ne pouvait voir ce qui était écrit dessus. Elle les sortit et fixa sans comprendre les élégants caractères. Le chiffre de 200 000 lui sauta aux yeux. Il y avait quatre feuilles, chacune avec la même somme inscrite en relief. « Je ne comprends pas, dit-elle.

— Ce sont des titres au porteur, expliqua-t-il. Ils appartiennent à la personne qui les détient, quelle qu'elle soit. Ils ne sont associés au nom de personne. C'est comme si vous aviez l'argent en main sans l'inconvénient de vous balader avec une valise pleine de billets de cinquante livres.

— Pourquoi me montrez vous ces documents ? D'où viennent-ils ?

— Phil ne vous en a pas parlé ? questionna-t-il d'un air légèrement amusé.

— Non. Je n'ai aucune idée d'où vient cet argent. Sa succession a été réglée. Tout a été pris en compte. Il ne manque pas huit cent mille euros. » Elle remit les titres dans la chemise et ferma le rabat comme si cela allait miraculeusement les faire disparaître.

Fisher Boyd secoua la tête, les lèvres pincées et crispées. « Heureusement que je ne suis pas un voleur, alors. J'aurais pu empocher le tout et vous n'en auriez jamais rien su. Mais vous avez de la chance, je ne juge pas bon d'escroquer mes clients.

— Écoutez, vous allez devoir m'expliquer tout ça, dit Magda. Je n'y comprends rien.

— C'est assez simple. Paul Barker et Joanna Sanderson ont tué Phil pour une histoire de délit d'initié, n'est-ce pas ?

— Oui. Il s'apprêtait à les dénoncer à la police et à l'autorité des marchés financiers. Ils étaient finis. Bons pour la prison. »

Fisher Boyd lui lança de nouveau son sourire effrayant. « Bravo, ma chère. Et comment croyez-vous que Phil a découvert ce qu'ils mijotaient ?

— Il s'est rendu compte qu'ils dépensaient bien trop d'argent et qu'ils pratiquaient le délit d'initié.

— Et comment a-t-il su quoi chercher ? »

Magda fronça les sourcils. « Je ne sais pas. Il savait juste comment marche le système financier, j'imagine. »

Fisher Boyd prit un air compatissant. « Il l'a su parce que lui-même le pratiquait. En voici – il posa le doigt sur la chemise – le produit blanchi. » Il leva son verre pour porter un toast à la chemise, le vida et prit la bouteille ruisselante pour se resservir.

Frappée d'horreur, Magda sentit sa poitrine se serrer. Elle ne pouvait saisir les paroles de cet homme tant elles allaient à l'encontre de l'image qu'elle avait de Philip. « Philip n'aurait pas fait ça, dit-elle.

— Ma chère, non seulement il l'aurait fait, mais il l'a fait. Pour quelle autre raison vous remettrais-je une petite fortune en titres au porteur ?

— Mais pourquoi aurait-il voulu dénoncer Paul et Joanna s'il faisait la même chose qu'eux ? »

Il haussa les épaules. « Je me suis aussi posé cette question. Ma seule conclusion, c'est qu'ils le faisaient si mal qu'il a eu peur qu'ils soient démasqués et que son propre petit château de cartes soit renversé avec. Au moins, de cette façon, il contrôlait la situation. Il était prêt pour l'enquête. » Il posa à nouveau le doigt sur la chemise. « Et le résultat est là dedans. Les enquêteurs n'ont pas trouvé la moindre trace de ses combines.

— Je n'en reviens pas, dit Magda.

— Je sais. C'est beaucoup d'argent qui vous tombe du ciel, dit-il, interprétant mal la réaction de Magda.

— Je ne peux pas croire que Philip ait fait ça.

— Il essayait de prendre soin de vous. Comme tout bon mari. »

C'était comme s'ils parlaient des langues différentes. Magda n'avait jamais autant voulu avoir Jay à ses côtés qu'à ce moment précis. Jay était un appui solide. Or Magda avait besoin de quelque chose de solide dans sa vie. Ses parents l'avaient trahie, et il semblait maintenant que son mari aussi. « Je ne sais pas quoi faire de ça », dit-elle.

Toujours sur un malentendu, Fisher Boyd répondit vivement : « Il faut vous adresser à une banque privée. C'est bien plus simple que d'essayer de trouver une personne dans votre agence locale qui comprenne ce que c'est, sans parler de savoir quoi en faire. Je vais vous donner des documents d'accompagnement qui diront que ce sont des indemnités d'assurance-vie pour que vous soyez en règle vis-à-vis des impôts. C'est le moyen parfait pour le blanchir.

— Ça ne me paraît pas très honnête. Je croyais que vous m'aviez dit que vous n'étiez pas une crapule ? Tout ça me semble plutôt crapuleux. »

Un éclair d'agacement passa sur le visage de Fisher Boyd. « J'ai dit que je n'étais pas un voleur. Je fournis un service. Je ne demande pas à mes clients pourquoi ils ont besoin de ce service, et je ne les escroque pas. Franchement, il y a un paquet de gens dans ce milieu qui ne peuvent pas en dire autant.

— Je ne comprends rien à toute cette histoire, dit Magda.

— Considérez ça simplement comme un joli petit pécule », suggéra Fisher Boyd. Il but à nouveau un peu de vin et fit claquer ses lèvres tant il avait un goût sec. « Vous êtes une dame très chanceuse. » Il attrapa son manteau et se leva. « Je vous enverrai ces faux papiers d'assurance par la poste. N'ayez aucune inquiétude, j'ai déjà fait ce genre de chose et personne n'a jamais bronché. » Il se glissa dans son manteau, laissant apercevoir sa doublure écarlate, puis ramassa son parapluie et sa serviette. « Si jamais vous aviez besoin de mes services, n'hésitez pas à m'appeler. » Il lui tira un chapeau imaginaire. « Ravi de vous avoir rencontrée. »

Hébétée, Magda remarqua à peine son départ. Elle resta longuement assise le regard fixé sur la chemise en cuir. Elle avait quelque part envie de déchirer les titres en petits morceaux et de les jeter dans les toilettes. Mais cela n'effacerait pas le souvenir de leur existence. Ça ne diminuerait pas la trahison. Les détruire ne lui rendrait pas l'image d'homme droit et honnête qu'elle avait toujours eue de Philip.

Et puis, il y avait les préceptes qu'on lui avait ressassés étant enfant. « Pas de gâchis. » « Il y a des enfants pauvres qui seraient très heureux d'avoir ce qui te semble normal. » Elle entendait au fond d'elle-même la voix de sa mère qui disait : « Pense seulement à tout le bien que tu pourrais faire avec cet argent, chérie. »

Magda prit la chemise et la fourra dans son sac à main. Pour l'instant, au moins, elle la conserverait. Elle repoussa son verre de vin et se leva pour partir. Elle était à mi-chemin de la porte quand la serveuse la rappela. « Vous devez régler, indiqua la femme. Une bouteille de sancerre. » En un sens, Magda n'était pas vraiment surprise.

Elle paya le vin avec un sourire ironique. C'était toujours bien que quelqu'un vous rappelle qu'on n'a jamais rien sans rien.

18

Mercredi

Contrairement à la plupart des flics, Nick Nicolaides n'avait jamais détesté les jours où il devait témoigner au tribunal. La majorité de ses collègues aimaient être actifs. Cela les rendait malades d'ennui de rester assis pendant des heures à attendre d'être appelé à la barre des témoins. Nick n'avait jamais eu de problème pour occuper son esprit. De la musique dans les oreilles, un livre en main, et il était heureux. L'iPhone avait révolutionné sa vie. Il pouvait composer de la musique, surfer sur le Web, lire, jouer à des jeux. Si l'envie lui en prenait, il pouvait même télécharger des fichiers du bureau et se mettre au courant des derniers rapports d'enquêtes.

Ou encore, comme ce jour-là, il pouvait poursuivre ses propres recherches sans personne pour le surveiller par-dessus son épaule et se demander pourquoi diable il explorait les journaux suédois sur Google alors qu'il était censé démanteler un réseau international de traite d'enfants. Parce qu'ici, ce jour là, tout ce qu'il était censé faire, c'était attendre qu'on l'appelle à l'audience puis répondre à des questions auxquelles il connaissait déjà les réponses.

Après sa conversation avec Charlie, Nick avait rangé Jay Macallan Stewart dans un coin de son esprit et s'était concentré sur l'opération à laquelle se consacrait son équipe. Mais lorsqu'il s'était effondré sur son lit, épuisé par une journée passée à comparer des bandes de vidéosurveillance avec leur banque de données sur les trafiquants et proxénètes connus, leur conversation d'avant lui était revenue à l'esprit. Il s'était endormi en réfléchissant à ce que Charlie lui avait dit et aux renseignements qu'il leur fallait réunir. Et le matin, en se rasant face à son reflet dans le miroir, il avait compris qu'il regardait l'affaire Ulf Ingemarsson par le petit bout de la lorgnette.

« Alibi », avait-il marmonné. Voilà par où il fallait commencer. Le seul problème était de parvenir à établir ce qu'avait fait Jay Macallan Stewart durant une semaine précise de 2004. On ne pouvait attendre de personne qu'il se rappelle ce qu'il avait fait six ans plus tôt.

« Sauf peut-être de ses employés. » Il s'était rincé le visage dans le lavabo et s'était adressé un clin d'œil confiant. Tout ce qui lui restait à faire désormais, c'était de trouver un moyen de les aborder.

D'ici là, il pouvait mettre à profit ce temps d'attente pour voir ce qu'il pouvait découvrir sur Ulf Ingemarsson. La fonction traduction que proposait Google provoquait parfois plus d'hilarité qu'elle n'apportait d'éclaircissements, mais elle suffisait pour déchiffrer des articles de presse. Les premiers articles parus – « Un Suédois assassiné en Espagne » – étaient comme d'habitude pleins d'indignation : bandits étrangers sanguinaires, police locale incompétente, les dangers de l'étranger pour les bons Suédois. Sous les gros titres, l'histoire d'un homme en vacances dans une villa de montagne isolée aux prises avec des cambrioleurs. Une bagarre, un couteau. Un cadavre gisant au sol pendant des jours, jusqu'à la venue de l'entreprise de nettoyage.

Puis la contre-attaque. La petite amie d'Ingemarsson, une institutrice dénommée Liv Aronsson, affirmait que ce n'était pas un cambriolage ordinaire. En plus des objets de valeur évidents, les voleurs avaient dérobé les papiers d'Ingemarsson, qui étaient sans intérêt et sans valeur pour quiconque excepté une poignée de concepteurs de sites Web, insistait-elle. Elle parlait du projet de son ami de créer un système de guides de voyage adaptés aux goûts de chacun et révélait qu'il avait été en pourparlers avec un développeur de logiciels britannique, mais les négociations avaient échoué suite à un désaccord quant à la répartition des bénéfices. Son histoire était brièvement traitée dans deux ou trois journaux et avait fait l'objet d'une chronique plus longue dans un magazine d'actualités. Puis plus rien pendant un moment.

Quand Jay Macallan Stewart avait lancé 24/7, l'histoire de Liv Aronsson avait refait surface sur quelques sites Internet suédois. Aucun lien direct n'était fait entre Ingemarsson et 24/7, mais toute personne dotée d'un peu de jugeote pouvait lire entre les lignes. De nouveau, on reprochait à la police espagnole d'avoir refusé d'envisager que ce fût plus qu'un simple cambriolage, et Aronsson laissait entendre que, d'après elle, son compagnon avait pu être tué pour son idée.

Sans aucun doute, ça valait la peine de lui parler, songea Nick. Il envoya un e-mail au journaliste qui avait écrit l'article pour lui demander les coordonnées d'Aronsson. Il pourrait y avoir un lien entre la mort d'Ulf Ingemarsson et une affaire non classée sur laquelle j'enquête, écrivit-il. Il semble que Liv Aronsson détienne peut-être des informations utiles. Ça marcherait ou pas. Au Royaume-Uni, les journalistes refusaient généralement de fournir des renseignements à la police. Ce serait peut-être plus facile en Suède.

Maintenant qu'il avait lu la presse suédoise sur le sujet, Nick avait encore moins envie d'appeler la police espagnole. Il ne pensait pas qu'il y ait une grande différence entre eux et ses collègues lorsqu'ils se faisaient débiner dans la presse, surtout la presse étrangère. La paresse des journalistes faisait un très bon rempart derrière lequel se cacher quand on savait qu'on ne s'était pas couvert de gloire. Il aurait été très étonné que les flics espagnols soient trop bêtes pour mesurer l'importance des papiers volés. Et le ministère des Affaires étrangères les avait immanquablement pressés d'élucider le meurtre d'un Suédois. C'était mauvais pour les affaires, en dehors de toute autre considération. Si les flics avaient échoué, ce n'était certainement pas faute d'avoir essayé, estimait-il. Et ils ne se réjouiraient pas de voir un rosbif fourrer son nez dans leurs affaires et insinuer qu'ils n'étaient pas à la hauteur.

Il n'eut pas l'occasion de décider car l'huissier d'audience arriva pour l'appeler à la barre des témoins. À sa surprise, Nick conclut sa déposition avant que le tribunal ne se lève pour aller déjeuner. Personne ne s'attendait à le voir revenir au commissariat avant la fin d'après-midi. Si Jay était absente de son bureau, il pouvait avancer efficacement sans que personne ne s'en aperçoive. Il ne se sentait aucunement coupable de s'éclipser ; chaque semaine, il faisait des heures supplémentaires non payées. Travailler un peu pour son propre compte, ce n'était pas vraiment voler des heures à son employeur.

Nick ouvrit Twitter sur son téléphone et tapa « Jay Macallan Stewart » dans le champ de recherche. Apparut alors un tweet posté deux heures plus tôt par la femme en personne : *@ dégustation de prosciutto, Bologne. Indiquerai + tard le meilleur sur le site 24/7.* Si elle s'était trouvée à Bologne deux heures plus tôt, elle ne serait pas à son bureau près de Brompton Road dans le temps qu'il lui faudrait pour s'y rendre. Lorsque cette pensée lui vint, il envoya immédiatement un SMS à Charlie pour lui transmettre l'information. Elle voulait parler à Magda sans que Jay soit dans les parages. C'était peut-être sa chance.

Les bureaux de 24/7 occupaient les étages supérieurs d'un immeuble en briques à façade symétrique. On y accédait par une entrée discrète située à côté de la boutique de sacs à main griffés du rez-de-chaussée.

Nick avait lu quelque part qu'une femme dépensait en moyenne quatre mille livres sterling en sacs à main dans sa vie. Il regarda la vitrine de la boutique en attendant qu'on réponde à l'interphone et comprit facilement comment c'était possible.

Sa carte de police brandie devant la caméra de sécurité suffit pour qu'on lui ouvre. La cage d'escalier, dont on avait récemment passé la moquette à l'aspirateur, était propre et sentait le frais, et de séduisantes photos de villes européennes étaient accrochées aux murs éclatants. Le hall d'accueil était tout aussi chic – mobilier convenable, un vrai percolateur et beaucoup d'espace. Nick était impressionné. Il avait pénétré les coulisses de bien trop d'entreprises qui ne semblaient pas se soucier des conditions de travail de leurs employés. La police de Londres pouvait prendre exemple sur Jay Stewart, se dit-il.

La femme qui se trouvait derrière le bureau d'accueil cadrait avec la pièce. Elle portait une jolie tenue soignée sans exubérance. Nick lui donna une bonne trentaine d'années, sachant que c'était une belle femme. Son chemisier blanc immaculé le stupéfia. Il n'arrivait jamais à obtenir un rendu aussi parfait, pas même lorsqu'il envoyait ses chemises au service de repassage. Il lui adressa son plus charmant sourire en tenant sa carte à côté de son visage. « Sergent-détective Nick Nicolaides », annonça-t-il.

Elle sourit, mais Nick vit qu'elle était inquiète. Cela ne voulait rien dire. La plupart des personnes innocentes étaient troublées par la présence d'un policier qu'elles n'avaient pas fait venir. « Bonjour, dit-elle. Je suis Lauren Archer. Y a-t-il un problème ? Que puis-je pour vous ? »

Conscient de sa position dominante face à elle, Nick se jucha sur le bord d'une table collée au mur. « Ne vous en faites pas, je ne suis pas venu pour arrêter qui que ce soit, je vous le promets. À vrai dire, c'est sans grand espoir, dit-il avec un sourire gêné qui invitait à la complicité. Nous enquêtons sur une affaire non classée. »

Lauren hocha la tête, l'air toujours hésitant. « Oui ?

— Ça remonte à 2004, mais une nouvelle analyse des éléments du dossier a fait apparaître un nouveau suspect, mentit Nick avec aisance. Le problème, c'est que le type en question prétend avoir un alibi. »

Lauren fronça les sourcils. « Qu'est ce que ça peut bien avoir affaire avec nous ? 24/7 n'était même pas encore lancé à l'époque.

— Non, mais d'après ce que je sais, la société était en cours de création. Il me semble que Mme Macallan Stewart ne travaillait pas seule ? »

Lauren sourit. « En effet. Anne, son assistante, est avec elle depuis topdepart.com. » Elle fronça de nouveau les sourcils. « Mais qu'est-ce que ça a à voir avec votre affaire ? »

Nick soupira. « Tout cela est un peu compliqué. On ne peut pas dire précisément quand le crime a eu lieu. Il a pu se produire à n'importe quel moment au cours d'une semaine en particulier. Et l'homme en question prétend avoir passé cette semaine-là en stage dans l'entreprise de Mme Macallan Stewart. Il dit en fait l'avoir accompagnée la plupart du temps. »

Lauren haussa ostensiblement les sourcils. « Ça ne ressemble pas à Jay, dit-elle. Elle déteste qu'on regarde par-dessus son épaule.

— Vous voyez ? Vous m'aidez déjà. Je me demandais... Vous pensez qu'Anne aurait une trace écrite du planning de Jay durant la semaine en question ? Un vieil agenda ou quelque chose comme ça ?

— Attendez une minute, je vais lui demander de venir. » Lauren décrocha le téléphone. « Anne ? J'ai un policier ici, il a une question concernant l'emploi du temps de Jay... Non, pas cette semaine. Il y a un moment. Tu peux venir voir ? » Elle raccrocha le combiné. Elle avait à présent un sourire épanoui, l'air d'une femme qui a passé le témoin à la personne suivante dans l'équipe.

Une porte s'ouvrit derrière Nick, et une voix grave déclara : « Je suis Anne Perkins. Et vous êtes ? »

Nick se redressa et se présenta à nouveau en lui soumettant sa carte de police. Anne Perkins pouvait avoir n'importe quel âge entre quarante et soixante ans. Ses épais cheveux poivre et sel étaient coupés et coiffés en désordre comme c'était la mode, ses lunettes étaient à la pointe du chic et elle portait un T-shirt moulant à mancherons et un pantacourt cargo qui révélaient des membres bronzés et des muscles fermes. Elle avait l'air de quelqu'un qui vient au travail à vélo, se dit Nick. Et sans s'essouffler. « Merci, sergent, dit-elle en lui rendant sa carte. Que puis-je faire pour vous ? »

Nick répéta son histoire. Anne Perkins l'écouta avec attention, la tête inclinée sur le côté, une ride de concentration entre les sourcils. « Votre homme est un menteur, déclara-t-elle. Nous avons accepté des stagiaires dans le passé, mais jamais pour observer notre directrice. Nous ne prendrions jamais un risque de ce niveau en termes de confidentialité des données. » Elle se retourna comme si le fait d'avoir dit ce qu'elle avait à dire concluait la discussion.

« Merci, dit Nick. S'il vous plaît, ne le prenez pas mal, mais je ne peux pas me contenter de dires non vérifiés pour une affaire comme celle-ci. » Il haussa les épaules d'un air contrit. « La procédure, tout ça. Je suis sûr que vous comprenez mon problème. »

Elle parut consternée. Nick supposa qu'elle n'avait pas l'habitude qu'on remette en cause sa position. Il espéra ne pas être allé trop loin. « Je croyais que dans notre système judiciaire la parole d'une personne contre celle d'une autre suffisait ? fit-elle froidement remarquer.

— Nous préférons ne pas devoir nous en remettre à l'intelligence d'un jury, répondit-il, exploitant le sentiment de supériorité de son interlocutrice. Peut être pourrais-je confirmer cela auprès de Jay elle-même ? »

Anne secoua la tête. « Elle n'est pas là aujourd'hui.

— Est-ce que je peux l'appeler ?

— Ce serait délicat. Elle a un programme très chargé. »

Il était intéressant de voir comme elle prenait la défense de sa chef, nota Nick. Il hocha la tête d'un air compréhensif. « Bien sûr, c'est une femme très occupée. Et si vous aviez un agenda de 2004 auquel je pourrais jeter un œil ? Le problème serait réglé. Et je m'en vais, pour ne jamais revenir vous ennuyer. »

Anne Perkins leva un sourcil. « 2004 ? Donnez-moi une minute. Lauren, montrez à ce sympathique policier comment marche le percolateur. »

Lauren lui adressa un sourire angoissé lorsqu'ils se retrouvèrent seuls. « Voulez-vous un café ?

— Ce serait trop m'engager. Je ne compte pas rester ici aussi longtemps. » Il se jucha de nouveau sur le bord du bureau. « Ça fait combien de temps que vous travaillez ici ?

— Cinq ans, maintenant, dit Lauren. Depuis le lancement de 24/7.

— Ça doit être un bon endroit où travailler si vous êtes restée ici depuis tant d'années. »

Lauren sourit. « On a des super avantages pour voyager. Or j'adore voyager. Et puis, Jay est une bonne patronne. Elle exige beaucoup de son personnel, mais elle donne beaucoup en retour. Et vous, vous êtes dans la police depuis longtemps ? »

Nick fit la moue. « Trop. Et on n'a pas d'avantages pour voyager. Et alors, comment elle est, Jay ? J'imagine qu'elle doit être assez impitoyable, pour si bien réussir dans les affaires.

— Elle sait ce qu'elle veut et elle est très douée pour l'obtenir. » Lauren s'interrompit brusquement, comme si elle s'était rendu compte qu'elle en disait trop au sympathique policier. « Mais si vous voulez vraiment savoir comment elle est, vous devriez lire ses mémoires de jeunesse, *Sans aucun remords*. Elle a eu une enfance assez difficile. Voir quelqu'un qui a surmonté ça et réussi aussi bien sa vie, c'est stimulant, vous voyez ? »

Avant que Nick n'ait pu réagir, Anne Perkins revint avec un fin netbook. « Je crois que j'ai ce qu'il vous faut », dit-elle en posant l'ordinateur sur la petite table et en l'ouvrant. Elle pianota sur les touches à toute vitesse, et un programme s'ouvrit à l'écran. Nick s'approcha et vit qu'il s'agissait d'un calendrier de 2004. « Quelles sont les dates qui vous intéressent ?

— Entre le 9 et le 16 mai », dit-il.

Elle s'arrêta net, les doigts immobiles au-dessus du clavier. Elle tourna la tête pour le regarder en face. « Ce n'est pas la première fois que je fais une recherche sur ces dates, dit-elle. C'était il y a longtemps, mais je m'en souviens bien. Ça n'arrive pas souvent que deux services de police différents vous interrogent sur les mêmes dates pour deux raisons différentes. »

Déconcerté, Nick parvint à garder son sang-froid. « Nous collaborons en effet étroitement avec nos collègues européens, indiqua-t-il.

— C'est donc au sujet de ce concepteur de logiciels suédois qui a été tué ? Comment s'appelait-il ? Ulf quelque chose ? » D'abord sur la défensive, Anne était maintenant méfiante. « Ils auraient fini par attraper quelqu'un ? »

Nick haussa les épaules. « Je ne peux pas faire de commentaires. Je dois simplement savoir si cet homme accompagnait Jay cette semaine-là.

— Vraiment ? fit-elle d'un ton sceptique. Je vais vous dire ce que j'ai dit aux Espagnols. Jay n'a en aucun cas pu aller en Espagne cette semaine-là.

— Je n'ai jamais dit...

— Bien sûr que non. Vous n'êtes qu'un simple agent enquêtant sur un suspect au nom inconnu dans le cadre d'un crime mystérieux. » Elle se retourna vers l'ordinateur et entra les dates en question. C'était de toute évidence l'agenda authentique et non un document falsifié à la dernière minute pour le satisfaire. Quelques secondes plus tard, il avait sous les yeux sept cases rectangulaires. Au sommet étaient inscrits le jour et la date ; sur le côté, « JMS », « AP » et « VF ». Chaque journée, y compris les week-ends, était remplie de renseignements sur des rendez-vous.

« Qui est VF ? demanda Nick tout en essayant d'analyser les déplacements de Jay.

— Vinny Fitzgerald, répondit Anne. C'est notre ingénieur système. Un homme très doué. Il est responsable du bon fonctionnement du site. Jay l'a découvert lorsqu'elle créait topdepart.com. Et il était lui aussi très loin de l'Espagne cette semaine-là. » Elle posa le doigt sur l'écran, là où il apparaissait que VF avait assuré une formation à Bracknell. Puis elle montra l'emploi du temps de Jay. « Comme vous pouvez le voir, il n'y a ici aucune référence à un stagiaire. Et il est évident que personne ne l'accompagnait cette semaine-là. Le dimanche et le lundi elle était à Bruxelles, le mardi et le mercredi à Marseille, le jeudi et le vendredi à Biarritz. Beaucoup de rendez-vous avec des collaborateurs potentiels. Et tout un programme de choses à visiter et d'endroits où manger et boire un verre. Jay n'aime pas avoir de la compagnie quand elle voyage pour le travail. C'est impossible que votre suspect l'ait accompagnée cette semaine-là.

— Je vois cela, acquiesça Nick. Est-ce qu'à tout hasard vous pourriez m'imprimer ça, pour que je puisse plus facilement convaincre mon chef ? »

Anne se mordilla la lèvre pendant un instant. « Je n'y vois pas d'objection. Il n'y a aucune information sensible d'un point de vue commercial. Aucun problème de confidentialité. » Elle se redressa, ayant manifestement pris sa décision. « Oui, je peux faire ça. Vous êtes sûr de ne pas pouvoir me donner un nom pour votre suspect ? »

C'était une curieuse manière de formuler sa question, et Nick se demanda un instant si elle l'avait démasqué. « Pourquoi cette question ? demanda-t-il.

— Je me demandais juste pourquoi il a bien pu nous choisir comme alibi. » Elle prit le netbook et lança l'impression. « Il doit exister des centaines de grosses entreprises dans lesquelles il pourrait prétendre être passé entre les mailles du filet administratif sans laisser de traces. Je me suis dit qu'il avait peut-être un lien avec 24/7 ou avec Jay. »

Nick la regarda d'un air angoissé. « Je ne suis pas censé vous révéler cela, dit-il. Les gens ont le droit au respect de leur vie privée jusqu'à ce qu'on les arrête. Je crains que le mystère ne doive rester entier. »

Anne gloussa. « C'est aussi bien que Jay ne soit pas là, dans ce cas. Il n'y a rien qu'elle déteste plus que les mystères. »

Nick sourit. « Et moi donc, dit-il. Et moi donc. » Puis il lui fit son sourire le plus carnassier. « Il y a une chose intéressante, cependant. Une grande partie de votre emploi du temps n'est pas consignée pour cette semaine-là. Je suppose que vous n'étiez pas en Espagne ? »

Elle donna l'impression d'avoir été giflée. « Je crois qu'il est temps que vous partiez, sergent. » Elle alla à l'imprimante et lui tendit la copie de la page de l'agenda.

Nick la dévisagea longuement. « Vous m'avez été d'une aide précieuse. Nous aurons peut être l'occasion de reparler.

— J'en doute fort, fit-elle d'un ton glacial, l'œil vigilant. Je ne vois aucune raison à cela. »

À cet instant, Nick non plus n'en voyait aucune. Mais quelque chose dans la réaction d'Anne Perkins à sa remarque désinvolte le laissa songeur.

19

En matière de psychologie différentielle, Charlie estimait que le groupe de lycéennes à qui elle donnait cours avait sacrément de la chance de l'avoir. Au lieu d'une discussion théorique et aride sur les moyens de rassembler des données concrètes sur les troubles et la déviance de l'esprit et du comportement, elles avaient droit à des dépêches du front de la psychiatrie. Et, Dieu merci, elles étaient assez intelligentes pour s'en rendre compte. Ses deux heures de cours s'étaient avérées moins pénibles qu'elle ne l'avait craint. Il n'empêchait qu'elle était bien contente de fuir le brouhaha que faisaient ces adolescentes et de retrouver la tranquillité de sa voiture.

Lorsqu'elle ralluma son téléphone, elle découvrit le SMS de Nick, qui lui offrait l'occasion de parler à Magda sans que Jay puisse les entendre. Ça ne servait à rien d'appeler maintenant, cependant. Magda devait travailler et avoir l'esprit occupé par ses patients. Charlie prit note de contacter Magda plus tard.

En attendant, une autre tâche l'attendait. Aucun des articles de presse sur le procès n'avait mentionné les noms des avocats de la défense, seulement ceux des avoués qui avaient représenté Barker et Sanderson au tribunal. Ceux-ci devaient être passés à leurs affaires suivantes et avoir oublié leurs clients déçus ; les avocats quant à eux étaient toujours impliqués, et eux seuls pouvaient la faire entrer dans la prison pour interroger les assassins présumés de

Philip Carling. Elle rentra chez elle en mettant au point sa stratégie.

Charlie s'installa devant l'ordinateur avec son téléphone et une tasse de café. Elle connaissait les noms des avoués mais pas ceux des cabinets où ils travaillaient. Google lui donna les informations qu'il lui fallait en l'espace de quelques instants ; tout ce qui lui restait à décider, c'était lequel choisir. Sanderson n'avait sans doute joué qu'un rôle secondaire dans ce qui s'était passé et serait donc potentiellement plus disposée à cracher le morceau. Mais Barker répondrait peut-être plus facilement à une femme. « Am stram gram, fit-elle. Tant pis pour la méthode scientifique. »

Une jeune voix masculine répondit au téléphone du premier cabinet qu'elle appela. « Cabinet de Friary Court », annonça-t-il, vif et sérieux.

Charlie s'efforça de prendre un ton semblable. « Bonjour, je me demandais si vous pourriez m'aider ? J'essaye de retrouver l'avocat de Joanna Sanderson. Votre maître Cordier l'a représentée la semaine dernière à l'Old Bailey ? J'essaye de savoir qui était l'avocat en charge du dossier.

— À qui ai-je l'honneur, s'il vous plaît ? »

Exactement ce qu'elle voulait éviter. « C'est le docteur Flint. Je suis psychiatre. Je suis censée organiser un entretien avec Sanderson, mais il se trouve que je n'ai pas le nom de l'avocat. Je n'ai pas besoin de vous expliquer comment ça se passe parfois. » Elle soupira.

« Ne m'en parlez pas, dit-il. Je vous laisse patienter une minute. »

Elle entendit des touches cliqueter à l'autre bout du fil. « Pas de problème.

— Alors. C'est Mme Pilger de chez Pennant Taylor qui nous a donné le dossier Sanderson.

— Parfait. » Charlie se contint assez longtemps pour le remercier et raccrocher. Puis elle se leva d'un bond et esquissa une petite danse autour de la table en remuant les hanches et en criant de joie. La situation tournait enfin en sa faveur. Pauline Pilger était une des premières avocates à avoir engagé Charlie en tant que témoin expert, et au fil des années, les deux femmes avaient travaillé ensemble une douzaine de fois sinon plus. Charlie connaissait une poignée d'avocats sur qui elle pouvait compter aujourd'hui, et Pauline était pratiquement en tête de liste. Mieux, elle se battait avec passion pour ses clients et refusait de baisser les bras, même quand ses chances de réussite étaient ridiculement minces.

Elle trouva la ligne directe de Pauline et l'appela. Celle-ci répondit presque tout de suite. « Charlie ? » Pauline semblait surprise, mais agréablement.

« Oui. Comment ça va ?

— Bien. Je ne te retourne pas la question, j'imagine que ce n'est pas le pied en ce moment.

— J'ai connu pire. Dis-moi, je ne te dérange pas ?

— Laisse-moi te rappeler dans dix minutes. Il faut que je termine cette transcription, puis je pourrai me concentrer comme il faut. D'accord ? »

Jamais dix minutes ne s'étaient écoulées aussi lentement. Quand le téléphone sonna enfin, Charlie tambourinait sur le bureau comme une pianiste de free-jazz. « Pauline ? Merci de me rappeler.

— Charlie, c'est toujours un plaisir. Je déteste la manière dont ils essaient de te faire porter le chapeau dans les tabloïds. Tu as fait ton travail, tu as fait ce qu'il fallait. »

Charlie soupira. « Je sais, Pauline. Mais la mort de ces femmes me pèse sur le cœur, tu sais ? »

Un long silence. Charlie savait que Pauline traînait elle aussi ses fardeaux. Il ne pouvait en être autrement pour une avocate pénaliste. « Je sais, dit finalement Pauline. Je suppose que tu n'appelles pas que pour prendre des nouvelles ?

— Je crains que non. Je te préviens tout de suite, ça va te paraître bizarre. Mais écoute-moi jusqu'au bout, s'il te plaît.

— Raconte. Je ne suis pas contre un peu de bizarrerie. En ce moment, les choses sont assez ennuyeuses par ici. Je te le dis, Charlie, la loi de 1998 sur les droits de l'homme est une arme à double tranchant. On a su l'utiliser à notre avantage, mais tous les foutus clients que je vois de nos jours commencent par gueuler que leurs droits humains ont été violés. Je commence à en avoir marre d'expliquer que lorsqu'un policier refuse de vous laisser fumer à l'arrière d'une voiture de police, ça ne rentre pas dans la catégorie des châtiments cruels et inhabituels. Alors balance ta bizarrerie.

— C'est au sujet de ta cliente, Joanna Sanderson.

— Actuellement coffrée à Holloway dans l'attente d'un verdict pour meurtre. Je dirais perpète avec une peine de sûreté conseillée de dix ans. Eh bien ?

— La mère de Magda Newsam est mon ancienne chargée de recherche. Et aussi étrange que cela puisse paraître, elle est persuadée que ta cliente n'est pas coupable. Ni Joanna ni Paul Barker. Elle pense qu'ils sont victimes d'un coup monté.

— Attends… que je comprenne bien. La mère de la veuve pense que ma cliente est innocente ?

— Du meurtre, en tout cas. Elle ne sait rien en ce qui concerne le délit d'initié. Mais elle croit que ce ne sont pas les bonnes personnes qui se sont retrouvées au tribunal et elle m'a demandé d'examiner l'affaire pour voir s'il y a moyen de démêler ce qui s'est passé.

— Tu penses que je n'ai pas fait mon boulot ? demanda Pauline. Bon Dieu, je suis d'accord avec la mère Newsam, je pense que ma cliente n'est pas coupable de meurtre. Mais les présomptions étaient contre elle, surtout dans la mesure où son petit copain et elle avaient le genre de mobile qui parle aux jurés qui regardent cette saloperie d'*Inspecteur Barnaby*.

— Je ne pense pas une seconde que tu as mal fait ton boulot, précisa Charlie, conciliante, mais également convaincue. Je veux seulement parler avec Joanna pour pouvoir revenir vers Corinna Newsam et lui dire : désolée, il n'y a aucune faille dans tout le dossier.

— Jo ne te dira rien que tu ne saches déjà, insista Pauline. Mais je ferais aussi bien de te dire qu'il y a une ligne de défense qu'on n'a pas suivie parce qu'il nous a semblé qu'elle nous aliénerait le jury. En fin de compte, on aurait peut-être aussi bien fait de lâcher le morceau. »

Ce préambule plaisait à Charlie. D'après son expérience, quand les avocats essayaient de jouer les psychologues, ils faisaient des erreurs. Ce ne serait pas la première fois que le fait d'avoir joué à quitte ou double au tribunal finisse par apporter la première pierre à l'édifice d'une procédure d'appel. « Qu'est-ce que c'était ? questionna-t-elle.

— Que sais-tu de l'affaire ?

— J'ai lu toute la presse.

— D'accord. Tu sais donc que tout a commencé quand on a retrouvé un disque dur de sauvegarde contenant des lettres qui n'apparaissaient nulle part ailleurs sur les autres ordinateurs de Philip Carling ?

— Oui. Magda l'a trouvé chez ses parents, où ils avaient passé la nuit précédant le mariage.

— Eh bien, ma cliente et son partenaire affirment catégoriquement que Philip Carling n'aurait jamais écrit ces lettres qui les dénonçaient pour la simple et bonne raison que c'est lui qui était l'instigateur de toute cette arnaque de délit d'initié.

— Tu plaisantes ? Le marié, Monsieur Blanc comme neige ? Il était de mèche ? » C'était la chose la plus ahurissante que Charlie ait entendue jusque-là. Cela ôtait toute valeur juridique à ces lettres.

« C'est ce que prétend ma cliente. Il faisait ça depuis un moment quand Joanna a remarqué qu'il semblait dépenser beaucoup plus d'argent qu'il n'en gagnait. Elle a d'abord pensé qu'il les escroquait. Qu'il prenait plus à la société qu'il n'en avait le droit. Alors Paul et elle se sont opposés à lui. Il s'est rendu compte que la seule issue à cette situation très délicate, c'était de tout déballer sur ce qu'il trafiquait vraiment. Et il leur a montré comment mettre en place des systèmes pour que ça passe inaperçu.

— Bon Dieu ! fit Charlie. Ça fait tomber leur mobile à l'eau, n'est-ce pas ?

— Et comment.

— Je ne comprends pas pourquoi vous n'avez pas voulu axer votre défense là-dessus.

— Les jurys n'aiment pas quand on accuse les morts sans preuve. Il y avait deux problèmes principaux. Philip Carling était en apparence un type bien. Il n'y a aucune trace d'argent douteux sur ses comptes. Il y a bien quelques irrégularités – il a vendu trente mille livres une peinture qu'il aurait dénichée pour cent billets dans une brocante, ce genre de chose. Et il prétendait être un gros joueur de poker. Il devait être sacrément bon pour amasser le genre de gains qu'il déclarait et mettait en banque. Mais il n'y avait rien qu'on puisse pointer du doigt en disant : ce sont les profits de son délit d'initié.

— En effet, ça complique les choses. Mais quand même... » Charlie s'arrêta pour ne pas paraître trop critique.

« Et puis il y avait l'obstacle ultime. Qui avait soi disant découvert les lettres ? La veuve en deuil. Est-ce que tu l'as vue ? C'est une vraie bombe, Charlie. Au tribunal, tous les hommes bavaient, crois-moi. En plus, c'est une femme médecin qui soigne les enfants atteints du cancer. Privée de son mari le soir de son mariage. Difficile d'imaginer quelqu'un qui puisse plus séduire un jury que Magdalene Newsam. Et donc, si on suggérait que les lettres étaient des faux destinés à faire porter les soupçons sur ma cliente, ça revenait à insinuer que la Vierge Magda y était pour quelque chose. Et c'était couru d'avance.

— Je comprends bien ton problème. Sans parler du fait que tes clients ne brouillaient pas aussi bien les pistes que Carling. Je veux dire, rien ne laisse penser qu'on les a piégés pour les accuser du délit d'initié, si ?

— Non, même moi, je n'arrive pas à le prouver. Mais je ne pense pas qu'ils aient tué Philip Carling. Barker aurait pu le faire, s'il s'était retrouvé dos au mur. Mais ils se présentent tous les deux comme l'alibi de l'autre. Et ils n'en démordent pas. J'ai bien fait remarquer à Joanna qu'elle ne se facilitait pas les choses si elle mentait en disant qu'elle était avec Barker alors qu'il était en train de tuer Carling, mais elle est restée catégorique. Ils étaient ensemble, et ils n'ont pas tué Carling. Bien sûr, l'autre problème, c'est qu'il n'y a pas d'autres suspects. Il ne vivait pas le genre de vie dans laquelle on se fait des ennemis qui vous tuent le jour de votre mariage. Alors si ma nana et son bonhomme ne l'ont pas fait, qui est-ce ? Les autres invités sont tous couverts : leurs alibis se recoupent, et personne ne se baladait avec des vêtements mouillés. Est-ce que ton ancienne prof a des idées lumineuses sur la personne qui l'a réellement tué ?

— Elle a une idée, confirma Charlie. Je ne dirais pas qu'elle est lumineuse, et il n'y a aucune preuve digne de ce nom pour la valider. Mais elle donne à réfléchir.

— Tu veux me dire qui c'est ? »

Charlie rigola. « Tu m'enverrais illico des hommes avec une jolie veste blanche qui se boutonne dans le dos. Non, je ne veux pas t'en faire part à ce stade. C'est trop tordu, même pour toi.

— C'est tellement injuste. Je t'ai montré mes cartes et tu ne veux pas me montrer les tiennes.

— Je te promets, dès que j'ai quoi que ce soit de concret, je te le dirai. Mais dans l'immédiat, c'est mieux si je le garde pour moi. Alors, est-ce que je peux voir ta cliente ? Je pourrais te faire un joli rapport psychiatrique pour l'appel.

— Je vais garder ça à l'esprit. Mais je vais être obligée de refuser, Charlie. Joanna ne va pas bien. Pas assez bien pour te laisser tenter de lui tirer les vers du nez. En ce moment, elle serait prête à dire n'importe quoi si elle estimait qu'il y avait la moindre chance que ça la sorte de ce pétrin. Elle pourrait désigner le pape dans une séance d'identification.

— Elle aurait sans doute des raisons. » Charlie s'efforça de ne pas montrer sa déception. Elle était tiraillée entre l'envie d'interroger un témoin sincère et sa compréhension de l'état que décrivait Pauline. Elle savait qu'elle ne ferait qu'augmenter le chagrin de Joanna si elle donnait l'impression de lui offrir un espoir. Et si en certaines occasions ça ne la dérangeait pas de mentir à bon escient, celles où cela revenait à faire du mal à une personne déjà vulnérable n'en faisaient pas partie. « C'est pas grave, Pauline. Ce que tu m'as appris, c'est sans doute tout ce qu'elle a. Je n'en reviens toujours pas de savoir que c'est Carling qui a monté toute l'arnaque. C'est dingue !

— Peut-être qu'il a trahi quelqu'un. Quand on s'aventure en eaux troubles, qui sait sur quelle sorte de vermine on peut tomber. Écoute, tu me tiens au courant de tout ça, tu m'entends ? Ma cliente ne devrait pas être derrière les barreaux.

— Entendu », dit Charlie. Elles passèrent quelques minutes de plus à échanger des nouvelles, mais Charlie n'avait pas le cœur à ça et elle fut contente de raccrocher. « Ça change tout », dit-elle. Elle ne voyait pas bien ce que ces nouveaux éléments signifiaient, mais une chose était sûre, la donne avait changé.

20

Pour un salon classe affaires, le *Marconi business lounge* de l'aéroport de Bologne était assez basique. Bière, boissons sans alcool ou café, et un choix limité d'en-cas préemballés ; c'était une insulte au palais après ces mets et vins fabuleux que Jay avait dégustés durant ses deux jours dans la ville. Mais elle n'était pas là pour manger ou boire. Elle était coincée là parce son vol avait trois heures de retard. Cela faisait partie des inconvénients qu'entraînait sa volonté de continuer à faire une partie du travail de terrain, qui était essentiellement réalisé par des correspondants et des informateurs locaux de confiance, mais ce n'était pas cher payé pour garder le sens de la réalité du voyage tel que le vivaient la plupart des gens. Enfin, la réalité agrémentée d'un peu de luxe, comme les salons classe affaires. Parce qu'il y avait toujours du travail. Jay n'avait jamais cru bon de gaspiller les petits moments inopinés que ses voyages professionnels lui imposaient régulièrement.

Elle avait employé la première heure à prendre des notes sur les coups de cœur de son séjour : restaurants, bars, boutiques, musées, galeries, mais aussi les curiosités et perspectives inhabituelles qui rendaient l'offre de 24/7 exceptionnelle. Jay relut son récapitulatif et le compara avec son agenda pour être sûre de n'avoir rien oublié. Puis elle profita de la connexion Wi-Fi du salon classe affaires pour mettre en ligne sur le site Web de 24/7 les cinq meilleurs prosciutto qu'elle conseillait. La plupart des clients du site n'auraient jamais l'occasion de les goûter, encore moins de les acheter, mais ils pourraient désormais disserter dans les dîners en se prétendant experts. C'était le côté de 24/7 dont Jay n'était pas fière. Les renseignements et expériences qu'elle avait rendus accessibles avaient provoqué une nette progression des comportements prétentieux dans une certaine catégorie de dîners. Elle espérait pouvoir finir sa vie sans devoir en payer le prix. Que Dieu lui vienne en aide si un jour elle devait en répondre.

Son travail terminé, il lui restait encore presque deux heures avant l'embarquement de son vol. Elle espérait que Magda avait regardé le site des horaires d'arrivée en temps réel avant de partir pour l'aéroport. Elle lui avait dit de ne pas s'embêter à venir la chercher à Gatwick, mais Magda avait été particulièrement insistante. Cela passerait, Jay le savait, mais dans l'immédiat ce dévouement lui faisait chaud au cœur.

Pour oublier son impatience, elle décida d'avancer un peu sur son livre. Jasper l'avait appelée lundi pour lui dire qu'il avait arraché vingt mille livres supplémentaires à son éditeur à condition qu'elle puisse proposer une date de remise avancée. L'argent n'avait guère d'importance, mais l'empressement que dénotait leur offre montrait bien à quel point ils voulaient son livre. Pour ce vote de confiance, ça ne la dérangeait pas de se replonger dans le passé et de le remodeler afin de produire un récit qui se vendrait comme des petits pains.

Il lui faudrait raconter la période qu'elle avait passée à voyager après avoir vendu topdepart.com. Mettre une bonne dose de chagrin et de regret à propos de la mort de Kathy, tout en présentant ce moment comme une transition vers l'idée qui était devenue 24/7. Mais pas ce soir-là. C'était déprimant d'écrire des récits de voyage dans un aéroport. Les aéroports étaient, du point de vue de Jay, l'antithèse du voyage. Ils en étaient le mal nécessaire.

Le problème quand on voyage, c'est qu'aussi loin qu'on aille, on se réveille toujours face à soi-même. La période que j'ai passée à bourlinguer, à m'éloigner autant que possible des sentiers battus, a été la période d'incubation de mon entreprise suivante, mais je l'ai aussi employée à tenter vainement de fuir la douleur que me causait la perte de Kathy. C'est seulement quand je me suis rendu compte que j'allais devoir y faire face puis la dépasser que j'ai pu retrouver une certaine sérénité et recommencer à réfléchir de manière constructive à ce que j'allais faire du reste de ma vie.

Tout le monde rêve de devenir riche. Étant donné mes origines, je n'ai jamais cru que ce serait plus qu'un rêve. On se dit tous que si on avait assez d'argent, on pourrait arrêter de travailler et mener une vie merveilleuse dans un monde de piscines et de magnifiques repas arrosés de vins millésimés sur des terrasses donnant sur des panoramas spectaculaires. Je me rappelle m'être un jour dit, alors que j'étais étudiante, qu'être vraiment riche signifiait ne pas avoir à terminer la bouteille de vin. Parce qu'il y en aurait toujours d'autres.

Il se peut que certains arrivent à se satisfaire ainsi. Cependant, je n'en suis pas sûre. J'ai lu assez d'articles sur des gens qui ont gagné à la loterie et fini avec des vies minables et misérables pour penser avoir raison sur le fait que nous avons tous besoin d'un but dans nos vies au-delà de la recherche futile du plaisir. Certaines personnes riches trouvent ce but dans la philanthropie : elles créent des fondations caritatives et œuvrent grâce à elles pour améliorer la vie des autres. Et cela a son utilité. J'ai donné assez d'argent pour savoir qu'on y trouve une satisfaction sincère.

Mais pour moi, le véritable épanouissement vient du travail. Du fait de créer quelque chose à partir de rien. De générer des emplois, apporter sa contribution à l'économie et aider d'autres personnes à améliorer leur propre vie. Je suppose que ce n'est pas surprenant étant donné l'enfance que j'ai eue. J'ai vu de mes propres yeux et de très près ce que provoquent le laisser-aller et le désœuvrement. Le gaspillage de talent et d'esprit, quand le questionnement le plus stimulant qu'on puisse avoir concerne la provenance du prochain pétard ou du prochain fix. J'ai moi-même failli être entraînée dans ce monde. J'aurais pu gâcher mes capacités dans cet état nébuleux de rêverie New Age que je voyais partout autour de moi.

Il est vrai que j'aurais pu de moi-même rejeter tout cela pour en devenir le contraire exact. Mais je me suis retrouvée catapultée dans cet univers diamétralement opposé, que je le veuille ou non. J'ai alors reçu de nouvelles leçons : le devoir avant le plaisir, le sacrifice avant l'amour, la vertu avant la compassion. Toutes ces valeurs radicalement différentes m'ont été imposées.

J'ai donc fait un double rejet. J'ai adopté une philosophie mixte qui me laissait choisir les meilleurs éléments au sein de ces deux systèmes de valeurs. Le travail comme source du possible. Le devoir au service du plaisir. Et, au cœur de tout ce que je faisais, l'amour.

Je n'avais jamais été plus heureuse que quand nous avions lancé topdepart.com et connu le succès à partir de ma folle idée nocturne. L'excitation que j'avais ressentie au moment de réaliser ce projet, trouver les financements et convaincre des gens d'adopter mon point de vue sur le monde – tout cela m'avait inspirée. Une fois notre réussite confirmée, notre entreprise avait continué à me procurer beaucoup de satisfaction. J'avais savouré mon heure de gloire, je ne le nie pas. Mais je n'avais pas eu de regret quand le moment fut venu de vendre. J'étais prête pour un nouveau défi. J'avais le germe d'une idée dont nous pouvions d'après moi faire quelque chose d'aussi populaire que topdepart.com.

La mort de Kathy a changé tout cela. Mon idée avait été celle d'un projet que nous réaliserions ensemble, comme nous l'avions fait pour topdepart.com. Sans elle, je n'avais plus le cœur à continuer. Sur tous les kilomètres que j'ai parcourus, parmi toutes les personnes avec qui j'ai parlé, mangé, bu, dormi et joué, je n'en ai pas rencontré une seule qui m'ait donné envie de lui faire partager mon nouveau projet. J'en suis lentement venue à me rendre compte que, cette fois-ci, mon défi consistait à le réaliser seule.

Une des choses dont j'avais pris conscience durant mes voyages est que la plupart des guides de voyage sont de « taille unique ». Votre seul véritable choix, c'est de décider si vous êtes plutôt Lonely Planet, Rough Guide ou Frommer's. On vous propose un moyen d'organiser votre séjour qui est stéréotypé et irrémédiablement dépassé maintenant que nous sommes en mesure de remettre aux gens ce dont ils ont besoin directement dans leur boîte mail. Ce n'est pas non plus une manière de répondre aux exigences d'un marché où les besoins des voyageurs sont si variés. Je voulais créer quelque chose qui aide les gens à profiter au mieux de leurs séjours, qu'il s'agisse de voyageurs expérimentés et chevronnés ou de novices faisant leurs premières expéditions hésitantes dans le vaste monde. Leurs besoins étaient différents, mais une seule entreprise pouvait d'après moi tous les satisfaire.

C'est ainsi qu'a été conçu 24/7.

Tout comme pour les bébés, il s'écoule un certain temps entre la conception et la naissance d'une société. Et tout comme les bébés, nombre d'entre elles n'arrivent pas à terme. D'autres sont mort-nées. L'ère de l'Internet a ouvert d'incroyables horizons à énormément de gens. Mais elle a aussi donné de faux espoirs à beaucoup. Des idées, on en ramasse à la pelle. Les bonnes idées sont plus rares. Mais les chances de trouver quelqu'un qui puisse faire d'une bonne idée une réalité lucrative sont plutôt de l'ordre de un sur un million.

L'ayant déjà fait une fois, j'étais convaincue de pouvoir recommencer. Je suis rentrée à Londres et me suis installée dans la maison que j'avais achetée deux ans auparavant et dans laquelle j'avais à peine vécu. J'ai engagé Vinny Fitzgerald, qui avait travaillé sur l'aspect informatique de topdepart.com avec Kathy, et Anne Perkins, mon ancienne assistante dévouée, pour m'aider à mettre au point 24/7.

Pendant que Vinny commençait à construire le progiciel qui nous permettrait de proposer des guides aussi personnalisés que je le voulais, je me suis mise à chercher comment nous allions réunir toutes les informations qui rendraient nos guides si exceptionnels et comment nous allions recruter des abonnés. Je me suis alors vite rendu compte que je n'étais pas la seule à avoir eu une telle idée. Lorsque la nouvelle s'est répandue que je m'intéressais aux guides de voyage, les personnes en question se précipitèrent vers moi car j'avais une expérience confirmée en matière d'entreprise Internet.

Ils sont pour la plupart venus avec des embryons d'idées incomplètes, sans rien de solide pour les étayer. Je suis toujours stupéfaite que tant de gens pensent qu'il suffit d'avoir une idée, sans faire aucun travail pour l'approfondir. J'ai été consternée et ahurie par le nombre de personnes qui ont débarqué sans rien de plus concret que le sentiment que tout leur était dû. Juste parce qu'ils avaient eu une idée. C'est la différence entre être un bon conteur de bistrot et un romancier à succès. Cette différence, c'est le travail.

Bien sûr, certaines des personnes qui se sont pressées à notre porte ont été loin de nous faire perdre notre temps. Nous avons fini par acheter le travail d'un entrepreneur italien qui avait conçu un projet similaire. Il avait d'excellentes idées en matière de marketing, mais aucune compétence en création de logiciel. Sans quelqu'un comme nous, il n'aurait jamais concrétisé son projet et il le savait. C'est pourquoi il a été heureux d'échanger son travail contre de l'argent sonnant et trébuchant, et nous avons été heureux de récupérer une chose qui nous ferait économiser beaucoup de temps à long terme.

Nous étions également en pourparlers avec un concepteur de logiciels suédois qui travaillait sur un progiciel aux fonctions similaires à celui que Vinny concevait pour nous.

Attention maintenant, se dit Jay. La mort d'Ulf Ingemarsson demeurait un meurtre non élucidé. La prudence devait être de mise. Liv Aronsson était une garce démente qui se jetterait sur la moindre ambiguïté comme un fox terrier sur un rat. Elle continuait à faire le tour des avocats de Stockholm et de Londres avec son dossier pour essayer d'en trouver un qui verrait une raison valable d'attaquer Jay en justice. Elle avait échoué jusque-là parce qu'elle insistait toujours pour qu'ils la poursuivent pour vol mais aussi pour homicide volontaire. Mais un de ces jours, un connard habile en costume chic la convaincrait peut-être de se contenter de l'accusation de vol. Et la situation risquait alors de se compliquer.

Vinny l'avait avertie qu'un concepteur de logiciels de la police scientifique pourrait être en mesure d'isoler des éléments de code issus du travail d'Ingemarsson. Heureusement, les avocats n'avaient pas la clairvoyance de Vinny quant aux subtilités des codes de programmation. Mais même dans le cas inverse, si Aronsson parvenait à démontrer qu'une partie de leur code avait été écrite par Ingemarsson, elle ne pourrait prouver qu'ils l'avaient volée. Parce qu'ils ne l'avaient pas volée, bien sûr. Ils avaient des traces écrites de paiements effectués à divers programmateurs, qui avaient tous pu introduire ce code dans le programme final. On pouvait seulement accuser 24/7 de s'être fait arnaquer, d'être la victime innocente d'un vol commis par quelqu'un d'autre.

Par ailleurs, après tous les procès infructueux concernant la série des *Harry Potter* et *Da Vinci Code*, les gens étaient profondément sceptiques quant à l'idée de plagiat dans n'importe quel champ de la création. Ils s'emballaient pendant cinq minutes, puis ils se rasseyaient pour siroter leur pinot gris et parler distraitement de l'esprit de l'époque et d'idées circulant dans les sphères célestes. Mais cela ne servait tout de même à rien de faciliter la tâche à Aronsson.

> À notre grand désarroi, il a été assassiné lors d'un cambriolage dans sa maison de vacances en Espagne avant que nous arrivions à un accord sur les modalités de notre collaboration. Et son travail est donc mort avec lui. Cette nouvelle disparition tragique a réveillé la douleur que j'avais ressentie à la mort de Kathy, et pendant quelques semaines j'ai eu du mal à me concentrer sur mon travail. J'avais envie de m'enfuir à nouveau, mais cette fois-ci j'avais des responsabilités vis-à-vis d'autres personnes. Je suis donc restée.

Jay relut ce qu'elle avait écrit. Il n'y avait là rien qu'Aronsson pût utiliser, jugea-t-elle. Et cela faisait une bonne fin de chapitre. Elle estima qu'elle avait donné à ses lecteurs suffisamment de chagrin et de souffrance au sujet de Kathy. Personne ne pouvait l'accuser de ne pas avoir de cœur, pas à partir de ce texte en tout cas. Et évidemment, avec la fin consacrée aux derniers événements de sa vie, où Jay pourrait déployer tout son lyrisme à propos de sa nouvelle existence et de son nouvel amour pour Magda, elle montrerait d'autant plus son côté chaleureux et émotif. Elle n'avait jamais vraiment beaucoup écrit sur sa vie privée et en avait rarement parlé en interviews. C'était donc la meilleure conclusion possible à un livre qui décrivait avant tout un triomphe sur l'adversité. Vous voyez, lecteurs ? Travaillez dur, faites ce qu'il faut et vous aussi, vous finirez riches et aimés.

Si seulement cela avait été aussi simple.

21

En rentrant chez elle après le travail, Magda s'attendit presque à ne pas trouver de serviette en cuir sur la table de sa salle à manger. À ce que tout cela n'ait été qu'un rêve, comme dans un mauvais feuilleton. Mais elle était toujours à l'endroit exact où elle l'avait laissée. Elle accrocha son manteau puis s'assit à la table. Ouvrit la serviette, qui contenait les quatre titres au porteur. Plus d'argent qu'elle n'avait jamais rêvé en tenir entre ses mains. Ç'aurait dû être excitant, mais c'était en fait déroutant et effrayant.

Elle avait plus que tout envie d'en parler à Jay. Mais cette perspective était encore plus lointaine à présent. Magda avait prévu de se rendre directement à Gatwick pour récupérer Jay, mais avant de quitter son travail, elle avait consulté le site Web de l'aéroport et découvert que le vol de Bologne avait trois heures de retard. Ça ne servait à rien d'y aller directement, et elle était donc passée chez elle pour avaler d'abord un sandwich et un café. Et au moins, maintenant, elle pouvait apporter les titres avec elle chez Jay le soir même pour prouver à sa compagne qu'elle ne rêvait pas.

Elle alla dans la cuisine et commença à se confectionner un sandwich avec les restes d'un poulet rôti, des olives noires et une demie salade sucrine. Mais elle avait la tête ailleurs. Toute la journée, elle s'était surprise à laisser son esprit s'égarer au milieu de conversations avec des patients et des parents, ruminant l'idée que Philip ait pu être un escroc. Ce n'était pas le souvenir qu'elle voulait avoir de lui. Cette nouvelle information à son sujet ébranlait tout ce qu'elle avait cru savoir sur cet homme qu'elle avait été heureuse d'épouser. Elle l'avait cru intègre. Elle avait cru qu'il avait travaillé pour mériter ce à quoi il était parvenu. Mais elle s'était trompée. C'était une crapule doublée d'un menteur. Pire, il était prêt à trahir ses amis pour se protéger. Si elle s'était autant fourvoyée sur le compte de Philip, comment pouvait-elle encore se fier à son propre jugement ? Elle frissonna lorsque la lame glissa sur le poulet et vint s'enfoncer dans le côté de son doigt.

Du sang se mit à suinter de la fine coupure et Magda jura avant d'attraper l'essuie-tout et d'en presser une feuille contre la blessure. Elle ferma les y eux et s'appuya contre la table, se sentant nauséeuse et minable. Depuis samedi, elle ne pouvait même plus s'épancher auprès de sa mère. Tout cela était bien trop dur et trop horrible.

La sonnerie du téléphone tomba à pic. Supposant que c'était Jay, Magda secoua la tête pour reprendre ses esprits et décrocha. « Allô ? fit-elle, percevant elle-même le désespoir dans sa voix.

— Magda ? C'est Charlie Flint.

— Charlie ? » Pendant un instant, Magda fut déconcertée. Puis tout devint clair. « Bien sûr, je suis ravie de t'entendre. »

Charlie eut un petit rire. « Tu n'as pas l'air ravie. Est ce que je te dérange ?

— Non, je suis vraiment ravie, insista-t-elle. Je viens de me couper le doigt, juste avant que le téléphone sonne. J'étais un peu tourneboulée. Comment vas-tu ?

— Bien. Mais plus important, toi, comment vas-tu ? Je voulais simplement prendre des nouvelles. Je sais que tu appréhendais d'annoncer ta relation avec Jay à ton père. Je me suis dit que j'allais te passer un coup de fil, voir si ça allait. »

Émue par l'attention de Charlie, Magda sentit sa gorge se serrer. Quelle était cette fameuse pensée sur la bonté des inconnus ? Certes, Charlie n'était pas tout à fait une inconnue, mais ce n'était pas tout à fait une amie non plus. C'était simplement quelqu'un à qui il était facile de parler. « Merci, dit Magda. Ça a été assez horrible. Papa et moi, on a eu une engueulade terrible. Il était si hostile, si froid. Pour finir, je suis partie et Wheelie m'a suivie. » Elle se força à rire d'un air moqueur. « Ça a été assez dur. Une vraie scène de drame, à la sauce "ne remets plus jamais les pieds ici". Je crois que son seul regret, c'est qu'il ne neigeait pas.

— Je suis désolée que ça se soit aussi mal passé.

— Ce n'est pas comme si je m'attendais à autre chose. » Magda renifla. « C'est juste un vieux bigot invétéré. » Elle coinça le téléphone dans son cou et ouvrit le tiroir situé sous celui des couverts, sa version de ce que sa mère appelait le « tiroir à tout ». Elle fouilla dedans à la recherche d'un pansement tout en écoutant Charlie.

« En tout cas, tu es débarrassée de ça maintenant. Ça fait une personne de moins à qui avouer ta sexualité. Et la plupart des gens ne sont pas comme lui. »

Magda soupira. « Au moins, il est honnête en ce qui concerne ses sentiments, Charlie. Je ne sais pas ce qui est le pire – faire directement face à ce genre d'agression, ou être confrontée à ce truc sournois et hypocrite qu'on ne peut pas combattre parce qu'on ne le voit jamais de manière flagrante. On ne l'aperçoit que du coin de l'œil, si tu vois ce que je veux dire.

— Je ne suis pas sûre. »

Elle trouva la boîte à pansements et ouvrit le couvercle d'un coup sec. « On avait une vie sociale plutôt bien remplie, Philip et moi. » Elle soupira de nouveau. « C'était peut-être ma manière d'éviter de passer trop de temps seule avec lui. Je ne sais pas. Je vois tout sous un jour nouveau maintenant que je me suis enfin confrontée à la question de ma sexualité. En tout cas, on avait beaucoup d'amis. Surtout des couples, mais aussi quelques célibataires. Et je pensais que certaines de ces femmes étaient devenues de vraies amies. On faisait des choses ensemble – du shopping, des sorties ciné, des repas. Tu vois ?

— Je vois, acquiesça Charlie. Rien d'exceptionnel, juste les liens de l'amitié qui se développent au fil des années.

— Exactement. Et elles ont été vraiment gentilles avec moi après la mort de Philip. Tous les jours au moins une d'entre elles m'appelait au téléphone, elles venaient avec des fleurs et du vin. Elles étaient vraiment là pour moi. Alors, quand Jay et moi on s'est mises ensemble, je leur ai évidemment dit. Je ne voulais pas leur mentir. C'étaient mes amies. Et ça n'a semblé déranger aucune d'elle. Il n'y en a qu'une qui m'a fait une remarque vaguement négative, et c'est juste parce que ça l'inquiétait que je m'engage trop tôt dans une relation après la mort de Philip. » Magda enleva le papier de protection du pansement et l'appliqua sur la coupure, qui avait cessé de saigner. Ne sachant pas bien comment exprimer la futilité de ce qui s'était passé, elle s'arrêta.

Mais Charlie avait très bien compris. « Et ensuite elles se sont éloignées de toi, je me trompe ? Elles ont arrêté d'appeler, de t'envoyer des messages ou de mettre des commentaires sur ton statut Facebook.

— Tout juste. Et quand je leur laissais un message, elles ne me rappelaient tout simplement jamais. J'ai d'abord pensé qu'elles faisaient peut être preuve de tact. Tu vois ? Qu'elles nous laissaient l'occasion de passer du temps ensemble sans qu'on vienne nous déranger toutes les cinq minutes. Puis je me suis rendu compte que c'était parce qu'elles ne savaient pas comment communiquer avec moi. » Elle marqua une nouvelle pause pour chercher ses mots. Elle apprécia le fait que Charlie ne ressente pas le besoin de combler tous les silences. « Je ne suis pas en train de dire qu'elles sont homophobes. Je ne pense pas qu'elles méprisent les gens parce qu'ils sont gays. C'est plutôt qu'elles pensent qu'on n'a plus rien à se dire. Comme si tout à coup ça ne m'intéressait plus d'aller au cinéma ou d'aller acheter un nouveau jean. » Nouveau soupir. « Et ça a été dur, parce qu'on ne peut pas obtenir des explications d'un vide. C'est ça que je veux dire quand je dis que c'est presque plus facile de faire face à la réaction de Papa.

— Je comprends parfaitement, déclara Charlie. Tu as eu une année compliquée. En particulier avec la mort de Philip. Et c'est une épreuve terrible.

— Oui. Et elle a en quelque sorte été écrasée par tout le reste. » Magda se rendit dans le salon et s'étendit sur le canapé. « Les gens croient que parce que je suis avec Jay aujourd'hui, j'ai d'une certaine manière oublié Philip. Mais c'est des conneries.

— Bien sûr. Je ne veux pas me mêler de ce qui ne me regarde pas – je ne sais pas quelles étaient tes raisons d'épouser Philip – mais j'imagine que tu tenais vraiment à lui. »

Magda sourit avec un regard triste et nostalgique. « Je l'aimais. Comme j'aime Patrick et James. Il me rappelait mes frères par tellement d'aspects. Il était très gentil, et sexuellement, ça allait. Tu comprends ? Rien de sensationnel, mais je n'y voyais rien de repoussant ou quoi. J'y ai beaucoup réfléchi et je suis fière de moi. La vérité, c'est que je l'ai épousé parce qu'il m'a demandée en mariage, Charlie. Parce qu'il me l'a demandé et que je savais que c'était la solution de facilité. C'était facile pour moi, et c'était aussi ce que tout le monde voulait que je fasse. C'est pitoyable, n'est-ce pas ?

— Ce n'est pas pitoyable. J'ai connu beaucoup de gens qui se sont mariés pour des raisons bien pires.

Je n'ai pas imaginé une seconde que tu aies pris cette décision à la légère. Ou que tu aies eu d'autres intentions que de faire en sorte que ça marche. C'est pas de veine que tu n'aies pas compris plus tôt pourquoi tu aimais tant les filles. »

Magda discerna le rire compatissant dans la voix de Charlie. Malgré elle, elle riait aussi. « Non, vraiment, dit-elle. Je me répétais sans arrêt que ce n'était qu'un signe de mon immaturité, que je continuais à m'amouracher comme une ado.

— Au moins, tu as fini par t'écouter. Mais ça ne signifie pas que tu as fait le deuil de la personne que tu as perdue. »

Magda ne savait pas quoi dire. La veille, cela aurait été vrai, sans équivoque. Mais à présent, plus rien n'était si simple en ce qui concernait Philip. « Je faisais le deuil de la personne que j'avais cru connaître, précisa t-elle enfin. Le problème, c'est ce que j'en apprends encore sur lui. Et tout n'est pas agréable à entendre.

— Je suis désolée, dit Charlie. Ça a l'air pénible. Je vois en quoi ça peut être déroutant, en plus de tout ce que tu as déjà enduré.

— À vrai dire, j'essaie encore de comprendre une chose que je viens de découvrir. Une chose... C'est dur d'expliquer cela sans donner l'impression de dramatiser, mais c'est la vérité. Une chose qui a entièrement changé mon point de vue sur lui. »

Un silence, puis Charlie dit gentiment : « Ça a l'air assez bouleversant. Enfin, ça fait maintenant un moment que Philip est mort. J'aurais cru que tout ce qu'il y avait à découvrir à son sujet aurait déjà refait surface.

— C'est ce qu'on pourrait croire », indiqua Magda d'une voix accablée. Elle avait tellement envie de le dire à quelqu'un, mais elle n'était toujours pas sûre que Charlie soit la bonne personne. « Et on pourrait croire que je connaissais le vrai caractère de l'homme que j'avais choisi d'épouser. Apparemment non, pourtant.

— Tu n'as pas à te le reprocher, dit Charlie. Nous voulons tous avoir une très haute opinion de ceux auxquels on tient. Personne n'a envie de croire que son ami, son conjoint ou son enfant est capable de faire des choses vraiment honteuses. Quand on aime les gens, on se triture parfois la cervelle pour s'expliquer leur comportement. »

On pouvait difficilement résister à la chaleur de la voix de Charlie et ne pas reconnaître le bon sens de ses paroles. Magda savait qu'elle avait l'habitude dans son métier de garder les secrets des gens. Et elle n'avait pas sourcillé quand Magda lui avait dit la vérité sur sa rencontre avec Jay. Sans presque se rendre compte qu'elle avait pris sa décision, Magda déclara : « C'était un escroc, un menteur et un traître à ses amis. Et je ne comprends pas pourquoi. »

Elle entendit Charlie retenir sa respiration. Mais ces paroles dures ne la choquèrent pas au point de lui faire garder le silence. « Ce sont de grands mots, Magda.

— Crois-moi, Charlie, ce n'est pas de la rigolade. Que dirais-tu si un parfait inconnu te donnait une enveloppe contenant huit cent mille euros ? Et qu'il t'expliquait ensuite que c'est le produit illégal d'un délit d'initié ?

— Huit cent mille euros ? En liquide ? Quelqu'un t'a donné huit cent mille euros en liquide ?

— Pas réellement en liquide. Des titres au porteur, on appelle ça. Apparemment, ça équivaut à du liquide. Il n'en existe aucune trace, et ils sont anonymes. Mais oui. Ce magouilleur fini m'attendait quand je suis rentrée chez moi hier soir, et il me les a donnés. J'étais totalement bouleversée. Je veux dire, qu'est-ce que tu aurais fait, Charlie ?

— Je suppose que la première chose que je voudrais savoir, c'est quel est le rapport avec moi. Pour m'assurer que le type ne s'est pas trompé de personne.

— Oh non, il ne s'est pas trompé. C'est mon argent. Il est à moi parce qu'il appartenait à mon défunt mari. Dans l'anonymat, certes. Mais fraîchement blanchi. Et à moi.

— On se croirait dans un film. Comment ça se fait que tu n'apprennes ça que maintenant ?

— Ce filou – Nigel Fisher Boyd, il s'appelle – m'a expliqué qu'il l'avait gardé jusqu'à maintenant parce qu'il ne voulait pas me mettre dans une situation délicate au procès. Parce que c'est ça qui me déboussole le plus, Charlie. Philip a gagné tout cet argent – cette somme-là et d'autres – en faisant exactement ce pour quoi il comptait dénoncer Joanna et Paul. C'est ça qui ne tient pas debout à mes yeux.

— J'essaie encore de m'imaginer que tout cet argent puisse te tomber entre les mains sans que tu t'y attendes. »

Magda se releva d'un bond et se mit à faire les cent pas dans son agitation. « Ne m'en parle pas. Ça m'a fait complètement flipper, et Jay est en voyage donc je ne pouvais même pas lui en parler.

— Ma pauvre. Ce n'est pas marrant de devoir faire face à une telle situation toute seule.

— Mais pourquoi Philip s'exposerait-il à une enquête de police en vendant Joanna et Paul ? Pourquoi prendre ce risque ? »

Charlie émit un son inarticulé qui semblait indiquer qu'elle partageait sa perplexité. « À première vue, c'est courir un risque énorme. Il devait être absolument sûr d'avoir brouillé les pistes derrière lui pour pouvoir dénoncer ses associés aux flics.

— Il s'est peut-être dit que les autorités n'examineraient pas son cas de trop près si c'était lui qui tirait la sonnette d'alarme en prenant l'air horrifié, suggéra Magda, incapable de masquer l'amertume dans sa voix.

— Il a dû avoir une raison pressante. Quelque chose qui justifiait cette prise de risque. Et s'ils s'étaient montrés un peu négligents, qu'ils flambaient et laissaient des traces ? Et Philip s'est dit qu'il fallait qu'il les arrête pour se protéger. Et toi aussi, je suppose. Il avait peut-être même décidé de se racheter une conduite parce que vous alliez vous marier. Et si c'était ça ? Qu'il ait voulu faire le ménage pour prendre un nouveau départ ? »

Magda envisagea un instant cette hypothèse puis l'écarta. « Bien pensé, mais ça ne me réconforte pas par rapport à ce qu'il comptait faire à Joanna et Paul. Ils étaient censés être ses meilleurs amis. Je ne pourrais jamais faire ça à mes amis. Et toi ?

— Je préfère penser que non. Mais aucun de nous ne sait de quoi il est capable tant qu'il n'est pas face à une telle situation. Ne le juge pas trop sévèrement, Magda. Tu ne peux pas lui demander ce qu'il a fait et pourquoi il l'a fait. Ça ne sert à rien de te torturer à imaginer ce qui se passait alors que tu ne pourras jamais le savoir. »

Magda soupira. Elle voyait que ce que disait Charlie était sensé, mais elle était loin de l'accepter. « Je ne sais pas où tout ça va me mener, Charlie. Et puis, il y a cet argent. Qu'est-ce que je vais en faire ?

— C'est ton argent. Philip voulait qu'il te revienne.

— Mais c'est de l'argent sale. Il est souillé. Je n'en veux pas.

— Donne-le, dans ce cas. Fais quelque chose de bien avec. Prends ton temps et réfléchis-y. Choisis une organisation caritative qui fait un travail auquel tu crois. Et fais le don au nom de Philip, si ça soulage ta conscience. Je sais que tu es bouleversée, que ce qu'il a fait te dégoûte. Mais ne laisse pas tout cela détruire tes bons souvenirs. Raccroche-toi aux choses que tu savais bonnes chez lui. Il était aussi cet homme-là, tu sais. »

Magda sentit les larmes lui piquer les yeux et renifla d'un coup sec. « Tu as raison, dit-elle d'une voix rauque.

— Il vaut toujours mieux prendre son temps. Ne pas prendre de décisions précipitées. »

Magda parvint à lâcher un rire étranglé à travers ses larmes. « Je me suis laissée tomber amoureuse de Jay assez vite. Et ça se passe bien en fin de compte. »

Il y eut un instant de silence, et elle se demanda si elles avaient été coupées. Mais Charlie finit par dire : « Et elle t'aidera à faire face à cette situation, j'en suis sûre.

— Merci de m'avoir écoutée, Charlie. Ça m'a vraiment aidée de vider mon sac avant que Jay revienne de Bologne. Parfois, j'ai l'impression de n'avoir fait que lui apporter problème sur problème.

— C'est à ça que servent les conjoints. »

Magda sourit. « C'est ce qu'elle dit. Mais elle est bien meilleure pour gérer ses propres soucis au lieu de tous me les ramener à la maison. Je me sens parfois coupable.

— En tout cas, chaque fois que tu auras envie d'une autre paire d'oreilles, tu peux m'appeler.

— Merci. Je te suis reconnaissante de m'avoir écoutée. Et pour ton opinion. Mais je ferais mieux d'y aller. Je dois aller chercher Jay à Gatwick. »

Magda retourna dans la cuisine, plus regonflée qu'elle ne l'aurait cru possible une demi-heure plus tôt, malgré les larmes. Cette amitié naissante avec Charlie Flint était un bienfait inattendu. Elle se rappela une chose que Charlie avait dite l'autre jour et mesura à quel point elle avait eu raison. Sa mère avait en effet eu très bon goût en matière de baby-sitters.

22

Jeudi

Parmi les raisons pour lesquelles Charlie s'était prise de passion pour la science dans son adolescence figurait son besoin de trouver des réponses. Ça ne lui suffisait pas d'apprendre machinalement les manuels scolaires ; elle voulait le pourquoi et le comment. Elle ne pouvait donc en aucun cas se contenter d'un SMS de Nick lui expliquant qu'il avait fait chou blanc concernant le téléphone satellite de Jay Stewart. « Il y a forcément un moyen », grommela Charlie entre ses dents. Elle fixa l'écran d'ordinateur, les sourcils froncés devant la page d'accueil de 24/7.

Elle eut alors un déclic. Autour du contenu principal de la page étaient alignés des liens commerciaux vers les sites partenaires de 24/7. Sites de vols promotionnels. Réservations d'hôtels. Locations de voitures. Et appels internationaux à bas prix. Elle cliqua sur topdepart.com et trouva des liens similaires vers les entreprises associées. « Ils ont forcément passé un marché, dit Charlie. Évidemment. »

Mais ce n'était que la première partie de la réponse. Ça ne l'avançait pas beaucoup de savoir qui était le partenaire téléphonique de 24/7 en 2010 pour découvrir qui avait été l'opérateur de téléphone satellite privilégié de topdepart.com dix ans plus tôt. Elle pouvait tenter d'appeler topdepart.com, mais elle estimait avoir peu de chances de trouver quelqu'un qui n'était plus étudiant au tournant du millénaire, et encore moins une personne qui aurait alors travaillé pour l'entreprise et prêté attention à des détails tels que les marchés avec les opérateurs de téléphonie par satellite.

Elle était presque sûre que ce qu'il lui fallait n'existait pas. Quand on voulait savoir à quoi ressemblait le *Daily Mirror* en 1900, sans parler de 2000, on pouvait aller consulter les archives. Mais tous ces premiers sites Internet aux contrastes insensés et aux vilaines polices de caractère avaient disparu sans laisser de traces. Non ? Sans grand espoir, Charlie entra « archives de sites Internet » sur Google et fut stupéfaite de découvrir un site consacré à la préservation de l'équivalent numérique des anciens journaux. Certes, il ne remontait que jusqu'à 2004, mais c'était déjà impressionnant.

Le plus impressionnant cependant était qu'ils avaient la page d'accueil de topdepart.com en août 2004. Un lien vers un opérateur de téléphones portables classiques y figurait. Et à son grand étonnement et pour sa plus grande joie, tout à fait en bas à gauche de la page se trouvait une minuscule annonce commerciale. « Vous allez là où il n'y a même pas de signalisation ferroviaire ? Il vous faut un téléphone satellite. Nous fournissons les agences de presse mondiales. Louez-nous un téléphone satellite pour vos vacances. » Bien sûr, quand elle essaya de cliquer sur le lien du site, elle découvrit qu'il était désactivé. Mais c'était au moins un point de départ.

Elle appela Nick, oubliant qu'il devait être en train de travailler. Elle tomba sur son répondeur. « Nick, c'est Charlie. Topdepart.com avait un partenariat avec un opérateur de téléphones satellite appelé Stratosphone en 2004. Peut-être qu'ils avaient offert un téléphone à la patronne ? Ça vaut la peine de vérifier, tu ne crois pas ? » Du sale boulot, c'était vrai, mais il avait proposé d'aider. Il ne pouvait pas commencer à râler maintenant.

Charlie devait ensuite organiser son voyage sur Skye. Elle avait découvert avec surprise qu'on ne pouvait se rendre sur l'île par avion. Cela semblait illogique. On pouvait prendre l'avion pour n'importe quelle île grecque dotée d'un terrain suffisant pour y faire une piste, mais on ne pouvait le faire pour une des attractions touristiques du Royaume-Uni. Il fallait cinq heures de voiture sinon plus depuis Glasgow, qui se trouvait déjà à trois heures et demie de Manchester. Et elle donnait un cours le lundi qu'elle ne pouvait se permettre de manquer. Sachant qu'il faudrait presque toute la journée pour rentrer le dimanche, cela semblait être une bonne idée de partir à l'aube le vendredi. À sa grande surprise, Maria lui avait annoncé au petit déjeuner qu'elle voulait l'accompagner. « J'ai toujours voulu aller à Skye, avait-elle dit. Et je pense qu'il ne devrait pas y avoir trop de moucherons si tôt dans la saison. Qu'en dis-tu ? Tu ne vas pas passer tout ton temps à fouiner, si ? On pourra visiter un peu l'île ?

— J'y compte bien. Et tu pourras toujours partir de ton côté si je flaire une bonne piste. Mais, et tes patients ? »

Maria avait tartiné son toast et fait un petit sourire malicieux à Charlie. « Je suis toujours tellement consciencieuse, avait-elle dit. Pour une fois, j'ai envie de faire l'école buissonnière. En plus, je ne prends des rendez-vous que le matin les vendredis. Ce ne sera pas la fin du monde si j'abandonne ma paperasse pendant un après-midi. Je vais demander à Sharla d'appeler mes patients ce matin. Ça ne les tuera pas de prendre un nouveau rendez-vous. Il n'y a rien d'urgent, pour autant que je m'en souvienne. Qu'en dis-tu ? Tu veux que je vienne ? Qu'on s'amuse un peu ? »

Ça avait été dur de résister à l'enthousiasme de Maria, même si Charlie avait, dans un minuscule coin de sa tête, conçu la dangereuse idée d'inviter Lisa à l'accompagner à Skye. Bien plus sage d'y aller avec Maria, se dit-elle. Un sourire désabusé aux lèvres, elle se connecta à topdepart.com et entreprit d'organiser un court séjour sur l'île de Skye dans des délais encore plus courts.

Une fois cela fait, il n'y eut plus rien pour la distraire de son projet de communiquer avec Lisa. Elle lui avait envoyé un rapide SMS la veille, juste pour dire qu'elle avait dû rentrer à Manchester et avait été trop occupée pour la voir avant de repartir. Charlie ne savait pas ce qui était le pire : couper toute communication avec Lisa ou foncer tête baissée. Pour l'instant, elle renonçait à renoncer et se réhabituait à peser chacun de ses mots.

Bonjour, Lisa,
Désolée de ne pas t'avoir rappelée hier. Je n'ai pas vu la journée passer. Pas besoin de t'expliquer ce que c'est.
Je regrette qu'on n'ait pas eu l'occasion de passer plus de temps ensemble quand j'étais à Oxford. J'ai finalement été plus prise que je ne l'avais prévu. Mais j'espère avoir une bonne raison de revenir très bientôt. Il est évident qu'on a des choses à se dire, et je suis impatiente de te revoir. Désolée d'avoir semé le désordre dans ta vie, mais je ne peux m'empêcher de penser que ce désordre contient le germe de quelque chose de très positif.
En attendant, je pars pour l'île de Skye, où Kathy Lipson est morte dans le tristement célèbre accident de la corde coupée en 2000. Maria vient aussi, apparemment elle a toujours rêvé d'y aller. Nous allons au même hôtel que celui où Jay et Kathy étaient descendues. Sans croire qu'aucun membre du personnel y sera encore. J'imagine qu'il y aura un réceptionniste

lituanien, un barman polonais et une serveuse roumaine pour le petit déjeuner, comme partout en milieu rural de nos jours. Les gens du cru s'enfuient dès qu'ils peuvent vers des villes où il y a une vie nocturne anonyme et de meilleurs salaires. Heureusement qu'il y a les gens des pays de l'Est, sans quoi notre industrie des loisirs s'effondrerait. Par contre, je m'attends à ce que la plupart des types de l'équipe de secouristes en fassent toujours partie.
Tiens-moi au courant s'il y a des jours qui te conviennent mieux la semaine prochaine. Je suis libre tous les jours sauf mercredi.

Bisous, Charlie

Elle se relut deux fois, changea quelques mots puis l'envoya en sachant qu'elle vérifierait sa boîte mail toutes les vingt minutes pour le restant de la journée. Mais à son grand étonnement, lorsqu'elle revint de la cuisine avec une nouvelle tasse de café, l'icône « nouveau message » clignotait sur son bureau. Elle fit apparaître d'un clic sa boîte mail, mais le nouveau message ne provenait pas de Lisa. Elle ne put s'empêcher de ressentir une pointe de déception, qui ne s'atténua qu'un peu lorsqu'elle se rendit compte qu'il venait de Nick.

Avec un soupir, Charlie l'ouvrit.

Charlie : les Suédois sont incroyables. J'ai eu le numéro de la copine d'Ulf Ingemarsson, Liv Aronsson, par un journaliste! Tu le crois? Pas besoin de mandat ou de le menacer, il me l'a donné sans histoire. L'école se termine à 15h30 heure locale, soit 14h30 ici. C'est un portable, donc tu peux l'appeler à n'importe quel moment après ça je suppose. Je pense qu'elle te parlerait plus facilement qu'à un flic.

Pas si décevant après tout. Charlie jeta un coup d'œil à l'horloge. Trois heures à tuer. C'était étrange. Quand elle avait eu un travail, elle avait toujours rêvé d'avoir le temps de lire, d'écouter les podcasts de Radio 4, d'aller nager ou simplement de s'étendre sur le canapé en écoutant de la musique. Mais maintenant qu'elle avait le temps, cela lui pesait. Elle s'efforçait d'occuper son esprit, mais quand elle se trouvait désœuvrée, soit Lisa surgissait de là où elle l'avait occultée et envahissait son espace, soit elle ruminait sans cesse et en vain ses tribulations à venir. C'était comme tirer à pile ou face pour savoir quelle activité était la plus inutile. Il lui semblait parfois qu'elle ne pouvait penser qu'à Lisa – ses yeux, son sourire, son humour taquin, son intelligence émotionnelle. Il y avait chez elle quelque chose d'irrésistible, un attrait si puissant qu'il ternissait l'éclat de l'image de Maria dans l'esprit de Charlie. Ce n'était pas ce qu'elle voulait, mais il lui était de plus en plus difficile d'y résister.

« Reprends-toi, Charlie », dit-elle avant de se rediriger brusquement vers Google. Elle voulait voir si elle pouvait retrouver le rapport d'enquête pour accident mortel relatif au décès de Kathy Lipson. Plus elle en découvrirait avant d'aller à Skye, plus ce serait facile.

Le rapport était passionnant. Il contenait une liste de témoins, un résumé de toutes leurs dépositions, une description des antécédents et des circonstances de l'accident ainsi que la cause du décès : blessures à la tête et aux organes internes à la suite d'une chute de la montagne Sgurr Dearg sur l'île de Skye. Le shérif ne formulait qu'une seule note critique dans sa conclusion, pour suggérer aux alpinistes de s'assurer que leurs itinéraires étaient à la mesure de leurs capacités et de leur expérience. Une fois qu'elle eut fini de lire le document et de noter les questions qu'elle pourrait poser aux témoins de l'équipe de secourisme, il était presque trois heures. Liv Aronsson devait à présent être débarrassée de ses petits élèves, estima-t-elle.

Charlie brancha le téléphone à son dictaphone numérique puis composa le numéro, sans bien savoir encore comment elle allait s'y prendre. Elle laisserait Mme Aronsson prendre les devants et verrait où cela les menait. Il y eut plusieurs sonneries avant qu'une voix essoufflée réponde : « *Tja* ?

— Êtes-vous Liv Aronsson ? » demanda Charlie.

Après une courte pause, la voix répondit : « C'est Liv. Qui êtes-vous ?

— Je m'appelle Charlie Flint. Docteur Charlie Flint. Je me demandais si je pouvais vous parler d'Ulf Ingemarsson. » Charlie avait conscience de parler distinctement et plus lentement que d'habitude tout en s'efforçant de ne pas paraître condescendante.

« Vous êtes journaliste ? » Son anglais était clair, son accent imposant un rythme chantant.

« Non. Je suis psychiatre. » Elle vérifia que le dictaphone était en marche puis se demanda si elle devait s'enregistrer dans ce qui était un rôle pour le moins fallacieux.

« Une psy ? »

Charlie grimaça à cette abréviation qu'elle détestait. « Si vous voulez.

— Pourquoi une psy veut-elle parler d'Ulf ?

— Votre anglais est très bon.

— Ulf et moi avons vécu un an en Californie quand il faisait sa maîtrise. Je suis un peu rouillée, mais je crois que je me débrouille. Alors je vous repose la question : Pourquoi une psy veut-elle parler d'Ulf ?

— C'est un peu compliqué, indiqua Charlie. Je ne vous dérange pas ?

— D'où m'appelez-vous ? Vous êtes ici à Stockholm ?

— Non, je suis en Angleterre. Je peux vous rappeler plus tard si ça vous arrange. »

Après un long silence, Liv répondit : « Ça va pour moi. Mais je ne comprends pas pourquoi une psy s'intéresse à mon compagnon décédé après tout ce temps.

— En plus d'être thérapeute, je travaille avec la police, précisa Charlie, essayant de fournir une explication claire et pas trop mensongère.

— La police en Espagne ? Ça me paraît bizarre.

— Non, pas en Espagne. Ici, en Angleterre. »

Liv Aronsson renifla. « Et alors ? Je comprends encore moins. Pourquoi la police anglaise s'intéresse-t-elle à un meurtre commis en Espagne ?

— Le point de départ de cette enquête, ce n'est pas le meurtre mais le vol qui a eu lieu au même moment, indiqua Charlie. Au cours d'une autre enquête, quelqu'un a déclaré à la police que le travail d'Ulf Ingemarsson avait fini entre les mains d'une entreprise britannique. Si c'est bien vrai et que nous pouvons découvrir comment ça s'est produit, nous pourrons alors peut-être aider la police espagnole à élucider le meurtre de votre compagnon.

— Mais bien sûr que c'est vrai, fit Liv d'un ton brusque. Je le dis depuis le début. Ce n'est pas un simple cambriolage de maison de vacances par un Espagnol. C'est un crime organisé, au profit de sa rivale.

— Quand vous dites "sa rivale", vous avez quelqu'un de précis en tête ?

— Évidemment. La femme qui s'est enrichie grâce au travail d'Ulf. Jay Macallan Stewart. »

C'était ce qu'elle avait espéré, mais elle attendait toujours ce moment où les mots étaient prononcés dans ses entretiens avec des patients. On ne pouvait se contenter de présumer que les paroles articulées seraient celles qu'on s'était attendu à entendre. « Qu'est-ce qui vous rend si catégorique ?

— Ulf a eu cette idée environ trois ans avant sa mort. Il s'est dit que ce devait être possible de faire des guides en adéquation avec les centres d'intérêt des gens. C'était un *geek*, il avait les compétences pour développer le logiciel qui permettrait de concrétiser cette idée. Mais ce qui lui manquait, c'était le savoir-faire pour le vendre. Et pour obtenir les informations à mettre sur le site. Et je n'y connaissais rien non plus. Je suis instit, je connais les enfants de sept ans, c'est tout.

— Pas l'aptitude la plus utile pour mettre au point un site Internet. »

Liv eut un rire sec. « Non, pas du tout. Il savait donc qu'il allait devoir trouver un associé qui avait des connaissances sur l'autre aspect du projet. Il a fait des recherches et trouvé Jay Macallan Stewart. Elle avait quitté les affaires depuis qu'elle avait vendu sa première boîte Internet pour une petite fortune. Mais il s'est dit qu'elle comprenait le secteur des voyages. Et surtout, il s'est dit qu'elle comprenait les rêves et les désirs des gens. »

Ça avait été un jugement très perspicace pour un *geek*, estima Charlie. Plus elle en découvrait sur Jay, plus elle était convaincue de n'avoir jamais rencontré une personne ayant une vision aussi claire de ses rêves et de ses désirs. C'était un talent rare que d'être capable de communiquer cela avec empathie. Et un talent qui n'appartenait jamais à l'arsenal d'un tueur psychopathe. Cependant, ce ne serait pas la première fois qu'une telle personne serait parvenue à masquer son vrai visage. Ted Bundy était l'exemple classique. Mais il y en avait eu d'autres. « Il a pris contact avec elle, alors ?

— Il lui a envoyé un e-mail. Et elle a répondu en un ou deux jours.

— A-t-il contacté d'autres associés potentiels ?

— Non. Je lui ai conseillé de parler avec plusieurs personnes. Pour voir qui lui ferait la meilleure offre. Mais il m'a répondu qu'il ne voulait pas s'empêtrer dans ce merdier stressant, comme il appelait ça. Il voulait trouver quelqu'un avec qui il pouvait travailler, en qui il avait confiance. C'était ça le plus important pour lui. » Liv soupira. « Il a fait confiance à la mauvaise personne, pour finir.

— Et que s'est-il passé ensuite ?

— Ils ont échangé quelques e-mails. Ils semblaient pouvoir s'entendre. Elle est donc venue ici à Stockholm pour rencontrer Ulf. Elle est restée trois ou quatre jours. Elle a amené un programmeur avec elle, un type avec qui elle avait déjà travaillé, je ne me rappelle plus son nom. On a dîné avec eux. Elle ne m'a pas plu, à vrai dire. Parfois avec les gamins, ils n'ont pas appris à cacher ce qui se passe vraiment en eux et on entrevoit quelque chose d'un peu sauvage. Un peu bestial, c'est ça le mot ?

— C'est le mot, oui.

— Je l'ai trouvée comme ça. À un moment donné, Ulf a commencé à avoir l'air moins emballé par toute cette idée, à dire qu'il voulait du temps pour réfléchir. Et il y a eu un éclair dans les yeux de cette femme, pendant une fraction de seconde. Je me suis alors dit : je ne voudrais pas être ton ennemie. »

Charlie médita sur cette déclaration grandiloquente et se demanda dans quelle mesure elle l'avait conçue rétrospectivement. « Que s'est-il passé après ça ? questionna-t-elle d'une voix douce.

— Une fois rentrée en Angleterre, elle a envoyé une offre à Ulf. Mais le contrat ne lui paraissait pas équitable. Ils ont discuté plusieurs fois par téléphone, et en fin de compte il a dit qu'il ne pensait pas qu'ils travailleraient ensemble.

— Je suppose que ça a été une déception pour lui.

— Plus pour elle, je crois. Il lui aurait fallu des années de mise au point et de tests logiciels pour arriver au stade où en était Ulf. Mais c'était plus facile pour lui de trouver un associé qui s'y connaisse en entreprises Web. En tout cas, il a décidé de partir quelques semaines. On était déjà allés là-bas et il savait qu'il ne serait pas dérangé pour perfectionner son programme. Quelques jours plus tard, il était mort.

— Je ne peux pas imaginer à quel point ça a dû être dur pour vous, dit Charlie. Vous lui aviez parlé pendant qu'il était en Espagne ?

— Juste quand il est arrivé, pour me dire que tout allait bien. Mais je vous ai dit, il ne voulait pas être dérangé, et il comptait donc éteindre son téléphone. Quand il était au milieu d'un projet, il était complètement absorbé. Mais elle savait où il allait. J'ai entendu Ulf le lui dire au téléphone avant de partir. Elle s'intéressait aux endroits à l'écart des sentiers battus, m'a-t-il dit. Elle cherchait en permanence de nouveaux lieux où envoyer des gens. » Son ton était amer. Charlie entendit le bruit caractéristique d'une cigarette qu'on allume. « C'est difficile de reparler de tout ça.

— Je sais. Et je vous suis reconnaissante d'être aussi franche avec moi. Vous avez parlé de Jay Stewart à la police espagnole ?

— Bien sûr. Je ne suis pas bête et je n'ai pas peur d'elle. Dès qu'ils ont dit qu'il n'y avait pas de papier ni d'ordinateur portable, j'ai su que ce n'était pas un cambriolage ordinaire. Pourquoi un cambrioleur emporterait des carnets de notes et des papiers ? La seule personne qui puisse être intéressée par ces choses, c'est quelqu'un qui travaille dans la programmation.

— Qu'a dit la police ?

— Ils ont maintenu que c'était un simple cambriolage qui avait mal tourné. Ils ne voulaient s'intéresser à aucune autre possibilité. Et évidemment, ils n'ont attrapé aucun cambrioleur parmi leurs suspects habituels. Ils m'ont prise pour une imbécile hystérique. C'est ce qu'a dit l'avocat. Et je n'avais aucune preuve, si bien que j'ai fini par rentrer et essayer de raconter ce qui s'était passé à la police d'ici. Mais ils ne voulaient pas se retrouver entre deux feux, alors ils ont joué à cache-cache avec moi. Le problème, c'est que personne dans la police ne comprend le procédé. Quand 24/7 a été lancé moins d'un an après l'assassinat d'Ulf, j'ai su qu'ils avaient forcément ses codes. Ils ne pouvaient pas avoir mis au point ce logiciel sophistiqué si semblable à celui d'Ulf en moins d'un an. »

C'était un indice, songea Charlie. Mais certainement pas une preuve formelle. « Sauf si Jay Stewart travaillait déjà sur une idée similaire avec son programmeur.

— S'ils étaient tellement avancés, pourquoi auraient-ils eu besoin d'Ulf ? s'enquit Liv, triomphante.

— Peut-être qu'ils voulaient acheter son programme parce qu'ils ne voulaient pas de concurrence, suggéra Charlie.

— Non, ce n'était pas ça. Il m'a dit que le programmeur était vraiment impressionné par son travail. Non, ce qui s'est passé, c'est que Jay Stewart a volé le travail d'Ulf. Je ne l'accuse pas de meurtre. » Un grand éclat de rire. « Je ne suis pas si bête. Mais je crois qu'elle a organisé le vol. Et tout a mal tourné. Alors elle est responsable, même si elle n'a pas voulu que ça se produise. Et je veux qu'elle paie pour ça.

— Mais vous n'avez pas réussi à la poursuivre en justice ? »

Un long silence rompu par un profond soupir. « Mon problème, c'est que je n'ai pas de preuve tangible. J'ai une petite partie des premiers travaux d'Ulf sur le projet sur son ancien ordinateur. Mais rien de ce qu'il a fait ensuite. Si j'avais le code complet, on pourrait peut-être la forcer à laisser des experts indépendants comparer. Mais ce n'est pas possible. Alors, vous pensez que la police anglaise peut prouver quelque chose ? » Elle semblait enfin avoir compris que Charlie lui offrait une bouée de sauvetage.

« Je ne sais pas. C'est mon métier d'évaluer la crédibilité d'un témoin.

— Vous voulez dire de déterminer s'il ment ? Vous êtes comme un détecteur de mensonges humain ? »

Charlie gloussa. « En quelque sorte.

— Alors la personne à qui vous devez parler, c'est Jay Macallan Stewart. Demandez-lui en face si elle est responsable de la mort de mon homme. Et vous le lirez dans ses yeux. La créature bestiale derrière ses airs doux.

— Malheureusement, on ne me laisse pas faire ça. Dites-moi, Liv. Est-ce que vous avez essayé d'établir si Jay Stewart se trouvait dans la région quand Ulf a été tué ? »

Cette fois-ci, Charlie perçut du chagrin dans sa voix au lieu de la colère d'avant. « J'ai imprimé quelques photos d'elle trouvées sur Internet. Je les ai montrées dans les hôtels, les bars, les restaurants et les agences de location de voitures des environs. Mais c'est une zone touristique. Personne ne prête vraiment attention aux clients. Ils se contentent de prendre leurs cartes de crédit et de faire semblant de regarder leurs passeports. Et puis, je ne suis pas persuadée qu'elle l'ait fait elle même.

— Alors la seule preuve, c'est le programme ?

— Ce n'est pas grand-chose, hein ? Mais c'est pour Ulf et son travail. Pour qu'on lui attribue le mérite d'avoir influé sur nos vies. »

Cette déclaration apparut à Charlie comme la plus éloquente qu'ait faite Liv Aronsson. Elle redonnait une dimension humaine à ce qui était arrivé à Ulf Ingemarsson. « Je vais faire mon possible, dit-elle.

— Je ne me fais pas trop d'illusions, précisa Liv sans rudesse. Mais si vous trouvez un moyen de punir Jay Macallan Stewart, ne manquez surtout pas de me tenir au courant. »

23

Magda avait vu son intention de raconter à Jay sa rencontre avec Nigel Fisher Boyd contrariée par l'incapacité de sa compagne à rester éveillée. Celle-ci avait paru fatiguée malgré son plaisir évident de voir Magda, et à peine avaient-elles quitté l'enceinte de l'aéroport que Jay avait battu des paupières et s'était effondrée sur son siège. Leur relation était assez nouvelle pour que Magda trouve cela touchant. « Elle me fait suffisamment confiance pour dormir pendant que je conduis », se dit elle. Il ne lui vint pas à l'idée que personne ne pouvait survivre au nombre ou au type de voyages que Jay avait faits ces dernières années sans apprendre à dormir quand on était fatigué, peu importe l'endroit où on se trouvait.

Quand Magda s'arrêta dans le garage souterrain, Jay s'étira en bâillant comme le font les chats. « Bien conduit, dit-elle d'une voix traînante et endormie. Désolée de ne pas t'avoir tenu compagnie. Mais je t'avais bien dit de ne pas t'embêter à venir.

— Ça ne m'a pas embêtée. J'avais envie de te voir. Je préfère être en voiture avec toi qui dors plutôt que d'être seule à la maison. » Magda se pencha et embrassa Jay. « Et puis, maintenant que tu as fait une sieste, tu vas être délassée et revigorée. »

Jay rigola. « Ah, l'insatiable appétit des jeunes. » Elle attrapa son sac à l'arrière de la voiture et suivit Magda dans l'escalier. « J'espère que tu ne dois pas te lever trop tôt. »

Après cela, aucun moment approprié ne s'était présenté pour raconter son curieux entretien au bar à vin. Et le matin, Jay était déjà devant l'ordinateur quand Magda s'était levée. Elle avait arrêté de travailler le temps qu'elles partagent un café et quelques toasts, mais elle était manifestement restée concentrée sur son travail.

Lorsque Magda était rentrée de l'hôpital, elle n'en pouvait plus de penser aux titres au porteur, qui la démangeaient dans son sac. Elle accrocha son manteau et partit à la recherche de Jay, qui transpirait dans le sauna qu'elle avait fait installer dans le garage du sous-sol. Elle n'eut d'autre choix que de se déshabiller et se joindre à elle. L'air heureuse de la voir, Jay roula sur le ventre sur le banc supérieur pour la regarder s'installer en dessous où la chaleur n'était pas aussi accablante. « Tu es une vraie salamandre, indiqua Magda. Je ne peux pas supporter la chaleur comme toi.

— C'est juste une question d'habitude. Dans quelque temps, tu te battras avec moi pour que je te laisse une place en haut. Tu as passé une bonne journée ?

— Les trucs habituels. » Magda soupira. « J'ai dû annoncer à une femme que son fils de sept ans ne verrait pas Noël. Ça a gâché ma journée. »

Jay ébouriffa les cheveux de Magda, déjà humides de transpiration. « Ce n'est qu'une des raisons pour lesquelles je préfère faire ce que je fais. La pire nouvelle que je puisse avoir à supporter, c'est que la meilleure brasserie de Deauville a fermé.

— Oui, mais tu ne connais pas ces moments magiques où tu apprends à quelqu'un que son traitement a marché. C'est une joie qui n'a pas de prix. » Magda se cambra, étira sa colonne vertébrale et sentit se relâcher une partie des tensions de la journée. Elle changea de position pour être à la perpendiculaire de Jay et pouvoir voir son visage. Elle adorait toujours autant étudier les traits de sa compagne. Elle voulait mémoriser chaque ligne et chaque angle, chaque expression, chaque détail. « Tu m'as manqué. Comme à chaque fois, c'est comme s'il y avait un vide dans ma journée. »

Jay eut un petit rire. « Ça passera bien assez vite. Tu compteras bientôt les jours jusqu'à mon futur voyage et la prochaine occasion pour toi de faire tout ce que tu ne fais pas maintenant que nous sommes ensemble.

— Je ne crois pas. Je me suis toujours sentie indépendante. Ça ne m'a jamais dérangée quand Philip était en déplacement. Ni aucun de mes autres petits amis. Mais avec toi, c'est une absence active. Quand quelque chose se passe, j'ai envie de te le dire. J'entends une histoire stupide aux infos et j'ai envie de te la raconter en long et en large.

— C'est très gentil, dit Jay d'une voix rauque. Je crois qu'on ne m'a jamais rien dit de tel avant. Mes copines du passé ont eu tendance à m'avouer qu'elles appréciaient assez d'avoir leur espace quand je n'étais pas là. Mais je dois reconnaître que, quand je suis partie cette fois-ci, il y a eu des moments que j'ai vraiment eu envie de partager avec toi. Et ça ne me ressemble pas. J'ai toujours eu foi en ce dicton : qui voyage seul voyage plus vite.

— En voyageant vite, on peut rater beaucoup de choses.

— C'est un risque que j'ai toujours accepté de prendre, répliqua Jay avec un demi-sourire contrit. Tu peux jeter un peu d'eau sur les charbons, s'il te plaît ? »

Magda saisit la louche en bois dans le seau et répandit quelques gouttes d'eau sur les charbons. La vapeur qui se dégagea du brasero lui coupa le souffle et elle eut du mal à respirer pendant un instant. *Tu me coupes le souffle.* Lorsqu'elle parvint à refaire pénétrer un peu d'air dans ses poumons, elle dit : « J'ai fait une étrange rencontre mardi soir.

— Ne me dis pas que ton père est venu à Londres pour me cravacher. »

Magda grogna. « S'il te plaît. Tu peux être vraiment tordue et flippante parfois.

— D'accord, donc ce n'était pas Henry venu chercher des crosses. Qu'est-ce que ça peut être d'autre ? Tu t'es fait draguer par une autre gouine ? »

Magda leva le bras et poussa l'épaule de Jay. « Ben, tiens. Non, c'était un homme. Et avant que tu montes sur tes grands chevaux, il n'y a rien eu d'un tant soit peu sexuel dans notre rencontre.

— Contente de l'entendre. Mais avant que tu continues, laisse-moi te dire que ce n'est pas parce que tu es avec moi que tu ne peux pas en profiter quand quelqu'un te drague. Ça ne me pose pas de problème que d'autres veuillent ce que j'ai.

— Oh ! » Magda laissa traîner sur quatre syllabes déçues. « Tu ne vas pas être jalouse et mal te conduire ? » Elle poussa un murmure railleur. « Eh bien, tu es vraiment équilibrée.

— Je le prendrai bien. Jusqu'à ce que cette personne dépasse les bornes. Là, je lui arracherai la rate. En la faisant sortir par le nez. Avec un crochet. » Jay parut sérieuse un instant, puis elle se mit à rire sottement. « Pardon, bafouilla-t-elle. Raconte-moi ton étrange rencontre.

— J'ai fait un saut chez Sainsbury's et quand je suis rentrée, un type que je n'avais jamais vu avant m'attendait. Nigel Fisher Boyd. »

Jay fit une moue indiquant qu'elle n'avait jamais entendu ce nom.

« Il travaille dans les services financiers. Il n'a pas donné plus de précisions et je ne lui en ai pas demandé. Je le trouvais un peu effrayant, un peu louche, tu vois ? Il a prétendu être un ami de Philip mais j'ai su qu'il mentait parce qu'il l'a appelé Phil alors qu'il détestait ça.

— Qu'est-ce qu'il voulait ? Est-ce qu'il essayait de te faire investir dans une magouille ? »

Magda rigola. « On dirait un bouledogue ! Non, il n'essayait pas de me faire débourser mon argent. Bien au contraire. Il était là parce qu'il avait quelque chose qui appartenait à Philip et qu'il voulait me donner. »

Jay se redressa sur ses coudes. Magda ne put s'empêcher d'admirer la ligne de ses épaules, la rondeur de ses seins. Des filets de sueur étalaient le sel sur son corps et elle mourait d'envie de les lécher. « C'est intriguant. » Elle fronça les sourcils. « Bien qu'un peu tardif. »

Magda soupira. « Eh bien, il s'avère qu'il y a une bonne raison à cela. Il m'a donné huit cent mille euros en titres au porteur, Jay.

— Quoi ? » Une expression d'incrédulité absolue se figea sur le visage de Jay. Magda ne l'avait jamais vue si abasourdie.

« Je sais. Moi aussi, ça m'a fait complètement paniquer. Je n'avais même jamais vu un titre au porteur. La seule raison pour laquelle j'en avais déjà entendu parler, c'est parce que Patrick a eu une phase où il regardait *Piège de cristal* tous les soirs et que c'est ce que la bande d'Alan Rickman est censée voler. Mais c'est ce qu'il m'a donné, théoriquement.

— Mais pourquoi ? »

Rien que de penser à cet aspect de l'histoire, Magda eut envie de pleurer. « Ce Nigel Fisher Boyd a dit que c'étaient les profits qu'avait faits Philip en pratiquant le délit d'initié. »

Jay écarquilla davantage les yeux. « Un délit d'initié ? *Philip* pratiquait le délit d'initié ?

— D'après Fisher Boyd, oui. C'est incroyable. Je croyais connaître Philip. Mais le Philip que je connaissais n'était pas un escroc. Et je me suis demandé pendant un instant si c'était une sorte de mauvaise blague. Mais huit cent mille euros, ce n'est pas une somme qu'on utilise pour se foutre de la gueule de quelqu'un. Et puis j'ai pensé à ce que tu avais fait et je me suis mise à flipper. »

Jay se redressa et vint s'asseoir sur le banc du bas à côté de Magda. « Dieu du ciel ! s'écria-t-elle. On aurait pu se mettre dans une de ces merdes ! Pourtant, j'ai passé tous les papiers de Philip au peigne fin, qu'ils soient personnels ou pro, et je n'ai pas vu le moindre truc louche. Alors que ça n'a pas été difficile de trouver les traces écrites laissées par Joanna et Paul une fois que j'ai eu une idée de ce que je cherchais. Mais je pensais que Philip avait les mains propres. Je n'aurais jamais écrit ces lettres si j'avais pensé… » Elle porta ses mains à son visage. « Bon sang, on l'a échappé belle, dit-elle avant de lâcher une longue expiration.

— Mais on est hors de danger maintenant, n'est-ce pas ? Ce n'est pas comme si tu avais inventé le fait que Joanna et Paul pratiquaient le délit d'initié. Tout ce que tu as fait, c'est le porter à l'attention des autorités.

— Mais le mobile ne tient que si Philip n'avait rien à se reprocher, protesta Jay. S'il était aussi corrompu qu'eux, pourquoi donc les aurait-il balancés ? » Jay frappa du poing sur le banc. « Merde ! »

Magda repensa à sa conversation avec Charlie. Son instinct lui dit que ce n'était pas le moment de dire à Jay qu'elle s'était confiée à quelqu'un d'autre. « On pourrait arguer qu'ils étaient peut-être négligents et qu'ils menaçaient de faire s'effondrer tout l'édifice. Que Philip essayait de les stopper dans son propre intérêt.

— C'est un argument qu'on pourrait avancer si jamais on en arrivait là, convint Jay. Mais on était tellement sûres que Joanna et Paul l'avaient tué. Tu te souviens ? C'est la seule raison pour laquelle je suis allée éplucher tous ces papiers financiers. Je cherchais une raison qu'ils auraient pu avoir de vouloir se débarrasser de lui. J'ai cherché un mobile, et quand j'ai vu ce qu'ils faisaient, ça m'a paru évident. Sans ça, je n'aurais jamais pris le risque de rédiger ces fausses lettres pour rendre le mobile évident aux yeux de la police. » Jay secoua la tête. « Mais s'il le faisait aussi, il n'aurait jamais menacé leurs activités. Et alors, leur mobile disparaît. Pourquoi auraient-ils voulu le tuer ? »

Magda était perplexe, en particulier parce qu'elle-même n'avait pas eu ce raisonnement. Elle était censée être intelligente. Était-ce un des effets de l'amour ? Transformer votre cervelle en bouillie ? « Je ne sais pas. Peut-être qu'ils voulaient sa part de l'entreprise.

— Dans ce cas, ils auraient dû le tuer avant le mariage, parce qu'ensuite, il n'était plus question que sa part aille à quiconque sinon à toi. » Jay se passa les mains dans les cheveux avec agitation. « Bon Dieu, Magda. C'est un cauchemar.

— Je ne vois pas ce que ça change. Ils l'ont tué, Jay. C'est ça qui compte. Ils se sont bel et bien esquivés de la fête au moment critique. Je les ai vus, à quelques mètres seulement de l'endroit où Philip est mort.

— Mais ce n'est pas ce que tu as dit au tribunal, si ? Tu n'as pas tout à fait dit la vérité au sujet de l'endroit où tu les as vus car tu étais forcée de mentir sur l'endroit où tu te trouvais. Tu étais avec moi, pas dans le bureau de ta mère.

— Mais personne ne le sait, ça. La défense n'a jamais essayé de jeter le moindre doute sur ma version des faits. C'est du passé désormais, Jay. »

Jay paraissait à cent lieues d'en être convaincue. « Ce n'est pas terminé. Il reste la détermination de la peine, il reste l'appel. Si quelqu'un découvre ce que trafiquait Philip, ce ne seront plus eux qui auront un mobile, Magda. Ce sera toi et moi. »

Magda était décontenancée par l'affolement de Jay. Si elle y avait réfléchi à l'avance, elle se serait attendue à ce que ça la fasse paniquer. Au lieu de ça, elle avait retrouvé ses réflexes de médecin et réagissait comme si elle avait affaire à un parent confronté à un terrible diagnostic. Magda passa le bras autour des épaules de Jay et fut étonnée de la tension qu'elle sentit dans ses muscles. « Mais tout va bien pour nous. Je suis ton alibi.

— Ce qui fait de moi ton alibi, ajouta Jay avec un rire sombre. Et tu ne crois pas que certaines personnes vont peut-être s'interroger là-dessus ? Qu'on finisse ensemble après avoir eu un rendez-vous galant secret à ton mariage ?

— Ça ne s'est pas passé comme ça, contesta Magda. Et tu le sais.

— Nous le savons, mais les gens ne verront peut-être pas les choses ainsi. On a un rendez-vous secret, ton mari se fait assassiner, ce qui fait de toi une veuve très riche. Là, j'apparais et tu tombes folle amoureuse de moi.

— C'est insensé. Ce n'est pas comme si tu avais besoin de cet argent, bon Dieu. Tu as des millions de plus que moi. »

Jay s'essuya le visage du dos de la main. « Pour certaines personnes, le mot "assez" n'existe pas. Crois-moi, Magda, ce ne serait pas difficile de nous faire passer pour des monstres si jamais cela venait à se savoir.

— Mais ça ne va pas se savoir, n'est-ce pas ? Même si – et c'est un énorme si – quelqu'un découvre ce que fabriquait Philip, il ne va pas découvrir que tu as fait les fausses lettres. »

Jay se blottit contre Magda. « Je suppose que non, admit-elle d'une voix lasse. Mais il y a une chose dont tu n'as pas tenu compte.

— Quoi donc ?

— Sans mobile, on peut difficilement imaginer que Joanna et Paul aient tué Philip. Et s'ils ne l'ont pas tué... Qui l'a fait, Magda ? Qui ? »

TROISIÈME PARTIE

1

Vendredi

Pour autant que Jay s'en souvînt, c'était la première nuit où elles dormaient ensemble sans faire l'amour. La conversation entamée dans le sauna avait tourné en rond tout le restant de la soirée, pour toujours revenir à ce moment terrible où elles devaient faire face à la décision qu'elles avaient prise d'orienter la police vers les gens qu'elles croyaient coupables d'avoir tué Philip. Elles n'avaient cessé de se remémorer cet après-midi où, étendues sur le lit, elles s'étaient entendues pour dire que la police ne faisait aucun progrès dans l'élucidation du meurtre de Philip.

Jay, qui connaissait ses Agatha Christie, avait alors parlé du calvaire de l'innocent, de l'image négative qui collerait éternellement à Magda si personne ne rendait des comptes pour ce crime. « Même si tous ceux qui te connaissent et qui connaissent la situation ne penseraient pas un instant que tu aies pu tuer Philip. C'est sans importance pour les imbéciles qui sont là dehors. Dès qu'on révélera notre relation, on se fera lyncher sur Facebook : "Je parie que je peux trouver un million de personnes qui croient que Magda Newsam est une lesbienne malfaisante et mangeuse d'hommes qui a tué son mari pour l'argent." »

Et ce n'était pas comme si elles avaient inventé quoi que ce soit. Le délit d'initié avait bel et bien existé. Jay l'avait juste mis en évidence. Même maintenant, elle ne pouvait s'empêcher d'être fière de l'habileté avec laquelle elle avait géré la situation. C'était un sentiment fabuleux de résoudre un tel problème pour quelqu'un qu'on aime. À présent, il ne lui restait plus qu'à prier pour que les choses restent telles qu'elles les avaient conçues. Sinon, elles pourraient se retrouver à la place de Paul Barker et Joanna Sanderson. Ce serait le scénario catastrophe : Magda et elle qui portent le chapeau. Elle ne pouvait tout simplement pas laisser faire cela, et elle ferait le nécessaire pour être sûre que ça n'arrive jamais.

Dans le pire des cas, il y avait toujours l'option Costa Rica.

Avec toutes ces préoccupations, c'était pour elle un miracle qu'elles aient réussi à dormir. Mais l'épuisement avait joué en la faveur de Magda. Et Jay elle-même était parvenue à s'endormir au moment le plus froid et le plus sombre de la nuit.

Elle avait eu des rendez-vous la plus grande partie de la journée, et l'esprit occupé par les derniers projets d'expansion de 24/7. Le cours tranquille des événements avait seulement été perturbé lorsqu'Anne lui avait raconté l'étrange visite d'un flic venu au bureau pour savoir s'ils avaient eu comme stagiaire un suspect dans une affaire non classée. « C'était à l'époque où on était encore en phase de conception, donc à l'évidence on n'avait alors aucun stagiaire, avait-elle indiqué. Et tu étais en déplacement toute la semaine, c'était donc encore moins probable.

— Quand était-ce ?

— En mai 2004 », avait répondu Anne, déjà en train de passer à la page suivante de leur planning pour la matinée. Elle adressa un regard lourd de sens à Jay. « La semaine où Ulf Ingemarsson est mort. »

Jay avait réprimé un frisson. Elle se souvenait de mai 2004. Qu'est-ce que c'était que cette histoire ? D'étranges enquêteurs qui venaient se renseigner sur ses allées et venues dans la période où Ingemarsson avait été assassiné, ce n'était peut être pas aussi innocent qu'il n'y paraissait. Comme si elle n'avait pas déjà assez de soucis. Non, en mai 2004, elle ne torchait certainement pas le cul d'un stagiaire. « C'est sûr que non, avait-elle dit.

— C'est quand même curieux, avait dit Anne distraitement en griffonnant des notes dans la marge. Après son départ, je me suis souvenue que j'avais dû retrouver tes reçus de voyage pour ce gentil policier espagnol qui était venu après que la petite amie s'était mise à faire des siennes. Je savais exactement où tu avais été et quand, mais il a dit qu'il lui fallait des preuves. »

Évidemment qu'elle avait su exactement où Jay avait été. Le dévouement d'Anne était légendaire. Elle était prête à tout pour faire en sorte que la vie professionnelle de Jay se déroule sans problème. Jay soupçonnait Anne d'être amoureuse d'elle mais de préférer que son affection soit sans retour. Après tout, on ne pouvait jamais découvrir les faiblesses d'une personne si l'on ne poussait pas la relation jusqu'à l'intimité. C'était un arrangement qui leur convenait à toutes les deux. Mais parfois, comme ce jour-là, Jay se demandait si elle savait vraiment tout ce que faisait Anne pour elle. Elle soupçonnait secrètement qu'il y avait des choses qu'il valait mieux ne pas savoir.

C'était un soulagement de fuir le bureau et de rentrer chez elle par les petites rues calmes de Knightsbridge. Elle ne tolérait jamais que son travail la poursuive durant ses promenades ; elle était passée maître dans l'art de laisser ses pensées vagabonder librement. Elle était toujours épatée de voir à quelle vitesse changeait Londres. On pouvait passer d'une artère grouillante de monde à une rue résidentielle déserte en l'espace de quelques minutes. Sa propre maison lui faisait l'impression d'une oasis, préservée du ronflement et du fracas de la ville par le triple vitrage. Mais il y avait mille façons de fuir cette agitation si l'on savait où regarder. Elle se rappela sa première rencontre avec le Londres que les touristes ne voient pas.

Après que Louise et elle avaient été séparées comme une bûche se fend sous un coup de hache, Jay s'était laissé embarquer dans une soirée gay dans une des boîtes d'Oxford par une belle lesbienne hommasse en cuir de motard. Susanne était une graphiste qui vivait dans le nord de Londres et venait à Oxford pour rendre visite à sa sœur. Elles savaient toutes les deux qu'il n'y avait rien entre elles sinon l'envie de s'amuser, et Susanne n'en avait pas voulu à Jay lorsque celle-ci l'avait abandonnée à la fête où elle avait rencontré Ella Marcus. Ella était rédactrice de mode pour un de ces magazines féminins présentant des vêtements qu'aucune femme normale ne porterait jamais. Elle était glamour, prospère, et elle aimait le mélange de raffinement intellectuel et de naïveté culturelle de Jay. Elle avait égayé la dernière année de Jay à Oxford et l'avait initiée à ce type de vie qu'il était possible de vivre dans la capitale. Théâtre, galeries, cinéma d'art et d'essai, et un attachement absolu pour l'avant-garde. Une fois que le grand public mettait la main sur quelque chose, c'en était fini pour Ella et sa bande.

Elles en avaient bien profité tant que ça avait duré. Jay en était sortie le cœur et la fierté intacts, et enchantée à l'idée que leur relation avait scandalisé certains et agacé d'autres. Elles étaient restées en contact – Ella avait été une des premières journalistes à soutenir topdepart.com et ensuite 24/7.

Jay pensait encore à Ella lorsqu'elle arriva chez elle. C'était plus agréable que ses autres préoccupations. Elle avait besoin de continuer à se distraire, mais Magda travaillait jusque tard. Puisqu'elle était d'humeur sentimentale, elle décida qu'il était peut-être temps de s'aventurer sur un terrain glissant, celui de raconter ce qu'elle pouvait au public sur la manière dont Magda et elle s'étaient retrouvées après si longtemps. Ce serait délicat. Il y avait les choses qu'elle ne voulait pas que Magda sache ; les choses qu'elle ne pouvait absolument pas se permettre de révéler au public ; et les choses qu'il fallait tisser comme de la toile d'araignée pour satisfaire les lecteurs.

Pendant un instant, l'agacement la gagna. C'était censé être son histoire, mais même là elle ne pouvait être sincère. La vérité, c'était qu'il lui était impossible de partager la vérité avec qui que ce soit. Mais peut-être qu'elle pouvait dans l'immédiat écrire ce qui s'était véritablement passé entre elles deux le jour du mariage de Magda. Personne d'autre ne devrait le voir, pas même Magda. Jay pourrait le reprendre ensuite. Ce serait peut-être même plus facile de procéder ainsi. Une fois posées noir sur blanc, elle discernerait les choses qu'elle ne devait pas dire.

Ce samedi après-midi-là, ma première tâche à la conférence consistait à animer un séminaire sur le marketing viral. Je mentirais si je disais que je me suis amusée. Après cela, pour tenter de me rafraîchir en cet étouffant après-midi de juillet, je suis repartie à pied sur le bord de la rivière, respirant la même senteur entêtante de lis qui avait parfumé les grisantes nuits d'été où j'étais encore une lesbienne novice. Mais avant que je ne m'enfonce trop loin dans les profondeurs du souvenir, un vrombissement de moteurs de voitures m'a ramenée dans le présent. J'ai levé les yeux vers la rive et vu une file de voitures menée par une Rolls-Royce blanche longer le Sackville Building en direction de la prairie. Quelqu'un avait mentionné plus tôt qu'il y avait un mariage au collège ce jour-là. Ça ne m'intéressait pas le moins du monde.

J'ai poursuivi ma route sur la berge jusqu'au bout du chemin, où des marches creusées dans la rive herbeuse et escarpée ramenaient au Sackville Building.

J'étais environ à mi-hauteur quand les invités du mariage ont commencé à affluer par l'étroite allée en provenance de la prairie. Les jeunes mariés ouvraient la marche. L'homme était grand et robuste, les cheveux bruns si fraîchement coupés que je pouvais distinguer une fine ligne blanche entre son bronzage et la naissance de ses cheveux. Bien qu'il ne parût pas avoir beaucoup de gras sous sa jaquette, il avait le visage jovial et joufflu d'un écolier pré adolescent, tout en nez retroussé, menton rond comme une prune et joues de marionnette en latex. On aurait dit un Bunter[1] dont le mandat est enfin arrivé.

La mariée n'aurait pu être plus différente. Grande, haut perchée sur de longues jambes bien galbées, elle portait un fourreau en soie grège ivoire sans manches qui lui arrivait aux genoux et révélait des bras au hâle homogène de la même couleur dorée que ses jambes. La toque style cosaque qu'elle avait sur la tête était faite du même tissu et s'harmonisait à la perfection avec l'échantillon de cheveux blond miel qui en dépassait. J'ai toujours eu un faible pour les blondes à longues jambes. Mais cet après-midi-là, c'est vraiment bien plus qu'un désir soudain et passager qui m'a fait perdre pied. Littéralement.

Je me suis agenouillée à côté des marches, ravie et ravagée. À l'instant où j'ai reconnu la mariée, un mécanisme d'autodéfense s'est actionné en moi pour me dire : « Ce n'est pas elle, ce n'est pas elle ! Tu hallucines ; tu te leurres. On ne peut pas reconnaître quelqu'un après seize ans. Elle n'avait que douze ans la dernière fois que tu l'as vue. Cette femme a seulement l'air de lui ressembler. Ne sois pas bête,

1. Personnage fictif créé par Charles Hamilton au début du XXe siècle, qui cherchait sans cesse à emprunter de l'argent en prétendant attendre l'arrivée d'un mandat postal. (*N.d.T.*)

ressaisis-toi ! » J'ai essayé de me convaincre et me suis forcée à me redresser. Je n'ai alors pu gravir qu'une autre marche avant la révélation qui a réglé la question.

À quelques mètres derrière la mariée suivaient ses parents. Je m'étais peut-être trompée concernant Maggot Newsam après seize années, mais je n'aurais jamais pu faire erreur quant à Corinna et Henry. Henry avait l'air d'une caricature de ce qu'il avait été plus jeune, un archétype de l'épave que l'alcool peut faire d'une personne. Mais Corinna était immuable. Et unique en son genre, des cheveux laqués aux chaussures passées de mode.

Je suis restée là à regarder passer les invités, la vision brouillée par un kaléidoscope tourbillonnant de souvenirs. Des bribes de la musique de Crowded House, le groupe préféré de Corinna, me venaient sans cesse à l'esprit comme une station de radio mal réglée. Hébétée, j'ai finalement réussi à monter calmement les marches restantes. Assis à l'ombre des cèdres, un ou deux participants à la conférence m'ont regardée d'un drôle d'air, mais je ne connaissais aucun d'eux donc je m'en moquais.

J'ai continué mon chemin après le Sackville Building jusqu'à l'embarcadère des bachots. À mon approche, Patsy Dillard, la femme de l'organisateur de la conférence, m'a fait signe. « Jay, on a les coussins et les perches, mais on ne s'était pas aperçus que les bachots sont attachés, m'a-t elle crié. Tu peux aller à la loge récupérer la clé du cadenas ?

— Bien sûr. Avec plaisir.

— Est-ce que ça va ? m'a demandé Patsy lorsque je suis revenue avec la clé du lourd cadenas qui liait la chaîne d'ancre des bachots à l'appontement. On dirait que tu as vu un fantôme. »

J'ai forcé un sourire. « Ça fait longtemps que j'ai fini mes études ici, Patsy. L'endroit est bondé de fantômes pour moi. Je distingue à peine aujourd'hui derrière les ombres d'hier. » J'ai repris la clé, mais la loge était déserte et je l'ai donc laissée sur le comptoir où l'appariteur ne pourrait manquer de la voir dès qu'il reviendrait. C'est drôle, je me rappelle très nettement tous les détails, même les plus insignifiants.

Me trouvant près du Magnusson Hall, j'ai décidé de m'y glisser pour revoir le bureau des étudiantes. C'était le domaine où j'avais régné en tant que présidente de ce bureau. L'endroit avait étonnamment peu changé depuis l'époque où j'y avais présidé des réunions. L'odeur était assurément restée la même : des relents de tabac froid et d'alcool couverts par le citron artificiel de l'encaustique et des effluves d'eau de Javel qui émanaient des toilettes voisines. Le jeu de fléchettes était toujours là, mais les étudiants s'étaient depuis acheté un spot. Le baby-foot était toujours niché dans un coin sombre à côté du bar, où l'on avait remplacé le passe-plats en bois utilisé de mon temps par une grille en métal. Curieusement, les chaises semblaient exactement aussi délabrées et inconfortables qu'elles l'avaient toujours été ; il était dur de croire que ce puisse être les mêmes, mais tout aussi difficile de comprendre où la trésorière du bureau aurait pu réussir à acquérir un lot complet de pièces identiques, ou d'ailleurs pourquoi elle aurait voulu le faire.

Plus important, les portes-fenêtres qui menaient à la longue pelouse ombragée par deux cèdres étaient toujours là. Ce jour-là elles étaient grandes ouvertes et offraient ainsi un raccourci aux invités du mariage pour se rendre de la grande tente aux toilettes. Je les ai observés quelques minutes, laissant errer mon regard sur leurs habits aux couleurs de paon. Mais le visage que je recherchais était introuvable. Bon, me suis-je dit. Une mariée occupée.

J'ai fait volte-face et suis retournée vers l'entrée principale du Magnusson Hall en faisant un crochet par les toilettes des dames. Là aussi, peu de choses avaient changé. Tout n'était encore que peinture crème et porcelaine blanche institutionnelles. Même l'autocollant indiquant le numéro pour les victimes de viol était encore là. Contre toute vraisemblance, il semblait identique à celui qui s'était trouvé là quinze ans plus tôt, à l'adhésif spécialement conçu pour que le personnel de ménage nc puisse pas le décoller.

Je suis restée assise quelques minutes dans les toilettes pour me délecter de la fraîcheur du réservoir d'eau contre mon dos et sentir qu'il faisait descendre la température de mon corps d'un degré ou deux. Le bruit du cabinet voisin qu'on fermait a troublé ce moment de détente, et un rapide coup d'œil à ma montre m'a rappelé que je n'avais pas beaucoup de temps avant ma table ronde sur le développement d'une économie en ligne. J'ai tiré la chasse d'eau, suis sortie et ai ouvert le robinet pour m'asperger le visage et les mains d'eau fraîche et vivifiante.

Lorsque la porte de l'autre cabinet s'est ouverte, j'ai levé la tête et regardé dans le miroir. À côté de mon visage trempé, la soie ivoire et la peau dorée de Magda Newsam sont apparues tel le mirage d'une oasis. Nos regards se sont rencontrés dans la glace, inévitablement. J'ai observé l'expression de Magda passer de l'indifférence à la stupéfaction. Sa bouche s'est ouverte tandis que son visage s'est empourpré.

Je me suis essuyé la bouche du dos de la main et ai dit : « Bonjour, Maggot. »

Magda a secoué la tête, incrédule. « Jay ? » a-t-elle fait sur le ton d'un enfant émerveillé, les yeux toujours rivés sur les miens, en esquissant un sourire hésitant.

Sans quitter Magda des yeux j'ai attrapé une serviette en papier et me suis essuyé sommairement le visage. Je ne pouvais me repaître de la beauté qu'elle était devenue. Magda avait été une enfant gauche mais intéressante, qu'on n'avait jamais qualifiée de belle. Elle l'est aujourd'hui, et je l'ai vu clairement, pas de doute là-dessus. Un étrange phénomène de la génétique avait, à partir de ses parents moyennement séduisants mais aux physiques très différents – matière première peu prometteuse –, engendré un être d'une plastique que les photographes se seraient arrachée. J'ai eu du mal à croire que c'était à moi que ce beau visage souriait d'un air aussi radieux.

« C'est toi, n'est-ce pas ? s'est écriée Magda d'une voix qui est montée d'une octave sous l'effet de l'excitation.

— Qui d'autre est ce que ça pourrait être avec un visage pareil ? » Je me suis retournée pour faire face à son sourire.

Magda a fait un pas vers moi puis s'est arrêtée. « Je n'arrive pas à y croire », a-t-elle soufflé. Et j'ai cru sentir le mouvement de l'air sur ma peau.

« Pourquoi cela ?

— C'est comme de voir un fantôme. Une manifestation de mon subconscient, a-t-elle dit d'une voix douce et pleine d'une musicalité qui avait toujours été là, mais qui était à présent la modulation maîtrisée d'une adulte et non l'intonation aiguë et indomptée d'une enfant.

— Un rêve ? ai-je suggéré en tentant sans y parvenir de prendre un ton sarcastique.

— Qui devient réalité. Tu as tout simplement disparu de nos vies. Tu étais tout le temps là, puis du jour au lendemain, tu es partie. Sans prévenir. Juste partie. Sans explication, sans un au revoir. »

Magda n'était pas la seule à se souvenir très nettement de cet exil subit. « Ce n'est pas moi qui l'ai voulu, Maggot, ai-je dit doucement.

— Mon Dieu, personne ne m'a appelée Maggot depuis des années, s'est exclamée Magda avec un début de rire. Pas même Wheelie. Mais qu'est-ce que tu fais ici ? C'est une surprise pour moi ? Est-ce que Maman t'a invitée ? »

Tu parles, ai-je pensé sans le dire. « Je suis ici pour une conférence, ai-je expliqué à Magda. Je n'avais aucune idée de... tout ça », ai-je ajouté, ma voix se cassant subitement. Sans en être conscientes, nous avions toutes deux avancé d'un pas. Moins de trente centimètres nous séparaient. Je pouvais sentir une odeur âcre et épicée sur la peau de Magda, comme du citron vert et de la cannelle. Je voyais même les pupilles dilatées de ses yeux. J'avais mal au ventre.

« Bon sang, Jay, a fait Magda d'un ton perplexe et tendu. Comme je regrette que tu ne sois pas revenue avant tout ça.

— Moi aussi », ai je répété d'une voix rauque. Je me suis demandé si mon visage reflétait le mélange de stupéfaction, de confusion, de crainte et d'émerveillement qui se lisait sur celui de Magda. « Mieux vaut tard que jamais ? » ai-je questionné. C'était comme un appel, une prière, une supplication.

« Je me suis mariée cet après-midi, m'a-t-elle dit comme si c'était une confession

— Désolée. J'aurais dû te présenter mes félicitations.

— Oh mon Dieu, qu'ai-je fait ? » a lancé Magda à voix basse sur le ton de la colère.

Tout à coup, j'ai eu peur. Les émotions qui dansaient autour de nous étaient trop puissantes, comme des câbles vivants ondulant dans la pièce en crachant des étincelles menaçantes. J'ai reculé d'un pas. Je ne voulais pas m'aventurer de nouveau sur cette voie. Je voyais quelque chose s'ouvrir devant mes pieds, qui ressemblait plus à un fossé qu'à un chemin. La dernière fois, j'avais juré que ce serait la dernière fois. « Bonne chance, Maggot. Contente de t'avoir revue, ai-je déclaré en baissant les volets derrière mes yeux.

— Attends ! a crié Magda. Tu ne peux pas partir comme ça. Je viens seulement de te retrouver.

— C'est le jour de ton mariage, Magda. Il y a une grande tente pleine de gens qui t'attendent. » *Ne m'inflige pas ça, Magda. Je t'en prie*, ai-je pensé.

« Retrouve-moi plus tard, a dit Magda d'un ton insistant en tendant la main pour me saisir le poignet. Retrouve-moi plus tard, Jay. S'il te plaît ? Juste pour qu'on puisse se donner des nouvelles ? Échanger nos adresses ?

— Je ne suis pas sûre que ce soit une bonne idée », ai-je indiqué, la bouche devenue sèche à son toucher. Je n'avais jamais rien éprouvé de tel, jamais rien d'aussi pressant, d'aussi terrifiant.

Magda s'est fendue d'un large sourire ouvert et naturel, plein de joie et de générosité. « Bien sûr que ce n'est pas une bonne idée, a-t-elle dit. Mais c'est moi la mariée. Tu es censée te plier à mes désirs. »

Je ne pouvais résister. « Donne-moi une heure et un lieu. »

Magda a froncé les sourcils comme si elle calculait quelque chose. « Neuf heures ? Au bout de la prairie ? Tu connais l'ancien hangar à bateaux ? Il est pratiquement effondré maintenant, mais si tu passes derrière, personne ne peut te voir. »

En déclarant cela, elle me faisait savoir que tout rendez-vous avec moi était pour elle une chose que personne ne devait voir. Ça m'allait bien. La dernière chose que je voulais, c'était une confrontation avec la mère de la mariée. « J'y serai, ai-je dit en me demandant au même instant si j'avais perdu la raison.

— Promis ?

— Promis. »

Le sourire de Magda a illuminé son visage comme un feu d'artifice. « À tout à l'heure », a-t-elle dit en passant près de moi, mon poignet toujours dans sa main. Puis sa bouche s'est posée sur la mienne.

Ce n'était pas le genre de baiser qu'une jeune mariée peut donner à quiconque sauf à son mari.

L'instant d'après, Magda était partie, tout aussi soudainement que j'avais été bannie de sa vie tant d'années auparavant.

Écrire cela fit revivre toute la force de l'instant à Jay. Elle en sentit à nouveau le frisson soudain, cette déconcertante vague d'émotions qu'elle ne s'était jamais attendue à connaître, encore moins dans des toilettes pour dames de Schollie. Et la réaction de Magda. Elle était encore sidérée par l'expression de Magda lorsque toutes les pièces du puzzle disséminées dans son esprit avaient enfin trouvé leur place. C'était l'un de ces moments qui se produisent dans les films et les comédies musicales, mais pas dans la vraie vie. Du moins l'avait-elle cru.

Jusqu'à ce que ça lui arrive.

Ç'avait été un début. Debout à côté du lavabo des toilettes pour dames, Jay avait eu la sensation qu'on venait de lui donner un coup de massue. Mais ce n'était que le commencement. Il lui restait encore beaucoup de chemin à parcourir avant de trouver le repos.

2

Faire la route de Glasgow à Skye par une journée ensoleillée fut une des expériences visuelles les plus impressionnantes de la vie de Charlie. Montagne et eau, conifères et fougères, minuscules villages éparpillés de-ci de-là dans le paysage et – cerise sur le gâteau – passage sur le pont qui traverse l'Atlantique jusqu'à l'île même. C'était digne d'un livre de photos. Le genre de moment qui donnait au plus endurci des citadins l'envie d'une vie simple. Charlie se connaissait assez bien pour savoir qu'elle deviendrait folle au bout d'une semaine, mais elle pouvait se livrer à ce fantasme pour la durée de ce long et somptueux trajet. Ce n'était pas plus mal qu'elle ait Maria avec elle pour conduire à tour de rôle. Mais il ne lui suffisait pas d'apprécier la compagnie de sa partenaire pour ne plus avoir en permanence conscience qu'une autre femme absorbait toute son attention. Qu'avait encore dit Lisa dans son dernier e-mail ? *Peut-être que l'air pur de l'île t'aidera à y voir plus clair dans ton cœur. On ne peut pas avancer tant qu'on ne sait pas ce qui appartient au passé et ce qui nous accompagne sur le chemin de la vie. Les choses sont parfois séduisantes uniquement parce qu'on sait au fond de nous qu'on ne peut pas les avoir. Je veux que tu sois sûre d'avoir mesuré toutes les conséquences possibles de tes choix, Charlie. Parfois, on ne peut pas revenir en arrière.*

Comme d'habitude, les paroles de Lisa apportèrent plus de questionnements que de réponses à Charlie.

Est-ce que tout cela était un jeu, ou était-ce une série de tests destinés à aider Charlie à faire émerger les bonnes réponses du fond d'elle-même ? Dans tous les cas, il fallait qu'elle cesse de tergiverser. C'était on ne peut plus injuste vis-à-vis de Maria, qui ne savait même pas que son avenir était en jeu. Charlie n'était pas de nature cruelle et n'était pas à l'aise avec ce que Lisa appelait les conséquences possibles de ses choix. Mais Lisa était comme une fièvre dans son sang. Le problème, c'était que Charlie ne savait pas si elle voulait résister ou succomber.

Elles s'arrêtèrent pour déjeuner à Fort William, et Maria laissa Charlie terminer seule son repas afin de faire un rapide tour dans la ville. Elle revint excitée comme un enfant. « C'est tellement différent, dit-elle. Pourquoi est-ce qu'on n'est jamais venues dans les vrais Highlands avant ?

— On est allées faire du ski à Aviemore une année, souligna Charlie.

— Mais ce n'était pas pour de vrai. On peut aller n'importe où pour skier tant que la neige est à peu près correcte. Mais cet endroit est ravissant. Il faut qu'on fasse plus souvent ce genre de chose.

— Quoi ? Passer deux jours à rouler sur des routes pourries pour rester une journée sur une île d'Écosse à interroger des sauveteurs en montagne ? » Charlie ne savait pas bien si elle jouait les grincheuses ou si elle était vraiment de mauvais poil. Mais Maria avait raison. Il y avait quelque chose d'exceptionnel à parcourir ce paysage, même si la raison de leur voyage était inhabituelle.

« Tu es aux anges, dit Maria. Et c'est à ton tour de conduire. Une fois derrière le volant, tu seras trop occupée à apprécier le défi pour te plaindre des routes pourries. Allez, on y va. »

Charlie pensa que ce serait difficile de dépasser la splendeur du Great Glen, la baleine bossue du Ben Nevis sur leur droite tandis qu'elles remontaient la région des lochs. Mais lorsqu'elle vit le Skye Bridge, elle dut réévaluer sa notion de l'époustouflant. Avec ses lignes pures, son élégance et son caractère organique, il vous laissait bouche bée. Derrière se découpait sur le ciel l'arête sombre des Cuillin.

« Comment peut-on traverser tout ceci en sachant qu'on va tuer quelqu'un ? questionna Maria. Enfin, c'est à tomber, non ? Je me sens insignifiante devant ça. Comment peut-on connaître tout ceci et avoir le sentiment que nos préoccupations sont assez importantes pour tuer ? »

Charlie soupira. « Tout le monde n'a pas cette réaction. Certaines personnes voient presque la nature comme un défi. "Tu es peut-être grande et peut-être que tu seras encore là bien après ma mort, mais moi aussi je vais laisser mon empreinte, regarde bien."

— Pourquoi ne pouvait-elle pas simplement la tuer dans un coin sordide ? Faire croire à une agression ?

— Parce qu'elle est assez maligne pour savoir que les policiers ne sont pas idiots. Des types intelligents comme Nick sont formés pour faire la différence entre une vraie agression et une fausse. Si Jay s'était fixé l'objectif de tuer Kathy Lipson, c'était futé de l'amener à un endroit où les possibilités d'accident mortel sont si nombreuses. Des gens meurent tous les ans dans les montagnes écossaises. Certains par inexpérience, arrogance et bêtise. Mais pour d'autres, c'est juste de la malchance. Dans les deux cas, les conditions prêtent plus à croire à un accident qu'à un acte délibéré. »

Maria hocha la tête. « Alors, tu es en train de dire que Jay a autant profité de l'environnement psychologique du lieu que de son cadre physique ?

— On dirait bien.

— C'est un peu hasardeux, non ? Je veux dire, il fallait que beaucoup de conditions soient réunies pour que ça marche. La météo, que Kathy accepte de tenter une ascension aussi dangereuse, qu'il n'y ait personne d'autre dans les parages. »

Charlie ralentit alors qu'elles traversaient l'Atlantique. « On est en train de rouler au-dessus d'un petit bout d'océan. C'est pas incroyable ? » Elles restèrent toutes deux silencieuses pendant le temps qu'il leur fallut pour regagner la terre ferme. « Ce n'était pas aussi hasardeux que tu peux le penser, reprit-elle. J'ai réussi à retrouver le rapport d'enquête sur Internet. Il y avait une liste de témoins, les secouristes en montagne, et j'ai donc pu retrouver la trace de quelques-uns d'entre eux. Le système d'archives judiciaires écossais est épatant. On peut accéder librement à toutes sortes de choses...

— C'est pas le sujet, coupa Maria. Que veux-tu dire par ce n'était pas hasardeux ?

— Son père a témoigné dans le cadre de l'enquête, et il a parlé de l'expérience qu'elle avait. Elle avait grimpé dans les Alpes, dans les Rocheuses, dans les Andes. Elle avait déjà fait de l'escalade sur glace, et elle parlait depuis toujours de faire la traversée hivernale des Cuillin. Alors si Jay voulait la piéger, tout lui était servi sur un plateau. Jay était plutôt moins expérimentée pour grimper en conditions hivernales. Là où elle a failli ne vraiment pas avoir de chance, c'est en se blessant.

— Si elle s'est réellement blessée, précisa Maria. Elle ne s'est rien cassé, si ?

— Non, elle s'est déchiré les ligaments du genou. » Maria eut un petit rire moqueur. « On peut facilement faire passer une lésion des tissus mous pour bien plus grave qu'elle ne l'est vraiment. »

Charlie sourit. « Tu te mets à parler comme Corinna.

— Eh bien, plus tu m'en racontes sur ces morts soi-disant accidentelles, plus elles me paraissent improbables.

— Mais on n'a aucune preuve. Ça laisse présumer beaucoup de choses, mais il n'y a rien que je puisse apporter aux flics en leur disant : "Regardez, voici la preuve irréfutable que quelqu'un a commis un meurtre." Et sans ça, tout ce qui nous attend c'est une plainte pour diffamation. » Sa voix s'éteignit alors qu'elle s'efforçait de comprendre les indications du GPS. « Je crois qu'il faut que je tourne à gauche ici », dit-elle.

Maria sortit les instructions imprimées de la boîte à gants. « Oui. Puis au bout de six kilomètres, tu tournes à droite et l'hôtel est sur la gauche. » Elle plongea son regard dans le paysage désert de *machair*[1] et de roche. « Je commence à comprendre pourquoi elle pouvait s'attendre à ne pas être dérangée ici. Les seules choses qui aient un pouls, ce sont les moutons.

— Ouais. Apparemment, il peut y avoir du monde sur certains itinéraires d'alpinisme, mais seulement les mois d'été. En hiver, ce n'est pas difficile d'être seul dans les Cuillin.

— Tu vois, c'est pour ça que j'aime bien marcher, mais pas grimper, indiqua Maria. Ça t'offre moins d'occasions de me pousser dans un précipice si tu en as marre de moi. »

Charlie poussa un rire forcé. « Comme si ça pouvait arriver.

— Quoi, que tu me pousses, ou que tu en aies marre de moi ?

— Les deux », répondit Charlie avec conviction. Et c'était vrai. C'était ça le pire. Elle n'en avait pas marre de Maria. À cet instant, elle vit la pancarte de l'hôtel. « C'est ici, dit-elle. Glenbrittle Lodge Hotel. »

Elles quittèrent la route à voie unique en direction d'un bas édifice en pierre qui s'étalait dans le fond plat d'un vallon flanqué de chaque côté par des pentes

---

1. Mot gaélique désignant les bords de mer fertiles et de faible altitude que l'on trouve en Écosse et en Irlande. (*N.d.T.*)

d'éboulis grisâtres. Son toit d'ardoise et ses larges pignons luisaient dans la lumière de la fin d'après-midi. « C'est incroyable, toutes les nuances de gris et de vert qu'il y a ici, fit remarquer Charlie à leur approche.

— Presque autant que des nuances de dents, déclara Maria. Tu serais stupéfaite de la palette de couleurs qui existe pour les couronnes et les prothèses. »

Le temps d'arriver dans leur chambre, elles étaient toutes les deux conquises par l'hôtel. Lorsqu'elles s'étaient garées à côté de la demi douzaine de voitures déjà présentes, un jeune homme en chaussures de travail, kilt et chemise camouflage était apparu et avait insisté pour porter leurs sacs jusqu'à une réception lambrissée où un feu de bois crépitait et sifflait dans une profonde cheminée en pierre. Un flacon à whisky et des verres étaient posés sur le comptoir d'accueil, et avant qu'elles puissent protester, elles avaient chacune un whisky en main. « Cet endroit était à l'origine un pavillon de chasse, avait expliqué le jeune homme, son accent révélant qu'il n'était pas du coin. On fait tout notre possible pour conserver l'aspect traditionnel du lieu. Il n'y a pas grand monde ce week-end, alors on vous a mis dans la suite Sligachan pour le même tarif. Il y a une vue sur la vallée en direction des Cuillin. Je pense que ça va vous plaire. »

Il avait vu juste. Maria contempla la chambre avec son lit à baldaquin grand format et ses tissus écossais aux couleurs passées, pendant que Charlie jetait un œil au marbre et à la porcelaine peinte de la salle de bains. « Ouah, fit Maria en s'approchant de la fenêtre pour admirer le panorama. C'est magnifique, Charlie. » Elle se retourna au moment où Charlie revenait dans la chambre. « Viens ici. » Elle ouvrit les bras et Charlie vint s'y glisser et se perdre un instant dans ce refuge familier, avec l'espoir que ce curieux moment de tendresse puisse se prolonger pour chasser toute autre pensée ou sentiment. Maria lui murmura à l'oreille : « Quand est-ce qu'on a fait quelque chose d'aussi romantique pour la dernière fois ? »

Charlie gloussa. « Quoi ? Essayer d'épingler une tueuse en série ? Ça ne me revient pas. »

Maria rigola en la repoussant. « Mais ne te gêne pas, gâche cet instant ! Alors, quel est le projet pour ce soir ?

— Ce serait bien de voir s'il n'y a pas des membres du personnel qui étaient là il y a dix ans. J'espérais trouver un vieux réceptionniste. Peut-être que le barman aura l'air plus poussiéreux. Mais dans l'immédiat, j'ai envie d'un bain et d'une sieste avant le dîner. » Elle esquissa du coin de sa bouche un demi sourire. « Tu pourrais faire ça avec moi si tu voulais ? »

Maria n'eut pas besoin de se faire prier. Et si l'esprit de Charlie s'égara quelques fois dans le moment qui suivit, elle ne pensait pas que Maria l'avait remarqué. Il existait des péchés bien pires, et elle ne les avait pas encore commis, après tout.

Il était presque huit heures lorsqu'elles descendirent au restaurant, une autre pièce lambrissée garnie de tables joliment mises, étincelantes de cristal et d'argent. Seules deux d'entre elles étaient occupées, et le serveur les installa à l'autre bout de la pièce afin qu'elles soient plus tranquilles. Entre elles l'ambiance était décontractée et intime. Charlie se sentait moins tendue que les semaines précédentes. Elle prit le menu et choisit rapidement. Puis elle regarda vraiment autour d'elle pour la première fois, en bougeant légèrement pour jeter un œil aux autres tables pendant que Maria, les sourcils froncés, examinait toujours les différentes possibilités qui s'offraient à elle.

Heureusement que Charlie n'avait pas la bouche pleine de nourriture ou de boisson, ou elle se serait étranglée. Elle n'en crut d'abord pas ses yeux. Mais il n'y avait pas d'erreur possible. À l'autre bout de la salle, deux femmes étaient penchées l'une vers l'autre au-dessus d'une table et discutaient à voix basse avec animation. La plus jeune, une blonde jolie mais fade vêtue d'un chemisier soyeux multicolore, lui était inconnue. Mais assise en face d'elle, indifférente en apparence à quiconque ou quoi que ce fût d'autre, se trouvait Lisa Kent.

Charlie n'aurait pas été plus sonnée si elle avait reçu un coup de poing dans la figure. Qu'est-ce que c'était que ce cirque ? Lisa connaissait ses projets. Mais elle n'avait rien dit qui indiquât qu'elle serait ici. Et pourtant elle était là, en train de flirter avec une autre femme dans le restaurant où elle savait précisément que Charlie et Maria se trouveraient pour dîner. Cela défiait l'entendement. Se rendant soudain compte que Maria lui parlait, Charlie ramena son attention à la table où elle était assise. « Pardon ?

— Je disais : tu crois qu'elles sont de notre bord ? demanda Maria en penchant la tête en direction de Lisa et de sa compagne de table.

— Si c'est pas le cas, elles devraient, répondit machinalement Charlie. Qu'est-ce que tu prends ? Tu as décidé ? »

Charlie ne se rappellerait rien de ce qu'elle avait mangé ou bu ensuite, si ce n'est que cela avait inclus une bonne dose de vin rouge. À en juger par les commentaires dithyrambiques de Maria, la nourriture avait été exceptionnelle, et elle avait dû parvenir à remplir sa part de la conversation. Mais elle ne pouvait penser qu'à une chose : Lisa de l'autre côté de la salle et ce que pouvait signifier sa présence. Lisa était-elle cinglée ? Essayait-elle de provoquer un scandale ? Ou pire, une espèce de rencontre échangiste tordue ? Ou se pouvait-il qu'elle fût aussi éprise de Charlie que Charlie l'était d'elle ? Elle ne s'était pas permis de réfléchir ainsi auparavant, mais c'était plausible. N'est-ce pas ? Cependant, si Lisa était si puissamment attirée par Charlie, pourquoi avait-elle amené quelqu'un d'autre avec elle ? Essayait-elle de rendre Charlie jalouse ? Si oui, elle avait réussi.

Les autres femmes quittèrent le restaurant avant Charlie et Maria en les saluant au passage d'un signe de tête poli comme on le fait avec les autres clients d'un petit hôtel. « Elles ont l'air sympa, dit Maria. Elles seront peut-être au bar ensuite.

— Je ne suis pas sûre d'avoir envie d'un autre verre, répondit Charlie.

— Je croyais que si on était ici, c'était pour que tu interroges tous les insulaires qui passent ? la taquina Maria. Ou est-ce que tu as découvert une meilleure raison d'amener ta bien-aimée dans des hôtels romantiques ? »

Charlie se rendit compte que l'idée de faire l'amour avec Maria tandis que Lisa se trouvait dans le même bâtiment était inconcevable. « Je crois que tu es venue à bout de mes forces, dit-elle. Et tu as raison, bien sûr. Je ne dois pas oublier pourquoi nous sommes ici. » Elle vida son verre. « Allez, dans ce cas, allons voir si les barmans avaient arrêté de porter des couches quand Jay et Kathy sont venues ici. »

Le bar était une salle douillette de l'autre côté du hall d'entrée. Lisa et l'autre femme étaient assises près de la porte, le plus loin possible du bar. Lorsqu'elles entrèrent, Lisa tourna son regard incandescent vers Maria. « Bonsoir, dit-elle. Puis-je vous convaincre de boire un verre avec nous ? Ça paraît bête d'être assises dans des coins opposés de la pièce. »

Avant que Charlie puisse refuser, Maria avait déjà accepté l'invitation. « Merci. Je m'appelle Maria, au fait, et voici Charlie. »

Lisa adressa un sourire accueillant à Charlie et inclina la tête. « Moi, c'est Lisa. Et voici Nadia. »

Nadia remua les doigts pour les saluer. « C'est sympa, dit elle.

— Laissez-moi aller chercher quelque chose à boire, marmonna Charlie. Qu'est-ce que vous prendrez ?

— On boit toutes les deux du vin rouge.

— Je ferais aussi bien de prendre une bouteille, alors », constata Charlie avant de se diriger vers le bar. Il n'y avait personne en vue, mais une plaque fixée à côté d'une sonnette l'invita à appuyer pour être servie. Elle ne pouvait décider qui de la confusion ou de la peur avait le dessus. Avant que quiconque pût répondre à son coup de sonnette, Lisa apparut à côté d'elle.

« J'ai dit à Maria que j'allais t'aider à choisir, indiqua-t-elle.

— Est-ce que tu la baises ? » Les mots étaient sortis avant que Charlie n'ait pu se retenir. Grossiers et durs, amers et brutaux.

« Je pourrais te poser la même question, répliqua Lisa. Et ça n'aurait pas plus de sens. On sait toutes les deux que le fait de coucher ensemble peut vouloir tout ou rien dire. Et on sait toutes les deux que quoi que soit ce qui se passe entre nous, c'est bien plus qu'une histoire de sexe. Souris, Charlie, Maria peut probablement interpréter ton langage corporel à des kilomètres. »

À ce moment précis, le jeune homme de la réception arriva derrière le bar. Il leur fit un grand sourire et dit : « Ce soir, je suis l'homme à tout faire. Que puis-je vous servir, mesdames ?

— On voudrait une bouteille de vin rouge. Un syrah ou quelque chose du genre, répondit Charlie.

— On veut quelque chose de corsé et capiteux », précisa Lisa avec autant d'insinuations qu'un comique des années soixante-dix.

Le barman rougit. « Je vais voir ce que je peux faire, dit-il avant de disparaître à nouveau.

— Pourquoi es-tu là ? questionna Charlie. Et pourquoi fais-tu semblant de ne pas savoir qui je suis ? »

Lisa sourit, les yeux pétillants d'amusement. « Relax, Charlie. Tu m'as déjà fait le coup de l'incognito, tu te souviens ? Je me suis dit que ça pourrait être drôle d'inverser les rôles. Et j'avais envie de te voir. Est-ce si vilain de ma part ? »

Charlie se radoucit. Si les sentiments de Lisa étaient semblables aux siens, cela se tenait parfaitement. Elle pouvait s'imaginer faire la même chose. « Non, dit-elle. J'aurais juste aimé que tu me préviennes.

— Ça aurait enlevé tout le côté amusant.

— Ce n'est pas un jeu, Lisa. Maria est ici. Comment crois-tu qu'elle va se sentir si au bout du compte je la quitte pour toi et qu'elle se souvient de ce week-end ? Elle va se sentir humiliée. »

Devenue sérieuse, Lisa hocha la tête. « Tu as raison. Je suis désolée. Mais je n'ai pas pu m'en empêcher. Je sais que ça va te sembler un peu étrange. Mais tu sais ce dont j'avais vraiment envie ?

— Non. Parce que ce qui m'arrive maintenant dépasse mon expérience. » Charlie se força à sourire en direction de Maria.

« Je voulais voir comment tu es quand tu n'es pas avec moi, expliqua Lisa. Je voulais voir les facettes de ta personnalité que je n'aurais jamais vues autrement. S'il est question que je sois avec quelqu'un, je veux le décider en connaissance de cause. »

Charlie fut empêchée de répondre par le retour du barman avec une bouteille de syrah Wolf Blass. « Ce sera très bien, dit Charlie. Mettez-la sur ma note. »

Il prit un tire-bouchon et s'attaqua à la bouteille. « Donc, je voulais te voir avec Maria et je voulais voir comment tu poursuivais ta folle chimère, dit Lisa.

— Par "folle chimère", tu fais référence à toi ou à Jay ?

— Oh, Charlie, fit Lisa d'un ton réprobateur. À Jay, bien sûr. Je voulais tenter de comprendre pourquoi ça te tient tant à cœur.

— Parce que je pense que Corinna a raison. » Charlie secoua la tête à l'attention du barman. « Servez-le directement, je suis sûre qu'il est bon.

— Tu vois, c'est ça que je ne comprends pas, continua Lisa. Pourquoi est-ce que tu t'investis autant dans cette histoire ? Ça ne mène nulle part, mais ça t'obsède, or ce n'est pas là-dessus que tu devrais concentrer ton énergie.

— Et sur quoi devrais-je me concentrer ? demanda Charlie, répondant au ton charmeur de Lisa.

— Sur quelque chose qui puisse te mener quelque part, bien sûr. » Lisa sourit. « Je pourrais te faire des suggestions ? »

Charlie se sentit sur le point de rougir. « Comment peux-tu être si certaine que ça ne mène nulle part ? »

Le sourire de Lisa devint malicieux. « Parce que tu me l'aurais dit si tu avançais. Tu ne pourrais pas t'en empêcher. Tu veux m'impressionner, donc tu me l'aurais dit. » Elle prit les deux premiers verres et commença à se retourner.

« Pas forcément, rétorqua Charlie. Je pense que tu oublies à quel point je suis attachée à la notion de confidentialité. Je suis médecin, c'est un article de foi pour moi. Et j'ai assez travaillé avec la police pour comprendre à quel point c'est important de garder le secret sur certains renseignements.

— Je crois quand même que tu me le dirais, insista Lisa tandis que Charlie signait pour le vin et prenait les autres verres.

— Peut-être que tu ne me connais pas tout à fait aussi bien que tu le crois, alors. » Et avec un sourire, Charlie passa devant Lisa et se dirigea vers Maria.

3

Le fait de se remémorer cette tempête d'émotions avait déchaîné un déluge de mots. Jay n'avait pas eu grand mal à rédiger cette biographie jusque-là, mais elle écrivait à présent en roue libre, rien ne pouvait l'arrêter. Bien sûr, la plus grande partie finirait dans la corbeille, mais il y avait quelque chose de libérateur dans cet épanchement. Tant que ce texte ne se retrouvait jamais dans la nature. Il lui faudrait être prudente. Elle l'enregistrait directement sur une clé USB plutôt que sur le disque dur ; la clé USB en question devrait aller dans un coffre-fort si secret qu'il n'était même pas mentionné dans son testament. Le jour où elle mourrait, son contenu tomberait à tout jamais dans l'oubli.

Jay se leva et entama l'enchaînement d'étirements que son ostéopathe avait conçu pour elle. Elle devait combattre les séquelles de cette effroyable journée sur Skye à la fois sur le plan émotionnel et physique. D'où l'ostéopathie et l'hypnothérapie. Par chance, elle en savait assez sur son hypnothérapeute pour pouvoir se protéger de toute déclaration dangereuse qui pourrait sortir de sa bouche pendant qu'elle était dans un état modifié de conscience. Il n'y avait rien de tel que la « destruction mutuelle assurée » pour garder le pouvoir dans une relation équilibrée, qu'elle soit personnelle ou professionnelle.

Elle se frotta les mains avec de l'huile d'amande et savoura les arômes des huiles essentielles de romarin et poivre noir qu'elle y avait ajoutées. Elle repensa à cet après-midi à Oxford et à la lenteur avec laquelle les minutes s'étaient écoulées. Se rappela l'envie irrépressible, malgré elle, de partager cette expérience extraordinaire. Comme si elle avait pressenti ce qui pourrait se passer. Ce qui s'était passé.

À neuf heures moins dix, je me suis faufilée par l'escalier de service du Sackville Building jusque dans le jardin. Il n'y avait personne en vue. Les participants à la conférence étaient en train de boire des verres dans la Lady Hortensia Sinclair Room ou assis sur la pelouse de devant. La masse imposante du Magnusson Hall faisait écran entre moi et le mariage. Je me suis enfoncée dans l'obscurité et engagée d'un pas léger sur l'étroite avenue de platanes qui menait à la prairie. Juste avant d'en sortir, je me suis arrêtée pour inspecter les lieux. Quelques dizaines de voitures étaient garées à l'autre bout de la pelouse, mais elles semblaient toutes vides.

J'ai émergé de l'obscurité et longé la rivière jusqu'aux ruines du hangar à bateaux où Jess Edwards avait trouvé la mort. De nouveaux souvenirs de ce passé lointain ont fait surface, tout aussi confus que ceux de la famille Newsam. Après la mort de Jess, le collège avait décidé de créer un fonds pour la construction d'un nouveau hangar à bateaux plus grand. Désormais, le hangar Edwards orne la partie principale de l'Isis qui borde les collèges les plus anciens et les plus riches. Resté vide, l'ancien hangar s'est désagrégé au point d'être en train de s'effondrer sur lui-même comme une dent cariée. Ce soir-là, j'ai vu que la poutre du toit fléchissait désespérément, que les vitres étaient cassées depuis longtemps et que les façades latérales ployaient comme la coque d'un galion. La structure croulante se voûtait derrière une palissade qu'un squatter décidé aurait mis moins de cinq minutes à franchir.

J'ai contourné le hangar et découvert un petit espace dégagé de quelques mètres de large entre la palissade et la haie de berbéris épineuse qui marquait la fin du domaine de St Scholastika. J'avais pris avec moi une légère couverture dans le fol espoir que la nuit puisse se rafraîchir, et je l'ai étendue au sol. Pas parce qu'il était humide, mais parce qu'une jeune mariée ne devait pas avoir de taches d'herbe sur sa robe. Je me suis adossée à un arbre et j'ai attendu en me demandant si elle aurait changé d'avis. Quelque part dans la rivière, des canards pataugeaient et cancanaient. J'ai entendu le lourd battement d'ailes d'un héron, suivi des derniers caquètements des oiseaux.

Je n'ai pas entendu Magda approcher, mais elle était pile à l'heure. À l'orée du crépuscule, tout chez elle était plus vif, comme si quelqu'un avait réglé le contraste d'un téléviseur. Elle s'était changée et avait enfilé sa tenue de voyage, une simple robe de soie bleu nuit évasée. Elle avait enlevé son chapeau et s'était détaché les cheveux, qui tombaient sur ses épaules en cascades de vagues brillantes, de la couleur de pièces d'une livre dont la teinte cuivrée d'origine s'est estompée en passant de mains en mains. Le déclin de la lumière vive du soleil intensifiait l'éclat bleu de ses yeux et fonçait l'or mat de sa peau. Magda a fait deux pas vers moi et souri. « Tu es venue », a-t-elle dit doucement.

Je me suis décollée de l'arbre d'un mouvement d'épaules. « J'aurais du mal à ne pas tenir une promesse envers toi.

— Je crois que j'ai fait une très grosse erreur », a dit Magda en s'avançant à nouveau de quelques pas.

Ce n'était pas ce que j'avais envie d'entendre. J'ai avalé la boule qui s'était logée dans ma gorge. « Je vais partir, alors. »

Magda a secoué la tête et posé une main sur mon bras. J'ai senti une brûlure comme celle de la glace là où nos chairs sont entrées en contact. « Je ne te parle pas de ce rendez-vous. Je te parle de mon mariage avec Philip. »

Nous nous sommes dévisagées avidement. À ce moment-là, les mots n'importaient plus. Magda aurait pu réciter « À la claire fontaine » que cela n'aurait rien changé. Tout ce que je percevais, c'était son toucher, son visage, son parfum. Quelque chose explosait dans ma tête, et je n'étais plus consciente que de la proximité de Magda. Tout en sachant que c'était la chose la plus dangereuse que j'aie jamais faite, je me suis penchée vers elle et l'ai embrassée.

J'ai cru que nous n'allions jamais pouvoir arrêter. Lorsque nous nous sommes enfin séparées, nous frémissions toutes les deux et respirions de manière bruyante et saccadée. « Oh mon Dieu ! a soufflé Magda.

— Je n'ai pas voulu... ai-je bégayé. Je n'ai pas voulu que ça arrive. »

Magda m'a effleuré la joue du bout des doigts, faisant frémir ma peau. « Il aurait fallu que tu quittes le pays pour éviter ça.

— Viens t'asseoir, lui ai-je proposé d'une voix grave et rauque que je ne m'étais jamais connue. Il faut qu'on parle, Magda. »

Nous nous sommes assises avec précaution sur la couverture, côte et côte, mon bras autour de ses épaules, le sien autour de ma taille. « Tout ça ne vient pas de nulle part, a dit Magda.

— Pour moi, si. »

Je l'ai sentie qui souriait. De sa main libre, Magda a fouillé dans le sac de soirée qu'elle portait en bandoulière. Elle en a sorti un paquet de Gitanes et un briquet puis en a tiré une cigarette. Elle me l'a offerte mais j'ai refusé d'un signe de tête. Elle a eu un petit haussement d'épaules et l'a allumée. L'odeur familière m'a fait l'effet d'une machine à remonter le temps. Je n'avais pas fumé de cigarettes françaises depuis dix ans, mais je connaissais aussi bien leur goût que celui de mon café du matin.

« C'est mauvais de fumer. » Ce n'était pas seulement pour la taquiner. Déjà, je n'avais pas envie qu'il arrive malheur à Magda.

« Je les garde pour les occasions particulières. Tu te souviens de ces cigarettes ? » m'a-t-elle demandé. Je n'ai pas eu besoin de répondre. « Tu ne te doutais de rien, n'est-ce pas ? Je vénérais jusqu'au sol que tu foulais. Quand Maman et toi alliez au pub, je me forçais à rester éveillée jusqu'à votre retour pour pouvoir me glisser dans l'escalier et simplement écouter ta voix. J'essayais de persuader Papa d'emmener Maman en sortie pour la soirée, pour que tu viennes nous garder. Tu as été mon premier gros béguin. »

J'ai pris une profonde inspiration et humé la saveur de la fumée. « Tu as raison. Je ne me doutais de rien. Huit ans d'écart, c'est un grand fossé à cet âge-là. Je suis désolée, Maggot, je n'ai jamais remarqué. Je me disais juste qu'on s'entendait vraiment bien.

— Et c'était le cas, bien sûr. Mais j'étais folle de toi. Si je devais retrouver Maman à Schollie, j'essayais toujours d'arriver en avance dans l'espoir de te voir. Puis, tout à coup, tu as disparu. Tu faisais partie de la famille, et du jour au lendemain tu es devenue une paria.

— Qu'est-ce qu'elle t'a dit ? » Je voulais vraiment savoir.

« Patrick a dit que tu étais venue à la porte et que Maman t'avait dit un mensonge pour te faire partir. » Inconsciemment, Magda avait replongé dans le dialecte de l'enfance. « J'ai demandé à Maman ce qui se passait, et elle m'a répondu qu'elle ne voulait pas de toi chez nous. Elle m'a dit qu'elle avait découvert quelque chose sur toi et que cela signifiait que tu ne pouvais plus venir chez nous. J'ai demandé ce que tu avais fait de si affreux, mais elle s'est énervée et elle m'a dit que je devais juste la croire sur parole.

— Et tu n'as jamais découvert ce que j'étais censée avoir fait ? »

Magda a eu un petit rire amer. « On ne me l'a pas dit de vive voix. Mais j'ai lu une interview de toi il y a quelques années dans un magazine où tu parlais du fait d'être gay. Et j'ai alors trouvé la réponse à ma question. Étant donné les opinions de Maman sur "l'homosexualité". » Elle a baissé la voix et étiré le mot syllabe par syllabe.

« Et c'est pour ça que tu t'es mariée ? Parce que Corinna déteste les homos ? »

Magda a baissé la tête. « En quelque sorte. Je suis comme ça, Jay. Je fais en sorte que tout le monde soit content. Après toi, j'en ai pincé pour d'autres femmes, mais beaucoup de mes amies aussi. Ce n'était pas vraiment complètement bizarre. Mais j'avais ce conditionnement catholique oppressant qui me poursuivait. Et puis il y avait mes parents. J'ai toujours eu une très bonne relation avec Maman, et avec Papa ça va si tu le prends avant le quatrième gin. Mais ils sont vraiment homophobes. Papa en particulier. Il croit sincèrement que c'est un péché mortel. Je n'ai donc jamais eu le cran de passer à l'acte malgré toutes ces toquades que j'ai eues. » Elle a soupiré. « Je ne pouvais tout simplement pas imaginer la conversation que nous aurions. »

Je comprenais. Mieux qu'elle ne le pensait. Je n'aurais jamais pu avoir cette conversation avec mon beau-père. Contrairement à Henry Newsam, il n'aurait pas hésité une seconde à essayer de me sortir ça de la tête à coups de poing. Et ma mère ne se serait pas interposée. Pas s'il était question de respecter la parole de Dieu. « Et donc maintenant, tu t'es mariée. »

Magda a hoché la tête et s'est blottie contre moi. « Ça faisait des siècles que Philip me le demandait. Son petit frère était en médecine avec moi, et on est plus ou moins sortis ensemble ces trois dernières années. On vient seulement de s'installer ensemble, mais on était en couple, si on veut. C'est un type bien, Jay. Il est gentil. Et il est peu exigeant. Il est également aussi fou de son boulot que moi du mien.

— Qui est ? »

Magda a eu un rapide et perplexe froncement de sourcils. Ma gorge s'est serrée. « Tout cela est nouveau pour moi, ai-je précisé gentiment. Je ne sais rien des quinze dernières années de ta vie, Magda.

— Bien sûr. Pourquoi en serait-il autrement ? Philip est associé dans une boîte d'impression spécialisée. Ils produisent beaucoup de titres financiers et des documents d'entreprise confidentiels. Et je suis interne en oncologie pédiatrique. Je travaille surtout avec des enfants à qui on a diagnostiqué une leucémie. » Elle a grimacé. « Une autre bonne raison de ne pas expérimenter ma sexualité. Les rumeurs vont bon train dans les hôpitaux, et les médecins-chefs n'aiment pas l'association homos-enfants.

— Tu n'as jamais été tentée ? » ai-je demandé. À vrai dire, j'avais du mal à me représenter cette vie si pauvre émotionnellement que me dépeignait Magda.

Magda a frotté son nez contre ma joue. « Bien sûr que j'ai été tentée, a-t-elle dit. Mais je me défilais. On peut sublimer une sacrée quantité d'énergie sexuelle en apprenant à devenir médecin, tu sais. Toute cette adrénaline, et l'épuisement total entretemps. C'était juste plus facile de suivre la norme. En plus, je n'ai jamais eu l'impression d'être au bon moment au bon endroit avec la bonne personne. Jusqu'à aujourd'hui.

— C'est ton mariage aujourd'hui, Maggot », me suis-je forcée à lui rappeler.

Magda a soupiré, produisant un son grave et vide qui a semblé la rapprocher davantage de moi. Elle a jeté d'une chiquenaude la fin de sa cigarette dans la rivière. Tout était si calme que j'ai entendu le grésillement de la braise qui mourait par-dessus les battements de mon cœur. Puis Magda a levé les yeux vers moi. Il restait assez de lumière pour révéler que ceux-ci brillaient de larmes. « Alors comment se fait-il que je préfère être ici avec toi plutôt que là-bas avec mon mari ? »

J'ai fermé les yeux. Je ne voulais plus voir Magda. Je ne pouvais supporter les émotions contradictoires qui m'envahissaient. « La frousse. Rien de plus.

— Tu sais que ce n'est pas vrai, a-t-elle protesté. Tu le sens aussi. Je le sais. Tu ne peux pas me faire croire le contraire.

— Il est trop tard, lui ai-je dit, et ma voix s'est cassée sous l'effet de la tension. Il est trop tard. »

Tout à coup, elle s'est mise à genoux entre mes jambes et m'a agrippée par les épaules. « Ne dis pas ça, a-t-elle gémi, son agacement inscrit sur son visage. Ce n'est pas possible. Je ne laisserai pas les choses se passer ainsi. Je viens à peine de te trouver, Jay, je ne peux pas te laisser partir. » Elle sanglotait presque, et ses cheveux nous tombaient dessus comme un rideau nous coupant du monde.

J'ai tendu les bras pour calmer Magda. Mais elle m'est tombée dessus, m'a poussée en arrière, corps à corps, la chaleur de notre délire estival entre nous. « Magda », ai-je protesté. Mais c'était une faible protestation. Mon corps envoyait un message différent. Nous nous cramponnions désespérément l'une à l'autre, tels des enfants avant qu'ils ne découvrent l'inhibition.

« Il faut qu'on fasse quelque chose, Jay, a gémi Magda.

— Tu dois y retourner », ai-je dit en roulant doucement sur le côté pour me libérer de l'étreinte de Magda. Ce n'était pas ce que je voulais. Mais on ne pouvait sans doute pas survivre à ce que je voulais. « Ce n'est pas la fin, je te le promets. Mais tu dois y retourner maintenant. Tu ne peux pas changer le fait que tu as épousé Philip cet après-midi. S'il est le type bien que tu m'as décrit, il ne mérite pas d'être humilié. Retournes-y maintenant, et appelle-moi quand tu peux. À n'importe quelle heure du jour ou de la nuit. » J'ai fouillé dans ma poche à la recherche de la carte de visite que j'y avais placée par avance. Celle avec mon numéro de portable personnel. Je l'ai pressée contre mes lèvres et tendue à Magda. « Scellée d'un baiser. »

Prête à éclater en sanglots, Magda semblait avoir de nouveau douze ans. Mais elle a pris la carte et l'a glissée dans son sac. J'ai consulté ma montre. Il était neuf heures vingt passées. « Il faut que tu y ailles, Magda. Les gens vont se demander où tu es. Philip va se demander où tu es. »

Magda a hoché la tête. « Tu as raison. Tu me raccompagnes ? »

J'ai souri, mais avec un sentiment doux-amer. Je pensais avoir fini de cacher qui j'étais et qui j'aimais. Mais apparemment pas. « Pas jusqu'au bout. Pour toi, pas pour moi.

— Je sais. »

Nous nous sommes engagées à travers la prairie en prenant soin de ne pas nous toucher. Aucun contact innocent n'était possible entre nous. C'était au moins une certitude. Lorsque nous sommes arrivées à l'abri de l'avenue, Magda a de nouveau saisi mon poignet, comme elle l'avait fait plus tôt près des lavabos. « Ce n'est pas un jeu, Jay. Vraiment.

— Pour moi non plus. Je n'ai jamais pensé retomber amoureuse comme ça. »

Magda a souri. « C'est toi qui as prononcé le mot avec un grand A en premier. »

Je ne l'avais réellement pas voulu. Et je l'avais regretté dès l'instant où il avait franchi mes lèvres. Non pas parce que je ne le pensais pas, mais au contraire parce que je le pensais. L'amour pouvait bien être le jouet du destin, mais je ne pensais pas que Magda soit du genre à s'en servir contre moi. Je lui ai rendu son sourire. « Il fallait bien qu'une de nous deux le fasse.

— En effet, a acquiescé Magda, soudain sombre. Il le fallait. Jay, c'est effrayant. J'ai l'impression de perdre pied. Comme si on avait déclenché une réaction en chaîne et que je ne savais pas où elle allait s'arrêter.

— Je sais que c'est effrayant, ai-je dit en caressant le bras de Magda de mon autre main. Mais cette fois, je ne t'abandonnerai pas. Je te le promets. »

Elle a poussé un profond soupir de soulagement. « Je t'aime depuis des années, Jay. »

Je me suis approchée jusqu'à ce que mes lèvres effleurent ses cheveux. « Je comprends. Je ne t'abandonnerai pas », ai-je répété doucement.

Magda a lâché mon poignet et, sans un mot de plus, dans le crépuscule, nous avons parcouru l'avenue jusqu'aux jardins voisins du Sackville Building et nous sommes enfoncées dans l'obscurité à l'arrière du Magnusson Hall. « Courage, Maggot », ai-je lancé en m'arrêtant.

Magda a regardé par-dessus son épaule en tournant au coin du bâtiment, son visage rendu fantomatique par le jet de lumière provenant de la conciergerie, un sourire en guise de promesse. Puis elle a disparu, me laissant étourdie et prise de vertige, à me demander dans quoi je m'étais embarquée et comment j'allais résoudre cela sans que Corinna suppose que j'utilisais sa fille pour assouvir une vengeance attendue de longue date.

Je me suis retournée et ai pénétré dans le Magnusson Hall. Cette fois-ci, au lieu de retourner au bureau des étudiantes, je suis montée au premier étage et j'ai suivi le couloir jusqu'à la Mary Cockcroft Room, ainsi nommée en souvenir de la première directrice du collège dans les années 1920, qui servait pour des réunions et séminaires. La salle Cockcroft se trouvait juste au-dessus du bureau des étudiantes mais était à peu près deux fois plus petite. Bien qu'il y fît presque noir, il y avait encore assez de lumière en provenance de la fête du mariage sur la pelouse pour que je voie que la pièce était sens dessus dessous. D'importants travaux de réaménagement étaient manifestement en cours, et tout un bric-à-brac d'ouvriers et de peintres était éparpillé dans la pièce. Certaines fenêtres étaient même sorties de leurs châssis, les ouvertures couvertes de bâches. Par chance, les travaux dans l'alcôve pentagonale étaient terminés ou n'avaient pas encore commencé, et j'ai donc franchi les obstacles avec précaution pour atteindre la fenêtre.

Bien qu'il dût y avoir près de cent personnes qui grouillaient entre la pelouse et la grande tente, j'ai immédiatement repéré Magda, ce qui indiquait à quel point l'attraction entre nous avait été forte. Elle se mêlait aux invités de façon experte, quelques mots par-ci, un éclat de rire par-là, puis se déplaçait subtilement jusqu'au prochain petit groupe d'amis ou tourbillon de danseurs qui faisaient une pause dans leur polka sautillante pour parler à la mariée. En la regardant, je fus abasourdie par sa beauté et par le changement de circonstances qui avait mené celle-ci entre mes mains. Tout cela me paraissait presque incroyable.

Avant de pouvoir commencer le paragraphe suivant, Jay entendit le claquement lointain de la porte d'entrée. « Je suis rentrée », cria Magda dans les escaliers. C'était sans doute tout aussi bien, se dit Jay en enregistrant le fichier et en récupérant la clé USB. Elle la glissa dans sa poche et s'écarta du bureau.

« J'arrive tout de suite, chérie ! » cria-t-elle en réponse avant d'éteindre la lumière en quittant le bureau. C'était un bon moment pour s'arrêter, quand la situation était inquiétante, mais encore dans le bon sens du terme. Avant qu'elle ne devienne réellement terrifiante.

4

Samedi

Quand Charlie se réveilla, la lumière était trop vive. Elle avait la tête lourde, l'esprit embrumé et l'estomac barbouillé. « On va rater le petit déjeuner si tu ne sors pas de ton plumard », lui lança gaiement Maria, une main encore sur le rideau, en train d'observer le panorama. Elle était enveloppée dans une serviette de bain, sa tignasse de cheveux mouillée et en désordre. « Il fait un temps magnifique.

— Mmm », grogna Charlie. Si elle ne bougeait pas, peut-être que ça irait.

« Je me suis bien dit que tu aurais sans doute dû refuser cette dernière tournée, déclara Maria, sans aucune compassion dans son expression ou dans sa voix. Mais tu semblais bien décidée à boire ton poids en syrah. Ça ne te ressemble pas, Charlie. En général, tu sais quand t'arrêter.

— Ouais, bon. On s'amusait tellement, dit-elle d'une voix blanche.

— Oui. On ne s'ennuie pas avec Lisa et Nadia.

— Oh oui. On ne s'ennuie pas. » Si on aimait passer sa soirée sur des charbons ardents, à se demander si le ciel s'apprêtait à nous tomber sur la tête. À se demander si elle révélait ses vrais sentiments chaque fois qu'elle regardait Lisa. À se demander si Lisa allait dévoiler sa véritable identité, au lieu de se cacher derrière des « je suis formatrice, j'aide les gens à développer un certain nombre d'aptitudes relationnelles ». Charlie n'en revenait toujours pas que Maria n'ait pas pointé du doigt un tel flou, avec son rationalisme habituel. Ça montrait bien à quel point Lisa était charismatique.

Maria se laissa tomber à côté de Charlie. « Allez, ma belle. Il est temps de se lever. Regarde-moi, je suis déjà douchée. Je meurs d'envie d'aller prendre le petit déjeuner. Après le merveilleux dîner d'hier, ça devrait être extraordinaire. D'après le menu du service de chambre, ils ont des saucisses et du boudin noir primés de l'île de Lewis. »

Charlie eut un haut-le-cœur à la seule pensée d'un boudin noir, d'où qu'il vînt. « Je vais me doucher », marmonna-t-elle. Elle était prête à n'importe quoi pour fuir l'implacable bonne humeur de Maria. Elle roula sur elle-même pour sortir du lit, sachant qu'elle avait une chance sur deux de réussir à retenir le contenu de son estomac. Elle parvint à atteindre la douche, où son état s'améliora radicalement. C'était généralement le cas, d'après l'expérience qu'avait Charlie de la gueule de bois. Une fois qu'elle eut fini, la perspective du petit déjeuner était devenue nettement moins dérangeante.

Celle de revoir Lisa, en revanche, était toujours aussi troublante. C'était épuisant de devoir dissimuler ses sentiments tout en cherchant la signification de tous les regards et commentaires de Lisa. « On aurait dû demander qu'on nous apporte le petit déjeuner dans la chambre, maugréa-t-elle en s'habillant.

— C'est ce que tu as dit hier soir. Dieu sait pourquoi, car tu n'as jamais voulu utiliser le service de chambre d'un hôtel. Tu t'es toujours plainte que ce n'est jamais assez chaud et qu'ils ne prennent jamais la commande comme il faut. »

Forte de sept années de négociations vis-à-vis des préjugés et préférences de Charlie, Maria avait évidemment raison. « J'étais un peu bourrée. Je suppose que j'avais envie de faire la grasse matinée, expliqua Charlie.

— Ça ne rime pas à grand-chose quand tu as les secouristes qui débarquent à dix heures. Pendant que tu seras avec eux, je me disais que j'irais peut-être faire un tour en voiture, pour visiter un peu l'île. Ça te va ? »

Tout ce qui pouvait éloigner Maria de Lisa et Nadia était un bienfait aux yeux de Charlie. « Parfait. » Elle alluma le sèche-cheveux et mit ainsi efficacement fin à la conversation.

À son grand soulagement, la salle à manger était vide quand elles y entrèrent. Leur table de la veille au soir était la seule encore dressée pour le petit déjeuner. « On dirait bien que Lisa et Nadia sont parties de bonne heure, remarqua Maria. C'est dommage. Je pensais leur demander si ça leur disait qu'on passe la matinée ensemble. »

Charlie cacha son soulagement derrière le menu et décida de tenter sa chance et de prendre les saucisses primées avec des œufs brouillés accompagnés d'assez de café pour réactiver ses synapses. Elle s'efforça de ne pas penser à l'acidité du jus d'oranges fraîchement pressées de Maria ou au bruit généré par la mastication de son muesli. Leur repas touchait à sa fin quand le répit de Charlie se termina.

Lisa et Nadia entrèrent d'un pas nonchalant dans la salle à manger. « Bonjour, lança Lisa. C'est très scrupuleux de votre part, de vous lever pour le petit déjeuner. On a eu la flemme, on l'a pris au lit. » Elle semblait extrêmement contente d'elle. Charlie fut heureuse de voir que Nadia paraissait moins en joie. Elle avait la légère moue d'une femme à qui on n'accorde pas assez d'attention.

« J'aime que mon petit déjeuner soit bien chaud, indiqua Charlie. Ça mérite toujours de sortir de son lit.

— Quels sont vos projets pour aujourd'hui ? demanda Lisa.

— Charlie doit voir des gens ce matin, alors je vais aller faire un tour en voiture. Et vous ? Je serais ravie que vous vous joigniez à moi, si vous voulez.

— C'est très tentant, dit Lisa. C'est pour le travail, Charlie ?

— J'ai un entretien avec deux membres de l'équipe de secours en montagne. » Elle avait réussi à éviter ce sujet la veille au soir, elle en était presque certaine. Nadia semblait sur le point de s'évanouir d'ennui.

« Vraiment ? Ils ont une compétence particulière en psychopathologie ?

— Tu serais étonnée, répliqua Charlie. Ils doivent en effet s'occuper de gens dans des situations extrêmes. Ça peut être très révélateur.

— J'imagine que tu dois te trouver des choses à faire pour mobiliser ton attention en attendant de connaître ton sort, dit Lisa avec un sourire triste. Je sais qu'on n'en a pas parlé hier soir, mais je suis au courant de ta situation. »

Nadia dressa l'oreille. « De quoi vous parlez ? C'est quoi, la situation de Charlie ?

— On m'a retiré provisoirement le droit d'exercer. J'attends de passer devant un conseil de discipline », expliqua Charlie en se demandant pendant un instant si c'était la manière qu'avait Lisa de lui montrer son soutien. Si c'était le cas, cela avait eu exactement l'effet inverse.

La bouche de Nadia s'ouvrit et elle la couvrit de sa main. « Oh mon Dieu, dit-elle. Je te reconnais, maintenant. Il me semblait bien que tu me disais quelque chose. C'est toi qui as fait acquitter ce type qui a ensuite tué toutes ces autres femmes. Bon sang. Comment vis-tu avec un tel poids sur la conscience ?

— Charlie n'a rien à se reprocher, dit Maria en se levant brusquement. Aider l'accusation à déclarer coupable un innocent n'a rien de juste ni d'intelligent.

— Il n'était pas tout à fait innocent, si ? Il a tué quatre femmes. Et encore, à ce qu'on en sait, insista Nadia.

— Il n'a pas commis le premier meurtre dont on l'a accusé, dit Maria. C'est ce que tout le monde semble oublier. »

Nadia haussa les épaules. « Mais personne d'autre n'a été arrêté, que je sache ?

— Bon sang, Nadia. Arrêtons de parler de ça, intervint Lisa, visiblement consternée par la tournure qu'avait prise la conversation. Merci pour ton aimable proposition, Maria, mais on compte partir pour toute la journée. On va monter jusqu'au château de Dunvegan.

— Je suis sûre que ça va être formidable, dit Maria d'une voix maintenant calme. Charlie, il faut que tu surveilles l'heure, tes gars vont bientôt arriver. »

Charlie saisit l'occasion pour fuir la pièce. « Il faut que j'aille chercher mes affaires. Merci de me l'avoir rappelé. À plus tard, les filles. » Et elle décampa vers la porte puis grimpa les escaliers. Elle ferma la porte de la chambre derrière elle avec soulagement et serra les paupières pour retenir ses larmes. Elle avait l'impression que ses émotions avaient été passées à la machine en mode essorage. Ça avait déjà été assez dur quand elle avait cru que ses sentiments pour Lisa n'étaient pas réciproques. Mais maintenant que quelque chose de significatif semblait lui être renvoyé en retour, il lui était de plus en plus difficile de maîtriser la situation. Le moment où elle allait devoir prendre une décision approchait. Et quel que soit le côté où elle sauterait, Charlie savait que la sensation qu'elle avait actuellement de vivre un enfer serait une partie de plaisir en comparaison.

Les deux hommes assis au bar auraient difficilement pu paraître plus différents l'un de l'autre. Le premier était petit et sec, replié sur sa chaise comme un diable à ressort attendant qu'on soulève le couvercle. Ses cheveux ondulés étaient noirs, sa barbe légèrement rousse dans la lumière du soleil qui inondait le bar. Il avait le physique décharné du Celte gaélique, des yeux bleu sombre et pénétrants sous une crête de sourcils noirs. L'autre était bien plus massif, un vrai Viking aux épaules et à la poitrine larges. Ses cheveux blond vénitien étaient attachés en queue de cheval, son épaisse barbe un ton plus foncé. Ses longues jambes étaient étendues et négligemment écartées. Avec leurs peaux tannées et leurs regards perdus dans le lointain, ils pouvaient avoir n'importe quel âge entre trente et cinquante ans. Charlie ne douta pas que c'étaient les hommes qu'elle devait rencontrer.

Le petit brun se leva d'un bond à son approche. L'autre, plus alangui, se pencha simplement en avant. « Docteur Flint ? », demanda le petit en tendant la main.

Charlie la lui serra. « Oui. Vous êtes Calum Macleod ? »

Il secoua la tête. « Non, je suis Eric Peterson. Tout le monde croit que je suis le gars du coin, mais en fait c'est lui. » Maintenant qu'il avait prononcé plus de deux mots, il était évident qu'il venait de bien plus au sud. De Cumbrie, supposa-t-elle. Il fit un mouvement de tête vers l'autre homme. « C'est lui, Calum. »

Calum hocha la tête. « Enchanté », dit-il avec un accent des îles évident, doux et sifflant.

Charlie commanda les Coca qu'ils voulaient et un café supplémentaire pour elle puis s'assit. Ils échangèrent les banalités de circonstance puis, après l'arrivée des boissons accompagnées d'une assiette de sablés maison, elle sortit son dictaphone. « J'espère que ça ne vous dérange pas, dit-elle alors qu'ils attaquaient les biscuits saupoudrés de sucre. Ma mémoire n'est plus ce qu'elle était.

— Ni la mienne, dit Eric. Ma femme dit que c'est la boisson, mais je dis que c'est parce que je me suis trop souvent cogné la tête en faisant de l'escalade. Elle dit que j'ai toujours été ramolli du cerveau. Aucun respect, les filles d'ici. Vous ne leur apprenez pas assez à obéir, Calum. » Il sourit, clairement habitué à jouer le rôle de boute-en-train. Calum ne dit rien et se contenta de prendre une délicate gorgée de son Coca pour faire passer le biscuit.

« Bon, je veux vous parler de ce qui s'est passé le vendredi 18 février 2000. Ai-je raison de penser que vous vous souvenez tous les deux de ce jour-là ?

— Je me souviens de chaque sauvetage, déclara Eric avec enthousiasme. J'adore grimper, mais c'est encore plus grisant quand on sort dans des conditions extrêmes en sachant que la vie de quelqu'un peut dépendre de notre capacité à bien faire notre travail. Je ne veux pas donner l'impression d'avoir la grosse tête à ce niveau-là, mais on sauve vraiment des vies là-haut, et c'est une sensation sans pareille. »

Calum s'éclaircit la voix. « On s'en souvient toujours quand la montagne prend une vie, précisa-t-il d'une voix douce et grave.

— Ben, oui. Bien sûr. Ça ne se termine pas toujours bien. Mais on a quand même récupéré quelqu'un ce jour-là. Et la fille qui est morte – un haussement d'épaules –, eh bien, elle était morte avant qu'on nous appelle. On n'aurait rien pu faire. Ces montagnes, il faut pas les prendre à la légère, vous savez.

— Quand vous a-t-on appelés ? Vous vous en souvenez ? »

Eric regarda Calum, qui hocha la tête. « Je suis instit », dit-il. Charlie eut du mal à comprendre. « C'était après la cloche. Donc quatre heures. C'est jamais bon si tard en hiver. Tu sais qu'il va faire nuit avant que tu commences à grimper.

— Vous vous rappelez d'où est venu l'appel ? Est-ce que c'était l'hôtel ici ? Ou les pompiers ?

— Je n'ai jamais pris l'appel. J'ai juste reçu un message sur mon bip. »

Eric fit un bond sur sa chaise. « Je n'ai jamais pris l'appel non plus. C'est Gordon Macdonald. C'est lui qui était d'astreinte pour l'équipe à l'époque.

— Est-ce qu'il est encore dans le coin ? Vous croyez que je pourrais lui parler ?

— Il est mort, indiqua Calum. Un accident de voiture sur l'A82. Tout droit dans un camion de livraison de supermarché. Un cauchemar.

— Oh. Je suis désolée d'entendre ça, dit Charlie.

— Mais je me rappelle que Gordon nous a parlé de l'appel, plus tard ce soir-là quand on était tous au bar. Il a dit que c'était bizarre. Quand on reçoit un appel, il a presque toujours trois provenances possibles, expliqua Eric en se préparant à les énumérer sur ses doigts. Un : les pompiers reçoivent un appel depuis le portable du grimpeur. Deux : une des autres personnes de leur groupe s'inquiète quand les autres ne sont pas au rendez-vous. Trois : l'hôtel ou la maison d'hôtes ou le pub où ils ont laissé un itinéraire et une heure de retour prévue. Mais il a dit que l'appel n'était pas normal. C'était une femme. Elle lui avait dit qu'elle appelait de l'hôtel, ici. » Il fit un geste du bras pour désigner le bar. « Mais on connaît tout le personnel ici, et c'était personne que Gordon connaissait. Elle a dit qu'elle avait reçu un appel de deux de leurs clients qui étaient en difficulté sur le Pic In – c'est le Pic Inaccessible au sommet du Sgurr Dearg, ajouta-t-il obligeamment.

— Elle le sait ça, affirma Calum. Gordon était troublé par cet appel. Alors il a rappelé. Seulement personne n'a dit nous avoir appelés. Mais ils avaient en effet deux clientes qui étaient parties pour le Pic In ce matin-là. Donc Gordon s'est dit qu'on devrait aller voir. »

Eric poursuivit le récit. « C'était une soirée dégueulasse. Il faisait vraiment froid, avec de la neige par intermittence. Il y avait un vent cinglant du nord est. C'était pas un soir à appeler l'hélico. Mais on connaît le terrain, donc on a fait vite. C'est pas facile de chercher deux grimpeurs sur un flanc de montagne dans la nuit et la neige. Mais l'itinéraire pour monter est relativement évident, donc on s'est dit qu'on avait nos chances si elles étaient encore sur la montagne. Vous seriez épatée du nombre de fois où on nous appelle pour sauver des gens qui sont assis en train de siroter un malt dans un pub quelque part parce qu'ils n'ont pas eu envie de revenir là où ils ont dit qu'ils seraient.

— On est tombés sur la fille à environ deux cents mètres du sommet principal du Sgurr Dearg. Elle était mal en point.

— En effet. En état de choc, début d'hypothermie, et elle traînait une jambe derrière elle comme un gros morceau de viande inerte, dit Eric. On l'a vite enveloppée dans une couverture de survie, parce qu'évidemment il fallait qu'on trouve où était sa coéquipière. On était venus pour deux femmes, mais on n'en avait trouvé qu'une. Elle était dans un sale état, mais elle nous a tout de suite dit. Elle avait dû couper la corde. » Eric lui-même se tut à cette pensée.

« On a tous compris, fit Calum. C'est une chose à laquelle on pense. Si vous ne grimpez pas, vous ne pouvez pas comprendre.

— À la façon dont elle nous l'a expliqué, ça se tenait, ajouta Eric. Elle n'avait aucune alternative. Coupe la corde, ou vous mourez toutes les deux. Coupe la corde et l'une de vous deux a une chance. À vrai dire, on a tous compati avec elle. On savait que les gens allaient lui jeter la pierre, mais elle n'aurait rien pu faire d'autre. Elle n'aurait pas survécu.

— Vous avez été surpris qu'elles soient là-haut par ce temps ? » demanda Charlie.

Le visage d'Eric se contracta pour prendre un air concentré. « Pas vraiment. Les prévisions n'avaient pas été si mauvaises. Le temps s'était vraiment bien plus dégradé qu'on ne s'y était attendu cet après-midi-là. Et ce dont il faut se souvenir, c'est que quand on aime grimper sur la neige et la glace, il n'y a rien de tel au Royaume-Uni que la chaîne des Cuillin en hiver. Rien. C'est le plus grand défi hivernal pour les alpinistes britanniques. Ce qui se rapproche le plus des Alpes.

— Mais vous n'avez pas trouvé ça égoïste ? Choquant, de monter par un temps pareil en sachant que si quoi que ce soit tournait mal elles vous mettaient en danger ? persista Charlie.

— Si on réfléchit comme ça, c'est toujours égoïste de grimper, dit Calum. Je ne trouve rien à redire à leur choix ce jour-là.

— Elles n'ont pas eu de chance », indiqua Eric. Et il refit le point sur ses doigts. « Un : la météo a tourné à leur désavantage. Deux : cette Kathy, elle a dérapé sur le passage le plus étroit d'une crête étroite. Trois : elle s'est cogné la tête, donc elle ne pouvait rien faire. Quatre : l'autre nana a fait tomber son sac à dos avec tout son matos, donc elle n'avait aucun matériel pour les sortir du pétrin dans lequel elles s'étaient mises. Elles étaient – passez-moi l'expression – dans la merde jusqu'au cou. Je vous le dis, on prie tous pour ne jamais connaître une journée comme ça en montagne.

— Alors vous saviez déjà que ça ne servait à rien de chercher Kathy Lipson ce soir-là ? »

Calum lui adressa un regard incrédule. « On savait qu'elle avait fait une chute de près de neuf cents mètres. Qu'est-ce que vous croyez ?

— Notre priorité, c'était de redescendre l'autre fille et de l'emmener à l'hôpital. On s'occupe des vivants avant de penser aux morts, dit Eric. Mais on savait qu'on serait de retour à l'aube. On ne veut pas que des civils tombent sur un corps. Croyez-moi, vous n'avez pas envie d'imaginer à quoi peut ressembler une personne après une telle chute. »

Il avait raison. Charlie n'avait absolument pas envie d'y penser. « Vous disiez que Jay Stewart a fait tomber son sac à dos. Vous savez comment ça s'est passé ?

— Elle était couchée bras et jambes écartés sur une crête au milieu d'une tempête de neige à retenir tout le poids d'une autre femme. Le sac lui a glissé des doigts pendant qu'elle essayait d'accéder à son matériel. Comme l'a dit Eric, c'est de la malchance. Parfois, quand une chose tourne mal, tout tourne mal. » Calum baissa les yeux sur son Coca d'un air sombre, puis le vida d'un trait. « Comme des dominos. »

Ils restèrent tous assis, enfermés dans un silence lugubre, pendant un long moment, puis Eric regarda autour de lui avec impatience. « Vous pensez qu'ils nous rapporteraient des biscuits si on leur demandait ? »

Charlie alla chercher d'autres biscuits. Elle n'en avait pas encore fini et si ce qu'il leur fallait c'étaient des sablés, elle ferait en sorte qu'ils en aient. Lorsqu'elle revint, Calum était debout en train d'examiner une vieille carte de l'île encadrée et accrochée au mur. « Ils nous en rapportent, dit-elle. Avez-vous retrouvé le sac de Jay ?

— On l'a retrouvé avant le corps, répondit Eric. Il s'était éventré avant d'atteindre le sol. Il y avait des bicoins et des coinceurs éparpillés de partout, une gourde fendue, tous les trucs habituels.

— Et son téléphone ? »

Calum se retourna. « Il était près du sac. Explosé en mille morceaux. Il semblait être sorti du sac pendant sa chute.

— Exactement, dit Eric, excité de sentir sa mémoire revenir. Elle a dit qu'il était tout seul dans une poche latérale. » Il saisit le regard de Charlie. « Quoi ? Vous croyiez qu'on ne lui aurait pas demandé si elle avait un téléphone ? On connaît notre affaire, vous savez. Ici, c'est un peu le Far West. Les flics ne peuvent pas être partout, alors on doit contribuer et faire notre possible pour les aider. Donc on pose des questions s'il y a des choses qui demandent des explications. Et Gordon essayait toujours de comprendre ce que c'était que ce drôle de coup de fil. Il se demandait si elle avait appelé une copine ou quelqu'un. Mais elle a dit que non, qu'elle avait perdu son téléphone avant de pouvoir s'en servir. Donc on n'était pas plus avancés. »

Elle avait pu mentir, songea Charlie. Peut-être qu'elle avait effectivement passé un coup de fil. Mais si vous êtes agrippée à une montagne avec votre associée suspendue au bout d'une corde, qui allez-vous appeler ? Le 999 était la réponse évidente. Charlie ne voyait pas qui appeler d'autre. Même si ce n'était pas possible avec un téléphone satellite, à propos duquel elle n'y connaissait rien, il devait bien y avoir un opérateur qu'on pouvait contacter ? Et un opérateur de téléphone satellite n'aurait pas eu besoin de faire croire qu'il appelait d'un hôtel de Skye. Il n'y avait rien de cohérent dans cette histoire, et l'instinct de Charlie lui disait que, quand il n'y avait rien de cohérent, il se passait quelque chose d'anormal.

« Je sais que cette question va peut-être vous paraître bizarre. Mais en dehors du coup de téléphone, y a-t-il eu quelque chose dans ce qui s'est passé ce jour-là qui vous a semblé étrange ? »

Eric fronça les sourcils et croqua dans un autre biscuit en réfléchissant. Calum se rongeait un ongle. « Non, répondit finalement Eric. Elles n'ont juste vraiment, vraiment pas eu de pot.

— Sauf une chose qui a été un coup de bol, signala Calum.

— De quoi tu parles ? dit Eric. C'était une vraie tempête. Elles ont eu toutes les emmerdes possibles à la fois. Je vois pas comment tu peux dire qu'elles ont eu du bol.

— Je n'ai pas dit ça. J'ai dit qu'il y a une chose qui a été un coup de bol. »

Charlie décida que le moment était venu d'intervenir. « Qu'est-ce que c'est, Calum ?

— C'est un coup de bol que le couteau n'ait pas été dans le sac à dos, non ? »

5

Dimanche

La matinée du dimanche fut infiniment plus supportable que celle de la veille. Grâce à d'habiles manœuvres, Charlie avait évité Lisa jusqu'à la toute fin de soirée. Maria était revenue à l'hôtel à l'heure du déjeuner, émerveillée par la beauté du paysage. Entre-temps, Charlie avait réussi à réserver une table pour dîner dans un autre hôtel dont le restaurant était classé parmi les vingt meilleurs d'Écosse. Après le déjeuner, elles étaient allées se promener depuis Glen Brittle sur les traces de Jay et Kathy dix ans plus tôt. Bien qu'elles ne soient montées que d'une centaine de mètres, elles s'étaient fait une idée du défi et de la splendeur de la chaîne des Cuillin. « Je comprends pourquoi certaines personnes veulent tout le temps revenir, dit Maria. Les endroits comme ça, ça vous colle à la peau.

— On reviendra une autre fois, promit Charlie. Quand tout ça sera derrière nous et que j'exercerai à nouveau. On louera un cottage, on fera des randonnées dans les montagnes, on mangera des repas fabuleux et on dormira comme des bébés. »

Maria rigola. « Et on dit qu'il n'y a plus de romantisme. Je me disais qu'on pourrait faire l'amour comme des folles devant un grand feu de cheminée. »

Charlie la prit par la taille et la serra dans ses bras. « Ça aussi. » Elle aurait aimé pouvoir parler sans ambivalence, mais tant qu'elle n'aurait pas éclairci ses sentiments pour les deux femmes de sa vie, Charlie devrait se résigner à cela.

Lorsqu'elles revinrent à leur chambre d'hôtel, Charlie s'étala sur la méridienne et dévoila ses projets pour la soirée. « Ce n'est pas très loin, donc on n'a pas besoin de se mettre en route avant une heure environ.

— On pourrait descendre au bar pour boire un verre. »

De nouveau, cette ambivalence. Charlie avait très envie de voir Lisa, mais elle ne pouvait supporter avec sérénité la tension qu'elle ressentait avec elle et Maria dans une même pièce. La dernière chose qu'elle voulait, c'était bien descendre au bar pour boire un verre en sachant que Lisa et Nadia pouvaient revenir à tout instant. « Non, je vais conduire et je préfère me réserver pour boire un peu de très bon vin avec le dîner. Et puis... » Charlie tendit le bras pour attraper son sac à dos. « Je ne sais pas pourquoi, mais j'ai mis ça de côté jusqu'à maintenant. Je crois qu'il est temps que je m'y mette. » Elle sortit un livre de son sac et l'agita en direction de Maria. « *Sans aucun remords*, de Jay Macallan Stewart. »

Maria enleva son pull et commença à défaire son pantalon. « Je sais pourquoi tu l'as mis de côté, dit-elle.

— Pourquoi ? Et au fait, je suis sérieuse. Il faut que je lise, Maria. Et tu me distrais. »

Maria tira la langue à Charlie. « Ce n'est pas pour toi. Si tu veux lire, moi je vais faire tremper mes muscles fatigués dans la baignoire. La raison pour laquelle tu ne t'es pas attaquée au livre de Jay est très simple.

— Je croyais que c'était moi la psychiatre ici ? Alors c'est quoi, cette raison ? »

Maria ôta son pantalon. « Tu as peur de bien l'aimer.

— Tu crois ?

— Oui. Parce que si elle te charme avec ses mémoires de jeunesse, tu vas avoir du mal à accomplir la mission de Corinna et à faire en sorte qu'elle et Magda se séparent. Tu sais que c'est vrai. »

Charlie, qui ne s'était pas vraiment demandé pourquoi elle se trouvait de nombreuses excuses pour ne pas lire le livre de Jay, ne vit aucune faille dans le raisonnement de Maria. C'était rassurant d'être avec quelqu'un qui vous connaissait si bien. « Tu as peut-être raison », admit-elle.

Lorsque Maria émergea plus tard de la salle de bains, Charlie était arrivée au milieu de l'enfance de Jay, remarquable par la quantité de drogues qui semblait avoir circulé dans le corps de sa mère et celui d'une succession de petits copains minables. C'était le récit dérangeant d'une spirale descendante vue à travers le regard perplexe d'une enfant. La mère de Jay, Jenna, au départ une gentille fille de la classe moyenne, s'était laissée emporter par l'esprit des sixties. Le festival de l'île de Wight, en 1968, avait changé le cours de sa vie, la faisant basculer du champ gravitationnel de la banlieue chic de Londres vers l'orbite de musiciens, artistes et écrivains.

Ça avait sans doute été assez cool au début, se dit Charlie. Mais la drogue était devenue plus importante que toute autre chose pour Jenna et, petit à petit, la qualité de ses fréquentations s'était dégradée. Les rock stars, poètes publiés et artistes exposés avaient avancé et monté tandis qu'elle s'était progressivement effondrée. Quand Jay était née en 1974, Jenna vivait désormais dans un squat et tenait un étal dans le marché naissant de Camden Town.

Elles avaient déménagé d'un endroit à l'autre, de la ville à la campagne et inversement. D'après les quelques photos, on voyait bien que Jenna avait été une beauté, même dévastée par la drogue. L'enfance de Jay avait été marquée par la succession des différents hommes et des lieux où elles avaient vécu. Elle n'avait jamais été inscrite à l'école mais personne n'était venu la chercher car Jenna n'avait pas déclaré sa naissance. Jay relatait une conversation qu'elle avait entendue, au cours de laquelle le dernier petit ami en date avait réprimandé Jenna parce qu'elle ne touchait pas d'allocations familiales comme les autres mères de la caravane de gens du voyage avec qui elles se trouvaient à ce moment-là. « Ce n'est pas un gros sacrifice pour rester libres, avait répondu Jenna. Mon enfant peut aller librement dans le monde. Elle n'est pas enchaînée à l'État. »

Parce que rien n'était jamais constant, parce que la drogue est imprévisible, parce que Jenna était prête à presque tout pour son prochain fix, Jay avait été témoin de choses qu'aucun enfant ne devrait voir. Elle savait ce que c'était que de se coucher le ventre vide. Elle savait ce que c'était que de voir sa mère se faire tabasser par des hommes. Elle savait ce que c'était que des rapports sexuels imposés à des femmes non consentantes. Et pourtant, au milieu de tout cela, elle avait réussi à apprendre à lire toute seule. Elle avait appris non seulement à survivre mais aussi à se protéger. Elle avait connu des gosses victimes d'abus sexuels. Elle avait regardé les prédateurs faire leur choix. Et d'une manière ou d'une autre, Jay avait appris à ne pas être leur proie.

Charlie trouvait cela bien trop gros. Par moments, son expérience professionnelle refaisait surface et elle comprenait que Jay s'attribuait des jugements qu'elle n'avait pu former que rétrospectivement. Comme lorsqu'elle prétendait avoir compris à l'âge de sept ans seulement qu'elle ne vivait pas en liberté mais dans une prison d'ignorance.

J'espionnais les autres enfants. Certaines fois c'était plus facile que d'autres. On a vécu pendant un moment dans une roulotte à l'orée d'un bois quelque part dans le Somerset. Le petit ami de Jenna s'appelait Barry et il travaillait parfois dans le pub d'un village voisin. Je l'ai suivi un soir alors qu'il traversait le bois pour y aller, afin de connaître le chemin jusqu'au village. Le bois se terminant juste avant les premières maisons, c'était facile d'espionner.

Leurs vies étaient évidemment très différentes de la mienne. Ils portaient les mêmes vêtements tous les jours pour aller à l'école. Je ne comprenais pas. Il m'arrivait de mettre les mêmes habits plusieurs jours d'affilée, mais pas tous les jours. Et d'autres enfants m'insultaient pour cela.

Quand ces enfants rentraient chez eux, on leur donnait une boisson et un bon goûter. Ils n'avaient pas besoin de faire les poubelles ou de se contenter de ce qu'ils pouvaient trouver. Et ils avaient l'air de trouver ça normal, comme s'il était évident qu'il devait en être ainsi.

Ils pouvaient s'asseoir et regarder seuls la télé, ce qui signifiait qu'ils pouvaient choisir ce qu'ils voulaient regarder. Il y avait parfois des téléviseurs dans deux pièces, voire plus. J'avais l'habitude de devoir m'accommoder de ce que Jenna et son petit ami voulaient regarder. Et leurs choix étaient parfois incompréhensibles pour moi. En particulier le porno, qu'aucun des enfants que j'espionnais ne regardait jamais.

Je dois rappeler aux lecteurs que, dans les années soixante-dix, le porno était une chose très différente. D'abord, les adultes avaient des poils pubiens. Et on ne voyait jamais vraiment un pénis en érection. Il y avait beaucoup de flous artistiques, des musiques d'ambiance abominables et une interprétation qui même à mes yeux étaient atrocement mauvaise. Comparé à ce qu'on peut voir aujourd'hui sur la télévision hertzienne, sans parler de l'Internet, c'était assez inoffensif. Mais je n'aurais tout de même probablement pas dû regarder ça.

C'était passionnant, se dit Charlie. Littéralement passionnant. On ne pouvait s'arrêter de lire car on voulait savoir où Jay allait nous emmener. Elle avait un don pour rattacher son vécu extraordinaire aux choses de la vie ordinaire. Ces points de contact étaient suffisamment nombreux pour donner au lecteur la sensation que cette vie singulière aurait presque pu être la sienne. En contrepoint à cela, elle mettait constamment sa vie en opposition avec la vie normale de la classe moyenne. On retrouvait la saveur du célèbre poème de Craig Raine à propos du Martien qui envoie une lettre chez lui. Le lecteur saisissait clairement que Jay avait passé une grande partie de sa jeunesse à essayer de comprendre des choses qui n'avaient pas de correspondance dans son monde à elle.

« Comment est-ce ? demanda Maria.

— Je ne suis pas sûre de bien l'aimer, mais c'est impossible de ne pas l'admirer. On a envie de pleurer pour elle tellement ses premières années ont été sordides et chaotiques. Et non seulement elle y a survécu, mais elle s'est construit une vie qu'elle n'aurait pu imaginer une seule seconde dans son enfance. Je suis impatiente d'arriver à la transformation.

— Tu veux dire quand elle est allée à Oxford ? questionna Maria, qui jeta sa serviette sur le dos d'une chaise et traversa la pièce en se pavanant nue pour aller mettre des vêtements propres.

— Non. Ça, c'est la fin. Je parle d'avant ça. Sa mère a viré de misérable hippie junkie à chrétienne reconvertie. Elle s'est lancée la tête la première dans une des sectes évangéliques les plus intolérantes. C'était clairement une personne totalement dépendante à la dépendance. Que ce soit l'héro ou Jésus, ça ne semblait faire aucune différence.

— Waouh ! Ça a dû être une sacrée transition. Si tu veux, je ferai le plus gros du trajet demain, comme ça tu pourras continuer à lire.

— Je pourrai lire à voix haute si tu veux », proposa Charlie avant de marquer sa page avec une carte postale de l'hôtel et de ranger le livre. Maria fit une imitation du *Cri* de Munch. « D'accord, c'était juste pour rire. Tu pourras mettre Joan Osborne et Patty Griffin tout le long du trajet jusqu'à Fort William. »

Le restaurant fut à la hauteur de ses critiques sur Internet. Elles choisirent toutes les deux un ragoût de fruits de mer de la région pour commencer et s'exclamèrent d'admiration devant sa générosité et l'intensité de ses saveurs. Arriva ensuite du chevreuil accompagné d'une purée de betteraves au thym citronné. Lorsqu'elle goûta la viande, Charlie poussa carrément un grognement de plaisir. Elles terminèrent par du fromage, et Maria émit de petits gémissements en savourant chaque bouchée. « Si seulement j'avais encore faim, je me referais le repas complet », dit Charlie.

Elles avaient prévu d'aller directement dans leur chambre en rentrant à l'hôtel, mais à ce moment-là la chance de Charlie tourna à nouveau. Au moment où elles franchirent la porte d'entrée, Lisa émergea des toilettes. Un sourire radieux éclaira son visage. « Quel plaisir de vous voir. On a cru qu'on vous avait ratées. Nous sommes au bar. Vous venez prendre un verre ? »

Charlie répondit : « Non, merci », au moment même où Maria disait : « Bonne idée. » Elles se regardèrent et rigolèrent.

« Même après sept ans, on reste deux esprits mais avec une pensée unique, plaisanta Maria.

— Je suis vraiment fatiguée, dit Charlie. J'ai juste envie de m'allonger. Désolée.

— Pas de problème, dit Maria. J'ai envie d'un brandy, par contre. Pourquoi tu ne montes pas pendant que je me prends un verre et je te rejoins ? »

Charlie, imaginant Lisa mettre le grappin sur Maria et l'entraîner dans une longue conversation nocturne, répondit : « Ça va aller, je vais t'attendre et on pourra monter ensemble.

— Je vais te tenir compagnie pendant que Maria se fait servir, fit rapidement Lisa.

— Et Nadia ? Est-ce qu'elle ne va pas se demander où tu es ?

— Je vais lui dire, lança Maria par-dessus son épaule en se rendant au bar.

— Tu es délicieuse ce soir, lui dit Lisa. À croquer.

— Arrête, soupira Charlie. J'ai l'impression d'être prise dans une tornade. Je ne peux pas tenir avec vous deux sous le même toit.

— Je suis désolée. Je pensais que ça pourrait te donner un frisson agréable de savoir que j'étais tout près, fit Lisa d'un air contrit. Je vois à présent que je me suis méprise. Mais je ne regrette pas d'avoir eu la chance de te voir. »

Charlie lui adressa un regard implorant. « S'il te plaît. Je ne peux pas faire ça maintenant. »

Lisa regarda Charlie avec tristesse, levant puis baissant les yeux comme la princesse Diana l'avait toujours fait pour produire un effet similaire. « Je comprends. Crois-moi, je sais à quel point c'est dur de résister. » Elle eut un sourire fugace. « Alors, comment se sont passées tes recherches auprès de l'équipe de secouristes en montagne ? Tu as réussi à trouver de nouveaux éléments qui ont échappé à la police et au coroner il y a tant d'années ? »

Charlie grimaça. « Un terrain bien plus sûr. En fait, il n'y a pas de coroners en Écosse. Et il se trouve en effet que j'ai découvert une ou deux choses qui semblent révélatrices.

— Vraiment ? fit Lisa d'un air réellement intéressé. Tu as trouvé la preuve ultime ?

— Si j'étais Sherlock Holmes et toi Watson, je dirais quelque chose du genre : "Il y a le curieux incident du coup de téléphone aux secours depuis l'hôtel." Et tu me demanderais : "Qu'en est-il du coup de téléphone aux secours depuis l'hôtel ?", et je te répondrais : "Il n'y a pas eu de coup de téléphone aux secours depuis l'hôtel." »

Lisa parut à présent perplexe. « Désolée, je ne te suis pas.

— Il y a quelque chose de bizarre dans l'appel qui a déclenché l'alerte pour Jay et Kathy. Il n'a pas été passé de là où on l'a prétendu. »

La bouche de Lisa se tordit en signe d'incompréhension. « Qu'est-ce que c'est censé vouloir dire ?

— Je ne sais pas. Ensuite il y a l'histoire du couteau qui tombe à pic.

— Es-tu obligée d'être aussi énigmatique ? »

Charlie rigola. « Oui, je suis obligée parce que c'est drôle. Mais ça, tu le sais. Tu es la reine des énigmes. Le couteau a de l'importance parce que quand Jay a fait tomber son sac à dos, elle a perdu absolument tout le matériel qui pouvait lui être utile, y compris son téléphone satellite. Tout sauf son couteau, qui par chance se trouvait dans la poche de son blouson. »

Lisa rit et agita un doigt réprobateur en direction de Charlie. « Là, vraiment, tu te raccroches à des chimères. Toutes sortes de gens ont un couteau suisse ou quelque chose du genre dans leur poche quand ils partent en randonnée. Ça n'a rien de suspect.

— Je n'ai jamais dit que c'était suspect. J'ai dit que c'était révélateur. C'est ce qu'une personne ferait si elle comptait simuler un accident. »

Lisa secoua la tête avec indulgence. « Je commence à me demander si tu ne serais pas en train de perdre les pédales à force de jouer les détectives. »

Charlie fit un petit sourire triste. « C'est toi qui as fait ça, Lisa. »

Lisa posa la main sur son bras. « Et tu sais que ce n'est pas à sens unique, Charlie. Tu le sais. » Sa voix était douce et séduisante, et malgré sa détermination à garder son calme, Charlie était parcourue de frissons. Elle fut sauvée par Maria qui revint du bar avec un verre de brandy en cristal à la main. Lisa laissa tomber sa main en toute simplicité et recula d'un pas.

« J'ai dit à Nadia que tu arrivais tout de suite », indiqua Maria en passant son bras libre sous celui de Charlie avant de la guider vers l'ascenseur. « Bonne nuit, Lisa. »

Lorsque les portes de l'ascenseur se fermèrent, Maria gloussa. « Nadia avait l'air furax. Elle n'apprécie pas qu'on la laisse seule dans un bar animé, pas quand elle a l'impression d'être la potiche de service.

— Elle pense vraiment ça ? dit Charlie sans pouvoir se retenir de rire.

— Je crois. Oh, voilà ce que c'est d'être jeune et plein d'illusions. Elle a intérêt à faire gaffe, celle-là.

— Nadia ? Pourquoi ?

— Cette Lisa. Ce n'est pas quelqu'un à qui on voudrait se frotter. »

Maria la perspicace, songea Charlie. On devrait peut-être échanger nos métiers. « Enfin, il y a de grandes chances qu'on ne les revoie jamais. »

Et c'est ainsi que la soirée s'était terminée. Elles s'étaient effondrées sur le lit, le ventre encore trop plein pour faire autre chose que dormir. Lorsqu'elle se réveilla avec les idées claires et la perspective de finir le livre de Jay, Charlie commença enfin à voir comment elle pourrait arriver à assembler les pièces du puzzle.

6

Elles furent sur la route avant dix heures. Comme pour faciliter leur départ, le temps avait changé. Le paysage s'était couvert d'un voile gris de brume et de pluie qui faisait des Cuillin une masse indistincte au loin. « Nick sera au tribunal demain. Je crois que je devrais descendre à Londres pour lui parler, déclara Charlie d'un air sombre tandis qu'elles traversaient l'océan pour regagner la terre ferme. « Il faut qu'on décide jusqu'où on peut poursuivre cette enquête. Et ce qu'on fait de nos pitoyables découvertes. Pas grand-chose, j'imagine.

— Ça n'a pas été qu'une perte de temps, objecta Maria. Tu as repris contact avec Corinna et Magda. Et on a passé un merveilleux week-end à Skye. » Elle enleva une main du volant pour tapoter la cuisse de Charlie. « Et ça t'a permis de ne pas penser à tes emmerdements. C'est la première fois depuis longtemps que tu sembles avoir mis de côté la menace qui pèse sur toi.

— Je devrais peut-être commencer à proposer une thérapie alternative, dit Charlie d'un ton pince-sans-rire. Immergez-vous dans une quête impossible. Idéal pour arrêter de penser aux choses qui vous accablent. Allez, appuie sur le champignon et conduis. Je vais m'immerger un peu plus. » Elle sortit *Sans aucun remords* de la poche de sa veste et retrouva sa page.

Par la suite, quand je demandai à ma mère pourquoi nous étions venues voir Blair Andreson dans la grande tente à Sunderland, la seule réponse qu'elle trouva fut celle qu'elle me donnait toujours : parce que Dieu nous a appelées. C'est probablement on ne peut plus loin de la vérité.

Lorsque l'évangéliste américain Blair Andreson a lancé sa croisade au Royaume-Uni en 1984, nous étions tombées au plus bas. Nous vivions dans un sordide campement de caravanes à la périphérie d'une des grandes villes du Teesside. Je ne suis même pas sûre de savoir laquelle. La police et les habitants menaient une guerre d'usure contre nous en permanence. Je ne peux pas dire que je leur en veuille. J'aurais sans doute fait la même chose. Nous n'étions pas un romantique campement New Age de gens qui croyaient à de belles choses. Nous étions de la racaille. Ma mère vendait son corps pour pouvoir se fournir en drogue. Je faisais les quatre cents coups avec une bande d'autres gosses, volant nourriture et argent dès que j'en avais l'occasion.

Nous nous sommes rendues à la cérémonie de conversion sous le grand chapiteau d'Andreson avec deux ou trois autres femmes du campement. Je les soupçonne d'avoir eu des intentions criminelles. Elles avaient dû y voir un moyen de gagner de l'argent, en faisant les poches des gens ou en volant dans les paniers de la quête. Je ne suis pas sûre car personne ne se confiait à moi. C'était un après-midi frais de juillet, mais la tente était bondée et l'air chargé de l'odeur de ces trop nombreux corps entassés tous ensemble. Ma mère et moi étions assises dans les dernières rangées de sièges étagées en pente raide, et nous laissions le discours hystérique d'Andreson glisser sur nous. Du moins, je croyais qu'il en était ainsi. J'étais totalement indifférente à cette déclamation. J'aurais largement préféré manger un kebab à l'agneau qu'être lavée par le sang de l'agneau.

Mais il est arrivé quelque chose à ma mère cet après-midi-là. Tout ce qu'elle dirait ensuite, c'est qu'elle a été touchée par la main de Dieu. Je voulais savoir quelle sensation elle avait eue. Si c'était une révélation soudaine, fulgurante, ou une prise de conscience progressive qu'une voie très différente lui était ouverte. Mais elle ne rentrerait jamais dans les détails. « Submergée par l'esprit » était une autre des formules dénuées de sens qui étaient censées m'éclairer sur ce qui lui était arrivé.

De là où j'étais assise, elle m'a plutôt semblé possédée par le démon. Lorsqu'Andreson a invité les volontaires à s'avancer pour être reçus par Dieu, ma mère s'est levée tel un automate et a marché jusqu'à l'estrade comme une somnambule. J'ai supposé que ça faisait partie d'une arnaque et je suis donc restée tranquillement assise. En attendant que ça se termine.

Elle paraissait très frêle à côté d'Andreson, qui avait la peau luisante, rose et poilue d'un cochon de concours. Elle s'est agenouillée devant lui et il a posé les mains sur sa tête en lui assénant une bonne dose de son charabia. Puis deux des acolytes d'Andreson l'ont emmenée derrière les rideaux au fond de la scène. À ce moment-là, j'en avais assez. J'avais à peine dix ans, et regarder une bande de cinglés naître de nouveau n'était pas ce que j'appelais s'amuser.

Après ce qui m'a paru être une éternité, nous avons dû prier tous ensemble, puis nous avons chanté un cantique exalté, comme quoi Dieu marchait à nos côtés sur le dur chemin de la vie. Et puis le moment est venu de partir. Une armée de jeunes hommes propres sur eux s'est placée aux sorties avec des seaux pour nos dons. J'ai été impressionnée par la quantité d'argent qu'ils extorquaient.

Quel que fût le projet de Jenna et de ses copines, elles avaient choisi une cible qui avait largement de quoi faire. Et n'étaient-ils pas censés prôner le partage des bienfaits du Christ, après tout ?

J'ai attendu à l'extérieur du chapiteau, mais une fois toute l'assistance sortie, je ne savais pas où aller. Pour finir, je suis allée voir un des garçons avec les seaux de collecte. « Ma mère est montée sur l'estrade, lui ai-je expliqué. Et elle n'est pas ressortie. »

Il a hoché la tête, comme si le fait n'était pas inhabituel. « Venir vers le Seigneur peut être une expérience accablante, m'a-t-il dit en s'efforçant de prendre un ton éloquent et solennel. Si tu y réfléchis, naître une première fois est un événement assez traumatisant. La seconde fois n'est pas moins marquante. »

Même à dix ans, j'ai eu envie de le gifler. « Mais où est ma maman ? ai-je demandé à défaut.

— Viens avec moi », a-t-il dit avant de me faire contourner la tente principale jusqu'à une enceinte plus petite à l'arrière. À l'intérieur, de petits groupes de gens étaient réunis à genoux. Blair Andreson se déplaçait de groupe en groupe et posait les mains sur la personne qui se trouvait au centre. Après les lumières vives et le bruit du chapiteau, cet endroit semblait très paisible et douillet. Il m'a fallu quelques instants pour repérer ma mère, mais j'ai fini par la voir à l'autre bout de la pièce, entourée de trois autres femmes qui s'occupaient d'elle. Je n'avais aucune idée de ce qu'elle mijotait. La plupart de nos arnaques étaient simples et rapides. Je ne savais pas ce qui se passait cette fois-ci, ni pourquoi cela prenait si longtemps.

J'ai commencé à me faufiler en direction de Jenna, mais à peine avais-je fait un pas que Blair Andreson lui-même m'a bloqué le passage. « Voyons, qui avons-nous là ? a-t-il dit d'une voix grave et chaude qui semblait remplir tout l'espace qu'il occupait.

— Vous avez ma maman là bas, ai-je indiqué. Je veux aller la voir.

— Ta maman vit en ce moment même une rencontre assez intense avec son Père céleste, m'a-t-il expliqué en me saisissant fermement l'épaule pour me reconduire vers l'entrée. Ça te dirait que je trouve quelqu'un pour te donner quelque chose à manger, puis quand ta maman aura terminé ici, on viendra te chercher ? »

Ce n'était pas une suggestion. J'ai envisagé de me sauver, mais je n'avais nulle part où m'enfuir. Je ne savais pas où les autres femmes du campement étaient passées et je n'avais aucune idée du chemin du retour. J'ai donc fait mine d'être douce et docile et laissé un des jeunes hommes m'emmener dans une autre tente où était dressé un buffet. Il y avait de longues tables couvertes de sandwiches et salades. Et des tas de muffins, chose que je n'avais jamais vue auparavant. J'avais déjà vu d'autres enfants se jeter sur les pâtisseries de leurs mères – cupcakes et gâteaux fourrés – mais jamais rien de cette ampleur. Il ne m'a donc pas été trop pénible d'attendre là parmi ces « born again ». Je leur suis reconnaissante de m'avoir laissée seule sans essayer de me gaver de Jésus avec leur bouffe.

Finalement, quelqu'un est venu me chercher et m'a ramenée à la tente. Jenna avait l'air sonnée, comme parfois quand elle fumait de l'héroïne, mais quand je suis apparue, elle m'a souri et attirée à elle. J'ai été surprise. Elle n'était pas si démonstrative d'habitude. « Il s'est passé quelque chose de merveilleux, Jennifer, a-t-elle dit en me caressant les cheveux, qui n'étaient sans doute qu'une masse de mèches poisseuses et grasses. J'ai accepté Jésus dans ma vie. »

Si vous avez vu *L'Invasion des profanateurs de sépultures*, vous aurez une idée de la sensation que j'ai eue à cet instant. J'avais juste envie d'arracher Jenna de cet endroit et de la ramener dans notre vie merdique et dépravée où au moins j'avais mes repères. « Quand est-ce qu'on rentre à la maison ? » lui ai-je demandé.

Elle m'a alors souri, un de ces sourires radieux et calmes que vous adressent les gens déconnectés de la réalité. « On va vivre dans une nouvelle maison, Jennifer, m'a-t-elle dit. Une vraie maison. Nous faisons désormais partie de la famille chrétienne. »

Et c'est ainsi que j'ai appris que ma vie allait changer du tout au tout.

Charlie leva les yeux du livre. « Vraiment, elle sait comment te tenir en haleine. Elle t'en donne assez pour t'accrocher sans te perdre avec trop de détails. Et je la soupçonne de se servir d'un truc qu'on retrouve souvent chez les personnalités psychopathes. Et les politiciens. Sans insinuer qu'il y ait quoi que ce soit en commun entre ces deux groupes.

— C'est quoi ? questionna Maria en baissant le volume du lecteur CD.

— Réussir à donner l'impression d'être sincère sans finalement révéler tout ce qu'elle ne veut pas que tu saches.

— On fait tous ça, non ? On veut toujours donner une bonne impression de nous-mêmes.

— Oui, mais chez la plupart d'entre nous, ce n'est pas un processus conscient. Et en fin de compte, c'est un peu imprévisible. Parfois on finit par dire ou faire quelque chose qui en révèle plus que ce qu'on voudrait. Mais dans ce récit, tout est parfaitement calibré. Le charme ne se rompt jamais. Toutes les choses malsaines auxquelles Jay est mêlée sont racontées de manière à donner un scénario où elle passe pour l'héroïque victime.

— N'y a-t-il pas une contradiction dans ces termes ? Héroïque victime ?

— Pas dans la façon dont Jay l'écrit. Et elle est loin d'être la seule à faire ça. J'en ai vu beaucoup au fil des années.

— Tu crois que c'est une psychopathe ?

— Je ne suis pas sûre. Mais je pense en effet qu'elle souffre d'un certain dysfonctionnement de la personnalité. Ce n'est pas étonnant, vu l'enfance qu'elle a eue. Et c'est maintenant que ce que je pressens va se dévoiler. » Charlie rouvrit le livre et poursuivit sa lecture. Jay et sa mère furent installées chez un couple engagé dans la croisade d'Andreson, les mal-nommés Blythe[1]. Mme Blythe ramena Jenna au campement le lendemain pour récupérer leurs affaires. Jay fut médusée en voyant le peu de choses qu'elles rapportèrent. Elles avaient abandonné la plupart de ses vêtements et de ses livres. Qui n'étaient apparemment « pas convenables ».

La vie devint un étroit tunnel : école, église, étude de la Bible et sommeil. Il s'avéra que les Blythe étaient membres d'une secte pentecôtiste si restrictive et rigide que les évangéliques d'Andreson passaient pour des gens totalement ouverts d'esprit à côté. Jay se conduisit d'abord comme un animal en cage, s'insurgeant contre les interdits et se battant contre toutes les entraves à sa liberté. Mais c'était peine perdue. Plus elle luttait, plus les règles devenaient sévères. Et Jenna ne lui était d'aucune aide. Elle avait trouvé sa nouvelle drogue de prédilection et elle en raffolait. Jay rentra finalement dans le rang, sous peine d'être envoyée dans un pensionnat chrétien où on lui interdirait tout contact avec sa mère. Jay était solide, mais la perspective de perdre le seul élément stable dans sa vie était trop. Elle s'était donc scrupuleusement pliée aux règles, haïssant sa vie avec une rage dont l'ardeur ne diminuait jamais.

---

1. Se prononçant comme *blithe*, qui signifie joyeux, allègre. (*N.d.T.*)

Je me raccrochais à la pensée que cela ne pouvait être durable. Rien ne l'avait jamais été dans ma vie. Les hommes allaient et venaient, les amis allaient et venaient, les pièces où je m'endormais changeaient si souvent que je connaissais rarement mon adresse. Jenna allait se lasser, ou quelqu'un débarquerait avec de meilleures drogues ou un meilleur baratin et tout changerait à nouveau. Je croyais donc que tout ce que j'avais à faire, c'était de patienter.

Il ne m'est jamais venu à l'esprit que les choses pourraient empirer. Cela faisait environ huit mois que nous vivions avec les Blythe quand un nouvel homme est entré dans notre cercle de prière. Imaginez un saint ascète dans une peinture italienne du Moyen Âge et vous aurez une idée de qui était Howard Calder. Si ce n'est qu'à côté de Howard, ces saints ermites passaient pour des noceurs. Le plaisir était une invention du Diable, croyait Howard. On nous a placés sur terre pour consacrer nos vies à la plus grande gloire de Dieu. C'était pour nous mettre à l'épreuve que le Seigneur nous faisait vivre parmi les impies. Dès le départ, je me suis dit que c'était un emmerdeur de première.

Mais Jenna non. Comme toute personne accro, elle recherchait la mouture la plus pure. Or indéniablement, Howard Calder était pur. Je n'ai d'abord pas pigé ce qui se passait. D'après ce que j'avais vu de la manière dont Jenna se faisait courtiser, cela prenait en général quelques heures agrémentées de drogue et d'alcool. Ce n'était souvent qu'une affaire de jours entre la première baise et le moment où il faisait partie des meubles. Je ne me suis donc pas rendu compte que le fait que Howard nous rende visite et soit poli avec ma mère était en réalité la bande-annonce du programme principal : le mariage. Lorsqu'elle m'a annoncé qu'ils allaient se marier, je ne l'ai d'abord pas crue. Mais quand j'ai soudain compris que c'était sérieux, je n'ai pas su si je devais rire ou pleurer.

J'avais cru qu'il ne pouvait rien exister de plus sinistre que la maison des Blythe. C'était avant de pénétrer dans la maison mitoyenne à deux chambres de Howard à Roker. C'était comme entrer dans un film en noir en blanc – aucune couleur nulle part. Murs blancs, moquettes beiges, ensemble canapé et fauteuils beige, cuisine blanche, salle de bains blanche. Rien au mur excepté des textes de la Bible. Je vous jure que le moment le plus excitant visuellement a été quand il a allumé le chauffage à gaz et que des flammes bleues, rouges et jaunes se sont mises à lécher la résistance en céramique incolore. « Voici ta nouvelle maison, m'a-t-il annoncé. Tu m'appelleras Monsieur Calder. Je ne suis pas ton père et je ne laisserai pas les gens penser que c'est le cas.

— Rien à foutre », ai-je répliqué.

On ne m'avait jamais frappée si fort de ma vie. Il m'a donné un coup de poing si rapide et si brutal sur le côté de la tête que je me suis mordu la langue. Je suis restée inerte, sonnée ; j'avais les oreilles qui sifflaient et la bouche qui se remplissait de sang. J'avais déjà reçu des gifles, j'avais pris part à de nombreuses bagarres où j'avais fini entre les mains de gamins plus costauds. Mais je n'avais jamais été agressée par un adulte avec une telle férocité. Et Jenna l'avait laissé faire sans un mot.

« Cette enfant a le Diable en elle, a-t-il dit. Il faut l'amener vers le Seigneur. »

Et ma mère, devenue désormais esclave de Jésus et de son Père céleste, a acquiescé. Ma mère, qui avait connu quelques hommes violents dans sa vie, mais qui n'avait jamais toléré personne qui ait ne serait-ce que menacé de lever la main sur moi. Ma mère, qui même dans le pire état de confusion sous l'effet de la drogue, m'avait dit que j'avais le droit d'être une personne à part entière, avait reculé pour laisser ce tyran fasciste me frapper à la tête.

J'apprends vite. J'ai décidé que je ne fournirais pas de prétexte à Howard Calder pour réitérer son geste. J'avais à dix ans un instinct de survie plus développé que la plupart des gens. Et je restais convaincue, envers et contre tout, que Jenna allait un jour se réveiller, s'écrier « Qu'est-ce qu'on fout ici ? » et nous faire disparaître de là comme par enchantement. Aussi je faisais ce qu'on me disait de faire. J'allais à l'église et je ne riais pas de leurs déclamations grotesques. J'étudiais la Bible jusqu'à ce que les yeux me piquent. J'apprenais à prier et à chanter leurs pauvres chants béats et débiles.

Mon refuge secret était la section fiction de la bibliothèque municipale. J'y étais a priori en sécurité, car les membres de l'Église pentecôtiste béthanienne de Jésus-Christ le Sauveur estimaient que lire de la fiction équivalait à ouvrir une porte et inviter le Diable à prendre le thé. Il y avait une alcôve avec deux chaises au bout du rayon fiction. J'y venais en douce pendant une demi-heure après l'école et je lisais. L'ironie, c'est que quand je suis entrée au collège, je ne lisais même plus de fiction.

En effet, j'avais été tellement peu scolarisée et connu une vie si décalée que j'étais curieuse de savoir comment les gens vivaient. Je me suis donc tournée vers l'histoire et la sociologie, vers la philosophie et la politique. Je me suis toujours intéressée au fonctionnement des choses, et je ne voyais pas vraiment de différence entre le fait de démonter entièrement le moteur d'une Coccinelle VW et celui de comprendre l'ordre de bataille à Waterloo. À cette époque, toutes ces connaissances m'étaient interdites – et donc d'autant plus attirantes que c'était un acte de défi.

Malgré les semaines, les mois et les années qui passaient, je n'arrivais pas à comprendre le comportement de ma mère. Pourquoi étions-nous encore là ? Pourquoi sa vie dépendait-elle de cet homme infâme ? Que faisait-elle de ses journées ? On ne pouvait pas passer tout son temps à faire le ménage, la cuisine, la lessive et le repassage. Elle disait qu'elle étudiait la Bible, mais je restais quelque part persuadée que tout cela faisait partie d'une arnaque compliquée qui nous mettrait à l'abri pour le restant de nos jours. Je ne voyais simplement pas ce que c'était. Je rêvais qu'elle tue son mari avec un poison indétectable et qu'on mette alors la main sur ses millions secrets pour aller vivre en Floride.

Cela n'est pas arrivé. Ma vie est restée mieux vissée qu'un couvercle de cercueil. Mais au moment où je me disais que ça ne pouvait pas être pire, ma mère m'a annoncé une nouvelle qui a fait l'effet d'une bombe.

Charlie referma le livre d'un coup sec. « Pfiou, fit-elle. Encore une fin de chapitre pleine de suspense. J'ai lu des thrillers avec moins de rebondissements que ce bouquin.

— Pourquoi est-ce que tu t'arrêtes ?

— Parce qu'on est presque à Fort William et il faut qu'on mange. Je prendrai le volant après, si tu veux. »

Maria rigola. « Quoi ? Pour que tu sois sur des charbons ardents pendant tout le trajet jusqu'à Glasgow ? Non, ce serait cruel. En plus, ça me plaît de conduire. Tu pourras faire la partie barbante sur l'autoroute. Alors, tu commences à bien l'aimer ?

— Disons que je suis consciente de me faire manipuler. Mais si je m'étais lancée dans ce livre sans idées préconçues, je crois que je l'aimerais beaucoup. J'espère bien que Magda n'a pas lu ça, fit Charlie en secouant la tête. Car si c'est le cas, Corinna va avoir besoin d'un marteau et d'un burin pour les séparer. »

7

Une fois replongée dans son livre après le déjeuner, Charlie estima qu'il était justifié d'avoir qualifié de bombe la nouvelle qu'avait reçue Jay. À l'approche de son seizième anniversaire, Jay avait finalement accepté l'idée que sa vie n'était pas une escroquerie de longue durée. Les choses étaient ainsi et c'était à elle d'agir si elle voulait que cela change. Elle avait donc commencé à se préparer une échappatoire. Bien qu'elle n'eût pas été scolarisée avant ses dix ans, elle avait de très bons résultats à l'école. Elle était intelligente, apprenait vite et avait une bonne mémoire. Ses profs l'encourageaient, aussi, malgré l'indifférence totale de Jenna et de son mari, Jay s'en sortait bien. Certains laissaient entendre qu'elle devrait songer à Oxford ou Cambridge d'ici un an ou deux.

Jay se gardait bien de parler de ça chez elle. Elle faisait profil bas et ramenait des bulletins auxquels même Howard Calder ne pouvait trouver à redire. Il y avait d'autres choses dont elle se gardait de parler, aussi bien à l'école qu'à la maison. Une fois qu'elle se serait enfuie, ce serait différent. Mais dans l'immédiat, elle restait bouche cousue quant à ses sentiments, de la même façon qu'elle enfouissait tout le reste.

Puis, une nuit, la situation avait viré à la catastrophe.

J'étais dans ma chambre en train de faire mes devoirs de maths quand Jenna est entrée. Elle n'a pas frappé. Aucun des deux ne le faisait jamais. Après tout, pourquoi l'auraient-ils fait ? Il n'y avait rien que je sois autorisée à faire dont l'un ou l'autre ne pût être témoin. J'étais censée être pudique, m'habiller et me déshabiller soit dans la salle de bains soit sous les draps, par exemple. En revanche, je devais toujours, bien sûr, frapper à la porte avant d'entrer dans une pièce où ils se trouvaient. Même si je venais seulement dîner avec eux dans le salon. Ce n'était qu'une des nombreuses règles mesquines qui confinaient ma vie et permettaient à mon beau-père d'exercer son autorité.

Ma mère était donc là, debout devant moi, l'air nerveuse. J'étais étonnée car, d'habitude, la seule personne qui la rendait nerveuse était son mari. « Howard et moi avons prié avec l'assemblée des fidèles pour recevoir des conseils en ce qui te concerne.

— En ce qui me concerne ? Pourquoi ? Qu'est-ce que je suis censée avoir fait ?

— Pour ton avenir. Et nous avons décidé que quand tu auras seize ans, nous ferons le nécessaire pour que tu rencontres un garçon convenable et que tu l'épouses. »

Je n'ai dans un premier temps pas saisi ces paroles. J'avais l'impression d'être tombée dans un tunnel spatiotemporel pour atterrir dans un roman victorien. « Je ne vais pas me marier, ai-je objecté. Et certainement pas avec quelqu'un que Howard juge convenable.

— Tu es ma fille et tu feras ce qu'on te dit, a déclaré Jenna. Je sais que tu n'as pas profité d'une éducation chrétienne dès le début, mais on peut rattraper cela.

— Je vais aller à l'université ! ai-je hurlé. J'ai des projets. »

C'est à ce moment-là que mon beau-père est apparu dans l'embrasure de la porte. « Il n'y aura pas d'université pour toi, a-t-il dit. À quoi sert une formation universitaire à une épouse et une mère ? Tu te marieras à l'église et consacreras ta vie à Dieu et à ta famille.

— Vous ne pouvez pas me forcer, ai-je crié.

— Tu t'apercevras que si, je pense, a-t-il dit. À partir de ton anniversaire, tu ne seras plus obligée d'aller à l'école. On te gardera ici à la maison jusqu'à ce que tu entendes raison. Tu me sidères, Jennifer. Tu dis que tu aimes ta mère et pourtant, te voilà qui fais en sorte de lui briser le cœur.

— Je suis trop jeune pour me marier.

— Absolument pas, a-t-il répondu. Tu feras ce qu'on te dit. Soit à la manière douce, soit à la manière forte. Mais tu le feras.

— Vous ne pouvez pas me forcer. Je hurlerai à la mort à la cérémonie de mariage, vous ne vous en tirerez pas comme ça. »

Il a eu un sourire malfaisant. « Le pasteur Green comprend l'importance d'imposer la discipline aux femmes. Tu découvriras que la contestation ne lui fait aucun effet. Maintenant, viens, Jenna. Il vaut mieux que nous laissions Jennifer seule pour qu'elle se fasse à cette bonne nouvelle. »

Je les ai regardés partir, sans voix pour une fois. Je ne savais absolument pas quoi faire. J'avais survécu à leur emprise absolue seulement parce que je savais qu'un jour viendrait où je pourrais m'en aller et vivre ma propre vie. Mais je voulais la vie que je m'étais choisie. Je voulais mon bac et ma place à l'université. J'avais vécu trop longtemps en marge de la société avec Jenna pour trouver romantique l'idée de m'enfuir. Je savais que si je faisais cela, je ne connaîtrais jamais Oxford ou Cambridge. Je ne serais qu'une enfant des rues paumée de plus. Aucun de mes rêves ne se réaliserait jamais. Ma vie ne serait qu'une forme différente de calamité.

Il n'y avait même pas quelqu'un à qui je puisse parler. Je n'avais pas vraiment d'amis parce que je n'avais le droit de rien faire excepté des choses pour l'église. Or les autres ados de l'église me donnaient envie de me trancher la gorge.

La seule chose à laquelle je pouvais me raccrocher, c'était qu'il me restait presque trois mois avant mon anniversaire. C'était une erreur tactique de la part de mon beau-père. À sa place, j'aurais attendu le lendemain matin de mon seizième anniversaire. Je m'aurais empêchée d'aller à l'école et enfermée dans la cave jusqu'à ce que j'entende raison.

Je me demande parfois si ce n'est pas grâce à lui que j'ai appris à être impitoyable en affaires.

Charlie laissa échapper un sifflement sourd. « Écoute ça, dit-elle avant de lire les deux derniers paragraphes à Maria. Elle n'y va pas de main morte, n'est-ce pas ? Je crois que c'est une des phrases du livre qui ressortent le plus jusque-là. C'est plus honnête que presque tout le reste. On ne peut pas s'en empêcher. Même quand on est sur le qui-vive, la vérité perce malgré nous.

— Tu penses que c'est l'indice d'une tendance meurtrière ? demanda Maria, incrédule.

— Pas pris isolément, non. Évidemment. Mais c'est révélateur de sa manière de réagir quand on la défie et qu'on l'accule. Elle ne réfléchit pas seulement à une issue. Elle imagine ce qu'elle aurait trouvé de mieux afin de faire aboutir la menace. C'est quelqu'un qui prend plaisir à comprendre comment parvenir à ses fins. Et qui ne se laisse faire par personne. » Charlie tourna la page. « Enfin, laisse-moi reformuler. Il s'agit de quelqu'un qui se laisse faire dans le seul but d'avoir la paix pour déterminer comment baiser tout le monde.

— Tu ne l'aimes plus beaucoup maintenant, hein ? la taquina Maria.

— Vraiment pas, dit Charlie. Mais je la trouve fascinante. Et je ne peux pas lâcher ce livre. »

L'atmosphère était assez tendue à la maison après la grande révélation de Jenna. Je restais la plupart du temps dans ma chambre quand je n'étais pas à l'école. Je refusais d'aller à l'église, ce qui signifiait qu'on m'enfermait dans ma chambre. Je ne peux pas dire que ça me dérangeait. Je savais que ça ne servait à rien d'essayer de faire changer mon beau-père d'avis, mais j'avais le mince espoir que ma mère ait pu, dans un petit coin de son cœur et de son esprit, échapper au lavage de cerveau.

Ce mince espoir s'est renforcé au fil de la semaine. Jenna n'était assurément pas tout à fait aussi impassible que d'habitude. Le mercredi, elle a brûlé les toasts au petit déjeuner, et le jeudi elle a oublié le chou dans un plat de jambon fumé et purée de chou. Je l'ai surprise à plusieurs occasions debout dans la cuisine le regard dans le vague, quand normalement elle faisait la vaisselle ou nettoyait les plans de travail. Je devais répéter les choses plusieurs fois pour capter son attention. Elle était ailleurs. Je ne pouvais m'empêcher de croire qu'elle se posait des questions quant aux projets de mon beau-père à mon sujet.

Il fallait que je lui parle, ai-je décidé. Mais pas à la maison ni dans un lieu associé à l'église. Je voulais que ce soit un endroit qui pourrait même lui rappeler notre ancienne vie ensemble. Certes, elle m'avait en général ignorée, mais il s'agissait seulement d'une négligence bénigne. C'était du moins ce qu'il me semblait alors. Je me suis creusé la cervelle, et la solution m'est enfin venue.

Parmi le peu de choses sur lesquelles Jenna avait tenu tête à son mari figuraient les courses. Elle a été l'une des premières personnes que j'ai connues à s'élever contre la propagation inéluctable des supermarchés et à refuser d'y acheter ses produits frais. Son mari s'était plaint du fait qu'elle était dépensière, que c'était moins cher d'aller au ASDA du coin que de faire la route jusqu'au Grainger Market de Newcastle une fois par semaine. Mais ma mère n'en avait pas démordu. Par conséquent, le vendredi, il devait prendre le bus pour aller au bureau de la mairie où il travaillait, et ma mère prenait la voiture pour aller à la grande ville.

J'avais des souvenirs de marchés datant de ma petite enfance. Jenna avait travaillé dans des marchés et elle avait aussi adoré y flâner en tant que cliente. J'aimais ces endroits car il était facile d'y voler à manger. Si je pouvais trouver un moyen de lui parler là-bas, peut-être que l'atmosphère réveillerait son esprit d'indépendance de son long sommeil.

Je n'avais jamais d'argent, ce qui compliquait les choses. Aussi le jeudi soir, je me suis forcée à rester éveillée puis j'ai descendu l'escalier à pas de loup. Il y avait une tirelire pour l'église dans la cuisine. Mon beau-père y vidait sa petite monnaie chaque soir en rentrant. J'ai ouvert le couvercle en faisant levier avec un couteau et compté pièce par pièce assez d'argent pour les transports, plus un petit supplément pour les imprévus.

Le lendemain matin, je suis partie à l'heure habituelle, mais au lieu d'aller à l'école, j'ai pris le bus jusqu'à Sunderland puis le train régional jusqu'à Newcastle. Par chance il faisait froid, et je portais donc mon manteau d'hiver qui recouvrait mon uniforme d'écolière trop révélateur. C'était angoissant, car je n'étais venue à Newcastle que quelques fois pour des raisons religieuses. Mais c'était également excitant d'émerger du train à la gare centrale. L'endroit grouillait de gens, qui avaient tous l'air de savoir où ils allaient.

J'ai passé en revue le personnel de la gare et choisi une femme d'âge moyen qui donnait l'impression que la plupart des rides sur son visage y étaient apparues à force de rire. Il s'est avéré que Grainger Market n'était qu'à quelques minutes à pied de la gare. J'ai consulté ma montre. Jenna devait à peine être partie de Roker. J'ai estimé qu'il lui faudrait au moins une demi-heure pour arriver. Ce qui me laissait largement le temps de jeter un œil au marché et de repérer le meilleur endroit pour être sûre de la rencontrer.

J'ai été un peu déroutée en arrivant : beaucoup d'entrées différentes, et énormément d'étals qui vendaient toutes sortes de choses, de l'élastique de culotte au ris d'agneau. Il n'y avait aucun endroit qui puisse vraiment me servir de point d'observation, et j'ai donc décidé de simplement me promener en ouvrant l'œil.

Il s'est passé presque une heure sans que je la trouve, et je mourais à présent d'envie d'aller au petit coin. Lorsque j'en suis ressortie, j'ai jeté un coup d'œil alentour dans l'espoir de l'apercevoir. Et j'ai failli tomber à la renverse. Il n'y avait aucun doute dans mon esprit, même si je n'avais pas vu Jenna maquillée depuis six ans. Ma mère était là, assise à une table de café, fardée de rouge à lèvres, d'ombre à paupières, de mascara et de blush. Elle avait les cheveux dénoués qui tombaient sur ses épaules, et non attachés en chignon comme d'habitude. Elle fumait une cigarette. Et elle était avec un homme qui n'était assurément pas ce monstre de Howard Calder.

Il ressemblait un peu à Morrissey, si ce n'est qu'il était large et musclé alors que Morrissey était svelte. J'ai d'abord cru que c'était pour ça qu'il me disait quelque chose. J'ai longé furtivement le mur extérieur et traversé le marché jusqu'à un étal de livres d'occasion, où je me suis plus ou moins cachée derrière un bac de romans d'amour. Leurs têtes étaient rapprochées ; ils discutaient et riaient comme des personnes qui se connaissent bien.

Puis il a rejeté la tête en arrière en riant et j'ai vu un serpent tatoué qui partait en spirale de derrière son oreille pour descendre le long de son cou et s'enfoncer dans le V de son col de chemise ouvert. Et je me suis souvenue de lui. Il était hollandais. Rinks[1], c'était son prénom. Je l'avais surnommé Ice. À huit ans environ, je trouvais ma boutade hilarante. Nous avions vécu avec lui sur un bateau dans le Norfolk pendant un été, puis il était retourné en Hollande. Il m'avait plus prêté attention que la plupart des copains de Jenna. Quand il rentrait à la maison avec quelques grammes de shit, il avait toujours une barre de chocolat ou une BD pour moi.

D'accord, j'avais resitué cet homme dans ma mémoire. Mais que pouvait bien faire Jenna avec lui au Grainger Market alors qu'elle était censée faire les courses pour les repas de la semaine de son mari ? Je me suis alors rappelée comme elle avait été distraite les deux ou trois jours précédents. Comme si son esprit avait quitté les rails que l'église avait posés pour elle. Ces deux choses étaient-elles liées ?

Je me suis demandé si je devais me confronter à elle, la menacer de parler à son mari du maquillage et de son rendez-vous secret si elle ne changeait pas d'avis quant à mon mariage. Mais je ne voulais pas être le genre de personne capable de recourir au chantage affectif avec sa mère. Je voulais qu'elle me soutienne parce qu'elle en avait envie, parce que c'était ce qu'il fallait faire. Peut-être qu'il valait mieux ne rien dire, espérer qu'elle continue à voir Rinks et revienne finalement à la raison. Il se pouvait qu'elle quitte Howard Calder pour Rinks et qu'elle m'emmène avec elle. Et tout rentrerait alors dans l'ordre.

On pense comme ça à quinze ans.

---

1. *Rinks* veut dire patinoire. (*N.d.T.*)

J'ai donc continué à les observer. Ils ont bu leur café puis passé une heure à acheter de la viande, du poisson, des fruits et des légumes. Rinks portait les lourds cabas, et je les ai suivis jusqu'au parking d'Eldon Square. Ils ont mis les courses dans la voiture puis ils sont repartis à pied vers le Earl Grey's Monument. Rinks avait le bras autour des épaules de Jenna, et elle était blottie contre lui. Ils sont entrés dans la librairie Waterstone's, et je les ai regardés parcourir les rayons à travers la vitrine. Au niveau des livres de cuisine, il l'a embrassée. Un petit baiser, pas un vrai patin. Mais tout de même sur les lèvres. C'était comme regarder quelqu'un revenir à la vie, de voir comme ma mère se déridait avec lui.

J'ai descendu la colline sur leurs talons en direction de la gare, puis ils sont entrés dans un pub. Je ne pouvais évidemment pas les suivre à l'intérieur. Je n'avais que quinze ans, et ça aurait donc été illégal. Je me suis dit que les gens le sauraient rien qu'en me regardant. Mais surtout, je n'avais pas beaucoup d'argent et je ne savais pas combien coûterait un soda dans un pub. Je me disais seulement que c'était sans doute plus que ce que j'avais. J'imaginais que ce n'était probablement pas comme dans un magasin de bonbons où l'on pouvait entrer et demander ce qu'ils avaient pour 35 pence.

C'était digne d'un thriller, se dit à nouveau Charlie. Tout en retournements de situation et suspense. Elle jeta un coup d'œil par la fenêtre et fut soulagée de voir qu'elles étaient toujours au milieu du paysage désert des Highlands. Maria pouvait bien rouler à cinquante kilomètres/heure jusqu'à Glasgow, elle s'en moquait. Elle voulait connaître la fin.

La partie suivante racontait comment Jay avait entrepris d'espionner la vie de sa mère. Quelques jours après la rencontre du Grainger Market, Jenna avait pris l'habitude de s'esquiver de la maison tous les matins une fois que la voie était libre pour partir en voiture avec Rinks. Jay était persuadée qu'ils allaient se faire repérer par un des membres de la paroisse, mais ils semblaient être bénis des dieux.

Puis un soir, environ deux semaines plus tard, Jenna avait annoncé durant le dîner qu'elle s'était inscrite pour participer à un projet caritatif visant à remettre à neuf les appartements d'un groupe de personnes âgées dans un immeuble de la ville. Howard avait clairement manifesté son désaccord, mais elle avait tenu bon et insisté sur la nécessité de pratiquer la charité chrétienne autant que la spiritualité. Il avait difficilement pu contester.

Jay s'était rendu sur les lieux du projet caritatif le lendemain pendant son heure de pause-déjeuner et n'avait pas le moins du monde été surprise de découvrir que Rinks était le chef du projet. Elle avait fait mine de n'avoir aucune idée de qui il était, et sa mère n'avait pas fait les présentations. Elle avait gardé ce secret pour elle et essayé de déterminer ce qu'elle pouvait faire pour en tirer parti.

Comme à son habitude, Jay avait fini par trouver la solution. Mais avant qu'elle puisse mettre son plan à exécution, elle avait été dépassée par les événements. D'après Charlie, ça n'avait pas dû lui arriver très souvent.

J'avais enfin trouvé le cran de dire à Jenna et Rinks que je savais ce qui se passait. Je voulais les encourager à se remettre vraiment ensemble, pour que Jenna quitte son mari et s'installe avec Rinks et moi. C'était la voie du salut pour moi, et je savais que je ne pouvais pas attendre indéfiniment. Mon anniversaire approchait, et je ne voulais prendre aucun risque.

Je savais que le projet touchait à sa fin, et j'ai donc choisi un vendredi. Nous pouvions ainsi nous organiser pendant que mon beau-père était à son travail. Nous pouvions faire nos valises et nous enfuir avant son retour. Nous avions ensuite le week-end pour nous installer et je pouvais retourner à l'école le lundi comme si de rien n'était.

Je sais que ça paraît simpliste, en y repensant maintenant. Mais je ne comprenais rien aux complexités des relations entre adultes. Comment aurais-je pu ? Je n'avais jamais eu l'occasion de voir comment la plupart des gens se comportaient entre eux. À mes yeux, ce qui allait se passer était évident.

Je me suis rendue sur les lieux du projet le vendredi matin mais il n'y avait personne. Tous les bénévoles étaient partis et les appartements fermés à clé. Je suis parvenue à trouver le gardien qui m'a expliqué, à mon grand désarroi, que tous les travaux avaient été finis la veille, une semaine plus tôt que prévu. La majorité des habitants seraient de retour avant la fin de la semaine suivante, sauf trois d'entre eux qui avaient décidé d'aller en maison de retraite. Il continuait de me parler comme si cela pouvait m'intéresser. Tout ce qui comptait pour moi, c'était que mon plan venait de tomber à l'eau.

« Et Rinks ? ai-je demandé.

— Le Hollandais ? Il est très content car il a maintenant une semaine de vacances avant son projet suivant, à York. Il a dit qu'il allait rentrer en Hollande voir sa famille. »

J'ai eu tout à coup un regain d'excitation. Ils avaient finalement dû décider de s'en aller ensemble. Jenna devait être à la maison en train de faire ses valises et d'attendre que je rentre de l'école pour que nous puissions partir tous les trois pour la Hollande. C'était encore mieux qu'ils aient pris tous seuls cette décision sans que j'aie besoin de les convaincre.

Je suis rentrée en hâte à la maison et j'ai imaginé ma nouvelle vie en chemin. Nous aurions une maison haute au bord d'un canal. Ou nous vivrions sur un bateau, comme autrefois dans le Norfolk. J'irais à l'école à vélo et je verrais des tableaux de Van Gogh en vrai. Je gambadais presque dans la rue. Nous serions une famille heureuse en Hollande et plus jamais je ne reverrais l'horrible Howard Calder.

Je me trompais royalement. La personne que je n'allais jamais revoir, c'était ma mère.

« Oh mon Dieu ! s'exclama Charlie, avant d'expirer bruyamment. Je ne l'ai pas vu venir. Enfin, je savais plus ou moins que sa mère les avait laissés tomber, elle et son beau-père, mais quand elle le raconte... bon sang, on a vraiment la sensation de recevoir un coup de poing dans le bide.

— Qu'est-ce qui s'est passé ?

— La mère a commencé à ressortir avec un ancien petit copain d'avant sa soudaine passion pour Jésus. Et ils sont partis, en laissant Jay. Elle dit qu'elle n'a jamais revu sa mère.

— Et c'est tout ? C'est la fin du livre ? La mère se taille et disparaît à tout jamais ? »

Charlie feuilleta la suite. « Pas tout à fait. Il y a un court épilogue. Comme ces petits résumés à la fin des films. Tu sais, "Jimmy Brown a déménagé à Buffalo et ouvert un salon de tatouage. Jane Brown a quitté son travail avec les perruches infirmes et épousé un rabbin albinos."

— Tu as une imagination bizarre, remarqua Maria. Et alors, qu'est-ce qui leur est arrivé à tous ? »

Charlie tourna la page. « Tu veux que je te le lise à haute voix ?

— Ouais, c'est pas comme si *moi* je pouvais lire.

— "Jenna Calder a quitté son mari et son enfant avec une seule valise, dont le contenu incluait une photographie encadrée de sa fille à six ans. Malgré les recherches de la police, personne ne l'a vue ni n'a entendu parler d'elle depuis lors.

Rinks van Leer est revenu d'Amsterdam après une semaine de vacances pour diriger un projet de rénovation à York. Il a déclaré n'avoir aucune idée de l'endroit où se trouvait Jenna. Il est ensuite parti superviser d'importants projets en Amérique centrale et en Afrique subsaharienne.

Howard Calder a brûlé les vêtements et les biens que Jenna avait laissés derrière elle et refusé de prononcer son nom. Il vit toujours dans la maison familiale de Roker. Il n'a jamais divorcé et ne s'est jamais remarié.

Jay Stewart a été recueillie par son professeur d'histoire et sa femme. Elle a vécu avec eux pendant qu'elle passait son bac et son examen d'entrée à Oxford. Elle a été admise au collège St Scholastika d'Oxford au premier trimestre 1992." Et c'est tout. Après tout ce tourbillon d'émotions, toutes ces souffrances et ces bagarres, ça se termine sur la mère qui s'en va. Pas étonnant que Jay ait des problèmes, dit Charlie.

— C'est une fin plutôt abrupte.

— Je pense que c'est voulu. Elle essaie de montrer à quel point ça a été violent pour elle. Elle se glisse hors de chez elle, en se disant qu'après toutes ces galères, elle est sur le point de connaître un changement radical de situation. Et c'est effectivement ce qui lui arrive. Si ce n'est que c'est l'inverse de celui qu'elle attendait. »

Maria ralentit à l'approche d'un rond-point. « On arrive à Glasgow, dit-elle. Tu veux prendre le relais ? Je me sens assez fatiguée maintenant, pour être honnête.

— Bien sûr. Arrête-toi au prochain endroit où on peut prendre un café.

— Et alors, d'après ce que tu as lu, es-tu plus ou moins tentée de croire que Jay Stewart pourrait être une meurtrière sans pitié ? »

Charlie gloussa. « J'aimerais que ce soit aussi facile. Ce dont je suis sûre, par contre, c'est que cet événement a eu une influence majeure sur son comportement par la suite. Il y a de grandes chances pour qu'elle soit prête à faire presque n'importe quoi afin d'éviter de se mettre dans une position où quelqu'un d'autre aurait le pouvoir de compromettre ses projets. En affaires, en amour, en amitié. Mais d'un autre côté, il y a ce dont elle a besoin. Son enfance a été divisée entre le chaos et une discipline de fer. La seule constante a été sa mère. Même si c'était une mère plutôt nulle, Jay savait qu'elle pouvait compter sur sa présence. Et elle a toujours besoin de quelqu'un en qui placer cette confiance. En ce moment, j'imagine qu'elle la place en Magda.

— Ce serait donc une très mauvaise idée de s'interposer entre elle et Magda ? »

Charlie hocha la tête. « Le problème, c'est que je crois que c'est exactement ce que je vais devoir faire. »

8

Lundi

Jay arriva au bureau de très bonne humeur. Elle s'arrêta au poste de son assistante et lui adressa son plus beau sourire du lundi matin. « Anne, j'ai besoin que tu me trouves une entreprise pour mettre en cartons les affaires personnelles de Magda dans son appartement, dit-elle.

— Félicitations, répondit Anne avec un sourire grimaçant. Contente de voir que tu n'as pas perdu ton charme enjôleur.

— Merci. Le plus tôt sera le mieux. Et peux-tu faire des recherches pour moi sur Tromsø ? On a été pris au dépourvu avec ce documentaire sur les aurores boréales l'an dernier. J'ai entendu dire qu'il allait être rediffusé dans deux ou trois semaines, je ne veux pas qu'on soit encore obligées de se démener à la dernière minute. » Jay s'arrêta devant le percolateur et se prépara un *latte* allégé. Puis elle se retourna et prit la parole assez fort pour attirer l'attention de la demi-douzaine de personnes présentes. « Réunion du lundi à midi, j'ai réservé l'arrière-salle de Chez Chung. »

Jay continua son chemin jusqu'à son bureau et ferma la porte derrière elle, signe qu'elle n'était pas disponible pour les communications non urgentes. Elle s'installa derrière son bureau et s'enfonça dans son fauteuil, les pieds posés sur la corbeille à papier. Elle était très contente d'elle. Magda avait finalement reconnu qu'il était temps qu'elles concrétisent leur décision de s'installer ensemble. La maison de Jay était bien assez grande pour toutes les deux, et la logique voulait donc que Magda mette son appartement en location. Cela lui imposait un trajet quotidien plus long que sa courte marche actuelle, mais c'était apparemment un prix qu'elle était prête à payer.

Le simple fait d'imaginer la réaction apoplectique d'Henry lui faisait arborer un sourire narquois. Tôt ou tard, une trêve familiale devrait s'imposer au sein du clan Newsam. Mais l'idée que Corinna et Henry souffrent de quelques brûlures d'estomac entre-temps ne la dérangeait pas.

Elle sortit son ordinateur de son hibernation, mais avant qu'elle pût regarder ses messages, son iPhone sonna. Reconnaissant le numéro, elle poussa un court et profond soupir mais répondit tout de même. « Allô, fit-elle.

— Salut. Toujours amoureuse ? » Le ton était ironique.

« Même si je ne l'étais plus, tu sais ce que c'est. Ça ne changerait rien. Qu'est-ce que je peux faire pour toi ?

— La question, c'est plutôt ce que moi je peux faire pour toi. »

Jay eut un sentiment d'angoisse familier. « Je te l'ai dit. Tu ne me dois rien.

— Je sais. Mais j'aime aider les gens auxquels je tiens quand je peux. Je me suis dit que je devais t'informer que tu… quelle serait la meilleure formule ? Que tu fais l'objet d'une enquête ?

— Je ne sais pas de quoi tu parles. Qui enquête sur moi ? Et pourquoi ? » Malgré elle, Jay voulait des réponses.

« Au bout du compte, Corinna Newsam. Mais elle a recruté quelqu'un pour fouiller dans ton passé. À la recherche de choses compromettantes, je crois. »

Jay eut du mal à le croire. « Corinna a quoi ? Engagé un privé ?

— Non, c'est une pure amatrice. C'est une autre ancienne élève de Corinna. Une psychiatre. Dr Charlotte Flint. Charlie pour les intimes. » À présent amusée, la voix se délectait d'une blague que Jay ne saisissait pas.

« Je me souviens de Charlie Flint. On a parlé d'elle dans les médias l'an dernier. Elle était impliquée dans cette affaire de tueur en série. Mais pourquoi diable travaille-t-elle pour Corinna ? Et comment est-ce que tu sais ça ?

— Tout le monde n'est pas insensible à mes charmes, Jay. Aimerais-tu savoir où elle a passé le week-end ? »

Jay se redressa dans son fauteuil. « Ce n'est pas un jeu. Dis-moi juste ce que tu sais, et arrête de me faire tourner en bourrique. Bon sang, qu'est-ce que c'est que cette histoire ? »

Un léger gloussement. « Du calme, Jay. Je vais te dire ce que tu veux savoir. Charlie Flint a passé le week-end sur l'île de Skye. Elle a interrogé deux types de l'équipe de secourisme. Elle a aussi fait des recherches sur quelques autres incidents dans ton passé. Jess Edwards, et Ulf Ingemarsson. Et le mari bien sûr.

— Dis-moi que c'est une mauvaise blague de ta part, dit Jay d'une voix tremblante de colère.

— Ne te trompe pas de cible, chérie. Ce n'est pas moi qui pense que tu es une tueuse en série. C'est la mère de ta bien-aimée. Et tout ça parce qu'elle a vu quelqu'un qui te ressemblait dans la prairie le matin où Jess Edwards est morte. »

La poitrine de Jay se serra. Après toutes ces années, son bannissement prenait tout à coup un sens effroyable. « Corinna était dans la prairie ?

— Apparemment. Qui l'eût cru ?

— Je ne comprends pas. Elle a vu quelqu'un dans la prairie qu'elle a pris pour moi et elle n'a rien dit ?

— Incroyable, n'est-ce pas ? J'imagine qu'elle s'est dit qu'elle était trop liée à toi dans l'esprit des gens pour te balancer.

— Ou alors elle était trop attachée à Schollie.

— Eh bien, si c'était le cas, ce n'est plus vrai aujourd'hui. Corinna est bien décidée à te faire tomber. »

Jay n'en croyait pas ses oreilles. La peur qui était restée tapie pendant des années dans un coin de sa tête devenait une réalité. Rien n'était plus à même de détruire le bien-être et le bonheur de sa nouvelle vie. Et c'était quelque chose qu'elle ne pouvait accepter. « Mais comment ça a pu arriver ? Bon Dieu !

— Ne t'en fais pas. Reste calme.

— Calme ? Comment puis-je rester calme ?

— Parce qu'il n'y a rien à trouver, si ? Il y a eu des enquêtes à l'époque pour tous ces décès. S'il y avait eu la moindre preuve que tu étais impliquée dans un meurtre, la police ne t'aurait pas lâchée. Il n'y a rien à trouver, et donc aucune raison de s'inquiéter. »

Jay serra le poing et ses ongles s'enfoncèrent dans la paume de sa main. Son désir de violence était à son comble. Comment avait-elle pu laisser les choses en arriver là ? « Alors pourquoi tu m'appelles ? S'il n'y a aucune raison de s'inquiéter, rien à trouver, pourquoi est-ce que tu m'embêtes avec ça ? » Les mots sortirent en saccades, comme si elle les hachait l'un après l'autre.

« Parce que je me suis dit qu'il fallait que tu le saches. Je ne voulais pas que tu sois prise de court. Elle te pourchasse, Jay. C'est mieux d'être avertie, tu ne penses pas ?

— Eh bien maintenant je suis avertie. » Jay se frotta le front si fort que ses doigts laissèrent des traînées rouges sur sa peau. « Merci.

— Tu sais que c'est toujours un plaisir. Je veille sur toi, Jay. J'ai toujours veillé sur toi. Toujours. » La voix était douce et séduisante. « Mais tu le sais. N'est-ce pas ?

— Oui. » Elle sentit un mal de tête naître à la base de son crâne. Une fois de plus, elle regretta de ne pouvoir revenir des années en arrière et changer le déroulement d'une soirée, une seule. « Et je t'en suis reconnaissante, dit-elle d'un ton monocorde.

— Bien. On se voit bientôt ?

— Oui. Je suis désolée, il faut que je te laisse, j'ai une réunion du personnel à préparer.

— Contente de t'avoir parlé. Comme toujours.

— Moi de même. » Jay mit fin à l'appel et resta assise les yeux dans le vague face à l'écran de son ordinateur. Évidemment qu'il n'y avait rien à trouver. Comment aurait-il pu en être autrement, après tout ce temps ?

N'empêche...

Charlie trouva Nick assis à l'extérieur de la salle d'audience où l'affaire dont il s'occupait était jugée. Vêtu pour le tribunal, il était plus élégant qu'elle ne l'avait jamais vu. Son costume noir bien ajusté, sa chemise bleu pâle, sa cravate bleu foncé et ses chaussures bien cirées formaient un ensemble qu'elle ne l'aurait jamais imaginé posséder, encore moins porter. Il s'était rasé, et ses cheveux, à défaut d'être bien coiffés, étaient brossés. Il lui fit un sourire blême. « Salut, Charlie.

— Alors, ce week-end ? demanda-t-elle en s'installant à côté de lui.

— Boulot, boulot, et puis encore un peu de boulot en plus. On a eu un bon tuyau mais ça nécessitait de faire une surveillance. Et donc c'est comme ça que mon week-end est passé à la trappe. J'espérais pouvoir aller à un concert hier soir à Kilburn, mais je ne suis pas rentré chez moi avant minuit passé. » Il soupira.

« Mais ça vaut toujours la peine si ça peut permettre de trouver des preuves contre ces ordures. Et toi ?

— On est allées à Skye.

— Le bateau express, et tout ça ?

— Plus maintenant, il y a un pont. Il y a aussi des secouristes en montagne très obligeants. » Charlie lui exposa ce qu'elle avait appris d'Eric et Calum. « Et donc, le fait que le couteau se trouve dans sa poche était apparemment un coup de chance mais ça n'avait rien d'extraordinaire, conclut elle.

— C'était une perte de temps, alors, soupira Nick.

— Pas complètement. Il y a la question du coup de fil aux secours. C'est une femme qui a appelé et qui a dit qu'elle téléphonait de l'hôtel parce que Jay et Kathy n'étaient pas revenues. Mais personne travaillant à l'hôtel n'a passé cet appel. L'endroit n'est pas grand, Nick. Ils n'ont pas des dizaines d'employés qui courent en tous sens. Surtout en février, j'imagine. C'est bizarre, voilà tout.

— Mais il ne suffit pas d'un fait bizarre pour poursuivre quelqu'un en justice. Oh, et au fait, je voulais te dire. J'ai eu un petit coup de bol avec Stratosphone. Ils ont été repris par MXP Communications en 2005, or il se trouve qu'on a des mandats pour MXP avec cette affaire de trafic. J'ai touché un mot à ma collègue qui s'occupe d'eux, je lui ai demandé si elle voulait bien me rendre un petit service. Évidemment, je ne lui ai pas dit de quoi il s'agissait, je lui ai juste dit que ça avait un rapport indirect, que ça pouvait ou non mener quelque part. En tout cas, elle fait des recherches pour nous chez MXP.

— Génial. Merci de t'en être occupé, Nick. Mais il n'y a pas que le drôle de coup de fil que j'ai réussi à découvrir. J'ai appelé Magda l'autre soir, quand Jay était en déplacement. Je voulais voir ce qu'elle pouvait me raconter. Et tu ne croiras jamais ce qui lui est tombé du ciel.

— Essaie toujours.

— Huit cent mille euros. En titres au porteur dont il n'y a aucune trace.

— Putain ! fit-il. Je veux dire, qu'est-ce que c'est que cette histoire ? »

Charlie lui expliqua et prit plaisir à voir sa stupéfaction. « Il s'avère donc que Philip était un plus gros escroc encore que ses collègues », indiqua-t-elle.

Nick fronça les sourcils. « Mais ça ne tient pas debout. Pourquoi aurait-il voulu les balancer s'il était lui aussi dans la combine ? Pourquoi risquer une enquête qui pouvait le mettre encore plus dans le pétrin qu'eux ?

— Je me suis moi aussi posé cette question. À première vue, ça n'a ni queue ni tête. Mais il a peut-être trouvé qu'ils n'étaient pas assez prudents, qu'ils les exposaient tous à des risques inutiles, et c'est pour ça qu'il a voulu y mettre un terme. Cependant... » Elle marqua une pause et soupira. « Dans le train ce matin, j'ai pensé à quelque chose. Les lettres constituent le mobile du meurtre, n'est-ce pas ?

— Oui. Si Philip n'avait pas menacé de les vendre, Barker et Sanderson n'avaient aucune raison de le tuer. C'étaient ses copains, la société marchait bien, ils étaient tous bien lotis.

— Et si Philip n'avait pas écrit ces lettres ? »

Il y eut un long silence pendant lequel Nick évaluait les implications possibles de cette hypothèse. « Mais qui d'autre aurait eu accès à cette information ?

— Magda, bien sûr. C'est elle qui a "découvert" le disque dur de sauvegarde. Nous n'avons aucun moyen de savoir combien de temps elle l'a gardé avant de le remettre à la police.

— Mais elle n'a aucune raison de vouloir faire porter le chapeau à Barker et Sanderson », protesta Nick.

Charlie fit la moue. « Eh bien, oui et non. Je vais y revenir. Mais voilà : je ne pense pas que Magda comprenne assez bien un bilan ou un rapport financier pour identifier des choses aussi complexes qu'un délit d'initié. Mais je pense que sa petite amie en est capable. Je pense que Jay a épluché toutes les données financières de Philip à la recherche de quelque chose dont elle pourrait se servir pour faire soupçonner Barker et Sanderson. »

Nick étendit les jambes et croisa les chevilles, puis il croisa les bras sur sa poitrine. « Je sais que ça va te sembler débile, mais pourquoi ferait-elle ça ? D'après ce que j'ai pu découvrir, jusqu'à ce que ces lettres fassent surface, les gars d'Oxford avaient beaucoup de mal à trouver un mobile ou un intérêt, encore moins des preuves concrètes. Pourquoi ne pas préférer que le meurtre reste non élucidé ? Pourquoi prendre le risque d'essayer de faire porter le chapeau à quelqu'un ?

— Parce que Magda les a vus quitter la fête du mariage à peu près au bon moment. Dans sa tête au moins, c'étaient les premiers suspects du meurtre de Philip. Et Jay est amoureuse de Magda. Elle veut que Magda soit encore plus attachée à elle. Elle veut l'impressionner. Quel meilleur moyen de le faire que de livrer les assassins de son mari à la justice ? Surtout si c'est elle qui l'a vraiment tué. Rien de tel pour se tirer définitivement d'affaire. »

Nick rejeta la tête en arrière et rit de plaisir. « C'était tellement beau, dit-il. Tu as l'esprit sacrément mal tourné. C'est tellement tordu. Mais ça colle avec ce qu'on sait de Jay. C'est fourbe, rusé, et elle ne laisse aucune trace.

— C'est bien là le problème. Le fait qu'elle n'ait laissé aucune trace, fit Charlie d'un ton aussi sombre qu'elle l'était. Malgré tout ce farfouillage, on n'a aucune preuve un tant soit peu solide. Rien qui puisse inciter tes collègues à ouvrir une enquête sur l'une ou l'autre de ces anciennes affaires. J'ai peine à le dire, mais je crois que nous devons admettre que nous avons échoué. »

Nick se gratta la tête. « Ça me met bien les nerfs en boule de le reconnaître, mais je crois que tu as raison. »

Charlie s'effondra, la tête entre les mains. « C'est exactement comme l'affaire Bill Hopton. Je me sens tellement nulle, Nick.

— Tu n'es pas nulle, Charlie. Je ne vois pas ce que quiconque aurait pu faire de plus dans ces circonstances. » Nick lui passa le bras autour des épaules. « Tu vas être innocentée, tu sais. Tu recommenceras à faire ce que tu fais le mieux. »

Charlie émit une sorte de petit rire à moitié étouffé. « Au lieu de jouer les détectives foireux ? » Elle lui donna un petit coup de tête dans la poitrine. « Arrête d'essayer de me remonter le moral. C'est une perte de temps.

— J'imagine que tu ne tiens pas à considérer une autre explication ?

— J'en serai ravie. Pourquoi ? Tu en as une ? »

Nick prit une profonde inspiration et expira bruyamment. « Eh bien… C'est beaucoup à base de "si". Et je manque sérieusement de raisons ou de preuves. Mais dans tous les cas, on n'a que dalle sur Jay, alors autant avoir que dalle sur d'autres suspects, non ? »

Charlie se dégagea doucement de sous son bras et se tourna pour lui faire face. « De quoi parles-tu ?

— Quand je bloque dans une enquête, j'essaie de trouver une autre manière d'examiner les éléments en ma possession. Pendant que j'étais en planque ce week-end, j'ai commencé à retourner d'autres idées dans ma tête. Prends le meurtre de Jess Edwards, par exemple. Quelle est la seule chose qu'on sache à ce sujet ? On sait que Corinna était dans la prairie. » Il s'arrêta, en attente d'une réaction.

Après une longue pause, Charlie dit : « Tu insinues que Corinna a pu tuer Jess ?

— Pourquoi pas ? Elle se place sur les lieux du crime – si crime il y a eu –, ce qui est un bon moyen de détourner les soupçons.

— Mais quel mobile aurait-elle bien pu avoir ? »

Nick haussa les épaules. « Je n'en ai aucune idée. Mais je te parie qu'on pourrait en trouver un certain nombre si on s'asseyait pour faire un brainstorming.

— C'est très léger, rétorqua Charlie.

— De même que les allégations contre Jay, indiqua Nick d'un ton las.

— Et les autres meurtres ? »

Il fit la grimace. « Eh bien, je me suis interrogé sur son assistante, Anne Perkins. Elles travaillent ensemble depuis longtemps, et Anne a fermement pris la défense de Jay. Et elle m'a très vite présenté l'alibi de Jay. Ce qui m'a permis en passant de jeter un œil à son emploi du temps à elle pour cette semaine-là. Il semble qu'elle a travaillé seule la plupart du temps. Personne pour la blanchir. »

Charlie eut un petit rire. « Et à partir de ça, tu penses qu'elle a filé en Espagne, tué Ulf Ingemarsson et rapporté ses travaux à Jay comme un chien avec un journal ? Bon sang, Nick, cette Anne Perkins a dû te faire une sacrée impression. »

Nick eut un sourire contrit. « Hé, je sais que c'est tiré par les cheveux, mais Jay semble bel et bien provoquer de fortes réactions. Pour toutes les personnes qui pensent que c'est quelqu'un qu'elles ne voudraient pas voir leur fille épouser, il y en a une qui lui est totalement dévouée. Elle travaille en étroite collaboration avec Vinny Fitzgerald et Anne Perkins depuis presque une décennie. Les gens ne restent pas dans ce genre de boulot à moins d'être très dévoués les uns aux autres. »

Charlie secoua la tête, refusant de le croire. « Et Philip ?

— Peut-être que c'est Sanderson et Barker, après tout. J'ai généralement confiance en l'intuition des jurés, Charlie.

— Et c'est un hasard si tous ces meurtriers se trouvent dans l'entourage de Jay Stewart ? » Elle secoua de nouveau la tête. « Ça fait beaucoup trop de coïncidences, Nick. Tu joues à l'avocat du diable, là. Tu ne crois pas vraiment à tout ça. Mais je pourrais peut-être me servir de tes idées pour jeter un peu de poudre aux yeux de Corinna. » Elle se leva. « Il faut que j'aille la voir maintenant. Pour lui dire que je ne peux rien faire pour elle.

— Je suis désolé, dit Nick. Vraiment. Et tu as raison. J'essayais juste de te remonter le moral avec mes théories insensées. Pour ce que ça vaut, je pense que Corinna a peut-être raison. Il y a trop d'éléments qui jouent contre Jay Macallan Stewart pour qu'on puisse mettre ça sur le compte de la malchance. Un type qui aurait perdu quatre femmes dans des accidents comme ceux-ci serait en ce moment dans une salle d'interrogatoire. Mais personne ne l'a soupçonnée à l'époque, ce qui signifie que personne n'a cherché les preuves qui auraient pu faire le lien avec elle.

— S'il te plaît, dit Charlie d'un ton amer. Ne va pas plus loin, Nick.

— Pourquoi ? Qu'est-ce que j'ai dit ?

— C'est ce que tu n'as pas dit qui me dérange. C'est ce que cela implique. On ne peut pas la coincer pour les crimes commis dans le passé. Si on veut l'avoir, on doit attendre qu'elle recommence. » Sa voix trembla et des larmes coulèrent de ses yeux. « Tu ne comprends pas ? Ce n'est qu'une variante intéressante de cette saleté d'affaire Bill Hopton. »

9

Charlie était assise sur la même chaise dure qu'elle avait occupée vingt ans plus tôt. À cette époque, elle attendait sa première séance de tutorat avec Corinna Newsam. À présent, elle attendait qu'une autre étudiante finisse son topo afin que Charlie puisse trouver un moyen de détourner Corinna d'un désastre imminent. Pendant toute la durée du trajet en train de Londres à Oxford, elle avait essayé de trouver quoi lui dire.

C'était une de ces situations où il n'était pas envisageable de dire la vérité. Peu importait que Charlie fût en réalité d'accord avec Corinna. En fait, c'était la position la plus dangereuse qu'elle puisse adopter dans toute conversation avec son ancienne tutrice. Bien que Charlie ne pût vraiment croire Corinna capable de tuer Jay, il y avait des risques qu'on ne pouvait courir. Soit Charlie devait présenter suffisamment de preuves à Corinna pour qu'elle s'adresse à la police – preuves qu'elle n'avait pas –, soit elle devait plaider l'innocence de Jay. Dans la mesure où elle n'avait pas assez de preuves, Charlie n'avait pas le choix. Elle devait protéger Jay. Ce qui nécessitait de mentir.

À la fin du cours de Corinna, Charlie s'était préparée de son mieux. Elle prit la chaise placée face à son ancienne tutrice et remarqua que Corinna semblait avoir perdu du poids au cours des neuf jours qui s'étaient écoulés depuis leur dernière rencontre. C'était le sort de toute femme inquiète pour son enfant, songea Charlie.

Elles ne perdirent pas de temps en bavardages. Corinna entra immédiatement dans le vif du sujet. « Vous avez des nouvelles pour moi ? »

Charlie acquiesça de la tête. « J'ai beaucoup avancé durant la semaine passée. Parlé à beaucoup de gens et découvert beaucoup de choses. Ça a été une expérience intéressante.

— J'en suis sûre. J'ai le sentiment que vous êtes douée pour dénicher des choses intéressantes, Charlie. Mais avez-vous réussi à trouver suffisamment de preuves pour convaincre Magda ? » Corinna se pencha en avant dans son fauteuil, les mains nouées sur les genoux. La dernière personne que Charlie avait vue aussi crispée était un prêtre pédophile qui attendait que le ciel lui tombe sur la tête.

« Tous les éléments dont je dispose vont dans le même sens. Ça ne va pas vous plaire, Corinna. Jay Macallan Stewart n'est pas une tueuse en série. »

Corinna posa la main sur son oreille, comme si elle n'était pas persuadée de pouvoir se fier à son audition. « Vous faites erreur, dit-elle. Vous n'avez pas bien vérifié. La mort la suit partout comme un chien. Chaque fois qu'une personne s'interpose entre Jay Stewart et ce qu'elle veut, il ou elle meurt ; suggérer que ce n'est que le fruit du hasard défie l'entendement. » Sa voix était ferme, son attitude fidèle au souvenir que Charlie avait de ses années d'études – la prof qui maîtrisait parfaitement son sujet, qui acceptait volontiers de débattre mais rarement de céder sur un point. Charlie savait que son seul recours était d'avancer des arguments cohérents et convaincants.

« Je sais, dit-elle. Mais c'est ainsi. Parfois, les choses vont à l'encontre du bon sens. Écoutez, je ne vous demande pas simplement de me croire sur parole. D'abord, je n'ai pas travaillé seule. Un ami à moi qui est enquêteur à la police de Londres m'a aidée à obtenir des renseignements auxquels un civil peut difficilement accéder. Il a également des compétences que je n'ai pas. Il a pu me suggérer comment procéder quand je ne savais pas ce qu'il y avait de mieux à faire.

— Vous avez fait preuve d'initiative, constata sèchement Corinna. Et je vous en félicite. J'avais raison de penser que vous étiez la personne de la situation. Le genre de femme qui a des ressources.

— Et je suis aussi une scientifique. Cela signifie que je crois ce que me disent les faits même quand ils vont à l'encontre de ma théorie sur une affaire. Laissez-moi récapituler les décès dont vous m'avez parlé. Premièrement, Jess Edwards. Alors, vous dites que vous avez vu Jay dans la prairie très tôt le matin de la mort de Jess. Vous en étiez persuadée à l'époque, même s'il faisait encore nuit et qu'elle était assez loin. » Corinna voulut intervenir mais Charlie leva la main. « S'il vous plaît, Corinna, laissez-moi terminer. » *Laissez-moi vous mentir et voir si je peux vous faire tomber dans le panneau.* « J'ai retrouvé la trace de la petite amie de Jay à l'époque, Louise Proctor.

— Comment avez-vous fait ? Le bureau des anciens élèves n'a aucune trace d'elle. Elle a rompu tout lien avec le collège après en être partie. Et pas étonnant. Une fille vulnérable que Jay Stewart a prise pour cible, au point qu'elle a essayé de se suicider. »

Charlie était à peu près sûre que les choses ne s'étaient pas tout à fait passées ainsi, mais elle était plutôt en terrain glissant car elle ne savait presque rien de la vie amoureuse de Jay dans sa jeunesse. « C'est l'avantage quand on a un policier dans son camp. Les gens respectueux des lois ne sont pas si durs à retrouver quand on a accès aux archives officielles. Donc, j'ai parlé avec Louise. Elle n'est pas engagée envers Jay. Comme vous le suggérez, elle tient Jay pour responsable d'un des épisodes les plus douloureux de sa vie. Il n'y a donc aucune raison qu'elle mente pour elle. D'accord ? »

Corinna acquiesça à contrecœur en baissant le menton. « Probablement.

— D'après Louise, le matin où Jess est morte, Jay était au lit avec elle jusqu'à sept heures passées. À ce moment-là, les rameurs étaient au hangar à bateaux et avaient découvert le corps de Jess.

— C'est impossible. Comment peut-elle en être certaine ? Comment peut-elle se rappeler si clairement ce matin-là ? »

Charlie rassembla ses pensées. Ce n'était pas le moment de parler d'anomalies. « Parce que c'est le matin où Jess Edwards est morte. Et parce qu'elles étaient restées au lit, éveillées depuis six heures passées. Jay pestait contre Jess et l'élection de la présidente du bureau des étudiantes. Quand elle est descendue prendre son petit déjeuner et qu'elle a appris sa mort, Louise se rappelle qu'elle a trouvé atroce que Jay ait pu être si méchante envers Jess tandis que la pauvre fille était en train de se noyer. Elle a donc un alibi. »

Corinna parut dégoûtée. « Quelle ironie, dit-elle.

— Qu'est-ce que vous voulez dire ? »

Elle eut une moue pleine de mépris. « Si Jay avait présenté cela comme alibi à l'époque, personne ne l'aurait crue. Tout le monde aurait dit que Louise mentait par amour pour elle. Mais à présent, Louise a toutes les raisons de la détester. Et c'est seulement maintenant qu'elle le dévoile. » Corinna secoua la tête. « Je dois vous croire sur parole, mais j'ai du mal à imaginer que je me sois trompée. Je sais ce que j'ai vu.

— Je ne veux pas vous paraître condescendante, Corinna, mais il est bien connu que les déclarations des témoins oculaires sont souvent inexactes. Et il y a un mécanisme psychologique parfaitement respectable derrière cela. Notre cerveau recherche des schémas. Nous cherchons des ressemblances. Aussi nous dissimulons ce que nous voyons vraiment derrière ce que nous nous attendons à voir à partir d'indicateurs visuels. Et au fil du temps, nous renforçons notre souvenir avec davantage de détails qui ne proviennent pas de ce que nous avons vu mais de ce que notre cerveau nous dit que nous avons dû voir. Vous avez vu une silhouette qui pour une raison ou pour une autre vous a rappelé Jay. Vous l'avez vue dans une zone où vous pouviez raisonnablement vous attendre à voir Jay. Et votre cerveau a colmaté les brèches. » Charlie ouvrit grand les bras et haussa les épaules. « Nous le faisons tous tout le temps. Vous n'avez rien à vous reprocher.

— Je persiste à croire ce que je vois. » La position opiniâtre de la mâchoire de Corinna n'était pas de bon augure pour la réussite du plan de Charlie. Cependant, il n'y avait rien d'autre à faire que de persévérer.

« Soit. Mais vous devez vous demander qui Magda va croire : vous, qui avez aperçu une silhouette dans le noir, ou Jay, avec son alibi parfait. Pour l'instant, Magda n'a aucune raison de se méfier de Jay. Mais vous ? Elle sait que vous êtes farouchement opposée à ce qu'elle et Jay soient ensemble. »

Corinna prit un air venimeux. « Qu'avez-vous découvert d'autre ? interrogea-t-elle.

— J'ai consulté le rapport d'enquête pour accident mortel sur la mort de Kathy Lipson. Il ne fait pas de doute que Jay a coupé la corde quand Kathy est tombée du pic rocheux qu'elles gravissaient. Mais il n'y a rien non plus qui contredise sa version des faits. Kathy était le moteur de ce voyage sur Skye. Elle avait apparemment toujours voulu faire l'ascension hivernale des Cuillin et l'occasion ne se présente que deux ou trois fois chaque hiver. Il faut la saisir quand on le peut. Et parfois la météo vous rattrape, comme ça leur est arrivé.

— Elle pourrait l'avoir poussée et avoir fait croire à un accident. »

Charlie hocha la tête. « Elle pourrait. Mais il n'y a pas de témoin. Et rien sur le plan matériel qui contredise la version de Jay. J'ai parlé à deux des secouristes qui l'ont redescendue de la montagne. Ils la plaignaient. Ils étaient conscients de l'opprobre dont elle a souffert dans les cercles d'alpinisme après avoir coupé la corde.

Mais ils approuvaient aussi totalement ce qu'elle avait fait. C'est la bonne décision de couper la corde quand on est face à ce choix radical. Vous allez tous les deux mourir à moins que vous ne coupiez la corde, auquel cas l'un de vous deux va peut-être survivre. On peut difficilement remettre cela en cause, Corinna. »

Corinna lui lança un regard noir. « Est-ce qu'elle vous a mise dans sa poche ? C'est une forme de solidarité lesbienne ? »

Charlie sentit son visage devenir rouge de colère. « C'est incroyablement insultant. Je viens de passer neuf jours et de dépenser un paquet de fric à essayer de confirmer votre théorie insensée. Non pas parce que je vous dois quoi que ce soit, mais parce que j'aime bien votre fille et que je pense qu'elle a besoin d'avoir quelqu'un dans son camp. Mais si vous pensez que je serais prête à dissimuler des preuves de meurtre par simple solidarité communautaire, vous êtes tellement dérangée que je pourrais sans doute appeler tout de suite un collègue et vous faire interner. » Elle ramassa son sac et prit son manteau, prête à partir.

« Attendez, lança instamment Corinna. S'il vous plaît. Je suis désolée, Charlie. Je suis vraiment désolée. » Sa voix se cassa et elle s'éclaircit la gorge. « Vous voyez comme cette histoire me fait dérailler ? » Elle se leva brusquement et se dirigea vers un haut meuble en acajou. Elle l'ouvrit et sortit une bouteille de vin rouge. « Je vous connais effectivement mieux que ça, Charlie. Pardonnez-moi. Je suis juste si amèrement déçue. Vous prenez un verre avec moi ? »

Charlie se rassit sur la chaise, mais refusa d'un signe de tête. Elle ne voulait rien qui puisse émousser sa colère durant cette conversation. Elle patienta pendant que Corinna se servait un modeste verre de vin. « Je me suis aussi renseignée sur le meurtre d'Ulf Ingemarsson. Et s'il est vrai que Jay était à l'étranger lorsqu'il a eu lieu, mon ami le policier a vu son emploi du temps pour cette semaine-là. Elle n'a pas pu avoir le temps d'aller en Espagne, expliqua-t-elle avec sérieux. Même si elle avait fait la route de nuit, elle n'aurait pu se rendre à la maison d'Ingemarsson et revenir à l'endroit où elle était censée être le lendemain matin. » Un autre mensonge, mais Charlie était lancée. Quels que fussent ses soupçons, elle n'avait aucune preuve contre Jay. Cette femme avait le droit à la présomption d'innocence ; et surtout, elle avait le droit de ne pas être victime de l'idée que se faisait Corinna de la justice.

« Elle pourrait avoir engagé quelqu'un », suggéra Corinna avec défi.

Charlie grogna. « Bien sûr, elle pourrait avoir engagé quelqu'un. Dans sa branche, on rencontre sans arrêt des tueurs à gages, dit-elle d'un ton chargé de sarcasme. Sauriez-vous par où commencer pour trouver un tueur à gages ? Ça fait plus de douze ans que je travaille dans le domaine de la psychopathologie. Je passe mes journées avec des meurtriers, des violeurs, des pédophiles, mais je ne sais absolument pas comment trouver un tueur à gages. Ce n'est pas comme si on pouvait en chercher un sur Google.

— Elle pourrait avoir chargé quelqu'un de le cambrioler et s'être retrouvée avec un meurtre sur les bras, insista Corinna.

— Même argument. Où va-t-elle se trouver un cambrioleur à engager ? Vous sauriez par où commencer ? Ce n'est pas comme si vous pouviez demander à un de vos copains magistrats de vous en conseiller un, si ? Et il y a autre chose. En tant que psychiatre strictement, avec tout ce que je sais sur Jay Stewart, je ne peux pas imaginer qu'elle se mette à la merci de quelqu'un d'autre. Une fois que vous avez chargé quelqu'un de commettre un crime, vous êtes vulnérable à tout jamais. Ça ne correspond tout simplement pas à son type de personnalité. Elle aime trop maîtriser les choses. »

Corinna vida son verre et le posa. « Vous êtes convaincante, dit-elle avec une voix et un regard ternes. Vous avez toujours su bien formuler vos arguments.

J'avais espéré que vous emploieriez cet esprit vif à démontrer la théorie inverse. » Elle soupira et se leva, puis marcha jusqu'à la fenêtre et baissa les yeux vers les jardins du collège où la réception du mariage de Magda avait eu lieu. « C'est drôle, dit-elle. Cette journée avait si parfaitement commencé. Je m'étais inquiétée pour Magda. Elle s'était toujours tellement concentrée sur son travail, je me disais qu'elle passait à côté de l'amour, de l'amitié, de la possibilité de connaître le genre de vie dont j'ai eu le privilège de profiter. »

Charlie retint sa langue en pensant à l'inéluctable calvaire qu'elle devait vivre en tant qu'épouse catholique d'Henry ; au fait de devoir jongler pour concilier les contraintes que représentaient quatre enfants, une grande maison et un flot constant d'étudiants avec leurs défis intellectuels ; à ses séances de travail à six heures du matin dans son bureau du collège pour tenter de rédiger les publications qui mettraient le collège dans l'impossibilité de ne pas lui proposer une chaire ; à la succession de jeunes étudiantes brillantes qui s'étaient trouvées suffisamment dans le besoin pour être reconnaissantes envers Corinna pour son amitié et assez dociles pour être des baby-sitters dignes de confiance et bon marché. Et elle fut on ne peut plus heureuse que Magda ait un avenir différent devant elle.

« Mais c'est alors que Philip est arrivé, continua Corinna. Ce que j'aimais chez lui, c'est une qualité qu'on ne trouve pas chez beaucoup de jeunes hommes. Il était gentil. Il n'était pas brusque ou agressif. On pouvait voir qu'il était ambitieux, mais pas sans pitié. On s'est dit qu'il prendrait bien soin de notre fille. Ce matin là, j'avais le sentiment que tout était rentré dans l'ordre. Magda épousait un homme bien, le mariage se passait ici dans mon propre collège. »

Charlie trouvait le monologue mélodramatique de Corinna difficile à digérer. « Mais avant que la nuit soit tombée, tout a merdé », dit-elle sèchement.

Le mot fit tressaillir Corinna. « C'était tragique, dit-elle en se retournant pour faire face à la pièce. Si Philip avait survécu, vous ne pouvez pas me dire que Magda ne serait pas une épouse heureuse aujourd'hui. On n'aurait pas eu droit à ces absurdes histoires de lesbiennes, sans parler de notre inquiétude à l'idée que notre fille vive avec une tueuse.

— Pardon ? Ces "absurdes histoires de lesbiennes" ? Vous essayez délibérément d'être insultante ? » Charlie secoua la tête et s'empara de l'autre verre que Corinna avait sorti pour elle. Elle se servit du vin et en but une grosse gorgée. Cette fois, elle laissa libre cours à sa colère. « Votre fille est lesbienne, Corinna. Ce n'est pas une simple phase adolescente. Si Philip avait survécu, leur mariage se serait effondré lorsque Magda ne serait plus parvenue à réprimer sa vraie nature. Ou alors elle aurait enduré une vie vécue à moitié au nom de la respectabilité et pour ne pas vous faire de la peine, à Henry et vous. Dans les deux cas, elle aurait été sacrément malheureuse. Alors épargnez-moi vos histoires de contes de fées. Magda est lesbienne. Il va falloir vous y faire.

— Vous ne pouvez pas en être sûre, dit Corinna. Je suis tombée au fil des années sur quelques cas de femmes qui sont revenues aux hommes après des années de relations lesbiennes. Comment les appelez-vous ? "Has-biennes" ? "Ex-biennes" ?

— Lobotomisées », répliqua Charlie d'un ton acide. Voyant l'expression de Corinna, elle ajouta d'un air las : « C'était une blague, Corinna. Je trouve tout ça un peu dur à encaisser. Je n'ai pas eu de conversation comme celle-ci depuis une douzaine d'années. C'est un peu bizarre de me retrouver en train de discuter avec quelqu'un à côté de qui le *Daily Mail* paraît tolérant. Surtout que c'est vous qui m'avez demandé un service.

— C'est dur de renoncer à une vie de principes, déclara Corinna.

— Les principes pour une femme sont de l'intolérance pour une autre, Corinna. Même si vous réussissez à arracher Magda des bras de Jay, elle ne va pas redevenir hétérosexuelle du jour au lendemain. » Charlie lui fit un sourire malicieux. « Je crois qu'elle a enfin découvert comment s'amuser.

— J'aimerais pouvoir franchir ce pas en temps voulu, indiqua Corinna en revenant à son fauteuil et en remplissant son verre. Bon. Vos recherches sur le meurtre de Philip ont-elles été aussi peu concluantes que dans les autres cas ? »

Un mensonge de plus. « En ce qui concerne Jay, oui. Je ne peux pas vous dire qui est son alibi, mais j'ai parlé à la personne qui était avec elle ce soir-là et je suis convaincue qu'au moment où Philip a été tué, elle se trouvait dans une partie totalement différente du collège.

— Pourquoi ne pouvez-vous pas me dire avec qui elle était ?

— Parce que j'ai promis de ne pas dévoiler l'identité de cette personne. Je pourrais vous mentir et vous dire que c'était un rendez-vous d'affaires, que c'est une question de confidentialité commerciale. Mais je ne vais pas faire ça. La personne avec qui était Jay a de bonnes raisons de vouloir que leur rendez-vous reste secret, et j'ai accepté de respecter cela. »

Corinna eut une moue dédaigneuse. « Une femme mariée, sans aucun doute.

— Qu'est-ce que ça peut vous faire ? Croyez-moi, Jay a un alibi en béton pour le meurtre de Philip. Je vais être tout à fait franche avec vous, Corinna. Quand on a parlé de ça la semaine dernière, j'ai adhéré à votre vision des choses. Vous m'avez presque convaincue que Jay était vraiment une meurtrière. Mais j'ai dû accepter l'idée que nous nous trompions toutes les deux. Ce sont réellement des coïncidences qui se sont produites dans son entourage. Vous avez fait une erreur le matin où Jess Edwards est morte, et elle a altéré votre opinion sur tout ce qui s'est passé autour de Jay depuis. Je sais que c'est dur de revenir sur toutes ces convictions, mais vous devez accepter l'idée que votre cerveau vous a joué un tour et induite en erreur. La vérité pure et simple, c'est qu'elle ne méritait pas que vous la mettiez à la porte il y a tant d'années. Et elle ne le mérite toujours pas aujourd'hui. » Charlie se rendit soudain compte qu'elle se laissait emporter. Elle avait failli se laisser prendre à sa propre fausse sincérité. C'était dur de ne pas avoir honte de sa capacité à convaincre Corinna du contraire de ce qu'elle-même croyait qu'il s'était produit.

Corinna la dévisagea, le regard perdu. « J'étais si sûre, dit-elle. Et puis tout le reste se tenait.

— Je comprends, dit Charlie avec douceur. Mais si vous effacez cette première certitude, vous verrez qu'il n'y a pas de vraie raison de tenir Jay pour responsable de ces autres morts.

— Il faut que je réfléchisse, déclara Corinna lentement d'une voix lourde. C'est difficile pour moi de continuer à voir en Jay cette psychopathe malfaisante à la lumière de ce que vous me dites. Mais je suppose que, dans l'intérêt de Magda, je devrais être heureuse qu'elle ne soit pas ce pour quoi je l'avais prise.

— Vous devriez, acquiesça Charlie en se levant. Et il faut vous réconcilier. Il est évident que Magda tient à sa place dans votre famille. Ne la punissez pas d'être ce qu'elle est. »

Charlie retraversa le collège, son abattement grandissant à chaque pas. Elle avait empêché Corinna de prendre des mesures draconiennes et destructrices, mais elle en avait fait les frais. Elle avait dû défendre une position contraire à ce qu'elle en était venue à croire, tout cela parce que Jay Stewart avait été suffisamment maline pour commettre une série de meurtres parfaits. Charlie se rappela avoir entendu un jour un présentateur radio demander à une femme auteur de polars si à sa connaissance quelqu'un avait déjà commis un meurtre parfait. Elle avait répondu : « Le meurtre parfait est celui que personne ne soupçonne *être* un meurtre. » Jay n'y était pas tout à fait parvenue à chaque fois, mais elle avait réussi à varier suffisamment ses méthodes pour rester hors de cause.

Ce que Charlie avait dit à Nick était vrai. Ils devraient attendre la prochaine mort pour avoir une occasion de faire payer ses crimes à Jay. C'était une pensée profondément démoralisante. Elle aurait aimé qu'il existe une autre explication à la suite de décès qui entourait Jay Stewart, mais toute autre théorie devait admettre un nombre exorbitant de coïncidences.

Charlie gagna la North Oxford Street et prit le chemin du parc de l'université, obéissant à une habitude qui n'avait pas été exercée depuis dix-sept ans. Une fraîcheur notable régnait en cet après-midi printanier, où le ciel était aussi sombre que son humeur. Elle n'accorda aucune attention aux impressionnants parterres de bulbes en fleurs. Tout ce qu'elle voyait, c'était qu'elle était au bout du rouleau. Ce qui avait commencé comme une distraction avait fini par amplifier l'incertitude et la déception qui la rongeaient depuis le deuxième procès pour meurtre de Bill Hopton. Elle ferait une balade dans le parc puis prendrait un bus jusqu'à la gare. Elle avait encore largement le temps avant de rentrer à Manchester.

Assez pour faire un dernier détour, lui suggéra une petite voix dans un coin de sa tête. Elle n'était pas près de revenir à Oxford. Que risquait-elle ? « Je risque un million d'ennuis », dit-elle à voix haute, ce qui lui valut un sourire indulgent de la part d'un étudiant qui passait.

Elle traversa le parc et sortit face au Keble College, puis prit à gauche en direction de Broad Street. Elle pourrait ensuite prendre Queen's Lane pour rejoindre High Street et y trouver facilement un bus passant par Iffley. Pour Charlie, tel un quelconque banquier véreux, un million ne suffisait tout simplement pas.

10

Cette fois-ci, Charlie décida qu'elle n'allait pas appeler à l'avance et donner à Lisa l'occasion de se préparer. Tant pis si elle était occupée. Charlie partirait, et peut-être que cette fois elle parviendrait à prendre définitivement ses distances. Mais la dernière chose importante que Lisa lui avait dite était que ses sentiments n'étaient pas à sens unique. Charlie ne pouvait pas en rester là. Elle se rendait compte que le moment approchait où elle devrait choisir entre la vie qu'elle avait avec Maria et la possibilité d'un avenir avec Lisa, mais elle voulait être sûre que c'était un vrai choix. Il lui fallait être certaine que si elle choisissait Lisa, celle-ci était réellement prête à s'engager dans une relation.

Mais Charlie savait aussi que ce serait injuste de rester avec Maria si la seule raison pour laquelle elle le faisait était que rien de mieux ne s'offrait à elle. Maria méritait mille fois plus que cela. Si elle était tout à fait honnête envers elle-même, Charlie devait reconnaître que ses sentiments pour Lisa avaient ébranlé leur relation. Ses recherches sur Jay Stewart lui avaient fourni l'excuse parfaite pour passer du temps avec Lisa et s'abandonner à ses sentiments. Mais maintenant que cette enquête touchait à sa fin, le temps de l'incertitude s'achevait aussi. Elle devait en premier lieu décider si elle restait avec Maria ; en second, si elle s'engageait dans une relation avec Lisa.

Charlie regrettait parfois de ne pas être plus comme les psychopathes à qui elle avait affaire dans son métier. En un sens, ce devait être un soulagement de ne pas être conscient de sa vie intérieure.

Seule la voiture de Lisa se trouvait dans l'allée. Charlie marcha jusqu'à la porte et tâcha de reprendre son aplomb en redressant les épaules et sa colonne vertébrale. Elle tendit la main vers la sonnette et la laissa quelques secondes en suspens. Il n'était pas trop tard. Elle pouvait encore se retourner et s'en aller, retourner à une vie qui suffirait probablement à n'importe qui.

Mais Charlie avait besoin de savoir. Charlie avait toujours besoin de savoir. Et dans ce cas précis, ce n'était pas qu'une question de curiosité insatisfaite. Cette fois-ci, rester dans le doute deviendrait un supplice. Cela prendrait vie dans son imagination. Chaque fois qu'elle et Maria se chamailleraient, elle se demanderait dans quelle mesure les choses auraient été différentes avec Lisa. Inévitablement, elle y verrait un attrait qui détruirait leur relation. La promesse non explorée serait toujours une perspective terriblement alléchante de vrai bonheur et d'épanouissement. C'était choisir entre la peste et le choléra.

Charlie pressa la sonnette.

Il fallut un moment à Lisa pour venir ouvrir. Charlie avait presque abandonné, présumant que Lisa était allée quelque part à pied ou en taxi. Mais finalement, la porte s'ouvrit et elle apparut. Elle portait un autre *salwar kameez,* cette fois-ci d'un fuchsia profond. Elle avait l'air agacé, mais lorsqu'elle vit Charlie son froncement de sourcils disparut et elle afficha un sourire radieux. « Charlie, s'exclama-t elle. Quelle délicieuse surprise. Mais tu aurais dû appeler, j'aurais pu reporter mon prochain rendez-vous. » Elle jeta un œil à sa montre. « Nous n'avons que vingt minutes pour nous. Entre, entre. »

Charlie était décontenancée par la chaleur de son accueil. Devant le charisme débordant de Lisa, elle était sans défense. « Je crois que nous avons des affaires à régler », dit-elle en suivant Lisa dans le couloir menant au salon. Un unique lampadaire rendait intime l'atmosphère morose de l'après-midi. Une odeur d'épices flottait dans l'air : cannelle, muscade, piment de la Jamaïque. Charlie eut envie de s'allonger et d'oublier le reste du monde.

Lisa s'installa sur un des canapés et replia les jambes sous elle, si bien qu'on aurait dit une fleur au contraste saisissant sur le tissu couleur crème. « Viens t'asseoir à côté de moi, la convia-t-elle en tapant sur le canapé. Enlève ton manteau. »

Charlie obéit et s'assit à côté de Lisa mais sans qu'elles se touchent vraiment. « Je ne voulais pas laisser la situation telle qu'elle était entre nous, expliqua-t-elle.

— Bien sûr, dit Lisa. C'est important que nous acceptions la force du lien qui existe entre nous. Nous ne pourrons peut-être rien en faire, mais nous saurons toujours qu'il existe ce lien étroit qui nous unit.

— Je me demandais si ça suffisait pour écarter ça de notre chemin et aller de l'avant », indiqua Charlie, la gorge sèche. Elle ne pouvait s'empêcher de souhaiter qu'elles en finissent avec les considérations abstraites pour s'abandonner au plaisir physique.

Lisa s'approcha pour se blottir contre Charlie. Charlie était consciente de chaque point où leurs corps se touchaient. « C'est si tentant, hein ? De tomber dans les bras l'une de l'autre, de se laisser aller et oublier tout le reste ? Il n'y a rien qui me plairait plus que d'être en couple avec toi, Charlie. Mais ce n'est pas le bon moment. C'est trop explosif. Il faut que tu en aies fini avec Maria avant de pouvoir t'ouvrir à moi. Et moi ? Eh bien, j'essaie encore de libérer mon esprit de mon passé lointain. Je ne me donnerai pas à moitié avec toi comme je peux le faire avec des gens comme Nadia. Je ne t'insulterai pas. »

Charlie eut un sourire ironique. « J'ai la peau assez dure, Lisa. Je pourrais vivre avec une insulte comme celle-là. »

Lisa ne lui rendit pas son sourire. « Tu vois, Charlie, je pense que c'est précisément là que tu te trompes. Je pense que tu ne pourrais pas vivre avec cette insulte. Je crois qu'elle te rongerait et qu'au bout du compte, ça empoisonnerait toute notre relation. J'ai vu d'autres gens à qui c'est arrivé, et je ne veux pas que ça nous arrive. Ce n'est pas le moment, Charlie. Il faut que tu sois patiente. »

C'était une réponse, même si ce n'était pas celle qu'elle avait voulu entendre. Charlie comprit alors que, quelle que soit sa décision au sujet de Maria, il y aurait toujours une raison pour laquelle Lisa ne pourrait pas s'engager. Elle s'écarta d'elle. « Dans ce cas, mieux vaut ne pas se toucher du tout.

— Ne te vexe pas. Au contraire. Sois fière que nous tenions assez l'une à l'autre pour ne pas tomber dans quelque chose de médiocre.

— Alors à quoi rimait vraiment ton apparition pendant le week-end ? Est-ce que j'étais censée vous comparer et vous mettre en opposition ? Est-ce que le but était de marquer une sorte de grand tournant ? »

Lisa étira les bras au-dessus de sa tête, un mouvement qui souligna la beauté de ses seins. « Je te l'ai dit, fit-elle. Je voulais voir la Charlie qui se révèle quand tu n'es pas avec moi. Quand tu es avec Maria. C'était purement égoïste et je suis désolée si ça t'a déboussolée.

— J'ai fait ce pour quoi j'étais allée là-bas, indiqua Charlie. Ça n'a simplement pas tout à fait marché comme je le pensais. »

Lisa sourit d'un air triste. « Ma pauvre Charlie. Je t'ai dit que c'était une perte de temps. Jay a peut-être un instinct meurtrier dans les affaires, mais pas en ce qui concerne les gens.

— On dirait à t'entendre que tu la connais bien, remarqua Charlie. Je croyais que tu m'avais dit que vos chemins s'étaient à peine croisés quand vous étiez étudiantes ? »

Lisa la scruta du regard. « En effet. Mais j'ai toujours été douée pour jauger les gens. Tu devrais le savoir mieux que quiconque. J'ai su que tu n'étais pas comme les autres dès l'instant où je t'ai entendue parler pour la première fois, après tout. Mais Jay ? Je l'ai assez fréquentée à l'époque pour comprendre le genre de femme qu'elle était. Et je n'ai rien entendu depuis qui m'ait fait changer d'avis.

— Eh bien, apparemment, il semble que tu aies raison. Il n'y a aucun élément qui pourrait faire que la police s'intéresse à Jay plus d'une nanoseconde.

— Je te l'ai dit. Mais il fallait que tu poursuives toi-même cette chimère. » Elle fit la moue. « Mais à vrai dire, c'est une des choses que j'admire chez toi. Le fait de ne rien croire sur parole.

— Je serais vraiment une psychiatre minable si je prenais tout ce qu'on me dit pour argent comptant. Mais je n'ai pas dit que Jay n'avait pas tué ces personnes. J'ai dit qu'il n'y avait aucune preuve qui tiendrait devant un tribunal. » Pour une raison ou pour une autre, le fait de se rendre compte que sa relation avec Lisa était sans avenir avait délié la langue de Charlie en ce qui concernait son enquête. Si ça ne servait à rien de parler de leur relation, elle devait trouver autre chose pour combler. « C'est la pire issue possible pour moi. Je suis presque convaincue que Jay a tué ces gens, mais je dois supporter l'idée qu'elle ne va pas être traduite en justice. Et maintenant, j'ai un dilemme. La seule chance de lui faire payer ses actes, c'est d'attendre qu'elle tue quelqu'un d'autre. D'un autre côté, si je la préviens que tout décès qui surviendrait dans son entourage immédiat sera minutieusement examiné pour voir s'il y a la moindre trace de son implication, si elle a un tant soit peu de bon sens elle ne tuera plus. Et il n'y aura jamais aucun espoir de lui faire payer ses actes. Je dois donc mettre en balance la possibilité de faire justice et celle de sauver une vie. »

Lisa haussa les sourcils. « Il n'y a pas à hésiter, d'après moi. Ça ne va pas lui plaire que tu l'accuses, mais au moins tu auras la conscience tranquille. Ça n'a pas tant d'importance, la justice, Charlie. C'est une notion très relative, selon moi. Laissons les morts enterrer les morts, et passons à autre chose.

— Si seulement c'était si facile, dit Charlie. Tu as déjà lu son livre ? *Sans aucun remords* ?

— Oui. Je l'ai trouvé très intéressant. Il y a une dissonance si violente au cœur de son enfance… il y a de quoi hésiter à refaire confiance à quelqu'un. Elle révèle beaucoup plus de vulnérabilité qu'elle n'en a conscience, je crois. Son ambition démesurée dans les affaires est un moyen pour elle de compenser son incapacité à se défendre face aux forces déployées contre elle dans son enfance et son adolescence. Tu ne penses pas ? » Lisa sourit. « C'est toi l'analyste professionnelle, après tout.

— Je ne suis pas sûre que je le formulerais tout à fait comme ça. Je pense qu'elle passe son temps à se construire des défenses. Mais c'est toi l'experte en matière de vulnérabilité. »

Lisa inclina la tête pour saluer la riposte de Charlie. « La clé, c'est Jenna, n'est-ce pas ? Une femme des extrêmes. Libertinage effréné puis répression effrénée. Ça me fait me demander ce qui a bien pu se passer dans la jeunesse de la mère pour qu'elle soit attirée par ces deux antipodes. Contre quoi est-ce qu'elle se rebellait exactement, qu'est-ce qu'elle recherchait ?

— Et pourtant Jenna est un personnage assez vague à certains égards. Ce que Jay nous donne, c'est en gros la vision d'un parent par un enfant. L'enfant ne se rend pas compte de beaucoup de choses qui se passent car ça le dépasse. On ne le remarque pas en lisant car le récit est très rythmé. Mais en y repensant, j'ai l'impression d'avoir été roulée en ce qui concerne Jenna. »

Lisa pinça les lèvres un bref instant. « C'est peut-être fait exprès. Peut-être que Jay a peur d'en révéler trop sur elle-même si elle dévoile plus pleinement Jenna. Je n'ai pas besoin de te dire à quel point tout se rapporte souvent à la mère. »

La sensation dans le cerveau de Charlie était presque physique. Les mots de Lisa firent bouger quelque chose dans sa tête, comme la pierre qui se déplace et déclenche l'avalanche. « "Personne ne l'a vue ou n'a entendu parler d'elle depuis lors." C'est ce que dit le livre.

— Un abandon terrible, définitif, commenta Lisa. Certaines personnes pensent que ce n'est pas grave d'abandonner ses enfants une fois qu'ils sont ados et qu'ils peuvent se débrouiller tous seuls. Mais par de nombreux aspects, c'est la période où ils sont le plus vulnérables.

— Ça n'a pas été un abandon si terrible pour Jay. Plutôt un aboutissement, à vrai dire. Elle n'a pas dû épouser un illuminé. Elle a pu aller à Oxford et fuir une vie étouffante et répressive dans l'Église pentecôtiste bethanienne de Jésus Christ le Sauveur. Si sa mère a disparu, c'est de son propre fait, dit lentement Charlie en considérant sous tous les angles cette pensée qui lui était venue subitement, pour voir si réellement elle était aussi sensée qu'elle le croyait.

— Je ne suis pas certaine que je dirais ça comme ça, répliqua Lisa en regardant Charlie comme si elle n'était plus tout à fait sûre de la comprendre. Je pense que Jay a remarquablement bien surmonté un traumatisme terrible. »

Charlie se leva au moment précis où la sonnette retentit. « Il faut que j'aille à Roker », dit-elle.

Lisa parut très surprise. « Où ça ?

— Là d'où vient Jay. Il faut que je découvre ce qui est arrivé à sa mère.

— On sait ce qui est arrivé à sa mère. Elle s'est sauvée avec le petit ami hollandais.

— Qui a nié s'être sauvé avec elle. » Charlie prit la direction de la porte.

« Attends, dit Lisa. Qu'est-ce que tu racontes ?

— Il faut que je découvre ce qui est arrivé à sa mère, répéta Charlie d'une voix hébétée. Il y a quelqu'un à ta porte », ajouta-t-elle alors que l'on sonnait de nouveau.

Lisa se leva d'un bond du canapé et la rattrapa dans l'entrée. Elle posa une main sur le bras de Charlie. « Je croyais que tu avais laissé tomber cette quête insensée ? »

Charlie se retourna et sourit. « Pas tant qu'il reste une piste. » Elle ôta avec douceur la main de Lisa de son bras. « Quelqu'un d'autre pour toi, Lisa », dit-elle, consciente et satisfaite de son ambiguïté.

Il y avait une nouvelle énergie dans la démarche de Charlie alors qu'elle regagnait l'arrêt de bus à grands pas. D'après les horaires, elle n'avait que dix minutes à attendre pour avoir un bus qui l'emmènerait près de la gare. Elle serait de retour à Manchester dans la soirée et pourrait repartir directement dans le Nord-Est le lendemain matin. Peut-être qu'elle pourrait éviter d'avoir à fouiller les archives de la gazette locale avec un petit coup de pouce de Nick.

Elle sortit son téléphone et l'appela sur son portable. Elle tomba directement sur la messagerie, comme elle s'y était plus ou moins attendue. « Salut, Nick. C'est Charlie, dit-elle. Je viens de discuter avec Lisa Kent, c'est une copine à moi qui a un peu connu Jay autrefois. Et elle a dit quelque chose sur la mère de Jay qui vient de faire tilt dans ma tête. Et si Jess Edwards n'était pas la première ? Et si elle avait même commencé plus tôt ? Et si Jenna était sa première victime ? Je sais que ça paraît dingue, et je vais être coupée... Oh, merde », fit-elle lorsque la messagerie s'arrêta. Elle rappela immédiatement. « C'est encore moi. 1990, Jenna Calder était son nom de femme mariée. Elle a été portée disparue. Dans le quartier de Roker, à Sunderland. Je vais y aller à la première heure demain matin pour voir ce que je peux dénicher. Ce serait génial si tu pouvais faire en sorte qu'un de tes collègues de là-bas m'ouvre le dossier. Appelle-moi dans la matinée, je t'expliquerai mieux. Merci, Nick. » Cette fois-ci, elle termina avant le bip. Puis elle se souvint qu'elle avait encore un message plus pressant pour Nick. Elle appela son numéro pour la troisième fois. « Encore moi. Juste pour te dire que je pense avoir persuadé Corinna que Jay est innocente. Ou du moins semé assez le doute dans son esprit pour l'empêcher de faire une bêtise. Je rentre maintenant à Manchester. Je te promets que je te laisse tranquille. »

Charlie rangea son téléphone. Elle se demanda ce qu'elle trouverait à Roker. Cela semblait être un lieu improbable pour trouver la rédemption.

11

Le coup de fil du matin avait gâché la journée de Jay, mais en fin d'après-midi, elle s'en était presque remise. La perspective de voir Magda avait généralement cet effet sur elle. Mais ses sentiments étaient plus confus que d'habitude. De toute évidence, elle ne pouvait ignorer l'enquête de Corinna sur son passé. Inévitablement, cela signifiait que Magda apprendrait des détails embarrassants sur sa vie. En théorie, Jay pouvait attendre d'être forcée de se défendre, mais une réaction n'était jamais aussi convaincante qu'une révélation. Mieux valait que Magda entende d'abord la version de Jay plutôt que celle de Corinna. Cependant, elle voulait choisir son moment. Dans un cadre romantique, avec de la bonne nourriture et du bon vin, pas d'obligation de se lever le lendemain matin. C'était comme ça qu'il fallait s'y prendre.

Mais le luxe d'avoir le choix lui fut enlevé alors qu'elle s'apprêtait à quitter le bureau. La sonnerie de son téléphone personnel annonçant un nouveau SMS retentit. S'attendant à un message de Magda, Jay prit le téléphone avec empressement. Mais le nom inscrit à l'écran était en fait le dernier qu'elle avait envie de voir. Sous ce nom tant redouté, les premiers mots du message : *Charlie Flint n'abandonne pas. Elle va demain...* Impatiente, Jay fit apparaître le message complet : *Elle va demain à Roker. Et on sait toutes les deux ce qu'elle peut découvrir là-bas, n'est-ce pas ? Il est temps de prendre les choses en main.*

Jay fixait l'écran comme si la force de son regard pouvait rendre ces mots inoffensifs. Il était désormais trop tard pour ses plans soigneusement préparés. Il fallait que ce soit ce soir. Il n'y aurait pas de champagne pour fêter l'organisation du déménagement, ni de joyeuses négociations quant à la place des affaires de chacune dans les armoires à vêtements et dans la bibliothèque. Jay pouvait préparer aussi prudemment qu'elle le voulait la version de sa vie qu'elle allait livrer à Magda, celle-ci allait profondément transformer leur relation. Si elle ne trouvait pas les mots justes, elle pouvait facilement le lendemain matin se retrouver forcée d'annuler le déménagement qu'Anne venait d'organiser. La vérité, assurément. Mais pas toute la vérité et rien que la vérité. Ce serait fatal.

Jay appuya sur l'interphone et s'adressa à son assistante : « Anne, j'ai besoin qu'on me livre à dîner chez moi. Passez ma commande habituelle, en ajoutant des cœurs d'artichauts et une baguette au lieu des ciabattas. Je pars maintenant mais j'ai besoin de marcher, donc n'importe quand à partir de six heures. » Magda ne rentrerait pas avant sept heures ; le fait de se faire livrer le dîner laissait Jay libre de mettre au point ce qu'elle allait dire.

Elle prit son temps pour rentrer et fit un détour par le bord du fleuve pour laisser le balancement de l'eau calmer son anxiété. Le ciel gris et bas ainsi que l'air lourd semblaient en lisser la surface et lui donner une apparence reptilienne, avec ses profondes ondulations hypnotiques qui avançaient tel un orvet géant. Ce mouvement semblait inévitable, inexorable et toutefois étrangement relaxant. Quand Jay arriva chez elle, son agitation était passée, et elle était à présent bien décidée à ce que la soirée se déroule comme elle l'entendait.

Une fois à l'intérieur, elle s'accouda à la rambarde du balcon avec un verre de vin rouge jusqu'à l'arrivée de la livraison. Puis elle disposa soigneusement la nourriture sur le bar américain en granit pour rendre l'assortiment de viande, de fromage et de légumes aussi alléchant que possible. C'était le genre de tâches qui plaisaient à Jay ; un simple spectateur aurait eu l'impression qu'elle y accordait toute son attention, mais en vérité, son esprit était encore assez disponible pour résoudre le plus épineux des problèmes. Une fois qu'elle fut satisfaite de l'aspect de la collation, elle s'allongea à plat ventre sur le sol et se lança dans une série d'étirements de la méthode McKenzie pour garder souple le bas de son dos et éviter les douleurs. Elle savait d'expérience qu'elle finirait par payer cher une tension excessive, à moins de prendre des dispositions préventives. La dernière chose qu'elle voulait, c'était que Magda se mette à penser qu'elle s'était casée avec une vieille peau.

Il était tout juste sept heures passées quand Magda rentra. « S'il te plaît, dis-moi qu'il y a une bouteille ouverte, gémit-elle en pénétrant dans la cuisine.

— Ouverte, aérée et à la température parfaite », répondit Jay en lui servant un verre. Magda la prit par-derrière dans ses bras et enfouit son visage dans son cou, puis elle relâcha son étreinte et se saisit du verre.

« Parfait, dit-elle après avoir bu une petite gorgée. Et quel festin ! Je n'ai rien mangé depuis le petit déjeuner à part un morceau du gâteau d'anniversaire d'un petit de huit ans. » Elle tendit le bras vers les olives. « Mmm. Tu es la femme de mes rêves. » Elle grignota une olive noire et sauta sur le tabouret à côté de Jay. « C'était comment ta journée ?

— C'est maintenant le meilleur moment », répondit-elle en passant une assiette à Magda. Elle alla au frigidaire chercher un bol de salade qu'elle aspergea d'une huile d'olive qui avait coûté plus cher qu'un champagne millésimé.

« À cause de la salade ou de moi ? » la taquina Magda.

Jay prit une jeune pousse de betterave dans le saladier et la savoura en fronçant les sourcils. « La salade indéniablement. »

Magda rigola. « Tu as vraiment bon goût.

— Anne a pris rendez-vous pour que les déménageurs viennent mardi prochain, indiqua Jay en se rasseyant et remplissant son assiette. Ils emballeront les vêtements, les livres, les CD, les affaires de toilette, tous tes effets personnels en gros. Tout ce que tu ne veux pas laisser pour les locataires, comme tes jolis verres ou tes objets d'art, mets-les de côté avant ça et ils les apporteront aussi. »

Magda se pencha en avant et embrassa Jay sur l'oreille. « Tout est si facile avec toi.

— Tout est si facile avec de l'argent, ironisa Jay. Il n'y a pas grand-chose sur le plan pratique qui ne puisse s'arranger avec de l'argent.

— Ce n'est pas si simple, répliqua Magda. Grâce à Philip, je peux me payer toutes sortes de choses – et j'espère que tu vas me donner la facture pour ça, d'ailleurs –, mais toi tu te charges de l'organisation, ce qui est vraiment le plus difficile.

— Merci. Mais ça me rend heureuse d'arranger les choses pour toi. Vraiment. » Elle caressa les cheveux de Magda en laissant ses doigts dévier vers la peau délicate en dessous de son oreille. Magda eut un frisson de plaisir. « Mange, maintenant. Il faut te maintenir en forme. »

Magda gloussa. « Sans blague. » Pendant un moment, elles s'appliquèrent à manger et la conversation porta sur les plaisirs de la nourriture ; l'intensité d'une tomate séchée, la subtilité d'un cœur d'artichaut grillé, le parfum de noisette d'un jambon de Parme et l'âcreté d'un fromage. Pour les deux femmes, la nourriture avait rapidement pris une place centrale dans leur vie commune. Elles avaient toutes deux un goût prononcé pour le plaisir sensuel de la bonne chère ; et toutes deux auraient préféré se passer de manger que de consommer des mauvais produits. « Je mangerais volontiers de la nourriture bon marché, avait un jour expliqué Jay à un journaliste. Mais je ne mangerai jamais de la nourriture de mauvaise qualité. Ça coûte beaucoup plus que de l'argent au bout du compte. »

Magda termina la dernière lamelle de poivron rouge grillé au feu de bois et soupira. « C'était un délice. Laisse-moi m'occuper des restes et du lave-vaisselle, va te détendre. Lundi soir, *University Challenge*, c'est ça ? »

Un nouveau prétexte pour repousser le moment fatidique, songea Jay. Puis il y aurait autre chose, elle en était sûre. Avant même qu'elle s'en aperçoive, il serait trop tard pour entamer la conversation ce soir-là. Et si Charlie Flint parvenait à trouver ce que personne d'autre n'avait jamais découvert à Roker, il serait définitivement trop tard. « Il faut que je te parle », déclara-t-elle, ignorant les tentatives que faisait Magda pour l'empêcher de ranger.

Magda cessa de déverser les restes de salade dans la poubelle et adressa un regard inquiet à Jay. « Qu'est ce qui ne va pas ?

— Finissons ça, puis on s'assiéra.

— Ça a l'air grave », constata Magda.

Jay savait s'en rendre compte quand on essayait de la faire parler, mais elle n'était pas prête de céder. Elles feraient cela à sa manière. « On en a pour un rien de temps », dit-elle en chargeant la vaisselle sale dans la machine. Les gens se demandaient parfois pourquoi une femme aussi fortunée qu'elle s'occupait elle-même des tâches de cuisine quotidiennes. Pour Jay, c'était un tout petit compromis pour pouvoir préserver son intimité. Elle ne pouvait imaginer avoir la conversation qu'elle s'apprêtait à avoir avec sa compagne s'il y avait eu quelqu'un d'autre sous son toit.

Elles finirent de ranger en un temps record et Jay se rassit au bar, en faisant cette fois signe à Magda de s'installer en face. « C'est une chose dont il est difficile pour moi de te parler, commença Jay, joignant les mains et croisant le regard inquiet de Magda.

— Il n'y a rien que tu ne puisses pas me dire », indiqua Magda d'une voix moins assurée que ses paroles.

Si seulement. Jay prit un ton doux et triste, et l'air sérieux. « Je crois que j'ai découvert pourquoi ta mère m'a bannie il y a tant d'années. Et pourquoi elle est si hostile à l'idée qu'on soit ensemble. Et ça n'a rien à voir avec mon homosexualité. »

Magda écarquilla les yeux de surprise et se redressa. « Comment ça ? Qu'est-ce que ça pourrait être d'autre ? »

Jay eut un sourire crispé, les sourcils levés d'un air contrit. « Ce n'est pas une blague, d'accord ? C'est vraiment ce qu'elle pense. » Elle attendit. Magda plissa le front, perplexe. « Ta mère pense que je suis une meurtrière. »

Magda resta bouche bée d'incrédulité. « Une meurtrière ?

— Mieux encore, elle pense que je l'ai fait plus d'une fois. Elle pense que je suis une sorte de tueuse en série. » Jay sourit et haussa les épaules en ouvrant les mains dans un geste d'innocente incompréhension.

Magda bégaya et bredouilla, puis parvint finalement à former des mots cohérents. « Une tueuse en série ? Toi ? C'est insensé. Pourquoi dis-tu ça ? Comment peux-tu penser ça ?

— Ce n'est pas moi le problème ici, chérie. C'est Corinna qui a ces idées folles, pas moi. »

Magda secoua la tête comme pour en chasser une idée déplaisante. Elle se passa les mains sur le visage et dans les cheveux. « Je n'ai jamais rien entendu d'aussi... d'aussi... d'aussi ridicule. D'où est-ce qu'elle lui vient, cette idée folle et débile ? »

Jay soupira. « Laisse moi essayer de tout te raconter depuis le début.

— Tu crois que ça peut rendre les choses plus compréhensibles ? Jay, j'ai l'impression d'être tombée dans le terrier de lapin d'*Alice au pays des merveilles*.

— Ce n'est pas vraiment facile pour moi non plus. C'est moi qui suis censée être une meurtrière psychopathe multirécidiviste, après tout.

— Bien sûr, je suis désolée, c'est juste tellement fou. Je t'écoute, je t'écoute. » Magda secoua la tête tant elle n'en revenait pas.

Jay leur resservit du vin. « Tout cela remonte à l'époque où j'étais candidate à la présidence du bureau des étudiantes. Ma principale adversaire était une rameuse du nom de Jess Edwards. Juste avant l'élection, elle a eu un accident. Tôt le matin, elle était seule au hangar à bateaux. Elle s'est cogné la tête sur l'appontement, est tombée dans l'eau et s'est noyée. C'était un accident pur et simple. Il y a eu une enquête : mort accidentelle. Il ne m'est jamais venu à l'esprit que quelqu'un pourrait imaginer autre chose. » Jay se frotta le front. « Ce que je n'ai jamais su à l'époque, c'est que Corinna a vu quelqu'un dans la prairie vers l'heure où Jess est morte. Dans l'obscurité et la brume matinale, elle a cru que c'était moi. » Elle eut un rire sec qui ressembla plus à une toux. « Elle a cru que j'avais tué Jess Edwards pour pouvoir devenir présidente du bureau des étudiantes. »

Une expression d'incrédulité plissa le visage de Magda. « Elle pense que tu es le genre de personne capable de tuer quelqu'un ? Et pour une raison aussi pitoyable ?

— C'est le plus dur à croire : qu'elle ait pu si facilement avoir une aussi basse opinion de moi. » Jay se mordit la lèvre et afficha un air abattu.

« C'est le plus dur ? Jay, je me démène pour trouver la partie facile. Tu es en train de dire que ma mère a cru que tu avais tué quelqu'un. Mais elle n'en a rien dit ? Elle n'a pas appelé la police ? Tout de même...

Enfin, comment pourrait-on croire ça et ne rien faire ?

— C'est dément, hein ? Mais tu dois te souvenir que c'était il y a dix-sept ans, et j'en entends seulement parler pour la première fois. Donc tout ce que j'ai comme éléments, c'est ce qu'on m'a dit. C'est-à-dire pas beaucoup. Je ne sais pas pourquoi elle n'est pas allée prévenir la police, mais au lieu de ça, elle m'a exclue de sa vie. Et par extension, de ta vie.

— Je n'en crois pas mes oreilles. Toute cette histoire est complètement folle. C'est comme un univers parallèle. Tu dis que tu viens d'apprendre ça. Qui te l'a dit ? Corinna t'a-t-elle accusée ? Comment sinon ? »

Jay secoua la tête d'un air las. « Non. J'aurais préféré. À vrai dire, j'aurais même préféré qu'elle aille voir la police, déclara-t-elle avec une véhémence qui permettait difficilement de douter d'elle. Tout cela aurait alors pu être tiré au clair il y a des années. Quelle que soit la personne qu'elle a vue, ce n'était pas moi. Elle m'a punie pour un crime que je n'ai pas commis.

— Mais si ce n'est pas Corinna, alors qui te l'a dit ?

— J'ai reçu un coup de fil aujourd'hui de quelqu'un que j'ai connu autrefois. Cette vieille amie connaît une psychiatre du nom de Charlie Flint.

— Charlie Flint ? Elle était chez ma mère samedi dernier. Tu te souviens ? Je t'ai parlé d'elle. Elle est lesbienne, elle a été vraiment gentille avec moi. »

Jay fit un sourire sans joie. Son visage perdit alors toute chaleur et se transforma en un dangereux masque sardonique. « Exactement. Elle a été vraiment gentille avec toi parce que c'est à elle que ta mère a demandé d'enquêter sur moi. »

Magda prit sa tête entre ses mains et enfonça ses doigts dans son cuir chevelu. « C'est de pire en pire. Tu es en train de me dire que Charlie a été gentille avec moi parce qu'elle nous espionne ?

— Pas nous. Moi. D'après ma source, ta mère veut nous séparer. Elle a donc confié à Charlie la tâche de fouiller dans mon passé et de prouver que je suis une tueuse en série. Pour que quand elle dévoilera l'horrible vérité, tu t'enfuies à toutes jambes. »

Magda rigola, produisant un son singulier qui n'avait rien à voir avec de la joie. « Mais alors putain, qui es tu censée avoir tué ? Mise à part cette rameuse ? »

Jay énuméra sur ses doigts : « D'abord, Jess. Puis Kathy. Mon ancienne associée. Je t'en ai parlé.

— L'accident d'alpinisme ? Mais tu n'avais pas le choix. Ce n'était pas un meurtre. Comme tu m'as dit, le juge a déclaré que tu avais fait la seule chose que tu pouvais faire pour sauver ta peau. Ce n'est en aucun cas un meurtre !

— Je sais. Mais Charlie Flint a passé le week-end à Skye, pour tenter apparemment de prouver le contraire. » Jay but un peu de vin et frissonna. « C'est horrible, l'idée que j'aie pu tuer délibérément Kathy. C'était mon amie, bon Dieu ! Je sais qu'on n'a pas toujours été d'accord en affaires, mais on ne pousse pas quelqu'un du haut d'une foutue montagne pour ça ! » Elle eut un petit rire moqueur. « En plus, ce n'est pas exactement un moyen sûr de tuer quelqu'un. Les gens survivent parfois quand ils tombent d'une montagne. Si j'étais du genre à tuer, j'aime à croire que je serais assez intelligente pour choisir une meilleure méthode. » Elle se frotta les yeux d'une main, comme pour écraser une larme. « Kathy. Incroyable.

— C'est affreux, souligna Magda en serrant fort la main libre de Jay dans la sienne.

— Et puis il y a Ulf Ingemarsson, dit Jay. Au moins, lui a vraiment été assassiné. Même si ce n'est pas par moi, évidemment.

— Qui est-ce ? Je n'ai jamais entendu parler de lui. Ou d'elle.

— Ulf Ingemarsson était un programmeur suédois qui a eu une idée très similaire à celle de 24/7. Avant notre lancement, on a parlé avec lui d'acheter sous licence le logiciel qu'il mettait au point. Il aurait bien fonctionné avec ce qu'on avait en tête. Mais on n'a pas réussi à se mettre d'accord sur les termes. Quelque temps plus tard, il a été tué au cours d'un cambriolage dans la maison où il était en vacances en Espagne. C'est ce que dit la police espagnole. » Au fur et à mesure que la colère perçait dans sa voix, le récit de Jay montait en puissance. « Ils n'ont pas pu déterminer le jour exact où il était mort, mais mon emploi du temps était chargé de rendez-vous toute cette semaine-là. Comme je t'ai dit, c'était avant le lancement du projet et je tâchais désespérément de tout mettre au point. Je n'avais pas le temps de filer dans un village de montagne espagnol pour liquider notre prétendu concurrent. Qui n'en était en fait pas un car il n'avait ni le sens des affaires ni les contacts à l'étranger pour que ça marche. » Jay leva les mains au ciel, exaspérée.

Magda fronça les sourcils. « Alors comment tu t'es retrouvée mêlée à cette histoire ? Si la police a dit que c'était un cambriolage ?

— Ingemarsson avait une petite amie qui a développé une obsession au sujet de 24/7. Elle pense que je l'ai tué ou que je l'ai fait tuer pour ses programmes. Parce que Kathy était le cerveau en informatique à l'origine de topdepart.com et qu'elle n'était plus là. Alors bien sûr, j'allais devoir voler cette expertise, dit-elle d'un ton sarcastique. Comme si Vinny Fitz ne pouvait pas écrire du code. Complètement ridicule. La petite amie essaie encore d'engager un procès en assises ou au civil contre moi, mais elle échoue toujours au premier obstacle. C'est absurde d'un bout à l'autre.

— Je ne comprends pas. Comment ma mère se mettrait-elle de telles inepties en tête ? »

Jay sortit une autre bouteille de rouge de la réserve à vin et l'ouvrit en répondant. « Il n'y a rien de secret là-dedans. À première vue, il semble que les gens qui se placent entre moi et ce que je veux ont la fâcheuse habitude de mourir. Bien sûr, c'est sans tenir compte de toutes les personnes qui ont contrarié mes projets et qui ont survécu. » Elle eut un sourire en coin et plissa les yeux. « Je n'ai tué personne, Magda, mais il y a eu des rumeurs. Surtout en ce qui concerne Kathy et Ulf Ingemarsson. Fouille suffisamment sur Internet et tu trouveras toujours des théories du complot à propos de toutes sortes de conneries. Étant donné qu'elle croyait déjà que j'avais tué Jess, je suppose que Corinna a eu envie de fouiller. »

Magda grogna. « Je n'arrive pas à croire que c'est de ma mère qu'on est en train de parler. Si elle a un problème avec ma copine, c'est à moi qu'elle doit s'adresser, pas à une quasi-inconnue. Je ne comprends pas ce qui se passe. »

Jay but une autre gorgée de vin et ferma les yeux. « J'imagine qu'elle a peur. » Elle rouvrit les yeux et fixa Magda du regard. « Parce qu'il y a une autre mort qu'elle essaie de me mettre sur le dos. »

Elle vit la terreur sur le visage de Magda. « Oh non. Non. Ce serait... » Elle parut sur le point de fondre en larmes. « Pas Philip. Dis-moi qu'elle ne croit pas que tu as tué Philip. »

Jay hocha la tête. « J'en ai bien peur. C'est ironique, n'est-ce pas ? Il est presque certain qu'il s'est fait tuer pendant qu'on était ensemble. Tu es mon alibi. Même s'il n'aurait plus beaucoup de poids aujourd'hui, maintenant que tu couches avec moi. Heureusement que le tribunal a cru que Paul et Joanna étaient coupables. Autrement, ta foutue mère serait sans doute au poste de police en train d'exiger qu'ils m'arrêtent. » Ce soudain accès d'amertume prit Jay par surprise. Elle avait réussi à contenir sa rage jusque là, mais celle-ci menaçait à présent d'exploser. Et elle ne pouvait se le permettre. Exposer Magda au déluge de fulmination furieuse qui l'animait ne ferait que l'effrayer. Cela lui ferait peut-être même se demander s'il n'y aurait pas un fond de vérité dans ce que sa mère insinuait.

Magda se leva d'un bond. « Je vais immédiatement l'appeler. Il faut qu'elle mette un terme à tout ça. C'est scandaleux. C'est de la calomnie, putain de merde ! »

Jay se leva promptement pour l'arrêter, lui saisissant les poignets d'un geste ferme mais pas brutal. « Non, fit-elle d'une voix douce. Non, Magda. Ça ne fera qu'empirer les choses. Je ne cherche pas à provoquer une guerre entre toi et ta famille.

— C'est elle qui provoque une guerre. Je ne tolérerai pas ça, Jay. Je ne laisserai personne fouiner pour tenter de salir ta réputation. » Magda essaya de se libérer, mais Jay tint bon.

« S'il te plaît, Magda. Ne fais pas ça. Si je t'ai raconté ça, ce n'était pas pour que tu prennes parti. Je sais que tu m'aimes. C'est parce que j'ai confiance en toi que j'ai pu te dire tout ça. » Elle lâcha un poignet et attira Magda à elle. Elle sentit leurs cœurs qui battaient en contrepoint. Son corps canalisa la tension de celui de Magda ; elle la sentit se relâcher. « La seule raison pour laquelle je t'ai dit cela, c'est pour que tu saches la vérité. Corinna ne va rien trouver contre moi parce qu'il n'y a rien à trouver, parce que je n'ai tué personne.

— Mais, Jay…

— Chut. Elle finira par se résigner si elle a un peu de bon sens. » Jay posa une demi-douzaine de petits baisers sur la bouche de Magda. Réconfort. « Mais dans le cas contraire… Eh bien, tu connais déjà la vérité. Ce ne sera pas un choc pour toi. » *Mieux vaut que tu te sentes trahie par Corinna que par moi.* « Je sais que c'est un coup terrible pour toi. Mais on est hors de danger, toi et moi. Charlie Flint peut regarder où elle veut, interroger qui ça lui chante. Mais elle ne peut pas nous faire de mal.

— Mais, et si… » Magda se blottit contre Jay, qui lâcha son autre poignet. Elles étaient serrées dans les bras l'une de l'autre, corps à corps.

« Et si rien du tout. Je te l'ai dit, il n'y a rien à trouver. »

Magda se recula pour pouvoir regarder le visage de Jay. « Il n'y avait rien à trouver non plus contre Joanna et Paul. Jusqu'à ce que tu crées quelque chose. »

Ce fut un moment atroce et terrifiant. Jusque-là, Jay n'avait jamais vraiment envisagé que Corinna Newsam puisse être aussi impitoyable qu'elle. Elle sentit ses traits se figer. Pendant un instant, elle ne trouva rien à dire. « Corinna ne ferait pas ça, dit-elle finalement. Elle ne saurait pas par où commencer. »

Les yeux de Magda étaient agrandis par la peur. « Elle non, tu as raison. Mais Charlie Flint peut-être. »

12

Mardi

Lorsque Charlie se mit en route ce matin-là, elle n'avait perdu qu'un peu de son optimisme. À son grand étonnement, quand elle était rentrée la veille au soir, Maria s'était montrée on ne peut moins enthousiaste concernant sa visite dans le Nord-Est. « Je crois que tu devrais attendre un jour ou deux, avait-elle dit quand Charlie s'était effondrée à côté d'elle sur le lit. Regarde-toi. Tu es épuisée. Après toutes ces heures de conduite ce week-end, tu es allée à Londres et à Oxford aujourd'hui. Rien ne presse, Charlie. Quoi qu'il se soit passé à Roker, ça remonte à vingt ans. Ce ne sont pas deux ou trois jours qui vont changer quelque chose.

— Je sais, mais je ne veux pas perdre mon élan, expliqua Charlie en se blottissant contre Maria pour trouver du réconfort dans les courbes et les angles familiers de son corps.

— S'il te suffit de prendre deux jours de pause pour perdre ton élan, ça en dit long sur ton enthousiasme, répliqua Maria, pince-sans-rire.

— Et puis, il y a toujours le risque que Corinna médite d'ici demain et décide qu'elle n'est pas aussi convaincue qu'elle le croyait. Si elle s'explique avec Magda et que Jay découvre ce qui s'est tramé, elle pourrait elle-même aller dans le Nord-Est pour s'assurer que je ne trouve pas tout ce qu'elle ne voudrait pas qu'on trouve. »

Maria s'écarta brusquement d'elle et se redressa avec un air horrifié. « Elle s'en prendrait à toi ?

— Ce n'est pas ce que j'ai dit. Et ce n'est pas ce que j'ai voulu dire. » La dernière chose dont elle avait besoin, c'était que Maria juge maintenant bon de la surprotéger. Charlie leva les yeux au ciel. « Je voulais juste dire qu'elle s'assurerait qu'il n'y a rien à trouver. C'est tout.

— On parle quand même de la femme que Nick et toi pensez être une tueuse. D'après toi, elle tue les gens qui se mettent sur son chemin. Or c'est exactement ce que tu es en train de faire. Bon sang, Charlie, comment peux-tu seulement envisager de monter là-haut s'il y a le moindre risque qu'elle s'en prenne à toi ?

— Elle ne va pas s'en prendre à moi, Maria. Pour commencer, trop de gens savent que j'ai enquêté sur les morts dans son passé. Seul un crétin fini penserait pouvoir me liquider sans se retrouver au cœur d'une vaste enquête hautement ciblée. Et Jay Stewart est tout sauf une imbécile. » Charlie passa un bras autour de la taille de Maria et la serra contre elle. « Tu t'inquiètes trop.

— Non, dit Maria, désormais fâchée. Je ne m'inquiète pas trop. Je suis loin de m'inquiéter assez pour toi. S'il y a ne serait-ce qu'une chance que Jay Stewart se rende dans le Nord-Est, je ne veux pas que tu y ailles. La mort semble la suivre partout où elle va. Même si elle ne s'en prend pas à toi, avec ma chance, tu vas te faire emporter par un tsunami ou quelque chose du genre.

— Il n'y a pas de tsunamis dans le Tyne and Wear, précisa Charlie en riant. Il ne va rien m'arriver de mal, je te le promets.

— Tu es déterminée, hein ? Il n'y a rien que je puisse dire pour te faire changer d'avis ? »

Charlie secoua la tête. « Je crains que non. Ce truc me colle à la peau. Il faut que je le poursuive jusqu'au bout.

— Alors pourquoi ne pas attendre le week-end, que je puisse t'accompagner ? Jay ne va pas s'en prendre à toi s'il y a quelqu'un d'autre avec toi, si ? »

Charlie sentit en elle une vague de ferveur envers Maria. À cet instant, l'idée de se séparer d'elle pour laisser la voie libre à Lisa lui était incompréhensible. Si elle parvenait à rester à distance de Lisa, si elle pouvait refuser d'alimenter son désir pour elle, elle pourrait le surmonter, Charlie en était convaincue. Maria ne saurait jamais. Elle nc serait jamais forcée d'imaginer l'extrême souffrance que Charlie avait songé à lui infliger. « Tu es adorable, dit-elle. Et je t'aime pour ça. Mais je ne peux pas attendre jusqu'au week-end. Je ne sais pas encore à qui je vais devoir parler, mais il y a de grandes chances pour que certains endroits où il faut que j'aille ne soient pas ouverts le week-end. Les bureaux du journal local, par exemple. Écoute, tout va bien se passer. Tu me connais, ma belle. Je ne prends pas de risques stupides. » Elle frotta sa tête contre la poitrine de Maria.

« C'est ce que j'ai toujours cru, dit Maria. Mais quand je t'entends parler comme ça, je n'en suis plus si sûrc. » Elle caressa les cheveux de Charlie. « Je t'aime. Je ne veux pas qu'il t'arrive du mal.

— Et ça n'arrivera pas. Tu crois que si c'était si dangereux Nick me laisserait y aller ? Il sait ce que je compte faire et il n'a pas essayé de m'arrêter. » Bon, c'était presque vrai.

Et Maria avait donc cédé. Mais cette discussion avait émoussé l'enthousiasme que l'illumination de Charlie avait provoqué chez elle. Elle venait de dépasser York quand Nick l'appela. « Bonjour, Charlie, lança-t-il gaiement. J'ai eu ton message hier soir. Tu es sûre que tu ne veux pas attendre que j'aie un jour de congé pour que je puisse t'accompagner ?

— C'est gentil à toi de proposer, Nick. Mais je ne pense pas que Corinna va s'empresser de s'expliquer avec Jay. Donc il n'y a pas de raison de s'inquiéter, comme je n'arrête pas de le répéter à Maria. En plus, je suis déjà en route. »

Nick gloussa. « Je n'imaginais pas Jay en train de te pourchasser comme une furie vengeresse. Je me disais juste que les flics locaux seraient peut-être plus coopératifs si tu étais accompagnée d'un homme avec une carte de police.

— Tu as sans doute raison. Mais je veux juste tirer les choses au clair. » Charlie se rangea sur la voie du milieu où la conduite était un peu moins dangereuse. Même avec un kit mains libres, il n'était pas simple de faire plusieurs choses à la fois quand la conversation demandait de la concentration. « Je ne m'attends pas vraiment à trouver de nouveaux éléments dans une affaire de disparition vieille de vingt ans. C'est juste que... je parlais de Jay avec une amie à moi, Lisa Kent. Elle est thérapeute... elle tient SV, la société qui organise des séminaires pour l'épanouissement personnel.

— J'en ai entendu parler, oui.

— Eh bien, elle a connu Jay il y a des années, quand elles étaient toutes les deux étudiantes. Bref, elle a parlé du fait que les problèmes de Jay étaient tous liés à sa mère. Rien de très révélateur – si j'y avais réfléchi, j'aurais dit exactement la même chose, c'est élémentaire. Mais dans le contexte de mes réflexions, ça a fait tilt et je me suis dit : "Bien sûr. Et si c'est une meurtrière, il est tout à fait possible que sa mère soi-disant disparue soit sa première victime." J'ai donc décidé d'aller jeter un œil.

— Et est-ce que beaucoup de tes patients commencent par assassiner leur mère ? »

Ce fut au tour de Charlie de glousser. « Je crois que ça arrive bien plus souvent qu'on ne le sait. Et alors, tu as réussi à trouver quelqu'un à qui je peux m'adresser ?

— Comme tu l'as dit, c'était il y a vingt ans. Mais il y a un avantage à cela, de même qu'un inconvénient évident, à savoir qu'il est peu probable qu'il y ait des gradés encore en service. » Il marqua une pause dans l'attente d'une réaction.

Charlie fit la réponse qu'il attendait. « Quel est l'avantage ?

— Ça fait tellement longtemps qu'il est aussi peu probable qu'il y ait quoi que ce soit de sensible dans le dossier. Et puisque tu es témoin expert accréditée par le ministère de l'Intérieur...

— Tu ne peux pas dire ça. Je suis suspendue, protesta Charlie.

— Mince, je savais bien que j'oubliais quelque chose. Ne t'en fais pas Charlie, ils en ont rien à foutre pour des pièces de dossier de 1990. Si jamais quelqu'un te chicane, dis-lui que j'ai une mémoire de poisson rouge. Écoute, ça va bien se passer. C'est pas comme si tu ne savais pas comment te tenir dans un poste de flics.

— Alors ils attendent ma venue ?

— Oui. C'est un dossier tellement vieux qu'il n'est plus stocké au commissariat local ni au QG. Ils ont un entrepôt dédié à ça près du QG à Ponteland. Je vais t'envoyer l'adresse et les indications pour y aller par SMS. La femme qui tient l'endroit est un sergent retraité. Elle s'appelle Hester Langhope. Elle veut que tu la préviennes une heure avant ton arrivée. Je t'envoie aussi son numéro.

— Merci, Nick. Je te dois un grand verre.

— Comme tu dis. Au fait, comment ça s'est passé avec Corinna ?

— J'ai pris de mon propre chef la décision de la baratiner. Je lui ai dit qu'il n'y avait pas de preuves parce que Jay n'avait rien fait. »

Il y eut un long silence, puis Nick dit : « C'est aussi bien que tu ne fasses pas ça pour gagner ta vie. Je ne crois pas que les détectives privés soient censés raconter des salades. Je croyais qu'on avait décidé qu'elle les avait sans doute tous tués ? Qu'on n'avait simplement pas assez de preuves ?

— En effet. Mais ce n'est pas une bonne idée de rendre un verdict de non-lieu à une personne qui a déjà déclaré qu'elle préférerait faire justice elle-même plutôt que de rester les bras croisés alors que sa fille est à la colle avec une femme qu'elle considère comme l'équivalent lesbien d'Hannibal Lecter. Alors tant que je n'aurai pas quelque chose qui ressemble à une preuve solide, le plus raisonnable sera de continuer à mentir à Corinna. » Charlie ralentit pour laisser une camionnette blanche se glisser devant elle alors que les trois voies se réduisaient à deux.

« Et l'idée que Magda Newsam soit sous le même toit que Jay ne te gêne pas ?

— On croirait entendre Corinna. Je ne pense pas que Magda soit en danger. Apparemment, elles sont folles l'une de l'autre. Et puis Jay ne commet pas de crimes passionnels. Ses meurtres sont strictement fonctionnels. Ils lui servent à obtenir ce qu'elle veut. Et dans l'immédiat, elle l'a. Allez, Nick, tu as soi-disant fait une licence en psycho, tu devrais être aussi sûr de ça que moi.

— Je suppose, dit-il. D'accord. Je t'envoie ces trucs par SMS maintenant. Appelle-moi quand tu auras fini tes recherches. »

Charlie comprit vite comment Hester Langhope s'était retrouvée à passer sa retraite à gérer l'entrepôt de preuves et d'archives pour la police de Northumbrie. Au bout de seulement quelques minutes en sa présence, il était évident qu'elle alliait une terrifiante efficacité à une intime chaleur humaine qui donnait envie de s'asseoir et de se décharger de tous ses malheurs. Non qu'elle eût une apparence maternelle. Elle était grande et élancée avec ce type de coupe de cheveux et de maquillage qui exigent le minimum d'obligations matinales. Son jean était propre et repassé, son polo de la police de Northumbrie impeccable et ses baskets luisaient dans la lumière fluorescente.

Bien qu'elle approchât manifestement de la soixantaine, Langhope avait encore une démarche d'athlète.

Lorsque Charlie arriva, Langhope était au guichet de l'entrée pour l'accueillir. Après avoir inspecté ses papiers, elle conduisit Charlie dans les entrailles d'un entrepôt bourré d'étagères chargées de dossiers. En chemin, Langhope demanda à Charlie si elle avait fait bonne route avec un intérêt sincère selon toute apparence. Elle la fit entrer dans un bureau désert tout au bout de l'entrepôt. Il contenait une table, deux chaises, une boîte d'archivage. Langhope ouvrit la boîte et passa le couvercle à Charlie. Pendant un instant, elle fut déroutée, jusqu'à ce qu'elle se rende compte qu'à l'intérieur était scotché un registre des personnes qui avaient examiné ce dossier. « Vous devez signer, indiqua Langhope. Vous verrez l'historique des mises à jour. Après que l'enquête a été suspendue, il y a eu une mise à jour annuelle pendant les cinq premières années. Puis tous les deux ans pendant les six suivantes. Maintenant c'est tous les cinq ans. Vous verrez que la dernière date de 2008. » Elle tapa sur le couvercle avec son bic. « PNA. Pas de nouvelle activité.

— Je ne m'attends pas vraiment à trouver quoi que ce soit, expliqua Charlie.

— Le sergent Nicolaides m'a dit que vous recherchiez de potentielles victimes d'un criminel en série.

— C'est exact. Jenna Stewart correspond au profil. Je veux voir s'il y a des recoupements possibles. Les chances sont minces. »

Langhope sourit. « Mais c'est parfois là que ça paie. Je vous laisse. Je suis désolée, mais je dois vous enfermer pour des raisons de sécurité. » Elle désigna du doigt un bouton sur le mur à côté de la porte. « Si vous avez besoin de quoi que ce soit – café, toilettes, sortir pour fumer –, appuyez simplement sur la sonnette et quelqu'un viendra vous chercher. »

Charlie était impressionnée. Dans la plupart des entrepôts de preuves où elle avait été, on partait du principe que si vous étiez dans le bâtiment, vous étiez digne de confiance. L'expérience avait montré à quel point cette confiance avait bien souvent été trop vite accordée. Mais personne ne pouvait quitter ces lieux avec les trésors d'Hester Langhope. Pas à moins d'avoir d'abord signé un reçu. Avec un soupir, Charlie retira le tas de papiers qui emplissait la boîte et se mit au travail.

Voici à quoi cela se résumait. Tout avait semblé normal dans la maison Calder le matin du vendredi 11 octobre 1990. Howard Calder était parti prendre le bus pour se rendre à son travail à huit heures cinq comme d'habitude. Jay – ou Jennifer, comme on l'appelait alors – avait traîné pour prendre son petit déjeuner, se plaignant d'un mal de dents. Sa mère avait appelé le dentiste à huit heures et demie et pris un rendez-vous en urgence à neuf heures vingt. Jenna avait écrit pour sa fille un mot à remettre à l'école afin de justifier son retard, puis lui avait donné de quoi payer le bus pour être sûre qu'elle arriverait à l'heure chez le dentiste. C'était la dernière fois que Jay avait vu sa mère. Après son rendez-vous chez le dentiste, Jay était rentrée à la maison car elle avait la tête qui tournait et mal au cœur. La maison était déserte, mais elle ne s'en était pas inquiétée car sa mère travaillait alors comme bénévole sur un projet de rénovation d'un immeuble voisin habité par des personnes âgées. Elle s'était couchée et avait dormi toute la journée.

Quand Howard Calder était rentré du travail, il avait été surpris de ne trouver que Jay à la maison. Jenna était toujours rentrée de son travail à temps pour préparer le repas du soir de la famille. Jay et lui avaient attendu jusqu'à six heures, puis Howard s'était rendu à pied au chantier de rénovation. Il avait trouvé l'immeuble verrouillé et désert. Il lui avait fallu près d'une heure pour retrouver le gardien, qui lui avait dit que les travaux étaient maintenant achevés. Seule une poignée de bénévoles était venue ce jour-là pour mettre la touche finale à deux ou trois appartements. Il avait reconnu Jenna à partir de la description d'Howard, mais ne s'était pas souvenu l'avoir vue ce jour-là. Elle avait travaillé sur l'appartement 4C en dernier, et il lui semblait qu'il avait été terminé la veille.

Howard était rentré chez eux, mais Jenna n'avait toujours pas reparu ni téléphoné. Il avait décidé d'appeler la police pour signaler sa disparition. Charlie s'imagina à la place de l'agent qui avait pris l'appel. Encore une femme qui en avait eu marre de son mari qui ne pouvait croire qu'elle aurait le culot de le laisser tomber. L'agent avait suggéré à Howard de vérifier s'il manquait certains des effets personnels de sa femme. Jusque-là, l'idée n'était même pas venue à Howard que Jenna avait pu le quitter.

Il ne lui avait pas fallu longtemps pour se rendre compte de ce qu'il manquait. Une petite valise, des sous-vêtements et quelques chemisiers, sa brosse à dents et ses affaires de toilette, son passeport, son acte de naissance et une photo encadrée de Jay à six ans. Tout ce qu'il fallait pour abandonner une vie et repartir à zéro, songea Charlie. C'était épatant de voir le peu de choses dont on pouvait se contenter.

Les policiers n'avaient pas porté grand intérêt à cette disparition, et Charlie ne pouvait leur en vouloir. Mais Howard s'était obstiné. Il avait retrouvé la trace des autres bénévoles et appris que sa femme avait été amie avec le responsable du projet, un Hollandais du nom de Rinks van Leer. Van Leer était rentré en Hollande mais devait commencer un chantier de restauration à York une semaine plus tard. Howard s'était rendu à York en comptant y trouver Jenna, mais elle n'y était pas et van Leer avait nié qu'elle ait quitté Roker avec lui.

Howard était donc retourné voir la police. Cette fois-ci, ils s'étaient montrés un peu plus attentifs. C'était inhabituel qu'une femme abandonne son enfant, même si elle avait seize ans, sans un mot ni aucun petit ami évident à rejoindre. Mais leurs recherches les avaient vite conduits dans une impasse. Ils avaient parlé à leurs homologues en Hollande mais il n'y avait aucune preuve que Jenna s'y soit rendue et il était certain qu'elle n'avait pas été avec van Leer, qui avait logé chez des amis à Leyde pendant la plus grande partie de la semaine. Aucun des autres bénévoles n'avait reconnu avoir vu Jenna le vendredi où elle avait disparu. Charlie avait la nette impression que la police se serait vite détournée du cas Jenna Calder sans les visites hebdomadaires d'Howard au poste pour exiger du nouveau. Il maintenait que même si elle était peut-être partie de son plein gré, on avait dû la tuer car rien d'autre ne pouvait expliquer son silence. Après une année de ces démarches obstinées, le dossier indiquait laconiquement : « M. Calder a été avisé que cette affaire n'était plus une priorité et qu'on le contacterait s'il y avait de nouvelles données. » Les mises à jour avaient été rigoureuses mais conventionnelles. Il n'y avait pas eu de nouvelles données.

Le dossier indiquait aussi laconiquement que la belle-fille de Calder avait déménagé deux semaines après le départ de sa mère pour être logée chez un enseignant de son lycée. Il était précisé que Jay pensait que sa mère s'était sauvée avec un amant parce que son beau-père était un « salopard tyrannique ». Elle estimait que le silence de sa mère résultait d'une volonté de ne pas donner le moindre indice à Calder quant à l'endroit où elle se trouvait. Un policier avait écrit : « Jennifer semble avoir accepté l'idée. Elle n'en veut pas à sa mère et déclare qu'elle aurait fait la même chose à sa place. »

Charlie s'adossa à sa chaise pour digérer ce qu'elle avait lu. D'un point de vue de policier, il n'y avait rien de suspect dans la disparition de Jenna Calder. Il arrivait tout le temps que des femmes et des hommes laissent tomber leur famille sans prévenir. Des livres avaient été écrits sur les conséquences du départ d'un parent ou d'un conjoint coupant les ponts avec sa vie précédente. Charlie avait eu l'occasion d'interroger des gens des deux groupes – les abandonnés et les abandonneurs – et elle avait une profonde compassion pour tous. Ce n'était donc pas surprenant qu'on ait considéré cette affaire comme un cas de disparition relativement insignifiant.

Mais si on la considérait du point de vue d'une personne recherchant d'éventuelles victimes de meurtres dans le passé de Jay Stewart, celle-ci prenait un aspect différent. Parce qu'une chose sautait aux yeux dans ce tas de pages : la description de ce vendredi matin qui apparaissait dans *Sans aucun remords* était très différente de celle contenue dans le dossier de police. D'après ce que Charlie avait lu, Jay s'était rendue à l'immeuble pour demander des explications à sa mère et à Rinks. Mais elle avait trouvé l'immeuble fermé à clé et le gardien lui avait dit que les travaux étaient terminés. Elle était rentrée chez eux, convaincue qu'elle et sa mère s'apprêtaient à laisser Roker derrière elles pour démarrer une nouvelle vie avec Rinks. Mais elle n'avait pas trouvé Jenna et ne l'avait plus jamais revue.

Charlie admettait que Jay avait pu légèrement déformer la réalité pour rendre son récit plus dramatique, bien que dans le cas présent, cela ne semblât pas avoir amélioré la qualité de l'histoire. Rapporter le rendez-vous chez le dentiste aurait pu ralentir le rythme, cependant. Et bien sûr, le grand avantage de la version du livre était qu'elle donnait à Jay un rôle plus dynamique. Au lieu d'une visite chez le dentiste suivie d'un retour chez eux, où la mère n'était jamais revenue, elle trouvait sa place dans le récit, se rendant sur le lieu même de ses rendez-vous clandestins avec Rinks.

Le point crucial restait que Jay n'avait pas d'alibi pour le jour où sa mère avait disparu. Elle était allée chez le dentiste, mais elle ne s'était pas rendue au lycée ensuite. Elle déclarait avoir passé la journée au lit après sa visite chez le dentiste, mais personne ne l'avait confirmé. D'ailleurs, rien ne prouvait non plus qu'elle avait réellement été chez le dentiste puisque personne n'avait pensé à vérifier. Si l'on ignorait le témoignage de Jay à la police ou à ses lecteurs, il n'y avait aucune raison de croire que Jenna avait même quitté la maison.

« Reprends-toi », dit Charlie à voix haute en remettant les papiers dans la boîte. Même si Jay avait tué sa mère dans la maison familiale, on ne pouvait envisager qu'une fille de seize ans ait pu se débarrasser du corps sans laisser de traces avant qu'Howard Calder ne rentre du travail. Pour avoir eu elle-même affaire à des tueurs, Charlie savait d'expérience qu'il est loin d'être simple de se débarrasser d'un cadavre, surtout dans un pays aussi densément peuplé que le Royaume-Uni. À moins que Charlie ne parvienne à élaborer un autre scénario, Jay demeurait hors d'atteinte.

Elle donna un coup de sonnette et attendit qu'Hester Langhope la libère. Une autre personne seulement pouvait avoir une opinion digne d'intérêt. Mais Charlie avait peu d'espoir qu'Howard Calder apporte un éclairage sur la mystérieuse disparition de sa femme. S'il avait eu quoi que ce soit à dire à la police, il l'aurait fait des années plus tôt. Mais au moins elle avait une adresse, grâce aux dossiers de la police.

Redescendant l'A1 en direction de Roker, Charlie appela Nick. « Pas tout à fait une perte de temps, lui expliqua-t-elle. Il y a une divergence entre ce qu'elle dit dans son livre et sa déposition à la police. » Elle lui exposa brièvement le problème. « Mais ça n'a qu'un intérêt théorique, à vrai dire. Car dans les deux cas, Jay n'a pas d'alibi d'environ dix heures du matin à cinq heures de l'après-midi. »

Nick alla droit au but. « Alors où est le corps ? Elle était gosse. Elle n'aurait pas eu la force ou n'aurait pas su comment s'en débarrasser.

— Exactement, c'est ma conclusion. Mais puisque je suis là, autant rendre visite à Howard Calder. On ne sait jamais, il pourrait détenir la fameuse information dont il n'a jamais compris l'importance. »

Nick rigola. « Tu as lu trop de mauvais polars.

— Je te l'accorde. Je sais que c'est peu probable, mais tu as eu des nouvelles de l'opérateur téléphonique ?

— Rien jusque-là. Je te préviens dès que j'ai du nouveau. Bonne chance avec Howard. »

Alors qu'elle passait devant l'Ange du Nord, dont les gigantesques ailes d'avion étaient déployées comme pour donner une bénédiction, Charlie se dit qu'il lui fallait plus que de la chance.

13

La maison où Jay Stewart avait passé son adolescence n'avait rien de séduisant. Elle se trouvait au milieu d'une longue rue de maisons mitoyennes en briques rouges sales, dont elle n'était ni la meilleure ni la pire. La porte noire et la peinture blanche étaient crasseuses, mélange de saleté urbaine et de minuscules grains de sable transportés par le vent depuis la plage voisine. Les rideaux semblaient affaissés, comme s'ils avaient perdu toute leur vitalité, et la lumière que l'on voyait derrière le vasistas situé au-dessus de la porte était du jaune pâle déprimant d'une ampoule dont la puissance était trop basse pour l'espace à éclairer. Si l'endroit avait été ainsi vingt ans plus tôt, Charlie n'était pas étonnée que Jay ait décidé de s'enfuir à la première occasion.

Elle appuya sur la sonnette, qui produisit un tintement sonore et agressif. Elle regarda autour d'elle en attendant. À quatre heures par un froid mardi après midi, il n'y avait pas âme qui vive. Pas d'enfants qui jouaient au foot sur la route, pas de jeunes qui traînaient au coin d'une rue en train de fumer, pas de petits groupes de retraités qui bavardaient. On ne percevait absolument rien des vies qui se déroulaient derrière ces portes. On n'avait pas le sentiment d'une communauté, ce qui la surprit. C'était peut-être juste parce qu'elle ne connaissait pas le coin, qu'elle ne savait pas lire les signes.

La porte s'ouvrit derrière elle et elle se retourna vivement. L'homme qui se trouvait dans l'encadrement de la porte avait l'air irrité, ses épais sourcils gris froncés au-dessus d'yeux enfoncés agrandis par ses lunettes à monture d'acier. Il semblait tout en angles aigus – visage maigre, nez comme une lame, épaules osseuses, mains décharnées – le tout comme comprimé dans un espace étroit et compact. Il avait les cheveux entièrement gris et tondus si court sur les côtés que Charlie pouvait voir la chair rose grisâtre de son cuir chevelu. Sa peau était pâle et ridée, et il avait les traits d'un homme qui sourit rarement. « Êtes-vous la personne du conseil municipal ? » demanda-t-il d'une voix encore puissante et impérieuse.

Charlie sourit. Ça ne servait à rien de tourner autour du pot avec cet homme. « Non. Je suis le docteur Charlotte Flint. Je travaille avec la police. Je me demandais si je pouvais parler avec vous de la disparition de votre femme. »

Il se renfrogna davantage. « Un docteur ? De la police ? Je n'ai jamais rien entendu de tel auparavant.

— Je suis ce qu'on appelle une psycho-criminologue. J'aide la police à réunir des preuves contre des personnes soupçonnées de crimes graves comme le viol ou le meurtre.

— Vous avez retrouvé Jenna ? C'est ce que vous essayez de me dire ? » Il releva les sourcils et parut presque heureux.

« Je suis désolée, monsieur Calder. Nous n'avons pas retrouvé votre femme. J'examine en ce moment des affaires dans lesquelles des personnes disparues répondent à certains critères établis pour un criminel connu afin de voir si nous serions à même de tirer au clair certaines disparitions inexpliquées. » Elle lui décocha un rapide sourire avec l'espoir que son mensonge résisterait à cet examen de pas de porte.

Calder fronça les sourcils. « Qu'est-ce que vous voulez dire par critères ? Quel type de critères ?

— Je suis désolée, je ne peux pas vous le dire. C'est confidentiel. On risque un outrage à la Cour *a posteriori*, vous voyez ? » Enveloppez les choses dans assez de verbiage et les gens gobent n'importe quoi. Du moins l'espérait-elle.

« Il faut que je voie une pièce d'identité avant de vous laisser entrer, dit-il, la mâchoire crispée d'un air de défi.

— Sans problème. » Charlie lui présenta sa carte du ministère de l'Intérieur.

« Vous venez de loin », dit Calder en ouvrant la porte et en lui faisant signe d'entrer. L'entrée était aussi vide et froide que la rue à l'extérieur. Un simple plancher verni sans même un tapis pour l'égayer, des murs peints il y a trop longtemps d'une couleur crème. Une vieille odeur de viande froide flottait légèrement dans l'air. La pièce dans laquelle il l'introduisit offrait peu de confort. Elle contenait un ensemble de salon trois pièces à châssis en bois qui avait l'allure d'un modèle G-Plan des années soixante. Les coussins étaient minces et défoncés. Une demi-douzaine de chaises de table dures était rangée contre le mur. La seule décoration consistait en trois échantillons de broderie ouvragée reprenant des textes bibliques. Même de loin, Charlie put voir que c'était un travail exquis. « Quelles belles broderies, dit-elle en s'approchant de l'une d'elles pour la regarder.

— L'œuvre de ma mère », lança Calder avec brusquerie, comme si le sujet était déjà clos. Il fit signe à Charlie de s'installer dans un fauteuil mais ne s'assit pas lui-même. Au lieu de cela, il resta debout devant le chauffage à gaz éteint, les poings serrés dans les poches de son cardigan gris lâche. Il ne lui proposa pas de thé ou de café. « Je dois dire, je suis content de voir que la police n'a pas complètement oublié

Jenna. La police locale n'en avait franchement rien à faire.

— C'est la police locale qui a suggéré que cette disparition pourrait cadrer avec nos autres affaires », répliqua Charlie. Un petit et pieux mensonge, mais la police de Northumbrie avait été gentille avec elle. Ils méritaient bien un renvoi d'ascenseur. « Je connais bien les circonstances de la disparition de votre femme, s'empressa-t-elle d'ajouter, peu désireuse d'entendre à nouveau le récit détaillé des faits. J'ai vu les dossiers. Mais vous connaissiez votre femme mieux que quiconque, et ça m'intéresserait d'entendre votre théorie sur ce qui a pu se passer. Quelle a été votre première réaction quand vous vous êtes rendu compte qu'elle n'était pas chez vous quand elle devait y être ? »

Il eut une grimace de douleur qui tourna à l'embarras. « Je sais que ça paraît idiot, mais la seule chose qui me venait à l'esprit, c'était qu'on l'avait enlevée.

— Vous ne vous êtes pas dit qu'elle avait pu avoir un accident ? »

Il fit non de la tête. « On m'aurait averti. Jenna avait toujours son sac à main sur elle avec ses coordonnées. »

C'était curieux d'être aussi certain d'une telle chose, songea Charlie. « Mais pourquoi aurait on enlevé votre femme ?

— Nous appartenions... » Il se reprit. « J'appartiens à une Église chrétienne évangélique. Nous faisons activement campagne contre les péchés que nous voyons dans notre société. Au moment de la disparition de Jenna, nous protestions énergiquement contre l'ouverture d'un *bed and breakfast* homosexuel ici à Roker, sur le front de mer. Nous avions fait naître un vaste mouvement. Je me suis demandé si on l'avait enlevée pour nous faire reculer. Je pensais alors – et je le pense toujours – que ces créatures sont capables de n'importe quoi. »

Charlie avait toujours horreur de ces moments où elle ne pouvait répondre à des propos intolérants parce qu'il était plus important de soutirer des informations que de s'attaquer à des personnes pleines de préjugés. Elle ravala donc sa réplique mesurée et dit : « Mais vous avez dû renoncer à cette théorie quand vous avez découvert que votre femme avait emporté une valise ? »

Calder se mordilla la lèvre inférieure. « Il s'est avéré que j'avais pu me tromper, concéda-t-il.

— Et alors, qu'est-ce que vous avez pensé à ce moment-là ? »

Il poussa un petit soupir. « Je ne savais pas quoi penser. À mes yeux, notre mariage était on ne peut plus solide. Rien ne me laissait croire dans l'attitude de Jenna qu'il y ait un quelconque souci entre nous. » Il leva les yeux vers le coin opposé de la pièce. « Mais Jenna n'avait pas toujours suivi l'Église. Elle avait laissé derrière elle une vie de péché effroyable avant de renaître dans le sang de l'agneau.

— Vous pensez qu'elle est retournée à cette vie ? »

Son regard glissa sur Charlie en traversant la pièce. « Pas par choix. Mais j'ai lu des choses sur les contrecoups de la drogue. Que les gens peuvent avoir des remontées bien longtemps après. Lors d'événements qui modifient leur perception de la réalité. Je pense qu'elle a dû avoir quelque chose comme ça. Une sorte de dépression nerveuse.

— Et c'est ce que vous pensez maintenant ? »

Il croisa étroitement les bras sur son torse mince. « Je pense qu'elle est morte. Je pense qu'elle a eu une sorte de dépression qui l'a poussée à nous quitter. Et puis quelque chose d'autre s'est passé. Quelqu'un l'a tuée. Ou alors le Démon lui a parlé et l'a poussée à se suicider. Et elle n'a jamais eu l'occasion de se repentir et de revenir. Comment expliquer cela autrement ?

— Vous ne pensez pas qu'elle est partie avec un autre homme ? Pour démarrer une nouvelle vie ? » Il ne répondit rien et se contenta de faire non de la tête, les lèvres pincées. « Elle avait déjà fui son passé auparavant, Monsieur Calder.

— Elle n'aurait pas laissé l'enfant. Elle savait qu'on ne s'entendait pas bien, Jennifer et moi. Elle aurait pris d'autres dispositions. Elle se serait assurée que Jennifer soit prise en charge. » Il se retourna, alla à la fenêtre et regarda dans la rue, les poings sur le rebord.

« J'ai lu le livre de Jennifer », indiqua Charlie.

Il fit brusquement volte-face, le visage empreint de mépris. « Cette abomination répugnante ? Elle a eu le culot de m'en envoyer un exemplaire. Je l'ai jeté à la poubelle. Je ne tolérerai pas les paroles de Satan dans cette maison.

— Alors, vous ne savez pas que le récit que fait Jennifer de cette dernière matinée est différent de celui qui apparaît dans les dossiers de la police ?

— Comment le saurais-je ? Je n'allais pas me salir les yeux avec ces boniments. Je peux vous dire, docteur Flint, que j'aimerais avoir l'argent pour la poursuivre en justice. Ce livre est un ramassis de calomnies obscènes de bout en bout. Ça ne m'étonne donc pas que vous l'ayez prise à mentir. J'ai prié nuit et jour pour l'âme de cette fille, et c'est comme ça qu'elle m'a remercié. Mais que peut-on attendre d'une perverse ?

— Elle dit que sa mère et vous essayiez d'arranger un mariage pour elle. Est-ce le genre de chose que vous aviez à l'esprit quand vous disiez que Jenna aurait pris des dispositions ?

— Tout à fait, répondit-il, désormais triomphant. Nous faisions déjà des projets. Des projets, dirais-je, qui auraient sauvé Jennifer de cette vie de déchéance dans laquelle elle s'est engagée. Il n'aurait pas fallu longtemps avant qu'elle soit mariée. Et à supposer même que Jenna ait décidé qu'elle voulait partir, elle aurait pu attendre ce petit délai supplémentaire. Elle ne se serait pas simplement enfuie sur un coup de tête. Pas sans une autre explication. Comme une crise de nerfs. Ça ne peut pas être un autre homme. Ça aurait pu attendre, vous comprenez.

— Jennifer n'est pas allée au lycée ce jour-là, signala Charlie. Vous êtes-vous jamais demandé si elle en savait plus qu'elle le prétendait ? »

Calder secoua la tête. « Jenna était déjà partie quand elle est revenue de chez le dentiste. Elle s'est alitée parce qu'elle se sentait mal, et elle n'a donc pas remarqué que sa mère n'était pas revenue jusqu'à ce que je rentre. Je l'ai laissée là pendant que je suis allé vérifier si Jenna était toujours au chantier de la résidence Riverdale. Mais l'endroit était désert et fermé à clé. Quand j'ai mis la main sur le gardien, il m'a dit que seuls deux ou trois membres de l'équipe étaient venus ce jour-là, pour terminer quelques trucs. Et Jenna n'en faisait pas partie, d'après lui. Lorsque je suis rentré et que j'ai dit ça à Jennifer, elle s'est affolée. J'ai bien vu qu'elle était vraiment bouleversée. Elle ne faisait pas semblant. Elle n'avait que seize ans, et ce n'était pas une très bonne comédienne. On savait en général ce que ressentait Jennifer, ajouta-t-il avec amertume. Elle ne nous laissait aucun doute là-dessus.

— Cette divergence que j'ai mentionnée, entre le livre de Jennifer et sa déposition, c'est en rapport avec cette visite chez le dentiste. Elle n'en parle à aucun moment. Elle dit qu'elle est allée à l'immeuble le matin, pour découvrir en fait qu'il était fermé à clé et qu'il n'y avait personne. Mais vous venez de dire que, d'après le concierge, il y avait eu quelques personnes pour faire des finitions. Pourquoi y aurait-il deux versions différentes ? » Charlie n'avait d'abord pas tenu compte de ces récits divergents. Elle n'était à présent plus aussi sûre d'avoir bien fait.

« Parce que c'est une petite menteuse. » Il donna l'impression d'avoir envie de cracher pour s'ôter un arrière-goût de la bouche. « Prête à tout pour se donner l'air important. Pour essayer d'attirer l'attention. Elle était déjà perdue moralement quand elle s'est installée ici. Si je l'avais eue depuis son plus jeune âge, ç'aurait été une autre histoire. Je ne crois pas qu'elle soit allée à l'immeuble ce matin-là. Elle était chez le dentiste. La petite menteuse. »

Il ne semblait pas très utile de persister face à une telle véhémence. « Jennifer a l'air de penser que sa mère s'est enfuie avec Rinks van Leer. Son ex-petit ami, rapporta Charlie d'une voix égale et impassible.

— Elle n'était pas avec lui. J'ai vérifié moi-même. De même que la police. Jennifer s'est trompée. Tout ça, ce n'est que mensonges et délire de l'imagination. Je ne crois pas qu'elle ait même connu cet homme avant d'entrer dans ce projet à la résidence Riverdale. C'est ce qu'ont dit les autres bénévoles. Ils avaient des rapports amicaux, mais personne à part Jennifer n'a jamais pensé qu'il se passait quelque chose. Mais pour une raison malsaine, Jennifer a voulu me faire croire que cet homme avait ressurgi du passé de Jenna et l'avait fait disparaître. Des absurdités. De pernicieuses absurdités. Mais je ne m'attends à rien d'autre de sa part. Pas un mot de gratitude pour les années où je l'ai habillée, nourrie, où je lui ai fourni un toit bien qu'elle fût l'enfant d'un autre. Je connais mon devoir en tant que chrétien. » Il s'arrêta brusquement, les joues marquées de deux taches roses.

« J'en suis certaine », acquiesça Charlie avec difficulté. Tout à coup, un lointain souvenir de Jay lui revint à l'esprit, où celle-ci se tenait à l'écart d'un groupe lors d'une fête. Sentant le regard de Charlie sur elle, elle avait levé les yeux, l'air aussi méfiant qu'un chien craintif à l'orée d'une clairière. Avec le recul et l'expérience, Charlie comprenait très bien cette circonspection que Jay avait toujours dissimulée derrière son charisme. Après avoir passé son adolescence à proximité de cet homme, ça n'avait pas pu être facile de trouver un moyen de s'épanouir. Combien de fois s'était-il efforcé de saper l'enthousiasme de Jay ? Jenna s'était-elle sentie déchirée, ou avait-elle tout abdiqué pour le sang de l'agneau ? « Diriez-vous que Jenna était une femme crédule ?

— Elle avait permis à d'autres d'avoir de l'emprise sur elle dans le passé, quand elle marchait dans la voie du péché. Mais une fois qu'elle eut accepté Jésus comme son sauveur, elle fut totalement une femme de Dieu. Sa foi était son roc. Elle ne se serait donc pas laissée prendre à quelque chose qui allait à l'encontre de ses croyances. »

Charlie hocha la tête, faisant mine d'être satisfaite. « Bien, monsieur Calder, je suis désolée de vous avoir fait perdre votre temps. Il me semble très peu probable que votre femme ait été victime de l'homme qui nous intéresse. »

Il courba la tête. « Dieu merci. Contre toute vraisemblance, je continue à prier pour qu'un jour elle franchisse cette porte, prête à être pardonnée. »

Charlie se leva. « J'espère vraiment aussi que vous avez raison », dit-elle, tout en souhaitant de tout son cœur que Jenna se soit vraiment enfuie avec Rinks van Leer. Ou avec n'importe qui, en fait. Malheureusement, elle ne pouvait se résoudre tout à fait à le croire. Mais elle en avait fini avec Howard Calder. Où que se trouvent les réponses à ses questions, ce n'était pas dans ce cafardeux simulacre de foyer.

14

Une chose au moins était certaine : quoi qu'il se fût passé à Roker vingt ans auparavant, cet événement était profondément enfoui. Mais maintenant qu'elle avait fait tout ce chemin, Charlie ne put résister à l'envie d'aller jeter un œil à l'endroit où Jenna Calder avait eu ses rendez-vous galants secrets avec son Hollandais. La résidence Riverdale ne se trouvait qu'à un kilomètre et demi de la maison Calder, mais elle était sur le front de mer. Elle semblait issue d'un autre monde.

De loin, Charlie distingua un bâtiment de brique marron avec des lignes vaguement art déco. De grandes fenêtres donnaient sur la mer agitée par la houle. Un endroit pas désagréable pour passer ses vieux jours, songea-t-elle. Mais en approchant, elle se rendit compte que le lieu était moins charmant qu'il n'y paraissait de prime abord. Une palissade de près de deux mètres fermait le périmètre, et les fenêtres et entrées du rez-de-chaussée étaient condamnées. Charlie se gara en face et remarqua un panneau placardé sur la palissade : *Riverdale. Bientôt un nouveau complexe d'appartements de luxe avec vue sur la mer.* Et au-dessus, une illustration d'immeuble moderne sans personnalité, tout en verre et acier. Si elle était venue quelques semaines plus tard, elle aurait trouvé un chantier de construction, toute trace de l'ancienne résidence Riverdale disparue à jamais.

Charlie traversa la route et longea la palissade. À l'arrière du site, à l'écart de la route, une paire de grilles étaient maintenues ensemble par un cadenas et une chaîne. Charlie secoua le cadenas, mais il était bien fermé. Il y avait un peu de jeu entre les grilles ; si elle avait été maigre, comme Lisa ou Jay elle-même, elle aurait peut-être réussi à se glisser. Mais Charlie avait trop de rembourrage pour ce genre d'aventure. Elle continua son chemin et, à sa grande surprise, lorsqu'elle tourna au coin, elle vit que quelqu'un avait arraché deux panneaux de la palissade. On les avait recalés l'un contre l'autre, mais il y avait une traînée de pas clairement visible dans la boue qui indiquait où se trouvait la brèche.

Par curiosité, Charlie écarta les planches et passa à l'intérieur. Quelques mètres d'herbe écrasée séparaient la palissade de l'immeuble. L'entrée de derrière était recouverte d'une plaque de tôle ondulée qui était agitée de violentes secousses par le vent. Lorsqu'elle s'approcha, elle vit que les clous qui la fixaient à l'encadrement avaient été arrachés dans un coin et jusqu'au milieu d'un côté. Il était possible de pénétrer à l'intérieur en s'accroupissant et en tirant sur la tôle.

Charlie sortit ses clés. Maria lui avait offert une minuscule mais puissante torche à Noël. Charlie n'en avait pas vu l'intérêt mais elle l'avait accrochée à son porte-clés pour faire plaisir à Maria. Elle l'alluma et fut surprise de l'intensité de la lumière qu'elle produisait. Elle se retrouva dans un hall d'entrée qui sentait l'humidité, la cigarette et l'urine. Elle pensa aux rats en entendant de petits bruits de pas précipités, ce qui la fit hésiter à aller plus loin. « Reprends toi, se dit-elle d'un ton sévère. Ils ont plus peur de toi que toi d'eux. »

Il y avait des portes de chaque côté de l'entrée ; 1D et 1E. Elle avança prudemment, remarquant que la porte du 1E était entrouverte. Elle la poussa et éclaira l'intérieur avec sa torche. Un tas de canettes de bières compactées, quelques bouteilles de cidre fort. Des mégots de cigarettes et des boîtes de pizzas. Cela ressemblait plutôt à l'œuvre d'adolescents qu'à quelque chose de plus sinistre.

Derrière le coin, elle trouva les escaliers. Massifs, faits d'une sorte de pierre composite. Charlie monta jusqu'au premier étage et continua son ascension. Lorsqu'elle approcha du deuxième, la cage d'escalier devint sensiblement plus lumineuse. Elle se rendit compte que seules les fenêtres des deux premiers étages étaient condamnées ; aux deuxième et troisième étages, la lumière pénétrait encore dans le bâtiment. Elle vit alors que toutes les portes des appartements étaient ouvertes et qu'elles portaient des marques de coups donnés avec une sorte de lourd marteau autour des serrures. De toute évidence, quelqu'un avait fouillé les lieux pour voir s'il y avait quoi que ce soit de valeur à piquer.

Tout comme les autres, la serrure du 4C avait été forcée. Sans bien savoir pourquoi elle se donnait cette peine, Charlie pénétra dans l'étroite entrée et continua dans ce qui avait sans doute été la salle de séjour. Celle-ci offrait une vue spectaculaire sur la promenade et la plage, les vagues battant à présent dans une écume blanche. Il n'y avait pas de meubles, mais la moquette portait encore des marques anciennes, a priori de chaises, tables et buffet. Un trou béant apparaissait dans le manteau de cheminée là où s'était trouvé l'âtre, ainsi que des carrés pâles sur les murs aux emplacements où des cadres avaient été accrochés. Charlie examina cette pièce fantôme et essaya d'imaginer à quoi elle avait ressemblé.

Elle eut le sentiment qu'il y avait quelque chose de bizarre dans les proportions de la pièce. D'un côté du manteau de cheminée se trouvait une profonde alcôve remplie d'étagères. Pour des livres ou des objets décoratifs, vraisemblablement. Mais ce n'était pas symétrique. De l'autre côté, le mur prolongeait le manteau de cheminée. Au pied des étagères, il y avait une petite grille en métal dans le sol, qui avait sans doute servi à la ventilation du chauffage au sol. Mais il n'y avait pas de conduit correspondant de l'autre côté. C'était curieux, surtout pour une période de l'architecture si obsédée par la proportion et l'équilibre. Intriguée, Charlie sortit de la pièce et alla dans celle d'à côté, pour voir si un ancien habitant avait fait des travaux, afin de créer un placard dans une chambre ou gagner de l'espace dans la salle de bains, par exemple. Mais la pièce attenante au salon était parfaitement régulière et ne contenait aucun renfoncement ni placard.

Charlie revint sur ses pas et observa de nouveau le mur. C'était étrange, indéniablement. Cela devait passer inaperçu une fois la pièce meublée car c'était l'emplacement logique du téléviseur. Et la moquette présentait en effet des marques indiquant qu'il s'était trouvé là. Mais maintenant que le séjour était vide, c'était vraiment bizarre. Elle sortit de l'appartement et traversa le couloir pour se rendre dans le 4D, qui devait être l'image inversée du 4C.

Et ça l'était. Sauf que les deux côtés de la cheminée étaient occupés par des étagères. Il y avait bel et bien une anomalie.

Revenue dans le 4C, Charlie tapa doucement sur le mur mystérieux. Il ne semblait pas aussi plein que les autres, mais il ne paraissait pas complètement creux non plus. Elle le regarda fixement pendant un long moment en réfléchissant. L'immeuble allait être démoli. Ce n'était pas comme si elle allait endommager quelque chose de valeur. D'un autre côté, pourquoi donc envisageait-elle de démolir un faux mur dans un appartement abandonné ?

Tout en retournant le problème dans sa tête, elle ressortit du salon. Elle n'avait rien vu dans la chambre. Ni dans la salle de bains. Pas même un porte-serviettes qu'elle puisse tenter de décrocher du mur. Il n'y avait plus aucun appareil dans la cuisine, mais en essayant d'enlever un plan de travail en granit, quelqu'un s'était raté. Abîmé par le découpage de l'évier, un morceau de cinquante centimètres de granit s'était cassé net. Il faisait une dizaine de centimètres de large du côté le plus étroit, environ trente-cinq de l'autre. Une parfaite massue de l'âge de pierre. Charlie le souleva et le soupesa dans sa main. Oui, elle pouvait décocher un joli coup avec ça.

Il y avait quelque chose de libérateur dans l'idée d'avoir recours à la violence physique après les frustrations des deux ou trois semaines précédentes. Charlie empoigna le morceau de granit à deux mains tel un batteur de baseball, de côté par rapport au faux mur. Pliant les genoux, elle souleva la massue et frappa le mur. Avec tout son poids qui accompagnait le coup, le granit déchira le papier peint et creusa un angle dans le mur avec un léger craquement. Au deuxième coup, le papier se déchira davantage et le trou s'approfondit. Charlie continua à frapper avec acharnement. Au bout du cinquième coup, il devint évident que le mur n'était qu'une plaque de plâtre recouverte de plusieurs couches de papier peint. Après huit ou neuf impacts du granit, elle passa au travers. L'air qui s'échappa vers elle avait une odeur douceâtre de renfermé, pas désagréable cependant. On ne pouvait rien voir par le trou qu'elle avait percé à hauteur d'épaule, aussi Charlie empoigna-t-elle le bord de la plaque de plâtre et tira de toutes ses forces. Un bon morceau lui resta dans les mains, révélant deux étagères, une à hauteur de poitrine, l'autre à la taille. Elles semblaient vides.

« Pourquoi faire ça ? se demanda Charlie à voix haute. Pourquoi emmurer des étagères en parfait état ? » Elle saisit le bord inférieur de la plaque de plâtre, les mains bien écartées, et tira violemment. La plus grande partie du bas du faux mur s'arracha dans un bruyant déchirement de papier peint, faisant chanceler Charlie en arrière. Elle se stabilisa pour retrouver son équilibre et regarda dans le trou qu'elle avait ouvert.

C'est alors qu'elle comprit pourquoi.

15

Les seules momies que Charlie avait vues dans sa vie se trouvaient au Manchester Museum. Et elles étaient derrière des vitrines en verre. Mais cette dépouille macabre n'était pas une pièce de musée aseptisée. Son rapport avec le monde moderne était bien trop frappant : les lambeaux décolorés de vêtements contemporains, la valise de cabine coincée contre le mur du fond. Charlie essaya de se concentrer sur ces vestiges matériels plutôt que sur les restes humains eux-mêmes. Mais le corps réclamait son attention.

La peau était brun foncé et tendue sur les os. Les tissus souples s'étaient desséchés, donnant à la tête l'aspect d'une étrange œuvre de Brit Art : un crâne recouvert de cuir fin comme du papier, les dents offrant un sourire étincelant, les orbites devenues deux horribles trous noirs, les cheveux qui pendaient encore, rêches et ternes. Les membres ressemblaient à du bœuf séché, avec leurs muscles contractés et contorsionnés dans une parodie de position fœtale.

Dans un premier temps, elle ne put s'expliquer ce qu'elle avait sous les yeux. Puis elle se rappela la description de ce qu'avait porté Jenna Calder le jour de sa disparition. Les restes pourris du jean pendaient autour de ses hanches. Le corsage en polyester rose était presque intact, bien que décoloré là où il avait été serré contre la chair. Un imperméable marron était roulé en boule sous la momie, sa boucle de ceinture bien visible. Ce corps pouvait donner l'impression d'être là depuis des siècles, mais Charlie eut la certitude qu'il s'agissait de la mère de Jay Stewart. « Oh mon Dieu ! » fit-elle en reculant involontairement d'un pas et en lâchant le morceau de plâtre auquel elle s'était cramponnée. Sans quitter des yeux son épouvantable découverte, elle fourra la main dans sa poche pour attraper son téléphone.

« Je ne crois pas. »

La voix était venue de derrière elle. La reconnaissant, Charlie fit volte-face avec une moue incrédule, et souhaita que ses yeux donnent tort à ses oreilles. « Lisa ?

— Passe-moi le téléphone, Charlie. » Lisa émergea de l'entrée.

Charlie n'en croyait pas ses yeux : Lisa Kent, en jean noir et veste en cuir noir, qui tenait quelque chose dans sa main droite pointé vers elle. « De quoi est-ce que tu parles ? demanda-t-elle sans comprendre.

— Donne-moi juste ton téléphone. » Lisa lui fit un signe de la main gauche. « Allez, Charlie, ce n'est pas un jeu. » Elle leva la main droite. « C'est une bombe lacrymo. C'est aussi douloureux qu'handicapant. Je ne veux pas m'en servir pour le moment, mais je le ferai si nécessaire. Maintenant, donne-moi le téléphone. »

Déconcertée et abasourdie, sans la moindre idée de ce dont il s'agissait, Charlie décida de coopérer. « Je ne comprends pas », dit-elle en tendant le bras pour poser le téléphone dans la main de Lisa. Elle remarqua que Lisa portait des gants serrés en latex. « Tu te sens bien, Lisa ? Qu'est-ce qui se passe ? »

Lisa rangea le téléphone dans une poche de sa veste. « Je me sens parfaitement bien, Charlie. Tu avais raison au sujet de ces décès, tu sais. C'étaient des meurtres, dit-elle sur un ton détendu, comme si elles bavardaient dans son salon. Recule d'un pas, s'il te plaît. Ça me met mal à l'aise que tu sois si près de moi. Et pas pour les pitoyables raisons que tu souhaiterais », ajouta-t-elle avec une intonation cruelle.

Charlie fit un pas en arrière, prise au dépourvu par la sensation que le monde vacillait sous ses pieds. « Je ne comprends pas, répéta-t-elle. Qu'est-ce que tu as à voir avec tout ça ? Pourquoi es-tu ici ?

— Tu es ridiculement facile à suivre, déclara Lisa avec à nouveau ce ton désinvolte. Tu ne regardes jamais dans ton rétroviseur ? Je savais que tu finirais par venir chez Howard Calder, et il m'a suffi de te suivre. J'espérais que tu ne trouverais aucune piste. Mais je suis venue prête à faire le nécessaire si c'était le cas.

— Mais pourquoi ? En quoi est-ce que tu as le moindre rapport avec tout ça ?

— Tu ne piges vraiment pas, hein ? Tous ces corps, ces gens qui ont compromis le bonheur de Jay... ce n'est pas Jay qui les a tués. Je te l'ai dit : ce n'est pas dans son tempérament de tuer. Elle avait besoin de moi pour le faire à sa place. » Il n'y avait aucune trace de folie dans le doux sourire de Lisa, ce qui était d'autant plus troublant.

« Jay t'a fait tuer pour elle ? » Charlie ne comprenait absolument pas.

« Non, non. Je l'ai fait de ma propre initiative. Je l'ai fait parce que c'était la seule manière que j'avais de lui montrer à quel point je l'aime. » Lisa était presque radieuse à présent. « Elle a besoin qu'on veille sur elle. Mais l'amour qu'il y a entre nous est si fort, si intense qu'elle a peur qu'on soit ensemble. Je suis obligée de lui prouver sans cesse à quel point elle a besoin de moi.

— Tu m'as dit que tu la connaissais à peine. Que vos chemins s'étaient croisés à Oxford, mais que c'était tout. » La seule chose à laquelle Charlie pouvait se raccrocher dans les sables mouvants où elle se trouvait à présent était son savoir-faire professionnel.

Continue à la faire parler, se dit-elle. Quand Lisa parlait, elle n'agissait pas.

Lisa eut un sourire contrit et haussa une épaule. « J'ai menti. Nous étions en couple. J'étais sa première. Et elle était à moi. C'était tellement fort, tellement incroyable. Une vraie transformation. »

Charlie en eut froid dans le dos. Comment diable avait-elle pu ne pas percevoir cette folie ? Elle résista à l'envie de frissonner. « J'ai lu les interviews, Lisa. Elle ne parle pas de toi. Sa première petite amie s'appelait Louise. »

Les paupières de Lisa papillonnèrent. « En effet. J'étais Louise à l'époque. Mais Jay m'a transformée. Et maintenant je suis Lisa. Nous ne parlons pas de cette transformation, vois-tu. Car voilà, Charlie. Certaines choses sont trop fortes pour être partagées avec le monde extérieur, dit-elle rapidement. Connaître une chose comme l'électricité qu'il y avait entre Jay et moi, c'est transcender la réalité normale. C'est impossible à expliquer aux gens qui n'ont qu'une expérience ordinaire du monde.

— Les gens comme moi, tu veux dire ? »

Lisa rit gaiement. « Exactement, Charlie. Maintenant tu commences à comprendre pourquoi je ne pouvais pas avoir une relation avec toi.

— À la différence d'avec Nadia, rétorqua Charlie d'un ton acerbe. Si tu savais, Lisa, comme je ne ressens plus rien pour toi. » Lorsqu'elle prononça ces paroles, Charlie sut que c'était ni plus ni moins que la vérité. Le fait d'être menacée et prise en otage avait l'avantage de vous offrir un point de vue entièrement nouveau sur vos relations.

Pendant un instant, Lisa parut en colère. « Ça n'a vraiment aucune importance pour moi, Charlie. Et je te l'ai déjà dit, Nadia, c'était pour le sexe. La satisfaction d'une pulsion physique. Il n'y a jamais eu de relation entre nous, en aucune manière. Comment est-ce que ç'aurait été possible ?

— Je suppose. Mais je ne comprends pas tout à fait comment tu es passée du statut de copine de Jay à celui d'ange protecteur. J'imagine qu'elle t'a larguée ? » Attention, Charlie, se dit-elle. Ne la mets pas trop en colère. Juste assez pour la déstabiliser.

« On s'est séparées parce qu'on ne pouvait contrôler les forces extrêmes qui existaient entre nous. Depuis, j'ai consacré ma vie à attendre qu'elle soit prête. Et à veiller sur elle pour qu'elle ait la meilleure vie possible jusqu'à ce que ce moment arrive.

— Ce qui implique de tuer les gens qui se mettent sur son chemin ? »

Encore une fois ce sourire éclatant. « Pourquoi pas ? Ce n'est pas comme s'ils étaient au même niveau que Jay et moi.

— Elle est au courant de ça ? » Charlie s'efforça de prendre elle aussi un ton léger, pour cacher son intention de comprendre la pathologie à laquelle elle avait affaire.

Lisa hocha la tête. « Naturellement. C'est important qu'elle comprenne que je lui suis toujours aussi dévouée. Nous restons la gardienne des secrets de l'autre.

— Les secrets de l'autre ? » La question-écho. Un outil toujours efficace. Même avec ceux qui avaient perdu le nord.

« Elle sait que je tue pour elle quand c'est nécessaire. Et j'ai toujours su pour ça, fit-elle avec un vague geste de la main en direction de l'alcôve et de son contenu.

— Tu savais qu'elle avait tué sa mère ? »

L'air indigné, Lisa eut un mouvement de recul. « Tué sa mère ? Ne sois pas ridicule. C'est Howard qui a tué sa mère. Il avait découvert son aventure avec Rinks van Leer et il a suivi Jenna ici ce dernier matin. Il était déterminé à ce qu'elle meure plutôt que de la laisser violer ses principes chrétiens délirants. Quand Jay est arrivée pour parler à sa mère, Jenna était morte. Il lui avait donné un grand coup derrière la tête avec sa batte de cricket. Qu'il a ensuite laissée traîner par terre à côté d'elle. » Lisa leva les yeux au ciel. « Quel con. Donc Jay arrive sur les lieux à temps pour le voir se barrer par la promenade. Elle a peur qu'il soit venu pour empêcher son projet d'évasion, et elle monte ici quatre à quatre. Et elle voit sa vie s'effondrer sous ses yeux. Sa mère morte, son beau-père sur le point de se faire arrêter pour meurtre. Que va-t-il lui arriver ? Le ciel va lui tomber sur la tête. La police, l'Église, les médias. Elle ne va pas passer son bac ni aller à Oxford au milieu de tout ça, si ? Des deux maux, le moindre c'est une mère en fuite, non ? Tu ne penses pas ? » Elle marqua une pause dans l'attente d'une réaction.

« Absolument », répondit Charlie. Ce n'était pas le moment d'essayer de pinailler à propos de ce qui semblait être la version authentique. « Alors elle a caché le corps ?

— Exactement, répondit Lisa comme si elle félicitait un élève particulièrement lent. Il restait encore du matériel de construction un peu partout. Jay avait suffisamment vécu dans la précarité pour connaître le b.a.-ba de la maçonnerie. Elle a enlevé les étagères du bas et emmuré le corps de Jenna avec sa valise. » Lisa regarda derrière Charlie d'un air interrogateur. « Mais je ne pense pas qu'elle s'attendait à en faire une momie. » Elle fronça les sourcils. « Quand elle me l'a raconté, ça donnait l'impression qu'elle avait enfermé Jenna dans un environnement hermétique. Mais ces aérations de chauffage et la cheminée… Elles ont dû dessécher le corps et emporter toutes les odeurs vers le toit. » Elle fronça le nez. « Les vieux sentent de toute façon, non ? On n'allait pas se poser des questions parce que ça puait un peu dans un appartement de vieux.

— Elle t'a raconté ça ? »

Lisa hocha la tête avec enthousiasme. « Ça montre à quel point notre relation est exceptionnelle. Elle ne l'a jamais dit à personne, mais un soir où on était au lit ensemble, elle m'a raconté. Il fallait que je trouve un moyen de répondre à la confiance qu'elle me faisait. Alors quand Jess Edwards l'a menacée, j'ai fait le nécessaire. » De nouveau, ce sourire, si normal qu'il faisait revoir à Charlie sa conception de la folie. « Idem avec ce programmeur suédois. Je ne me souviens même plus de son nom. » Elle secoua la tête, les sourcils froncés. « Bizarre. » Elle haussa les épaules. « En tout cas, ça a vraiment rendu service à Jay parce que j'ai aussi mis la main sur tout son travail. Elle m'a dit que j'avais fait mes preuves, que ce n'était pas la peine que je recommence. Mais quand je l'ai vue cet après-midi-là l'été dernier à Oxford, à Schollie, et qu'elle m'a raconté qu'elle était tombée sur Magda et l'effet que ça lui avait fait, j'ai vu qu'elle ne serait pas heureuse à moins qu'elle puisse s'amuser avec sa gentille petite mariée pendant un moment. Et je ne peux pas supporter de la voir malheureuse.

— Tu as tué Philip Carling ? C'est toi ? » Cette fois, Charlie ne put cacher sa stupeur.

« Bien sûr. J'étais à la même conférence que Jay ce week-end-là. On a pris un verre ensemble juste après qu'elle fut tombée sur Magda. Elle était sur une autre planète. J'ai fait ce que toute personne l'aimant vraiment aurait fait. Je l'ai rendue heureuse. »

Il y eut un long silence. « Tu me dis ça parce que tu as l'intention de me tuer, n'est-ce pas ? »

La sonnerie du téléphone de Charlie empêcha Lisa de répondre. Lisa le sortit de sa poche et regarda l'écran. « Nick Nicolaides, lut-elle. Qui est-ce ?

— Juste un ami, répondit Charlie en s'efforçant de prendre un ton désinvolte.

— Un ami ? Vraiment ? Eh bien, voyons ce que ton ami a à dire à ton répondeur. » Elle attendit en tenant le téléphone devant elle de manière à garder Charlie dans son champ de vision. Le carillon du répondeur retentit bientôt. Lisa pressa l'icône pour le mettre sur haut-parleur et écouta attentivement ; son visage s'assombrit au fur et à mesure que la signification du message lui apparut.

« Charlie, c'est Nick. Incroyable, mais l'opérateur téléphonique nous a recontactés. Jay a passé un coup de fil depuis la montagne. Elle est restée douze minutes en ligne. Le numéro qu'elle a appelé est la ligne fixe de Lisa Kent. Ce n'est pas la femme à qui tu parlais de Jay ? Je pense que tu ferais peut-être bien de faire gaffe. Rappelle-moi quand tu auras ce message. »

Ç'aurait difficilement pu être pire, se dit Charlie. Il ne lui restait plus aucun espoir de s'en tirer en promettant de garder le silence.

Lisa releva la lèvre supérieure d'un air méprisant. « Oh, Charlie, tu ne pouvais pas te mêler de tes affaires, non ?

— Qu'est-ce que tu lui as dit, Lisa ? Est-ce que tu l'as persuadée de couper la corde ? C'est ça qui s'est passé pendant cet appel ? » Le moment était venu de passer à l'attaque, pensa Charlie. La passivité ne la mènerait nulle part à présent.

« Elle m'a appelée parce qu'elle a appuyé sur la touche bis. Elle voulait que j'alerte les secours en montagne parce qu'elle n'avait pas leur numéro et que sa batterie était faible. Je l'ai persuadée de couper la corde et de sauver sa peau s'ils n'étaient pas là d'ici deux heures. Puis je suis allée faire du shopping. » Elle se fendit d'un grand sourire. « Il m'a fallu au moins deux heures pour trouver le temps de les appeler. Ce qui a été une bonne chose, parce que Kathy causait beaucoup de problèmes concernant la vente de topdepart.com.

— Je ne pense pas que le fait d'avoir coupé la corde ait rendu Jay très heureuse. »

Lisa haussa les épaules. « Pendant un moment, non. Mais c'était la meilleure chose à faire à long terme. »

Cela ne faisait pas de doute dans l'esprit de Charlie, elle avait affaire à l'une des personnalités les plus déséquilibrées qu'elle ait jamais rencontrées. C'était profondément humiliant de s'être laissée aller à s'enticher d'elle. Cependant, la complexité et la cohérence du délire de Lisa ainsi que sa capacité à le dissimuler étaient remarquables. Le problème était maintenant que, pour préserver sa vision des choses, Lisa allait devoir tuer Charlie. Il était temps de commencer à essayer de sauver sa peau par la seule manière qu'elle connaissait. « C'est vraiment une mauvaise idée de me tuer, déclara Charlie.

— Je ne pense pas.

— Beaucoup de gens savent que j'enquête sur Jay. Nick Nicolaides. Maria. Corinna Newsam. Si on me retrouve morte ici, avec le corps de Jenna, tout accusera Jay. Tu en feras la suspecte numéro un. »

Lisa rigola. Son rire n'avait rien de fou ; on aurait plutôt dit une personne ordinaire qui a entendu une bonne blague. « Bien essayé, Charlie. Mais pas assez bien. Vois-tu, quand Jay a caché le corps, elle a aussi ramené l'arme du crime chez eux. Elle l'a essuyée et remise à sa place, dans l'abri de la cour d'Howard Calder. Elle est restée là depuis. » Elle recula de quelques pas pour revenir dans l'entrée et porta sa main gauche au sol sans jamais quitter Charlie des yeux. Elle se redressa, une batte de cricket à la main. « Jusqu'à ce matin. Et regarde, ici, en haut du côté plat. Pyrogravé dans le bois. H. Calder. Il reste encore sans doute des traces de l'ADN de Jenna. Qui seront bientôt associées au tien.

— Pourquoi Howard me tuerait-il ?

— Parce que tu as découvert qu'il avait tué Jenna, évidemment. »

Charlie secoua la tête, déconcertée. « Pourquoi Howard aurait-il gardé l'arme du crime ? Pour lui, elle était restée sur les lieux du meurtre. Qu'a-t-il bien pu faire en la voyant réapparaître dans son abri ?

— Bonne question. D'après Jay, il a cru que les choses s'étaient passées de cette façon après le meurtre parce que Dieu lui faisait une faveur. Il a dû être ébahi par la disparition du corps et la réapparition de sa batte de cricket. Elle a toujours pensé que c'était pour ça qu'il avait tellement harcelé la police au sujet de la disparition de Jenna. Il se croyait indestructible parce que Dieu était avec lui. Il avait accompli l'œuvre de Dieu en débarrassant le monde de la pécheresse. Complètement taré, si tu veux mon avis. »

Ce n'était pas le seul, se dit Charlie. « Nick sait que tu es impliquée là-dedans, indiqua-t-elle. Il est policier. Il va poser des questions.

— Il parlera dans le vide. Je m'en sortirai, Charlie. Comme toujours. » Elle appuya la batte contre le montant de la porte et avança d'un pas en levant la bombe lacrymogène. « Adieu, Charlie.

— Non, Lisa. » La voix provenait de l'entrée. Lisa se figea et une expression de stupéfaction et de bonheur se peignit sur son visage. Elle se tourna alors que Jay Stewart entrait dans la pièce, tout en maintenant la bombe pointée sur Charlie mais le regard dirigé vers la porte.

C'était une demi-occasion pour Charlie, mais elle n'osa pas la saisir. Elle ne savait pas du tout de quel côté était Jay. Était-elle là pour aider Lisa ou pour la sauver, elle ? Ou dans un but totalement différent ?

Jay regarda derrière Charlie les ruines du mur qu'elle avait construit dix-neuf ans plus tôt et frissonna. « Bon sang, fit-elle, le visage tordu de douleur. Je n'ai jamais imaginé... » Sa voix s'éteignit et elle se couvrit brutalement les yeux d'une main. Puis elle parvint à se ressaisir. Charlie vit ses épaules se redresser et sa mâchoire se durcir. « Il est temps que ça cesse, Lisa. Ça ne me rend pas service. Je ne veux pas avoir d'autres morts sur la conscience. »

Pour la première fois, le sourire de Lisa était forcé. « Elles ne doivent pas peser sur ta conscience. Elles ne méritent pas que tu t'en soucies. »

Jay secoua la tête. « On ne parvient jamais à s'entendre sur ce sujet, Lisa, dit-elle avec tristesse. Nous n'appartenons pas à une espèce supérieure, toi et moi. Nous sommes des humains, comme les personnes que tu as tuées. Je veux que ça cesse. C'est ça qu'il me faudra pour être heureuse. » Elle revint vers la porte, de sorte que Lisa ne pouvait la regarder en même temps que Charlie.

Lisa faisait pivoter sa tête de l'une à l'autre, tel un spectateur devant une partie de ping-pong. « Tu ne sais pas ce qui est le mieux pour toi, Jay. Tu ne l'as jamais su. Ça a toujours été le problème. » Elle se frappa la poitrine de sa main libre. « Moi, je sais. Partout dans le monde, des gens acceptent l'idée que c'est moi qui sais ce qui est le mieux. Ils viennent à mes séminaires, ils achètent mes livres. Parce que je comprends, parce que je sais ce qui est le mieux. »

Jay secoua la tête. « Je ne veux pas discuter, Lisa. Tout cela est fini. » Elle tendit la main. « Donne-moi la bombe lacrymo. »

Lisa parut sur le point de pleurer. Elle était déchirée entre ce qu'elle voulait faire et ce que Jay lui demandait. « Je ne peux pas faire ça, cria-t-elle. Il faut que tu me fasses confiance, Jay. Pars, maintenant. Pars simplement. Tu n'as pas besoin de participer à ça. Je m'en occupe. Comme toujours.

— Je ne pars pas. » Jay fit un pas vers Lisa, ce qui ferma l'angle et rendit plus difficile pour Lisa la surveillance des deux femmes.

Soudain, Lisa poussa brutalement Jay contre le mur. « Je fais ça pour toi ! » hurla-t-elle avant de virevolter pour faire face à Charlie.

Charlie ferma les yeux et se jeta au sol. Mais au lieu du sifflement d'aérosol attendu, elle entendit des pas précipités, un bruit sourd et le choc d'un objet métallique contre le mur. Puis une voix cria : « Non, Lisa ! » Un nouveau cri et le bruit de corps en mouvement.

Charlie recula précipitamment jusqu'à ce qu'elle heurte le manteau de la cheminée puis ouvrit les yeux pour voir Lisa à terre, aux prises avec Jay. « Lâche-moi ! cria Lisa. Je fais ça pour toi ! »

Jay, qui luttait contre elle, poussa un grognement quand Lisa lui asséna un coup de coude dans les côtes. « Aidez-moi, putain ! », cria-t-elle.

Charlie n'avait pas pris part à une bagarre depuis ses six ans, mais ses chances étaient raisonnables et c'était sa vie qui était en jeu, se rappela-t-elle en se jetant sur les jambes de Lisa qui se débattait. Elle tourna la tête à temps pour voir Jay donner un coup de poing à Lisa dont la tête percuta le sol. Sonnée, Lisa tenta de rendre la pareille à Jay, mais Charlie parvint à lui attraper le poignet.

Puis c'en fut terminé. Lisa, qui avait perdu toute combativité, laissa son corps se relâcher. Jay resta assise sur elle et enleva la ceinture de son jean. « Attachez-lui les chevilles », ordonna-t-elle à Charlie.

Se sentant bête, tel un personnage de mauvaise série télé, Charlie fit ce qu'on lui demandait puis se leva. Avec méfiance, Jay se redressa doucement à son tour et s'écarta de Lisa, qui détourna le visage et serra fermement ses bras contre sa poitrine. Sa mâchoire était déjà rouge et enflée, couverte d'un bleu naissant.

« Je suis désolée, dit Jay en réarrangeant ses vêtements et passant une main dans ses cheveux.

— C'est un peu tard pour ça, signala Charlie. Quatre morts parce que vous ne l'avez pas arrêtée avant aujourd'hui ? Être désolée, ce n'est même pas l'ombre d'un début de compensation.

— Alors qu'est-ce qui se passe ensuite ? Vous allez briser d'autres vies ? Et pourquoi ? Une conception insensée de la justice ? Je sais tout de votre relation à la justice, docteur Flint. Et il y a quatre femmes mortes dont les familles en savent tout autant. »

Toute la rage que Charlie avait contenue jusque-là fit surface. « Ça sauvera des vies de mettre Lisa Kent derrière des barreaux. La mienne, par exemple.

— Vous savez que ce n'est pas forcément vrai. Vous vous rendez bien compte qu'elle est folle à lier ? Vous devez bien avoir un collègue qui serait d'accord avec vous pour dire qu'il faut l'interner. Pour sa propre sécurité. Regardez-la. » Elle désigna Lisa, qui marmonnait des paroles incompréhensibles dans la moquette. « S'il suffit que je me retourne contre elle pour qu'elle réagisse comme ça, je pense qu'on peut affirmer sans trop s'avancer que vous pouvez prouver qu'elle est complètement fêlée. »

Charlie fit non de la tête. « Son délire est trop organisé. Elle se remettra d'aplomb et convaincra les autorités qu'elle est aussi saine d'esprit qu'on peut l'attendre de quiconque. Elle sera libérée, et qui sait ce qui lui paraîtra alors nécessaire ? Il n'y a pas d'alternative, Jay. Nous devons appeler la police.

— Vous mettrez aussi Howard Calder derrière les barreaux.

— C'est là qu'il devrait être. Il a tué votre mère. Ça ne vous fait rien ? »

Jay soupira et regarda fixement par la fenêtre. « Je pense qu'Howard vit dans son propre enfer personnel depuis vingt ans. La prison, la punition, la douleur… ce serait un soulagement pour lui. Alors non, je ne veux pas que la justice fasse payer ce prix minable à Howard. Je suis contente que les choses restent telles qu'elles sont.

— Vous n'avez pas le droit de faire ce choix. Il y a un prix à payer pour faire partie de la société. On ne peut pas établir des règles qui ne s'appliquent qu'à soi même. Je me fiche de savoir combien d'argent vous avez ou à quel point vous êtes une femme d'affaires douée. La loi n'est pas toujours juste. Personne ne sait ça mieux que moi aujourd'hui. Mais c'est ce qu'on a de mieux. Maintenant donnez-moi votre téléphone. »

Jay secoua la tête. « Je ne peux pas faire ça, Charlie. Je ne peux pas aller en prison. Ça me tuerait. Sans parler de ce que ça ferait à Magda. Qui est la véritable innocente dans tout ça. Quand Corinna vous a confié cette mission, pensez-vous vraiment qu'elle voulait que vous détruisiez la vie de sa fille ? Parce que c'est ce que vous ferez.

— Magda a le droit de savoir avec quelle sorte de femme elle vit.

— Bon Dieu ! explosa Jay. Tout ce que j'ai fait, c'est couvrir d'autres personnes. Je n'ai jamais fait de mal à qui que ce soit. Sauf à Kathy, et j'ai essayé de la sauver, vraiment. Ce n'est pas moi la personne mauvaise ici. » Elle donna un coup de pied dans le corps de Lisa étendue face contre terre. « C'est elle la meurtrière, pas moi.

— Vous auriez pu l'arrêter. Vous auriez pu sauver des vies.

— Vous auriez pu arrêter Bill Hopton. Vous auriez pu sauver des vies ! cria Jay. Pourtant, personne ne vous envoie en prison, si ?

— Je ne pouvais pas l'arrêter par des moyens légaux, répliqua Charlie, à présent furieuse. Parce qu'à ce moment-là Bill Hopton n'avait tué personne. Contrairement à Lisa. »

Jay jeta un rapide coup d'œil autour d'elle, comme si elle cherchait l'inspiration. Elle se retourna vers Charlie et joua de tout son charme. « Écoutez, je vous propose un marché. Laissez-moi un peu d'avance. Vingt-quatre heures. Le temps de partir dans un pays avec lequel nous n'avons pas d'accord d'extradition. Un endroit correct, où Magda peut me rejoindre. » Jay ouvrit les mains en grand. « Je ne suis pas une criminelle. Personne ne va mourir à cause de moi si Lisa est sous les verrous. »

Il se passa tout à coup quelque chose dans la tête de Charlie. Elle en avait marre de se faire mener en bateau. Et de jouer les boucs émissaires. Ou qu'on la dédaigne pour son soi-disant manque d'à-propos et de preuves. Et elle en avait plus qu'assez des gens qui pensaient que leurs désirs étaient la seule chose qui importait.

Elle laissa la fine bombe métallique qu'elle avait ramassée par terre glisser dans sa main à l'insu de Jay, qui s'était approchée de la fenêtre. « Vous pensez mériter cette chance ? », lui demanda Charlie d'une voix tendue et dure. Au moment où Jay se retourna pour lui faire face, elle leva la main et l'aspergea de gaz lacrymogène.

Criant et toussant, Jay s'effondra au sol, les mains sur le visage. « Espèce de salope ! bafouilla-t-elle.

— Je recommencerai s'il le faut. » Charlie s'éloigna d'elle et passa au dessus de Lisa. Elle s'accroupit à côté d'elle et lui dit : « Il t'arrivera la même chose si tu tentes quoi que ce soit. » Mais c'était une précaution inutile. À cet instant, Lisa était trop loin dans son monde pour l'entendre. Charlie pêcha son téléphone dans la poche de la veste de Lisa et alla dans l'entrée, à l'abri des éventuels effluves de gaz. Une soudaine vague d'épuisement l'envahit ; elle sentit ses jambes flageoler et sa tête se mettre à tourner. Mais elle avait d'abord une chose à faire. Elle composa le 112 avec lassitude. « Je veux parler à la police, dit-elle. Je veux signaler un meurtre. »

Huit mois plus tard

Les trois personnes assises à la table avaient convergé de différents endroits vers le restaurant turc. Le sergent-détective Nick Nicolaides était venu du ministère des Affaires étrangères où il avait reçu des informations d'un fonctionnaire du service espagnol. Maria Garside était arrivée en taxi de la gare d'Euston ; la ligne Virgin Pendolino depuis Manchester, rapide et régulière, lui avait permis de passer la plus grande partie de l'après-midi au bloc opératoire et de pouvoir tout de même arriver à temps à la capitale pour y dîner. Le Dr Charlie Flint était venue d'un rendez-vous à Holborn avec les représentants de son assurance professionnelle.

« Alors, champagne ? demanda Maria, arrivée la première et impatiente de boire un verre. J'ai déjà commandé une sélection de *mezze*. »

Nick, qui était tombé sur Charlie dans l'entrée, haussa un sourcil interrogateur. « Mon rendez-vous n'a fait que confirmer ce qu'on avait déjà entendu. Ce qui vaut indéniablement le champagne. Mais je ne boirai des bulles que si Charlie a elle aussi de bonnes nouvelles. »

Maria regarda posément Charlie. « Même après huit ans, elle pense encore pouvoir garder ses secrets. » Elle sourit. « Je crois que ce sera une bouteille de champ'. Je me trompe ? »

Charlie s'adossa à sa chaise et lâcha un long soupir. « Étant donné la décision de l'ordre des médecins, selon qui j'ai agi dans l'affaire Bill Hopton avec justesse et professionnalisme, mes assureurs ont accepté de régler tous les dommages et intérêts impayés aux familles de victimes. Alors oui, Nick, c'est une bonne nouvelle. Et oui, Maria, ça mérite bel et bien d'ouvrir le champ'. »

Le sourire qui éclaira le visage de Maria était encore plus appréciable que ne l'avait été cette nouvelle. C'était seulement lorsque l'ordre des médecins avait rejeté la plainte contre Charlie qu'elle avait pleinement saisi à quel point sa compagne avait été sous pression. Le fait que Maria ait demandé si peu d'attention durant leur période au purgatoire rappelait de façon salutaire à Charlie la chance qu'elle avait de toujours l'avoir.

« Dieu merci », dit Maria alors que Nick appelait le serveur d'un signe de main.

Une fois le champagne commandé, ils restèrent assis à se regarder en souriant, savourant la sensation d'avoir survécu à une rude épreuve. « Alors, qu'avaient à dire les Affaires étrangères ? demanda Charlie.

— Les avocats de Lisa ont tenté de la faire déclarer inapte à se défendre, mais le tribunal n'a pas marché.

— Ce n'est pas si surprenant qu'on pourrait le penser, indiqua Charlie. Quand elle n'est pas en train de se rouler par terre en baragouinant, elle est capable de simuler un haut degré de normalité. Il y a très peu de situations dans lesquelles elle pourrait ne pas paraître décemment normale. »

Nick fit une grimace. « Ton idée de la normalité est clairement très éloignée de la mienne.

— Tu ne l'as jamais vue au sommet de son charme, dit Maria. Elle t'aurait totalement envoûté. Comme ses milliers de disciples de SV.

— Je vais devoir vous croire sur parole. En tout cas, vu que les Espagnols étaient déterminés à aller en justice, ses avocats l'ont persuadée de plaider coupable. Les preuves matérielles étaient vraiment indiscutables. Il y avait son ADN partout dans la villa où Ingemarsson a été tué. Ils avaient des traces de sa traversée en ferry et de son séjour dans un hôtel près de Santander. Il y a toujours eu une montagne d'indications sur le tueur. Mais ils n'avaient jamais eu de suspect avec qui les comparer.

— Je n'arrive pas à croire qu'elle ait été si négligente, dit Maria. C'est comme si elle avait voulu se faire prendre.

— Ça arrive avec certains tueurs. Mais je ne crois pas qu'elle en fasse partie. » Charlie marqua un temps d'arrêt pendant que le serveur versait le champagne. Ils trinquèrent, puis elle reprit. « Je pense que Lisa se croyait invincible. Que la justesse de sa cause était si évidente pour elle qu'on ne pouvait l'arrêter. C'est une sorte de croyance magique que s'autorisent certaines personnalités narcissiques. Mais elle a simplement eu de la chance.

— Et pas qu'un peu, dit Nick d'un ton amer. Je n'en reviens toujours pas que ces salopards du ministère public aient décidé qu'il n'y avait pas assez de preuves pour la poursuivre pour les horreurs qu'elle a commises ici. »

Charlie haussa les épaules. « À ce stade, ils savaient que les Espagnols feraient le sale boulot à leur place. Et alors, combien elle a pris ? »

Nick eut l'air sombre. « Trente ans. Pas très marrant dans une prison espagnole.

— C'est pour ça que son avocat a déjà entamé des démarches pour essayer de la faire transférer dans une prison anglaise. Et s'il y arrive, je vous parie une livre contre une montre en or qu'elle purgera sa peine dans un hôpital psychiatrique sécurisé plutôt que dans une prison.

— Comment ça se fait que tu es au courant de ce que fabrique son avocat ? » questionna Nick.

Charlie parut légèrement embarrassée. « Parce que je l'aide à monter le dossier », avoua-t-elle.

Nick eut l'air stupéfait. « Elle a essayé de te tuer, Charlie.

— Je sais. Mais elle est malade. » Charlie tripota le pied de son verre. « On ne peut pas la tenir pour responsable. La personne qui devrait l'être et qui ne le sera jamais, c'est Jay. C'est pour ça que je l'ai prise en tête à tête pour qu'elle me raconte toute l'histoire.

— Tu as eu des tête-à-tête avec Jay Stewart ? » La voix de Nick monta d'une octave.

Charlie haussa les épaules. « Pourquoi pas ? Elle n'a rien de mieux à faire de ses journées dans l'immédiat. Elle n'a peut être écopé que d'une condamnation avec sursis pour dissimulation de corps, mais ça l'a rendue *persona non grata* auprès des actionnaires de 24/7. Ils l'ont virée du conseil d'administration, et elle est forcée de se faire oublier et de panser ses blessures. Alors autant parler avec moi. »

Nick secoua la tête, émerveillé. « Tu ne cesseras jamais de m'épater, Charlie. Et alors, qu'est-ce qu'elle raconte ?

— J'ai enfin pu entendre les débuts de l'histoire. Lisa Kent n'a pas toujours été Lisa Kent. Elle a commencé sa vie sous le nom de Louise Proctor. Jay et elle sont tombées amoureuses à Schollie et ont eu une de ces histoires d'amour totalement dévorantes. Jay a commis l'erreur fatale de lui raconter le meurtre de Jenna et comment elle avait caché le corps. Elle dit que ça l'a mise à la merci de Lisa, mais il y a une part de pipeau là-dedans. Elle devait savoir que les peines encourues pour ce qu'elle avait fait étaient négligeables comparé à ce que faisait Lisa. » Charlie vit sa colère et son dégoût reflétés sur le visage de ses compagnons. « Même à l'époque, il était évident que Lisa était complètement obsessionnelle, et quand Jess Edwards a entamé sa campagne contre Jay, elle a décidé que c'était son rôle de protéger celle qu'elle aimait. Alors elle a tué Jess. C'est Louise que Corinna a vue dans la prairie ce matin-là, pas Jay. »

Il y eut un instant de silence autour de la table, durant lequel ils réfléchirent tous aux conséquences de cette erreur d'identification. « Bien sûr, ça l'a énormément angoissée d'avoir commis un meurtre, même si elle était convaincue de son droit absolu de défendre Jay par tous les moyens nécessaires. Mais à ce moment-là, sa famille a flippé en découvrant qu'elle vivait une relation lesbienne, et ils l'ont emmenée illico dans un lieu de retraite catholique extrémiste où elle a rapidement essayé de se suicider, à deux reprises. Elle a fait une grave dépression. Elle a pris une année de pause, puis elle est revenue à Oxford, mais pas à Schollie. Elle a fait un transfert pour University College, changé de nom et d'apparence. Elle a même essayé de devenir une gentille fille hétéro.

— La recette idéale pour une bonne santé mentale, commenta Maria, pince-sans-rire.

— Eh bien, ça a marché en apparence. Elle s'est suffisamment adaptée pour faire une synthèse de toutes les méthodes thérapeutiques qu'elle avait expérimentées et créer un programme d'épanouissement personnel qui a lentement commencé à marcher. » Charlie soupira. « Ce serait beau de penser qu'elle aurait pu s'en sortir si elle n'avait jamais revu Jay. Mais la réalité, c'est qu'elle aurait sans doute trouvé quelqu'un d'autre sur qui projeter ses fantasmes délirants.

— Mais je suppose qu'elle a recroisé le chemin de Jay ? » questionna Lisa.

Avant que Charlie ne puisse répondre, la nourriture commença à arriver. Des serveurs se relayèrent pour disposer une douzaine de plats devant eux, et il y eut un bref silence alors qu'ils commençaient à manger. « Comment se sont-elles revues ? demanda Nick après avoir dévoré un pain pita entier recouvert d'une épaisse couche de caviar d'aubergine.

— D'après Jay, Lisa a lu un article sur elle quand topdepart.com a commencé à décoller. Un matin, en arrivant à son bureau, Jay a trouvé l'endroit rempli de fleurs. Elles étaient accompagnées d'une carte avec le nom d'un bar et une heure. Jay s'est dit qu'il n'y avait pas de réel danger dans un lieu public, et elle y est donc allée. Et Lisa était là.

— Je parie que ça l'a complètement achevée, dit Nick. Elle avait dû se croire libre et tranquille après tout ce temps.

— Jay dit qu'elle a essayé de ne pas se laisser entraîner à nouveau. Mais Lisa est très persuasive. Et très forte pour se faire passer pour une personne normale, saine d'esprit, sympathique. Et puis il y avait le petit souci du meurtre de Jess. Jay était bien consciente d'être celle qui avait un mobile et pas d'alibi. Elle prétend avoir eu peur de ce que pourrait faire Lisa si elle refusait tout contact. Alors elle est allée dans le sens de Lisa et lui a fait tout un topo comme quoi elles étaient destinées à être ensemble mais pas tout de suite. Il y aurait des épreuves et des défis à relever avant qu'elles soient dignes l'une de l'autre.

— Bon sang, s'exclama Maria. Rappelle-moi encore, c'est laquelle, la cinglée ?

— De toute évidence pas Jay, répondit Nick. C'est elle qui s'est sortie de tout ça sans rien de plus sévère qu'une peine avec sursis. Son beau-père a pris perpète pour avoir tué sa mère, son ex va passer trente ans dans une prison espagnole et Corinna Newsam a dû démissionner de son poste de prof pour n'avoir pas révélé qu'elle avait vu quelqu'un dans la prairie. Mais Jay a encore ses actions de 24/7, sa grande maison à Chelsea et son agréable petite vie.

— Plus tout à fait aussi agréable maintenant, indiqua Charlie. Elle n'a plus Magda.

— Ah bon ? J'apprends quelque chose, dit Nick.

— Je ne t'ai pas dit ? Magda l'a larguée dès qu'elle a découvert que c'était Lisa qui avait tué Philip. Elle s'est rendu compte que Jay devait être au courant depuis le début et que tout leur plan concernant Joanna et Paul n'était qu'une combine pour donner l'impression que Jay lui était totalement dévouée. Elle a été anéantie à l'idée d'avoir dû endurer un procès pour meurtre dans le seul but que Jay fasse bonne impression.

— Même s'ils ont effectivement commis le délit d'initié pour lequel ils sont toujours en prison, souligna Maria sans la moindre indulgence.

— Pauvre Magda. Encore une vie foutue en l'air, grâce à Jay et à Lisa, dit Nick.

— Pas tout à fait, précisa Maria. Dis-lui, Charlie.

— Corinna est furieuse. Magda sort avec une metteuse en scène lesbienne qui essaie de tomber enceinte par insémination artificielle. On espère tous qu'Henry va mourir d'apoplexie quand elle finira par y arriver.

— Ça se termine donc plutôt bien pour Magda, dit Maria. Et elle a donné tout l'argent que Philip avait gagné par délit d'initié au service d'oncologie où elle travaille. On l'a emmenée dîner il y a deux ou trois semaines et elle nous a tout raconté sur leurs merveilleux nouveaux équipements. »

Avant qu'il puisse réagir, un flot de notes arpégées à la guitare acoustique s'éleva de la veste de Nick. Il s'empara promptement de son téléphone en jurant tout bas. « Je suis désolé, il faut que je réponde, dit-il en se levant d'un bond et en se dirigeant vers la porte. Le boulot. Désolé. »

Charlie le regarda s'éloigner, un sourire affectueux aux lèvres. Puis elle se retourna vers Maria. « Je suis bien contente que ce procès soit terminé. Je sais qu'il y a encore du travail à faire pour que Lisa soit transférée dans un lieu adapté au Royaume-Uni, mais j'ai un peu le sentiment qu'une page se tourne. »

Maria posa sa fourchette et dévisagea longuement Charlie avec placidité. « Tu étais amoureuse d'elle, n'est-ce pas ? »

Charlie eut la sensation qu'un gouffre s'ouvrait sous ses pieds. « Pardon ? » laissa-t-elle échapper.

Le sourire de Maria était empreint de tristesse. « Ne t'en fais pas, Charlie. Je sais que c'est fini.

— Je n'ai jamais... »

Maria se pencha en avant et posa un doigt sur les lèvres de Charlie. « Chut. Pas besoin de t'expliquer. Je me dis que c'était ton amour diabolique, comme dans les contes populaires. Celui auquel on ne peut résister. Je vais être honnête, Charlie. J'ai eu peur de te perdre. Quand j'ai vu la façon dont tu évitais de la regarder à Skye, j'ai été certaine que tu la choisirais elle plutôt que moi.

— Je ne pouvais pas te quitter, dit Charlie, sa voix se cassant sous l'effet de la tension.

— Je le sais à présent. Mais pas à ce moment-là. Je suis bien contente que tu sois redescendue sur terre. »

La gorge de Charlie se serra. « Moi aussi. » Sur ses paroles, Nick reparut à grandes enjambées dans le restaurant avec un sourire soulagé.

Maria parla rapidement, déterminée à dire ce qu'elle avait à dire avant qu'il n'arrive auprès d'elles. « Et si jamais tu songes de nouveau à me trahir, tu regretteras que Jay ait empêché Lisa d'ajouter un scalp à son tableau de chasse. » Elle eut un sourire sans joie. « Et ça, je peux te le garantir. »

Remerciements

Ce livre a des origines lointaines. Tout a commencé lorsque Mary Bennett et ses collègues de St Hilda's College, à Oxford, ont fait une découverte qui méritait qu'on s'y attarde. Par une heureuse coïncidence, j'étais en train de l'écrire quand le conseil d'établissement actuel m'a nommée membre honoraire, une distinction qui me remplit d'une fierté inexprimable.

Je tiens en particulier à remercier Manda Scott et Leslie Hills, qui m'ont expliqué en détail divers scénarios d'escalade ; le professeur Sue Black, dont les facultés d'explication et de description m'ont été comme toujours très précieuses ; mon éditeur, David Shelley, qui m'indique par ses conseils avisés comment améliorer mon texte ; Stephanie Glencross, dont le sens de l'intrigue est sans pareil ; ma correctrice, Anne O'Brien, qui me maintient sur le droit chemin ; ainsi que mon agent Jane Gregory et son équipe.

Je ne pense pas que je pourrais faire ce métier sans ma femme Kelly et mon fils Cameron. J'imagine que je ne suis pas marrante du tout quand je suis au beau milieu d'un livre, et pourtant ils me donnent leur amour, leur indulgence, leur soutien et surtout, leur rire. Plus que trente-cinq autres, les gars…

10707

Composition
NORD COMPO

Achevé d'imprimer en Slovaquie
par NOVOPRINT SLK
le 5 mai 2015.

Dépôt légal février 2014.
EAN 9782290078020
OTP L21EPNN000286B002

ÉDITIONS J'AI LU
87, quai Panhard-et-Levassor, 75013 Paris

Diffusion France et étranger : Flammarion